DOROTHEA LOHMEYER

Faust und die Welt

Der zweite Teil der Dichtung
Eine Anleitung zum Lesen des Textes

VERLAG C.H.BECK MÜNCHEN

CIP-Kurztitelaufnahme der Deutschen Bibliothek

Lohmeyer, Dorothea
Faust und die Welt: der 2. Teil d. Dichtung;
eine Anl. z. Lesen d. Textes
(Edition Beck)
ISBN 3 406 05699 7

ISBN 3 406 05699 7

Umschlagentwurf von Helga Agara, München unter Verwendung eines Bildes von
Max Beckmann aus: J. W. Goethe, Faust. Der Tragödie zweiter Teil. Mit den 143
Federzeichnungen von Max Beckmann München: Prestel-Verlag 1970. Die Verwen-
dung geschieht mit freundlicher Genehmigung der Eigentümer der Illustrationen

© C.H.Beck'sche Verlagsbuchhandlung (Oscar Beck) München 1975
Gesamtherstellung: C.H.Beck'sche Buchdruckerei Nördlingen
Printed in Germany

Vorwort

Die vorliegende Studie ist die Neufassung einer Arbeit gleichen Titels, welche 1940 in beschränkter Auflage erschienen, bald vergriffen war. Sie folgt der dort angewandten Methode, Denkformen der Goethischen Naturphilosophie für das Verstehen der Dichtung des II. Faust zu benutzen. Der Text basiert auf den früheren Deutungen, kann aber in der vorliegenden Form nicht mehr als zweite Auflage bezeichnet werden, da die Erweiterungen das Maß einer Bearbeitung überstiegen haben. Dabei ist aus der früheren partiellen Frage nach den „Arten und Graden der Wirklichkeit" in der Dichtung ein allgemeines Bemühen um das genaue Verstehen ihres Textes geworden, der in großen Teilen schwer verständlich ist. Der Umfang hat es verboten, die detaillierte Erklärung auf den vierten und fünften Akt auszudehnen. Dafür sind im allgemeinen Teil die Linien überall bis zum Ende durchgezogen.

Sprechen ist auf Verstehen angewiesen, das dichterische Sprechen ist ein Sprechen in Formen. Die scheinbare Vertrautheit mit der Bilder- und Formensprache dieser Dichtung: ihre Verwendung christlicher, antiker und jüdischer Mythologie, ihr Gebrauch der klassisch-dramatischen als der Form, in der die Handlung in den Kategorien von Charakter und Schicksal abläuft, hat dazu verleitet, die Dichtung nach jeweils vorgegebenen Inhalten und Schematen auszulegen. Das führte in die bekannten Aporien des Verständnisses, zu der durchgängigen Ergänzung der Dichtung durch ihre Vorstufen, zu dem entschuldigenden Hinweis auf die versagende Formkraft des alten Dichters, schließlich zur Unsicherheit über den Sinn des Ganzen.

Diese Dichtung ist kein psychologisches, sondern ein kosmisches Drama, die Personen handeln nicht als Charaktere, sondern wirken als Allegorien[1] von Kräften. Für dieses philosophische Weltspiel wurde von Goethe alle übernommene Form im eigenen Sinne umgewandelt, und selbst das Vokabular der Sprache ist häufig nicht mehr mit dem gewöhnlichen Wortsinn verbunden, sondern nach Art des wissenschaftlichen Terminus Chiffre für eine spezifische eigene Aussage.[2]

So setzt das Verstehen des Textes ein Erkennen der Form voraus. „Man sollte einen Text nicht auslegen, ehe man das Ganze, dessen Teil dieser Text ist, als Form zu begreifen suchte" (Max Kommerell).[3]

München, Herbst 1974   *Dorothea Hölscher-Lohmeyer*

Inhalt

Allgemeiner Teil

Fausts Gang durch die Welt

Gesellschaft

Schönheit in der Geschichte

Allgemeiner Teil

„Denn zur Einsicht in den geringsten Teil ist
die Übersicht des Ganzen nötig."

Geschichte der Farbenlehre 6, 69

Mit Botanik gibst du dich ab? mit Optik? Was tust du?
Ist es nicht schöner Gewinn, rühren ein zärtliches Herz?
Ach, die zärtlichen Herzen! Ein Pfuscher vermag sie zu rühren;
Sei es mein einziges Glück, dich zu berühren, Natur![4]

Es gehört zu den wichtigsten Daten seiner geistigen Biographie, daß
Goethe sich in den frühen Weimarer Jahren dem Studium der Natur
zuwandte.[5] Die Beschäftigung nimmt im Laufe des Lebens an Umfang
und Bedeutung zu, und noch die leidenschaftliche Teilnahme des
Achtzigjährigen gilt einem Wissenschaftsstreit über Probleme der
Skelettbildung.[6] Was sich dahinter verbirgt, ist kein partielles Interesse;
durch das Studium in Botanik, Osteologie, Farbenlehre, Geologie und
Meteorologie erwachsen ihm Einsichten in die Bildungsweise der Natur,
die sich ihm allmählich zu allgemeinen Denkformen zusammenschließen;
sie helfen ihm auch andere Bereiche und schließlich den ganzen Bereich
des Menschen im Sozialen, Politisch-Geschichtlichen, Psychologischen
und Künstlerischen deuten. Der Natur entnimmt Goethe die Denkformen für das Gesetzliche überhaupt. Es entsteht ein neuer Begriff von
Wirklichkeit, den mitzuteilen ihm die Kunst eine angemessene, ja die
einzige Möglichkeit anbietet. Und so wird die Kunst für ihn im Alter dienend. Sie wird zu der Form, in der sein glücklich angelegter, durch viel-
seitige Studien gesteigerter Geist sein umfassendes Weltbegreifen ausspricht; in der Altersdichtung vermittelt Goethe seine Welterkenntnis.
    Damit rückt die Dichtung aufs engste mit den Aufzeichnungen zusam-
men, in denen er seine naturwissenschaftlichen Erkenntnisse niederlegte.
Es sind verschiedene Äußerungsformen desselben reif gewordenen
Geistes, die sich nur darin unterscheiden, daß die wissenschaftlichen
Schriften Erkenntnisse mitteilen, die in jedem Fall den Charakter der
Beweisbarkeit haben; während die Dichtung darüber hinaus das
Resumée aus dem Erkannten zieht und, indem sie die Grenzen des wis-
senschaftlich Erkennbaren überschreitet, zugleich eine Art von Glauben
vermittelt.
    Wenn hier versucht wird, Goethes Naturphilosophie zur Deutung des
II. Faust heranzuziehen, so liegt die Rechtfertigung dazu in eben dieser
besonderen Beziehung zwischen Poesie und Wissenschaft. Aber Goethe
hat der Poesie nicht nur Einsichten allgemeinster Art anvertraut: Dichtung selbst wird der Natur nachgebildet zu einer Art „anderer Natur".[7]
Es ist der Grund, warum seine Altersdichtung die gewohnten poetischen

Gesetze sprengt und eigene Formen ausbildet, die ohne die Belehrung aus seiner Naturwissenschaft unerklärlich blieben.

Der II. Faust ist die umfassendste Aussage dieser privaten Weltreligion und damit die aufregendste Urkunde, die uns von Goethe im Alter hinterlassen wurde. Er selbst behandelt die Dichtung wie sein Vermächtnis, und das Zeremoniell, mit dem er die Arbeit abschließt, gibt ihr in der Tat etwas Testamentarisches. Nachdem er nämlich Teile davon den Nächsten vorgelesen hat, versiegelt er das Opus ein halbes Jahr vor seinem Tode[8] und entzieht es damit dem Echo seiner Zeit. Humboldt und Boisserée gegenüber begründet er sein Verhalten damit, daß er fürchte, das Werk werde in der Turbulenz des Tages untergehen.[9]

Als Vermächtnis will die Dichtung indessen keine Lehre sein für künftige Generationen, kein Paradigma einer moralischen Entwicklung, wie das fortschrittsgläubige 19. Jahrhundert sie verstand: Faust als der Sich-Läuternde; denn ist etwa der Totschlag an den beiden Alten – als Fausts letzte Tat vor seinem Tod – dasjenige, womit er sich das Himmelreich verdiente? Auch kein Beispiel einer letzten göttlichen Erlösung, wie die christliche Exegese die Dichtung verstand: Faust als der Sündige, den schließlich doch die verzeihende Gnade aufnimmt; was sollte der Anfangsmonolog bedeuten, der Faust, um sich des Göttlichen zu bemächtigen, auf Aneignung der Welt verwies? – Diese Dichtung stellt Mensch und Welt unter keine Forderung: sie will nicht lehren, was sein soll, sondern sagen, was ist.

Vermächtnis Goethes ist der II. Faust, insofern er das Fazit seines Lebens ist. Die Dichtung ist gewissermaßen er selbst noch einmal, objektiv und von außen gesehen, und damit das prägnanteste Dokument der distanzenreichen Haltung des alten Goethe zu sich selbst.

> Es geht mir damit wie einem, der in seiner Jugend sehr viel kleines Silber- und Kupfergeld hat, das er während dem Laufe seines Lebens immer bedeutender einwechselt, so daß er zuletzt seinen Jugendbesitz in reinen Goldstücken vor sich sieht.[10]

Insofern war das 19. Jahrhundert im Recht, daß es die Dichtung als Lebensbeichte nahm, Faust gleich Goethe setzte und die Geschicke des Helden aus Goethes Leben zu verstehen suchte. Aber die Dichtung ist keine Nacherzählung des Goethischen Lebens; sie ist dieses Leben als Schema und erzählt den Lebenslauf eines Menschen, wenn man ihn von der Natur aus versteht, als den Lebenslauf eines der unzerstörbaren Lebenszentren, die Goethe mit Leibniz und Aristoteles Monaden oder Entelechien nannte. Daß er der Biographie einer solchen Lebenseinheit Farben und Züge seines eigenen Lebens einzeichnete und damit dem Leben Fausts die Einmaligkeit des Konkreten gab, hängt mit Goethes

Art zu sehen zusammen; denn alles Allgemeine zeigt sich ihm nur als Besonderes.

Damit setzt der zweite Teil den ersten in der merkwürdigsten Weise fort. Der erste Teil erzählt das Leben eines Einzelnen, seine Begegnung mit den Geistern im Innern und sein Glück und Leid draußen in der Begegnung mit dem geliebten Du, gleichsam die Geschichte des menschlichen Herzens. Im zweiten Teil ist die Sicht erweitert, der Mensch selber ein Teil der Natur. Die Geschichte Fausts, die zunächst als eine Herzensgeschichte erzählt wurde, wird im zweiten Teil weitererzählt als die Lebensgeschichte eines kosmischen Ichs.

Naturwissenschaftliche Denkformen

„Über viele Dinge kann ich nur mit Gott reden."[11] Ein solches überraschendes und zugleich aufschlußreiches Wort äußert Goethe im Alter Nahestehenden gegenüber und durchbricht damit die Verschwiegenheit, mit der er sein spätes Denken gewöhnlich umgab. Es verrät sich darin die Haltung eines Mannes, dem die Kommunikation mit den Zeitgenossen schwer geworden ist.

Das liegt nicht am Gegenstand; was sich der Mitteilung unter Menschen überhaupt entzieht, sind keine Angelegenheiten seines gläubigen Herzens, keine religiösen Gewißheiten. Dem ganz aufs Allgemeine gerichteten objektiven Sinn des alten Goethe entsprechend, betreffen sie die Welt, und in einem Gespräch über die Welt ist ihm Gott der einzige Gesprächspartner.

> . . . ich gestehe Ihnen, daß ich lieber gerad nach Hause zurückgekehrt wäre, um aus meinem Innersten Phantome jeder Art hervorzuarbeiten, als daß ich mich noch einmal wie sonst (da mir das Aufzählen eines Einzelnen nun einmal nicht gegeben ist) mit der millionenfachen Hydra der Empirie herumgeschlagen hätte.[12]

Solche Bemerkungen des Mißbehagens, an Schiller 1797 von der Reise in die Schweiz geschrieben, mehren sich im Alter.[13] Die Abneigung gilt der Realität, wie sie sich dem sinnlichen Auge, „den Augen des Leibes"[14] zeigt, in der die Dinge stofflich, zufällig, mit dem Anspruch auf Einmaligkeit da sind; in der es regellose Mannigfaltigkeit, blinde Kausalität und die Zeit als unaufhörliche Veränderung gibt. Dieses „Zufällig-Wirkliche" nennt Goethe in einer Maxime das „Gemeine", weil wir an ihm „weder ein Gesetz der Natur noch der Freiheit für den Augenblick" zu „entdecken"[15] vermögen.

Aus diesem Mißbehagen resultiert sein Entschluß einer systematischen Beschäftigung mit den Naturphänomenen; und schon die Entdeckung der Urpflanze im Botanischen Garten von Palermo 1787, wo ihm „die ursprüngliche Identität aller Pflanzenteile" plötzlich „vollkommen einleuchtete",[16] widerfährt ihm „im Angesicht so vielerlei neuen und erneuten Gebildes".[17] Es geht ihm bei aller Naturforschung, wie er zu Eckermann sagt, immer bloß darum, „die einzelnen Erscheinungen auf ein allgemeines Grundgesetz zurückzuführen".[18]

So wie er im Blatt – einer Art von Urblatt[19] – die bildende Form erkannte, die sich vom Samenkorn und den Keimblättern bis in die Blütenblätter und Staubgefäße hinein wiederholt und also formend die einzelnen Teile der Pflanze bestimmt, wobei die Lebensbedingungen des einzelnen Exemplars wie die Funktion seiner Teile auf die Urform verwandelnd einwirken, so entdeckte er an einem geborstenen Schafsschädel,[20] daß auch die Gesichtsknochen aus Wirbeln abzuleiten seien, so daß ihm der Wirbelknochen[21] für die Skelettbildung des Organismus der Säugetiere leistete, was ihm das Blatt für die Pflanzenbildung entdeckt hatte: Natur bildet im ganzen organischen Bereich nach *einem* Verfahren, indem sie eine Urform in ständiger Verwandlung immer wieder durchsetzt. Dieses Verfahren faßt Goethe unter dem Begriff der Metamorphose; und wenn er von ihr sagt, daß sie ihm „der Schlüssel zu allen Zeichen der Natur"[22] wird, so darf man Natur hier in ihrer Bedeutung nicht zu eng fassen. Natur und Geist, Welt und Seele sind für ihn „Dualitäten der Erscheinung als Gegensatz";[23] das heißt, polare Erscheinungen dessen, was Goethe Leben nennt, das überall nach demselben Formgesetz bildet. „Die für mich nun über vierzig Jahre alte Maxime gilt noch immer fort", schreibt er 1830 an Eckermann über die Metamorphose, „man wird durch sie in dem ganzen labyrinthischen Kreise des Begreiflichen glücklich umhergeleitet und bis an die Grenze des Unbegreiflichen geführt, wo man sich denn nach großem Gewinn gar wohl bescheiden kann."[24]

Aus einer Einsicht also, im Bereich der Botanik und organischen Anatomie gewonnen, bildet sich für Goethe in dem Prinzip der Metamorphose eine Denkform, die ihm das Phänomen des Bildens über das Organische hinaus auch in anderen Bereichen, der Natur wie des Menschen, verstehen hilft.

Diese erfährt eine notwendige Ergänzung in dem Gesetz der Polarisation,[25] das Goethe das Prinzip des Lebens als Bewegung entschlüsselt. Allem Lebendigen nämlich wohnt von Anbeginn eine Spannung[26] inne, das heißt, eine Bereitschaft des Einen sich zu entzweien, die sich auf niederer anorganischer Stufe als Trennung in zwei Pole, auf höherer organischer als Scheidung in zwei Geschlechter äußert. Aber immer stellt sich als Drittes zugleich ein Mittleres ein, das bestrebt ist, die beiden Pole wieder zusammenzufügen, sei es in der Weise der magnetischen Anziehung, sei es in der des Sehnens der Geschlechter nach Liebesvereinigung. Und so wie jeder Entzweiung die Vereinigung folgt, so vollzieht sich diese nur, um sich gleich wieder aufzulösen, und so bis ins Unendliche. In dieser Bewegung befördert sich alles Leben.

> Das Geeinte zu entzweien und das Entzweite zu einigen ist das Leben der Natur.[27]

Doch indem sich das Leben auf diese Weise polar bewegt, bewegt es sich nicht immer auf derselben Stufe; Vereinigung ist auch Vereinigung auf höherer Stufe; alles Lebendige, indem es wächst, steigert sich; die Vereinigung der Pole ist zugleich auch Steigerung.[28] Diese Tendenz zur Steigerung ist der Natur überhaupt eigen; sie ereignet sich in der Pflanze als Blüte, im Baum als Krone, im Tier als Haupt[29] und schließlich im ganzen Bereich der Natur als Schönheit; insofern für Goethe das Exemplar schön ist, das, noch ganz Erscheinung, zugleich die Gesetze der Gattung rein in sich erkennen läßt, gelingt der Natur selber hier ein glücklicher Fall, bekundet sie in der Schönheit selber eine Tendenz zur Steigerung. Goethe nennt solche das Bildungsgesetz offenbar machenden Fälle Urphänomene und spricht in dem Sinne von dem Schönen als einem Urphänomen, weil sich in ihm geheime Naturgesetze manifestieren, „die uns ohne dessen Erscheinung ewig wären verborgen geblieben".[30]

Diesen Prinzipien schließlich stellt sich die Vorstellung von den Monaden oder Entelechien ergänzend zur Seite, die Goethe das Wesen der Individualität erklären. Als Lebenszentren, welche die Einheit des Individuums ausmachen, sind sie immer schon zu denken als Kraft voll rastloser Tätigkeit;[31] zugleich ausgestattet mit einem „Auftrag"[32] oder, wie Goethe es auch nennt, mit einer „Intention",[00] die das Geheimnis der Individualität enthält; um im Beispiel zu sprechen: sie sind sowohl die Lebenskraft, die eine Eichel antreibt, über Stamm, Zweige, Blüte, Krone zu einem Eichbaum heranzuwachsen, wie auch der Formtrieb, sich zu einer Eiche und nicht zu einer Linde zu bilden. Ihre Funktionen werden also gefaßt: im Bilden als Form und im Schaffen als Kraft.[34]

Der Akt der Geburt, der Beginn des individuellen Lebens, wo ein solches geistiges Zentrum als Form in den Lebensstoff eingeht, vollzieht sich als Verwandlung, wie auch das ganze Leben weiterhin eine Reihe von Verwandlungen ist. Dabei ist die Monade immer bestrebt, durch beständiges Ansichraffen von Stoff, das sich auf niederer organischer Stufe als Nahrungsaufnahme, auf höchster menschlicher Stufe zugleich als geistige Aneignung der Welt vollzieht, die in ihr angelegte kleine oder größere Form zu verwirklichen.[35] Es kommt viel darauf an, wie kräftig und tätig die Monade dabei zu Werke geht; ein hundertjähriger Kampf mit den Elementen stärkt einen Eichbaum in seiner Mächtigkeit.[36] Ein tätig und tüchtig gelebtes Leben ist nichts Gleichgültiges, und auch nicht gleichgültig ist es, wie lange es zu dauern im Stande ist;[37] ja eine starke Monade ist fähig, schwächere an sich zu reißen, in ihren Dienst zu stellen und damit ihre Potenz zu vergrößern.[38] Leben ist also nicht nur: in dauernden Verwandlungen sich vollziehende Verwirklichung des geistig Angelegten, es ist auch Vermehrung der Potenz; und Alter ist die Stufe der Steigerung.

Wenn sich die Monade dann mit ihrer ganzen Welt angereichert, ihre Möglichkeit verwirklicht hat, vollzieht sie den Tod. Denn der Tod ist für Goethe ein selbständiger Akt der Monade.[39] Was sich im Todesaugenblick – der wie die Geburt und das Leben selbst auch ein Prozeß der Verwandlung ist, nicht in den Stoff hinein, sondern aus dem Stoff heraus – was sich im Tod von dem herangerafften Weltstoff in der Einheit erhält, das ist die Entscheidung. Geringere Organisationen lösen sich wieder auf; von einer großen wie Wieland, sagt Goethe:

> Von Untergang solcher hohen Seelenkräfte kann in der Natur niemals und unter keinen Umständen die Rede sein; so verschwenderisch behandelt sie ihre Capitalien nie.[40]

So gibt es für Goethe eine bedingte Unsterblichkeit. So wie er von Anbeginn eine Rangordnung unter den Monaden annimmt – am Tage von Wielands Begräbnis erklärt er in ungewohnter Offenheit:

> Ich nehme verschiedene Classen und Rangordnungen der letzten Urbestandteile aller Wesen an, gleichsam der Anfangspunkte aller Erscheinungen der Natur, die ich Seelen nennen möchte, weil von ihnen die Beseelung des Ganzen ausgeht, oder noch lieber Monaden – lassen Sie uns immer diesen Leibnitzischen Ausdruck beibehalten![41]

– so sind für ihn alle Monaden ihrem Wesen nach „unverwüstlich",[42] alles individuelle Leben ist als Krafteinheit unvergänglich; aber die große erhält sich als Person.

Auch der Tod ist also Metamorphose, Übergang aus einer Verwirklichung in eine andere;[43] aber wie sehr dieser Übergang auch die Leistung der Individualität ist, so leistet sie ihn doch nicht allein. Jede große Verwandlung in der Natur – Geburt und Tod – ja jede Bildung oder Organisation im sozialen, geschichtlichen oder künstlerischen Bereich, ist für Goethe an besondere Bedingungen gebunden; an das Zusammenwirken von Kräften, die in einem Moment glücklich zusammentreffen. Goethe nennt einen solchen Augenblick des Übergangs einen

„glücklichen" Augenblick[44] und deutet damit den Hiat an, der zu über-
winden ist, wenn ein Geistiges körperlich, ein Gedachtes stofflich, ein
Wirkendes wirklich wird.

Diese Denkformen, gewonnen an der Natur und auf alle Bereiche der
Welt und der Seele übertragen, verändern Goethes Begriff der Wirklichkeit im Alter. Es hängt an dem Wesen der Metamorphose, die jede Erscheinung immer als Verwirklichung einer Urform faßt, daß eine Dualität von Idee und Erscheinung entsteht, die in platonische Denkformen
zu führen scheint; auch die Zuordnung der Seelenmonas zum Gestalthaften der Idee kann sich anscheinend auf die Lehre Platons berufen.
Goethe scheint diesem Dualismus der „scheinhaften" Welt der Erscheinungen und der ewigen Welt der Urformen noch das Wort zu reden,
wenn er etwa im Zusammenhang mit der Urpflanze von dem „Gespenst"
spricht, „das mir schon diese Tage nachgeschlichen" ist;[45] ähnliches
findet sich auch andernorts.[46]

Dennoch ist dieser Dualismus nur ein Platonismus der Veranschaulichung. Goethes Anschauung geht auf Einheit; Idee und Erscheinung
gehören nicht getrennten Welten an.

> Was man Idee nennt: das, was immer zur Erscheinung kommt
> und daher als Gesetz aller Erscheinungen uns entgegentritt.[47]

Sein Idealismus ist dem des Aristoteles verwandt, insofern dieser den
Chorismos der Ideen aufgehoben und die platonische Metaphysik in
eine eigentliche Morphologie der Natur verwandelt hat.

> Man suche nur nichts hinter den Phänomenen: sie selbst sind
> die Lehre.[48]

Die Veränderung gegenüber der Wirklichkeit, die sich für Goethe im
Alter vollzieht, hält sich innerhalb der erscheinenden Welt, als eine Veränderung seiner Sehart; indem er die Dinge nicht mehr in ihrer Unmittelbarkeit und Eigenexistenz ergreift, sondern mit „Geistesaugen"[49]
durch die Fülle der einzelnen Erscheinungen hindurchdringt und sie als
Verwandlungen einer gemeinsamen Gestalt erkennt, die ihnen geistig
innewohnt und sie formend bildet, wandelt sich die Sinnlichkeit Goethes
und mit ihr sein Begriff von Wirklichkeit.

Denn Wirklichkeit: das ist nun die Welt, in der die Dinge als Verwirklichung von Ideellem da sind; wirklich sind sie, und zwar sowohl
die natürlichen wie die geschichtlichen, die geistigen wie die seelischen
Erscheinungen, sofern sie sich als Metamorphosen zu einer geistigen
Form zusammenschließen, die sie als das Allgemeine-Gemeinsame aus
sich hervortreten lassen. Idee und Erscheinung meinen – weil immer nur
eins im andern – zwei Qualitäten der einen erscheinenden Welt.

Dieser neu gewonnene Begriff von Wirklichkeit leistet Goethe folgendes: Indem das Allgemeine nur als Besonderes existiert, die Wirklichkeit die jeweilige Verwirklichung eines übergreifenden Ideellen ist, erhält das Reale einen neuen Wert. Goethes Alterswendung zum Realismus profiliert sich so, wie sich auch der Abstand verdeutlicht, in den er zu dem normativen, von dem Besonderen gerade absehenden Idealismus der Klassik gerät; denn die Realität: das ist nun ein Fall des Gesetzes.[50]

In einer so gesehenen Wirklichkeit erhält Zeit eine neue Funktion. Während sie bisher nur im unaufhaltsamen Wechsel dahinraffte, was sie gerade gebildet hatte, ist das Gesetz der Kausalität nun in ihr aufgehoben. Indem Zeit in der Logik der Metamorphose gedacht wird, verwandelt sich das Nacheinander in ein Zugleich. Augenblick reiht sich neben Augenblick als immer neue Manifestation von Ideellem, Zeit wird zum Raum, in dem sich die Urform in immer neuen Verwandlungen ausbreitet.

Eine solche veränderte Sehart ist für Goethe dem Alter zugehörig,[51] weil für ihn das Altern selbst „ein stufenweises Zurücktreten aus der Erscheinung"[52] ist, ein Wandel von Stoff in Geist.[53] Die Veränderung der Sehart geschieht gewissermaßen analog dazu; und indem er nun in diesem Altersblick „die Augen des Leibes" mit denen „des Geistes" vertauscht, verläßt er gewissermaßen den dem Menschen zugehörigen Standort. Weil er die Wirklichkeit nun gleichsam von „oben", sie metaphysisch sieht, deshalb ist Gott das einzige Gegenüber in seinen späten Gesprächen über die Welt.

Erkenntnis und Phantasie

Die Fähigkeit zu metaphysischen Einsichten spricht Goethe dem Menschen damit zu. In dem Aufsatz „Anschauende Urteilskraft", in dem er sich mit der Kantischen Definition der menschlichen Erkenntnis beschäftigt, erklärt er, daß die Natur und der menschliche Geist in Analogie gebildet sind. Der Geist respondiert den Gesetzen der Natur und kann sie, wenn er „rein" dabei zu Werke geht, „rein" erkennen.

> ... wenn wir ja im Sittlichen, durch Glauben an Gott, Tugend und Unsterblichkeit uns ... an das erste Wesen annähern sollen; so dürft' es wohl im Intellektuellen derselbe Fall sein, daß wir uns, durch das Anschauen einer immer schaffenden Natur, zur geistigen Teilnahme an ihren Produktionen würdig machten.[54]

Das „reine" *Anschauen* ist die unerläßliche Bedingung für das Erkennen der Naturgesetze. Die Methode, die Goethe dafür ausbildet, ist die

Reihe. Er versteht darunter das Verfahren, eine möglichste Vielfalt von
Beobachtungen an einem Objekt zu machen, das Objekt unter seine ex-
tremsten Bedingungen zu stellen, bis sich die verschiedenartigsten Wahr-
nehmungen reihenartig ordnen und ein gemeinsames Gesetzliches aus
sich hervortreten lassen. Er beschreibt das Verfahren in dem Aufsatz
„Einwirkung der neueren Philosophie":

> Bei physischen Untersuchungen drängte sich mir die Über-
> zeugung auf, daß, bei aller Betrachtung der Gegenstände die
> höchste Pflicht sei jede Bedingung unter welcher ein Phänomen
> erscheint genau aufzusuchen und nach möglichster Vollstän-
> digkeit der Phänomene zu trachten; weil sie doch zuletzt sich
> an einander zu reihen, oder vielmehr über einander zu greifen
> genötigt werden, und vor dem Anschauen des Forschers auch
> eine Art Organisation bilden, ihr inneres Gesamtleben mani-
> festieren müssen.[55]

Dieses Verfahren nennt Goethe eine „naturgemäße Methode",[56] weil er
sie „der Vegetation" selber abgesehen hat, die „mir Schritt für Schritt
ihr Verfahren vorbildete",[57] es soll ihn vor einer Hypothese bewahren,
die nicht aus dem Objekt als innewohnendes Gesetz entgegenkommt,
sondern der subjektiven Befangenheit des Beobachters entspringt. Die
Reihe wird ihm zu der Methode, die zwischen Subjekt und Objekt vermittelt: zu seinem erkenntnistheoretischen Prinzip überhaupt.

Das „reine" Anschauen ist zwar die unerläßliche Vorbedingung zur
Erkenntnis der Naturgesetzlichkeit, doch bewirkt es nicht allein ihr
Gewahrwerden. Dieses ist zugleich an das Vorwalten einer höheren
Geisteskraft im Erkennenden gebunden.

> Auch würden zwei Personen, die sich von dem Gedanken durch-
> drungen hätten, doch über die Anwendung desselben im ein-
> zelnen sich schwerlich vereinigen, ja, um weiter zu gehen,
> dürfen wir behaupten, daß der einzelne, einsame, stille Beobach-
> ter und Naturfreund mit sich selbst nicht immer einig bleibt
> und einen Tag um den andern klärer oder dunkler sich zu
> dem problematischen Gegenstand verhält, je nachdem sich
> die Geisteskraft reiner und vollkommener dabei hervortun
> kann.[58]

Die Dämonie eines besonderen Augenblicks ist erforderlich, in dem
„Geist und Liebe",[59] „Licht und Freiheit"[60] herrschen, eine „liebevolle
Schärfe"[61] und „bescheidene Kühnheit"[62] den Geist erfüllen müssen, um
zu dem zu führen, was Goethe die „glückliche Eingebung des Augenblicks"[63] oder ein „Aperçu"[64] nennt. Es ist

das Gewahrwerden einer großen Maxime, welches immer eine genialische Geistesoperation ist; man kommt durch Anschauen dazu ... Ein solches Aperçu gibt dem Entdecker die größte Freude, weil es auf originelle Weise nach dem Unendlichen hindeutet; es bedarf keiner Zeitfolge zur Überzeugung, es entspringt ganz und vollendet im Augenblick.[65]

Diese Aperçus, wegen ihres „esoterischen" Charakters[66] von Goethe auch „Offenbarungen"[67] genannt, bringen die Entdeckung des Gesetzlichen; sie sind von wissenschaftlichen Erkenntnissen durch eine gewisse Freiheit gegen den rationalen Beweis unterschieden. Indem sie das Gesetzlich-Wirkende innerhalb der Erscheinungen fassen, gleicht ihr Erkenntnisakt der höheren Wahrnehmung einer seherischen Schau.[68]

Darüber hinaus schließlich entwickelt Goethe Überzeugungen, die sich überhaupt jenseits des Erkennbaren stellen: die Anschauungen über Geburt und Tod gehören hierher. Diese Überzeugungen sind in Erweiterung der erkannten Gesetzlichkeit gefunden und entwerfen Anfang und Ende des Lebens von den Gesetzen des Lebens selbst her.[69] Denn – so folgert Goethe – wenn es dem menschlichen Geist möglich ist, sich aus dem sinnlichen Anschauen der Natur zum Erkennen ihrer Gesetze zu steigern, so muß auch ein an der Natur geschulter Geist aus den menschlichen Grenzen heraustreten können und Gültiges über Geburt und Tod aussagen. Als Überzeugungen eines „weltgemäßen Organs" (V. 11907)[70] appellieren diese zwar an den Glauben,[71] sind aber nicht weniger verbindlich als das vernünftig Erkannte.

Die höhere Geisteskraft, die diese gesetzliche Erkenntnis leistet, ist für Goethe – überraschenderweise – nicht nur die Vernunft, sondern die „exakte sinnliche Phantasie",[72] womit er ein höheres Vorstellungsvermögen meint, das aus der sinnlichen Beobachtung und der vernunftgemäßen Erfassung der Erscheinungen hervorgegangen ist. – In der schon zitierten Reihe „Dualität der Erscheinung als Gegensatz" notiert er sich unter den Begriffspaaren: „Gott und die Welt", „Ideales und Reales", „Vernunft und Sinnlichkeit", auch „Phantasie und Verstand". In dieser Gegenüberstellung bestimmt sich die Phantasie eben als die Geisteskraft, die die sinnliche Realität transzendieren kann.

> Phantasie ist der Natur viel näher als die Sinnlichkeit, diese ist eingeschlossen in der Natur, jene schwebt über ihr; Phantasie ist der Natur gewachsen, Sinnlichkeit wird von ihr beherrscht.[73]

In dieser Qualität der Phantasie ist es nun begründet, daß sie für Goethe zum erkennenden Vermögen wird; denn das Gesetz, das aller Bildung in der Natur zugrunde liegt, wird von ihm nicht durch Abstraktion, sondern durch Imagination gefunden. Es ergibt sich nicht durch einen Akt der Analyse, sondern der Zusammenschau. Es macht das Eigentümliche seines Erkennens aus, daß das Gesetzliche nicht etwas von den Erscheinungen Absehendes, Begriffliches ist, sondern selber als wirkende Gestalt in den lebendigen Erscheinungen gedacht werden muß. Das Gesetz ist für ihn nicht die abstrakte Formel, sondern die den Erscheinungen innewohnende Form: morphé.[74]

Damit hängt nun die Funktion zusammen, die die Poesie für Goethe im Zusammenhang seiner wissenschaftlichen Naturbeschäftigung erhält; denn es ist dieselbe *erkennende* Imaginationskraft, die sich als *bildende* in der Poesie die angemessene Ausdrucksform schafft, um Mitteilung zu machen von dem von ihr Erkannten. Wissenschaftliches Erkennen und künstlerisches Bilden entsprechen und ergänzen einander; denn sie entspringen bei Goethe derselben Wurzel. Es ist der Gedanke in der Kritik der Urteilskraft, von dem aus Goethe Kant zugänglich wurde.[75]

> Wie nah dieses wissenschaftliche Verlangen mit dem Kunst- und Nachahmungstriebe zusammenhänge, braucht wohl nicht umständlich ausgeführt zu werden ...[76] Mich freute, daß Dichtkunst und vergleichende Naturkunde so nah mit einander verwandt seien, indem beide sich derselben Urteilskraft unterwerfen.[77]

Poesie erfüllt daher von nun an die Aufgabe, von der Welt in ihrer Gesetzlichkeit Mitteilung zu machen.

> Kunst: eine andere Natur, auch geheimnisvoll, aber verständlicher.[78]

Natürlich ist nicht alle Altersdichtung Naturerkenntnis; aber alle dichterische Aussage – auch das Einzelne und Persönlichste – bekommt den Charakter des „Falls", und die Sprache der allgemeinen Naturerkenntnis kehrt auch in der Darstellung des Besonderen wieder.

Das verändert die Poesie: ihre Verbindlichkeit und ihre Formen. Es entsteht eine neue poetische Notwendigkeit. Dichterische Fiktion meint nun die Welt unter dem Aspekt des ihr innewohnenden Gesetzlichen. – Es entstehen neue poetische Formen, die, in Analogie zum Bilden der Natur geschaffen, die Struktur der Dichtung im ganzen wie ihre Erfindungen im einzelnen verändern.

Einige stichwortartige Hinweise dazu, die auf den II. Teil des Faust zugeschnitten sind, mögen hier folgen.

Die Reihe[79] als das Prinzip, das zur Erkenntnis des Gesetzlichen in seiner lebendigen Anschaulichkeit führt, ermöglicht auch die *Darstellung* des Gesetzlichen in seiner lebendigen Anschaulichkeit; sie wird das formschaffende Gesetz im Ganzen der Akte wie der einzelnen Erfindungen, wovon noch ausführlich die Rede sein wird (siehe Kap. *Welt*). Hier nur wenige Beispiele:

In der Studierstube reihen sich Famulus, Baccalaureus und Wagner als Arten des erkennenden Geistes nebeneinander. Im Verhältnis der Reihe steht die Wiederkunft der Antike im Nachgesicht der Erichtho neben ihrer Wiederkunft in der Klassischen Walpurgisnacht. Als Reihung sind die verschiedenen Todesarten der Helena, der Panthalis und des Chors zu verstehen. Raufebold, Habebald, Haltefest schließen sich als Arten menschlicher Triebgewalt zusammen, so wie Philemon und Baucis, Lynkeus und Faust sich als Arten des Altseins aneinanderreihen.

Analogie:[80] Die analoge Verknüpfung von verwandten Fällen als das die Glieder einer Reihe verbindende Prinzip tritt an die Stelle der kausalen Verknüpfung einander bedingender Ereignisse. Die Feuersbrunst, die am Ende der Mummenschanz den Kaiser bedroht, steht analog zu der Explosion, die am Aktende Faust paralysiert. Fausts Einkehr in die griechische Landschaft als das gestaltenerzeugende Element erläutert sich in der Analogie zu Homunculus' Eingehen in die elementare Natur, in den Bildern gesprochen: Fausts Eintritt in den Hades steht in Analogie zu Homunculus' Eingehen ins Meer.

Metamorphose als den Bildungsprozeß alles Lebens erfährt Homunculus in Studierstube und Walpurgisnacht ebenso wie Helena in der Spartaszene und im Ganzen des Helenaaktes; aber auch die wechselnden Rollen, in denen Faust auftritt, werden sich als Metamorphosen einer Gestalt erweisen.

Polarität bestimmt die Erfindungen solcher Paare wie

Gärtner	:	Gärtnerinnen
Holzhauer	:	Pulcinellen
Famulus	:	Baccalaureus
Thales	:	Anaxagoras

– um nur das Sinnfälligste zu nennen; das Gesetz aber reicht viel weiter: von Kaiser und Faust, über Wagner und Faust, bis zu Helena und Phorkyas; und auch die Liebe und Zeugung von Faust und Helena ist nach dem Muster der Anziehung und Vereinigung von Polarem gebildet.

Steigerung ist das Prinzip, das im Maskenzug die Folge der Masken bestimmt, wenn der Zug von den einfachen Masken (Gärtnerinnen und Gärtner) zu den zusammengesetzten in „Viktorie" auf dem „Koloss" aufsteigt, den die „Furcht" und „Hoffnung" gleichermaßen bändigende Klugheit dirigiert. Steigerung findet statt von Famulus und Baccalaureus zu Wagner; beherrscht als Kulisse und Handlung die Schlußszene der

Tragödie in den Bergschluchten; erläutert die Rolle Fausts im fünften Akt: hundertjährig, Palastherr und im Besitz der Welt.

Glücklicher Augenblick: Unter diesem Begriff ist die Klassische Walpurgisnacht im Ganzen konzipiert: als das seltene Zusammentreffen von Kräften zu der glücklichen Konstellation, die eine Verwandlung bewirkt; im besonderen: die nur jährlich einmal sich ereignende Begegnung zwischen Chiron und Manto, die Faust – und das sich nur jährlich einmal wiederholende Wiedersehen zwischen Nereus und Galatea, das Homunculus zum Gelingen verhilft. Nach diesem Schema aber sind gleichfalls zu verstehen: der Moment der Studierstube und der der Bergschluchten.

Spiegelung ist das gegenüber Iken[81] geäußerte Verfahren, den Sinn einer Figur nicht durch sie selber direkt auszusprechen, sondern durch Abspiegelung in einem Gegenüber in seinen Wirkungen darzustellen. Es ist das durchgängige Prinzip, nach dem das jeweilige Phänomen der Akte sich in seinen Figuren abbildet. Im besonderen: Was Helena ist, erfahren wir an Lynkeus. Einen Aufschluß über Mephisto in der Walpurgisnacht erhalten wir durch seine Begegnung mit den Lamien. Fausts entelechische Natur spiegeln die Naturgeister der Anmutigen Gegend wie die Engel der Bergschluchten wider.

Wiederholte Spiegelung: Der Optik entnommenes Gesetz, das, von Goethe selbst als poetisches Gesetz formuliert,[82] Steigerung des Gespiegelten in seine Gesetzlichkeit meint, Verwandlung eines Subjektiv-Erfahrenen ins Objektive und Symbolische. Im Sinne dieses Prinzips ist die Wiederkehr des Schülers des ersten Teils als Baccalaureus des zweiten Teils, die Wagners aus dem ersten Teil als der Wagner des Laboratoriums des zweiten Teils wie auch die Wiederkehr von Studierstube und Walpurgisnacht des ersten im zweiten Teil überhaupt zu verstehen. – Aber auch innerhalb des zweiten Teils ist das wiederholte Auftreten des Menelas im Sinne dieses Gesetzes gemeint, wenn in der Spartaszene (3. Akt) 1. Menelas als mythische Person; 2. Menelas als Symbol des historischen Griechenlands später am Szenenende; und schließlich 3. in der mittelalterlichen Burg Menelas als Symbol der byzantinischen Machthaber des historischen Griechenlands im Mittelalter verstanden wird. Und schließlich ist dies das Verhältnis zwischen Gretchen und der Una Poenitentium der Bergschluchten.

Die Entelechie als das biologische Muster vom animalisch-menschlichen Ich, dessen Wesen als Lebenskraft durch die Funktion des Tätigseins bestimmt ist und das als Lebensform lebt, indem es sich verwandelt, liegt sowohl der Konzeption Fausts wie der des Homunculus zugrunde.

Der Organismus[83] als das biologische Muster eines Gesamt von Kräften, die auf ein herrschendes Zentrum bezogen sind, welches sich in diese als in seine Funktionen entfaltet, bestimmt das Verhältnis von:

Helena – Panthalis – Chor,
Plutus – Knabe Lenker – Geiz,
Faust – Lynkeus – die Heerführer,
Faust – Die Drei Gewaltigen – Mephisto.

Dasselbe gilt für die Konzeption des Akts als eines organischen Ganzen, zu welchem ein Neues nur hinzutreten kann als in eine Lücke seines Kräftehaushalts.[84]

Naturwissenschaftliche Denkweise hat auch Stil und Sprache weitgehend geprägt, so die Koinzidenz von Gegensätzen im *Oxymoron*.[85] Dafür hier nur einige Beispiele: 1. Akt: ewig-einsam und doch gesellig; regsam ohne Leben. 2. Akt: mäßiger Eile, schlangenartig-reihenweis; gefällig-wild. 3. Akt: heimlicher Freuden übermütiges Offenbar-sein; fern und doch so nah; verlebt und doch so neu; lebeloses Leben. 5. Akt: geeinte Zwienatur.

Ferner gehört dazu der Gebrauch gewisser Vokabeln, die, sei es durch Wiederholung innerhalb der Dichtung, sei es durch direkte Übernahme aus naturwissenschaftlicher Terminologie eine besondere Prägnanz erhalten, welche auf ein System hindeutet. Zum Beispiel: Metamorphose (V. 7759); Element (V. 6943); starke Geisteskraft (V. 11958); Kreatur (V. 7004); Gestalt (V. 7863); Puppenstand (V. 11982); umzuarten (V. 12099); Geheimnis sich offenbaren (V. 8464–65); ebenso das bedeutend wiederholte „heiter" in der Mummenschanz (V. 5067; V. 5071; V. 5093; V. 5116; V. 5265; V. 5430; V. 5542; V. 5544); oder in der Walpurgisnacht: Wunder (V. 7069; V. 7074; V. 7157; V. 7181; V. 7295; V. 7324; V. 7508; V. 7531; V. 7950; vor 8044; V. 8152; V. 8474); ebenso Glück, gelingen, wagen, behagen, sich gewöhnen.

Sie dienen, in der Dichtung verteilt, geradezu als Schlüssel zur Entzifferung des Textes.

Schlüssel liegen im Buche zerstreut, das Rätsel zu lösen,
Denn der prophetische Geist ruft den Verständigen an.[86]

Welt

Die Welt ist das Thema, um das es in der Dichtung des II. Faust geht. Die Welt war auch schon Thema im ersten Teil: Faust in die Welt zu verführen, war das Mittel Mephistos; wohin ihm Faust aus der Isolierung des Gelehrtendaseins willig folgte, verzweifelt an dem Unvermögen des menschlichen Geistes, das *Wesen* der Dinge zu fassen, zerknirscht von der vernichtenden Antwort des Erdgeists. Für Mephisto bedeutet Welt: Mittel der Zerstreuung, Verführung ins Flüchtige, Seichte und

Sinnliche des Lebens, und damit das Element, in dem Faust sich verlieren soll.

> Den schlepp' ich durch das wilde Leben,
> Durch flache Unbedeutenheit,
> Er soll mir zappeln, starren, kleben,
> Und seiner Unersättlichkeit
> Soll Speis' und Trank vor gier'gen Lippen schweben.
>
> (V. 1860–64)

Daß Faust dann dieses Leben anders zu ergreifen weiß, im Taumel der Welt Lust und Schmerzen der ganzen Menschheit zu erfahren versteht (V. 1770–74), deutet nicht die Welt, sondern weist auf Faust zurück. An die Stelle seines übermenschlichen Erkenntnisdranges, der das Ganze der Natur zu fassen wünschte, hat sich sein titanisches Verlangen nach dem Ganzen des Lebens gesetzt: sein „eigen Selbst" zu „ihrem", der „Menschheit", „Selbst" zu „erweitern" (V. 1774). In der Welt erfährt Faust im ersten Teil sich selbst, die Erweiterung des Ichs zur Totalität eines ganzen gelebten Lebens. In dem Gegenüber von Gott und Teufel, in das der erste Teil durch den Prolog gespannt ist, steht der Mensch in der Mitte, die Welt aber auf seiten des Teufels, und Faust ist, indem er sich in die Welt ziehen läßt, Mephisto als Objekt überlassen.

> Nun gut, es sei dir überlassen!
> Zieh diesen Geist von seinem Urquell ab,
> Und führ ihn, kannst du ihn erfassen,
> Auf deinem Wege mit herab. (V. 323–26)

Wenn Faust im zweiten Teil noch einmal vor ein Leben im ganzen gestellt ist, das ihm nun die Natur wiedergibt, ist Welt etwas anderes geworden. Das Gegenüber von Gott und Teufel wird im zweiten Teil vom Dichter in eine Polarität umgedacht, in die nicht Gott und Teufel geraten, sondern Gott und Mensch. Die Welt aber wird zum Mittleren zwischen den Polen: im zweiten Teil ist Welt das Vermittelnde zwischen Gott und Mensch. Der Weg zu Gott ist ein Weg durch die Welt, das ist die Belehrung, die Faust in dem Prolog erhält. Zwar muß er, vom Getöse der aufgehenden Sonne geweckt, dem neuen Licht sogleich weichen und erfährt darin noch einmal, was er schon gegenüber dem Erdgeist erfahren hatte: der Mensch kann sich des Wesens der Welt nicht unvermittelt bemächtigen, oder, um in der Sprache des ersten Teils zu bleiben: Gott zeigt sich dem Menschen nicht unmittelbar; aber der Sonnenbogen erscheint ihm als göttliches Zeichen und lehrt ihn die Welt in ihrer Gesetzlichkeit erkennen.

Der Sonnenbogen

V. 4715–4727. – Der farbige Sonnenbogen entsteht, wenn sich die Sonne im Wasserfall spiegelt. In dem Bild gibt es auf der einen Seite die Sonne, die das Ideelle bezeichnet, auf der anderen Seite den Wasserfall, der Zeichen für die stoffliche Welt ist. Der bunte Bogen bildet sich aus dem Zusammenwirken beider. Er ist ein Bild dafür, daß das Göttliche nicht außerhalb der Welt ist, sondern im Erscheinenden, Stofflichen selbst.

Aber Faust, der Sonne abgewandt, entdeckt nicht ihr Spiegelbild im Wasser. Nur ein solches poetisches Bild würde die Analogie zum Platonischen Höhlengleichnis zulassen, die häufig zu Mißverständnissen geführt hat;[87] denn nur dann könnte der Dichter die Platonische Auffassung teilen, daß die sinnliche Wirklichkeit der Erscheinungen von der unvollkommenen Scheinrealität des Abbildes ist gegenüber der wahren Welt der Ideen, das Sein der Ideen aber in seiner Reinheit getrennt von den Erscheinungen ist.

Für das Verständnis des poetischen Bildes muß man die heute gültige wissenschaftliche Erklärung des Sonnenbogens aus der verschiedenen Brechung des gebündelten Lichts ganz fernhalten. Für Goethe ist das Licht eine unteilbare Einheit, es enthält nicht die Farben; es entwickelt sie vielmehr im Zusammenwirken mit seiner Polarität, dem Finstern, an einem durchsichtigen „Trüben" als dem Mittleren. Die Farben sind für ihn „Taten des Lichts, Taten und Leiden";[88] das heißt: Wirkungen und Verwirklichungen. Von dieser Theorie muß man ausgehen.[89]

Der farbige Sonnenbogen bildet sich aus dem farblosen Licht, dieses als reine Energie verstanden, das die Sonne aussendet,[90] und den Tropfen, die der Wasserfall in die Höhe schnellt. Die Wassertropfen sind Zeichen für die tausendfältigen Erscheinungen, in denen sich die Welt unablässig und in jedem Augenblick neu darstellt. Der farbige Bogen entsteht aus der Brechung und Spiegelung des unteilbaren farblosen Lichts in der Trübe der Tropfen und wird damit zu einer Metapher für die Welt, die sagen will: die in Farben erscheinende Welt ist eine göttliche Verwirklichung. Zwar ist der Sonnenbogen von anderer Wirklichkeit als die Tropfen; seine Wirklichkeit ist geistig; er besteht im Übergang, in der dauernden Umbildung und Erneuerung der Tropfen, die ihn tragen. Dennoch ist er fest über den Wasserfall gespannt, in dem ewigen Wechsel der Tropfen ist er allein das Beständige.

Erst jetzt gibt das Bild seine symbolische Kraft her und bezeichnet die Weise, wie das Ideelle in der erscheinenden Welt anwesend ist. Denn auch die Wirklichkeit der Urform als des Ideellen ist geistig, an der Wirklichkeit der Erscheinungen gemessen ist sie unwirklich; niemals tritt sie unmittelbar in die Erscheinung, sie besteht als Variante, im Übergang. Wie das farblose Licht an jedem Tropfen die Farbe entwik- kelt, aber erst viele Tropfen zusammen den Sonnenbogen hervorbringen, so tritt auch die Urform erst aus der Reihe der Erscheinungen hervor; dadurch aber sind die einzelnen Erscheinungen der Vergänglichkeit ent- rissen, im Wechsel dauernd.[91]

Der farbige Sonnenbogen ist das Bild für die Metamorphose als das Bildungsprinzip der Welt. In ihm wird Faust nicht auf zwei getrennte Welten hingewiesen, von denen die der Erscheinungen ein trügender Schein wäre, sondern auf die geistige Weise, in der das Ideelle als bildende Form in den Erscheinungen anwesend ist, auf das Zusammenwirken zweier Qualitäten innerhalb der einen erscheinenden Welt.

In dem Sinne kann der Dichter von dem Sonnenbogen als „des bunten Bogens Wechseldauer" (V. 4722) sprechen und ihn in eine Lebenslehre für Faust ummünzen. Denn indem der bunte Bogen sein Dasein der Wirkung des Ideellen im stofflichen Element verdankt, verbürgt er das Gesetzliche als das Dauernde im Fluß der erscheinenden Welt. Dem ent- spricht, daß Faust sich daraufhin der Welt zuwendet – während die Lebenslehre des Höhlengleichnisses in einer Abwendung von der Sinn- lichkeit und einer Hinwendung zur Idee besteht.

Wenn Faust daher am Ende ausruft:

Am farbigen Abglanz haben wir das Leben (V. 4727),

so ist dies nicht nur ein Ruf des Verzichts,[92] er ist vielmehr Ausdruck der neuen glücklichen Gewißheit. Am Sonnenbogen lernt er die Welt als eine gesetzlich gebildete erfahren. Es ist die Korrektur seiner einstigen Erfahrung gegenüber dem Erdgeist. An die Stelle der magischen Selbst- steigerung, um sich des Göttlichen unmittelbar zu bemächtigen, ist in dem bunten Bogen ein Urphänomen der Natur getreten, das dem er- kennenden Auge Gott als das gesetzliche Wirken der Welt offenbart.

Und wenn Faust sich nun von neuem zu einer Weltwanderung an- schickt, so steht diese Welt nicht mehr auf seiten Mephistos. Die Fülle, in der sie sich ausbreitet, ist nicht da, um Faust von sich abzuziehen. Gerade die Fülle ist Zeichen der Göttlichkeit der Welt und meint, daß die Welt nicht in ihrer Zufälligkeit erscheinen soll, sondern als eine ob- jektive, in ihrer Gesetzlichkeit gefaßte Welt.

Weltbezirke

So erhalten Bemerkungen einen neuen Sinn, in denen Goethe, die beiden Teile der Faust-Dichtung vergleichend, auf die „höheren Regionen" und „würdigeren Verhältnisse"[93] hindeutet, die sich im zweiten Teil der

Dichtung auftun, auf die „höhere, breitere, hellere, leidenschaftlosere Welt", der „fast gar nichts Subjektives"[94] anhaftet.

„Nichts Subjektives" meint hier einmal den Umfang dessen, was als Welt sichtbar wird. Zu ihr gehört nicht nur die reale Welt des Menschen als sozialer und als politischer Bezirk; sie umfaßt auch den Bereich des menschlichen Geistes: Kunst und Wissenschaft; sie umschließt die Morphologie der Natur wie der Kultur und endlich auch den Tod als die Grenze des menschlichen Lebens.

„Nichts Subjektives"[95] meint zum anderen die objektive Weise, *wie* Welt hier erscheint; denn die Fülle von Personen und Situationen ordnet sich, sobald man sie auf ein Gemeinsames hin versteht, das sie bindet. Das Einzelne, auf eine Mitte bezogen, deutet sich als Erscheinung eines Weltbezirkes, den es durch Reihenbildung aus sich hervortreten läßt; die Reihe wird zum Kompositionsgesetz der Dichtung überhaupt.

Was also hier im Ganzen erscheint, ist die Welt, die sich in einer Reihe von Räumen ausbreitet, von denen jeder, wie Goethe vom vierten Akt sagt, „einen ganz eigenen Charakter" hat, „so daß er, wie eine für sich bestehende kleine Welt, das Übrige nicht berührt und nur durch einen leisen Bezug zu dem Vorhergehenden und Folgenden sich dem Ganzen anschließt".[96]

So erscheint im Kaiserhof des ersten Aktes das Phänomen der Gesellschaft, im Kaiserhof des vierten Aktes das der politischen Herrschaft. Der zweite Akt ist in der gotischen Studierstube auf den erfindenden menschlichen Geist, in der Klassischen Walpurgisnacht auf die bildende Natur bezogen. Im dritten Akt breitet sich das Phänomen der europäischen Kultur, im fünften Akt das des Todes aus.

Ein jeder dieser Bezirke erscheint als ein eigenes Phänomen, die Welt im ganzen als eine Summe von Weltphänomenen. Sie schließen sich zu einer Totalität von Welt zusammen nicht im Sinne einer Vollständigkeit aller Phänomene: die Folge, in der Faust die einzelnen Welten durchmißt, steht durch ihre Polarität für die Gesamtheit: Gesellschaft (1. Akt) gegen Herrschaft (4. Akt); Kunst (Mütter) gegen Wissenschaft (Studierstube); Wissenschaft (Studierstube) gegen Natur (Klassische Walpurgisnacht); Natur (Klassische Walpurgisnacht) gegen Kultur (Helena-Akt). Der Kreis, zu dem sich die Welten zusammenschließen, wenn Faust, vom Kaiserhof ausgehend, dorthin zurückkehrt, ist Zeichen für die Welttotalität.

Das Phänomen, das sich in eine Reihe von Personen und Situationen, in eine Reihe analoger Prozesse auseinanderlegt, aus denen es als das Allgemeine-Gemeinsame ideell hervortritt, ist das eine Bildungsprinzip der Akte.[97] Ein anderes, was damit zusammenhängt, ist folgendes.

Jeder Akt ist in strenger Symmetrie[98] gebaut. Eine Zäsur in der Mitte scheidet den Akt in zwei Hälften, die polar aufeinander bezogen sind. Jede der beiden Hälften führt in Mitte und Ende zu einem Höhepunkt. Diese wiederum schließen sich als zwei einander überhöhende Gipfel zusammen. Die kausale Folge der Teile ist aufgegeben, an ihre Stelle tritt die polare oder analoge Bezogenheit.

1. Akt: Kaiserliche Pfalz, Weitläufiger Saal, Lustgarten – Finstere Galerie, Hell erleuchtete Säle, Rittersaal.

Das Herstellen des Scheingeldes und das Bilden der Scheingestalten als zwei aus der Analogie erdachte Situationen zu erkennen, fällt nicht schwer. Jede der Situationen endet mit einer Katastrophe; dem Paroxysmus des Kaisers entspricht auf eine analoge Weise die Paralysierung Fausts.

2. Akt: Studierstube – Klassische Walpurgisnacht.

Nicht anders ist es im zweiten Akt, wo die Zäsur durch den Wechsel des Schauplatzes von der Studierstube in die Walpurgisnacht angezeigt ist. Auch hier ist die Polarität das Gesetz, das das Erfinden des menschlichen Geistes zum Bilden der Natur in Beziehung setzt; und auch hier ist die Entsprechung zwischen dem in der Glashülle erscheinenden Homunculus als der Mitte des Aktes und dem sich im Element verkörperlichenden Homunculus als dem Akt-Ende offenbar.

4. Akt: Auf dem Vorgebirg – Des Gegenkaisers Zelt.

Im vierten Akt faltet sich das Phänomen der Herrschaft als Krieg und Ordnung in zwei polar einander entsprechende Teile auf, deren Ende jeweils Verfallenheit an Mächte geistiger Gewalt bedeutet. (Habebald und Eilebeute – die Kirche.)

5. Akt: Offene Gegend, Palast, Mitternacht – Großer Vorhof des Palastes, Grablegung, Bergschluchten.

Im fünften Akt bezeichnen höchstes Alter und Ablösung aus der menschlichen Verkörperlichung die beiden polar aufeinander bezogenen Hälften, die in Fausts Erblindung, seinem vorerlebten Tod, ihre Zäsur haben.

3. Akt: Palast des Menelas, Innerer Burghof – Innerer Burghof, Arkadien.

Bleibt noch der dritte Akt, der im glücklichen Augenblick von Helenas geschichtlichem Dasein in der Mitte gipfelt – (Burghof:)

Ich fühle mich so fern und doch so nah (V. 9411) –

sich in ihr geschichtliches Wirklichwerden und in das Sich-Zurückziehen aus der geschichtlichen Wirklichkeit polar zerlegt und in ihrem Entschwinden am Ende des Aktes seine andere – ihrem „Da-sein" entsprechende – symmetrische Steigerung erfährt.

Diesen Gipfel im Liebesaugenblick zwischen Faust und Helena könnte man auch kompositorisch als die Mitte der ganzen Dichtung fassen: dem

der Gipfel im Augenblick des Todes, da die Person Faust sich aus der
menschlichen Verwirklichung zurückzieht, als das Ende entspräche. Das
Besitzen der vollkommenen Gestalt in Helena und das Sich-Vollenden
Fausts als Gestalt entsprächen sich aufs genaueste.

Denn es macht das Besondere der Dichtung aus, daß sich alle Formen
im Großen wie im Kleinen wiederholen. So wie das Prinzip der Reihung
nicht nur das ordnende Prinzip der Akte untereinander, sondern der
Akte selbst ist, ja innerhalb der Akte – wie wir sehen werden – die Erfindungen bis ins einzelne bestimmt, so wiederholt sich auch der symmetrische Bau der einzelnen Weltbezirke wie in der ganzen Dichtung so in
einzelnen Szenen.[99]

Aber wie nichts in dieser Dichtung nur Form ist, sondern jede Form
zugleich ein Geistiges enthält, das sie ausspricht, so bezeichnet auch
diese Form: wie sich das Phänomen in einem Nacheinander ausbreiten
kann, das die Zeit in sich ausschließt. Denn indem sich Mitte und Ende
jedes Aktes wiederum als Polaritäten oder Analogien zu einer Einheit
zusammenschließen, wird das Nacheinander zu einem Zugleich, bedeutet
symmetrischer Aufbau des Aktes zugleich Augenblick.

Faust

Der „subjektiven" Welt des ersten Teils[100] entspricht Faust als ein großer
Einzelner. Denn wie die Beschwörung des Erdgeistes, dieser Versuch,
mit einem Gewaltsprung über alle Stufen der Natur hinweg in ihre Seele
mitschaffend einzugehen, das Wagnis eines Einzelnen war, so war auch
die Liebe zu Gretchen, das Erlebnis, das als Tragödie endete, das Schicksal eines Einzelnen. Faust ist der Name *eines* Menschen; und mag er sich
auch zum Symbol einer ganzen Goethischen Jugendepoche erweitern,
mag seine Tragödie auch die Tragödie des menschlichen Herzens überhaupt sein; er bleibt durch seinen besonderen Charakter bestimmt.

Der Bescheid, den Faust im zweiten Teil der Dichtung erhält, ist ein
allgemeiner, für den Menschen überhaupt gültiger. Der Mensch vermag
sich des Göttlichen nicht ohne Vermittlung zu versichern. Aber die Welt
ist die Verwirklichung Gottes. Darum ist der Weg zu Gott der Weg
durch die Welt. So wäre Faust im zweiten Teil der Mensch, wie er nicht
durch Charakter, sondern durch die menschliche Natur bestimmt ist; nicht
ein Mensch, sondern *der* Mensch und also Wilhelm Meister vergleichbar?

Aber so wie Welt im Wilhelm Meister menschliche Welt ist, im II.
Faust aber gesetzlich-geordnete Natur:

> Du, Erde, warst auch diese Nacht beständig (V. 4681)

so ist auch Wilhelm ganz als Mensch gedacht; sind Geburt und Tod seine Grenzen, über die nicht hinausgegangen, ja an die nicht herangegangen wird. Selbst wo der Tod in diesem Roman erscheint, wird er ganz vom Menschen her gesehen. Der Tod Makariens ist der Übergang von der menschlichen in eine umfassendere Existenz. Ihr menschliches Leben hört auf, ein neues, siderisches beginnt. Der Tod ist das Dazwischenliegende, was gerade nicht sichtbar wird.

Im zweiten Teil des Dramas ist der Tod eine Station in Fausts Leben. Er ist nicht der Hiat zwischen zwei Leben; gerade der Tod erscheint im fünften Akt als Prozeß, Faust als ein Sterbender, den Übergang Bestehender. Seine spätere Verwirklichung bleibt im Dunkel („Bergschluchten"), sein Leben als Ganzes erscheint vom Tode her („Offene Gegend – Palast – Mitternacht").

Entelechie

Das heißt aber: den Menschen nicht mehr aus der menschlichen Sicht verstehen. Wenn Faust zu Beginn des zweiten Teils inmitten der reinen Natur („Anmutige Gegend") wiederbegegnet und es Naturgeister („Elfen") sind, die ihn durch Schlaf von der Verschuldung des Herzens heilen, so ist in der Natur die neue Wirklichkeit bezeichnet, innerhalb der von nun an alles gesehen ist. Faust ist der Name einer der Lebenskräfte, die – gleich der christlichen Seele – das Unzerstörbare in der Natur sind. Wenn er am Ende seine menschliche Hülle abstreift und als „Entelechie" – wie ein Paralipomenon sagt[101] – von hilfreichen Geistern emporgeführt wird, so entdeckt sich sein Wesen. Er ist die Entelechie als das geistige Prinzip der menschlichen Individualität. Goethe verwendet dafür in dem um 1800[102] entstandenen Schema, dem einzigen, das beide Teile zusammenfaßt, den Ausdruck „Person":

> ... Lebensgenuß der Person von außen gesehen erster Teil. In der Dumpfheit Leidenschaft. Thaten-Genuß nach außen zweiter und Genuß mit Bewußtsein. Schönheit. Schöpfungs-Genuß von innen ...[103]

So ist im zweiten Teil der Dichtung Faust der Name, unter dem eine große Entelechie als Mensch erscheint.[104] Er bezeichnet ein kosmisches Subjekt. Der Unterschied zwischen dem ersten und dem zweiten Teil ist ein Unterschied der Sehart. Faust ist einmal als erlebendes menschliches Ich, zum anderen als tätige, sich selbst schaffende Form gefaßt. Deshalb gehört das, was früher das Wesen des Menschen und sein Inneres betraf und den Gesetzen der Psychologie unterlag, nun der Naturgeschichte an und wird von biologischen Gesetzen erklärt. Begriffe wie Charakter, Erlebnis, Seele sind für den zweiten Teil der Dichtung neu zu verstehen.

Charakter. Der Held des zweiten Teils bewahrt zwar seine Eigenart aus dem ersten; aber was Faust zuvor als Charakter auszeichnete, sein über die menschlichen Grenzen hinausgreifendes, ruheloses Wesen, wandelt sich nun zu dem rastlosen Tätigkeitsdrang der Monas. Aus der Eigenart des Charakters wird die vitale Qualität der Form; die mächtige Potenz der Person. Der Charakter Fausts: das bezeichnet jetzt die Größe der Faustischen Entelechie, was nicht Übermenschentum heißt, sondern entelechische Form, an der sich die Gesetzlichkeit musterhaft erfüllt. Größe der Entelechie meint sowohl Umfang der Lebensform wie Mächtigkeit der Lebenskraft. Deshalb ist es nicht zufällig, daß Faust sein neues Leben als Plutus beginnt: er beginnt es in der Maske des Reichtums und beschließt es als ein Reicher:

Drin wohnet ein Reicher, wir mögen nicht 'nein. (V. 11387)

Erlebnis. Ein solches Ich begegnet der Welt nicht mehr in der Weise des Erlebnisses. Aus der Begegnung des Charakters mit der Welt wird die Verwirklichung der tätigen Form im Weltstoff. Leben wird zu einem Prozeß der Selbstgestaltung, womit die Entelechie im Lebensakt die Selbstverwirklichung Gottes in der Schöpfung wiederholt. Das Leben Fausts ist die Spanne zwischen Potentialität und Verwirklichung. Die Form verwirklicht sich in immer neuen Verwandlungen. Die Kette von Erlebnissen, die das Leben Fausts im ersten Teil ausmachten, wird im zweiten Teil zu der Reihe der Metamorphosen, in denen sich Fausts Leben ausbreitet. Der Begriff des Erlebnisses wird durch den der Metamorphose ersetzt.

Plutus und Hofzauberer, Paralysierter und Wandrer im mythischen Griechenland, mittelalterlicher Burgherr, Obergeneral und Kolonisator sind die Rollen, in denen Faust erscheint. Jede einzelne ist eine Verwirklichung der Faustischen Entelechie. Sie verhalten sich untereinander wie die Metamorphosen einer Form; und wie die Weltbezirke sich zum Ganzen der Welt addierten, so addieren sich die Verwandlungen Fausts nun zur Totalität seiner entelechischen Person.

Seele. Und die Seele? Wie antwortet eine solche mächtige Monade auf die Begegnung mit der Welt? Niemals mit der menschlichen Betroffenheit in der Innerlichkeit des Gefühls. Anstelle der vielfältigen Herzenstöne von Verzweiflung bis Glückseligkeit, mit denen der Held des ersten Teils auf die Ereignisse seines Lebens antwortete, findet sich nichts dergleichen im zweiten Teil; es fehlt hier jegliche Auseinandersetzung Fausts mit seiner Umwelt. Statt dessen breitet sich das, was sonst Umwelt hieß, als eine ganze eigene Welt aus, in der Faust an einem bestimmten Platz eingeordnet, selber zu einem Fall dieser Welt wird.

Erst am Ende, nachdem Faust jeweils ein Stück Welt in sich aufgenommen hat, antwortet er; und zwar auf zweifache Weise: zunächst mit
unbewußten Reaktionen seiner entelechischen Natur: auf die Katastrophe des ersten Teils nicht mit Reue, sondern mit Schlaf; auf das
Scheinwesen der Helena am Kaiserhof nicht mit Verzweiflung, sondern
mit Ohnmacht; auf den Verlust der antiken Heroine nicht mit Klagen,
sondern mit Verstummen; auf das Anhauchen der Sorge nicht mit Sorge,
sondern mit Erblinden, als dem Beginn seiner Verpuppung in der Metamorphose des Todes.

Es ist die Reaktion durch eine Reihe von kleinen Toden,[105] wie es der
Lebensbewegung der Person in Metamorphosen entspricht. Weil nämlich ein bestimmter Weltbezirk durchlaufen, ein bestimmtes Tun ver-
richtet ist, deshalb verläßt Faust diesen Kreis und stirbt. Verwandelt,
einem neuen Weltbezirk gemäß, wird er wiedergeboren. Schlaf, Ohnmacht, Verstummen und Erblinden bezeichnen die Bewegungen, durch
die sich die Person in ihr Selbst zurückzieht; zu Beginn des zweiten Teils
und an seinem Ende unter dem Bilde von Häutung oder Entpuppung
ganz ausdrücklich als Metamorphosen gekennzeichnet:

>Schlaf ist Schale, wirf sie fort (V. 4661)

oder:

>Freudig empfangen wir
>Diesen im Puppenstand. (11981–82)

>Löset die Flocken los,
>Die ihn umgeben. (V. 11985–86)

Dem entspricht dann – nach dem Schema von Systole und Diastole – in den
Prologen zum ersten und zum vierten Akt die Person Fausts mit Reaktionen des Bewußtseins. Aber auch in ihnen tritt das Psychologische ganz
zurück. Vielmehr zeigen sie Faust im Zustand klarster Tätigkeit des Geistes.

Im Prolog zum ersten Akt nimmt das wiedergeborene Ich sich in
seinem Selbst von neuem in Besitz. Faust ergreift sich in seinem alten,
titanischen Wesen, das aber nun verwandelt als der Tätigkeitsdrang der
großen Geisteskraft angesichts eines neuen Lebens verstanden wird:

>Du, Erde, warst auch diese Nacht beständig
>Und atmest neu erquickt zu meinen Füßen,
>Beginnest schon mit Lust mich zu umgeben,
>Du regst und rührst ein kräftiges Beschließen,
>Zum höchsten Dasein immerfort zu streben. (V. 4681–85)

Zu Beginn des vierten Aktes wird die Reflexion, mit der Faust auf die
Begegnung mit Helena antwortet, die psychologisch Erinnerung genannt

werden müßte, zu einer Verrechnung des Erlebten im Bewußtsein. Die Helena- und Gretchenbilder, zu denen sich die Wolke formt, nachdem Faust sie als sein „Tragewerk" (V. 10041) verlassen hat, geben nicht Bewegungen seines Herzens im Gedenken an Verlorenes wieder, sondern sind Bilder, in denen sich das Erlebte in seinem Sinn deutet. Das Erinnern wird zu einem Akt der Spiegelung, durch den der Geist sich des Erfahrenen bewußt wird; im Erinnern macht sich Faust das Erlebte, begreifend, zum Besitz.

Das Neuzeitliche

Mit Faust als poetischem Bild deckt sich dieses entelechische Ich des zweiten Teils in einem besonderen Sinne. Mit Bedeutung hatte der Dichter für sein Drama eine Figur gewählt, die im Übergang der Zeiten stehend Ursprung und Wesen der Neuzeit repräsentiert.

> Fausts Charakter, auf der Höhe wohin die neue Ausbildung aus dem alten rohen Volksmährchen denselben hervorgehoben hat stellt einen Mann dar, welcher in den allgemeinen Erdeschranken sich ungeduldig und unbehaglich fühlend, den Besitz des höchsten Wissens, den Genuß der schönsten Güter für unzulänglich achtet seine Sehnsucht auch nur im mindesten zu befriedigen, einen Geist welcher deshalb nach allen Seiten hin sich wendend immer unglücklicher zurückkehrt. Diese Gesinnung ist der modernen so analog, daß mehrere gute Köpfe die Lösung einer solchen Aufgabe zu unternehmen sich gedrängt fanden.[106]

Die Scheidung des modernen Menschen von dem der älteren Zeit ist – nach der „Geschichte der Farbenlehre" – dadurch bezeichnet, daß der Mensch beginnt, sich auf seine „eigenen Kräfte" zu „verlassen".[107] Er löst sich aus der natürlichen Einheit, in der der antike Mensch als Naturwesen, der mittelalterliche als Gottesgeschöpf aufgehoben war – und die in gewissem Sinne dauerte, so lange das Altertum in der mittelalterlichen Geistestradition fortgewirkt hat – und setzt sich als erkennender Geist autonom. Die Zäsur ist Goethe vor allem durch Kopernikus bezeichnet, dessen Lehre „unter allen Entdeckungen und Überzeugungen" wohl die größte Wirkung auf den menschlichen Geist hervorgebracht hat; denn

> kaum war die Welt als rund anerkannt und in sich selbst abgeschlossen, so sollte sie auf das ungeheure Vorrecht Verzicht tun, der Mittelpunkt des Weltalls zu sein. Vielleicht ist noch nie eine größere Forderung an die Menschheit geschehen; denn

was ging nicht alles durch diese Anerkennung in Dunst und
Rauch auf: ein zweites Paradies, eine Welt der Unschuld,
Dichtkunst und Frömmigkeit, das Zeugnis der Sinne, die
Überzeugung eines poetisch-religiösen Glaubens; kein Wunder, ... daß man sich auf alle Weise einer solchen Lehre ent-
gegensetzte, die denjenigen, der sie annahm, zu einer bisher
unbekannten ja ungeahnten Denkfreiheit und Großheit der Gesinnun-
gen berechtigte und aufforderte.[108]

Den aus dieser neugewonnenen Denkfreiheit konzipierten, auf sich
gestellten Geist der Neuzeit repräsentiert Faust: der Mensch von seinem
Spezifikum her als erkennender Geist verstanden, in der Möglichkeit,
die Welt von ihrer Gesetzlichkeit her sich anzueignen.

In diesem neuen Ansatz ist das Verhältnis zwischen dem ersten und
dem zweiten Teil begründet; als Fortsetzung des ersten ist der zweite
zugleich seine Antwort.[109] „Par ricochet noch einmal anfangen"[110] sollte
er nach der Goethischen Absicht: das heißt, im Aufprall zu einem zweiten
Sprung anheben. Gegenüber dem an der menschlichen Erkenntnismöglichkeit Verzweifelten im ersten Teil ist Faust im zweiten Teil der in die
Möglichkeit Versetzte, sich die Welt mit Hilfe seines erkennenden
Geistes zu eigen zu machen. „Begabten Manns Natur- und Geisteskraft"
(V. 4896) ist die entsprechende Formel, mit der Mephisto Faust am
Kaiserhof einführt. Das in der Renaissance geborene, mündig gewordene
Individuum, in dem sich das Prinzip der menschlichen Individualität
zum ersten Mal ganz verwirklicht, das ist Faust als der Name für das
entelechische Ich des zweiten Teils.

Als solcher ist er der polare Gegenspieler gegen die mittelalterlich-
christliche Welt (V. 4909–12; 11035–38), derjenige, der sie verwandelt.
Es ist der Grund, warum die Metamorphosen, die Fausts Leben ausmachen, sich ereignen als Augenblicke der Renaissance: der Übergänge
vom Mittelalter zur Neuzeit.

1. Akt: An dem auf den mittelalterlichen Ordo gestützten Kaiserhof –

> ... Kaisers alten Landen
> Sind zwei Geschlechter nur entstanden,
> Sie stützen würdig seinen Thron:
> Die Heiligen sind es und die Ritter;
> Sie stehen jedem Ungewitter
> Und nehmen Kirch' und Staat zum Lohn (V. 4903–08)

ist es Faust, der angesichts des Scheinbildes der Helena aufs leidenschaftlichste von der antiken Schönheit hingerissen wird.

2. Akt: Als der in die gotische Studierstube Gehörige ist er es, der

Helenas mythische Zeugung aus dem reinen Element der griechischen Natur träumt und der selber aus diesem Naturelement, sinnbildlich verwandelt, wiedergeboren wird.

3. Akt: Als solcher Repräsentant des schöpferischen abendländischen Geistes ist er es, der mit der antiken Schönheit in Liebe vereint die europäische Renaissance herauffführt und die moderne klassizistische Kunst zeugt.

4. und 5. Akt: Als der mit Hilfe der Naturgesetze tätige, neuzeitlich-technische Mensch ist es Faust, der sich die Erde, indem er ihrem elementaren Leben Gewalt antut, ordnend zueigen macht.

Was infolge der Kopernikanischen Wende „in Dunst und Rauch aufgeht", ist – nach dem zitierten Passus der „Geschichte der Farbenlehre" – „die Überzeugung eines poetisch-religiösen Glaubens"; das heißt, es verschwindet mit der neuen Einsicht auch das anthropomorphe Weltbild, das ein gläubiger menschlicher Sinn sich erfand, dem die Erde „Mittelpunkt des Weltalls" war und der sich über Wolken Gott und Teufel als „seinesgleichen dichtete" (V. 11444). Es ist der Grund, warum der Faust des zweiten Teils nicht mehr in den Himmel des ersten Teils zurückkehren kann; denn diesen Himmel als die metaphysische Instanz, wo die anfängliche Wette zwischen Gott und Teufel am Ende ausgetragen werden könnte, gibt es nicht mehr. Mephisto weiß es:

> Bei wem soll ich mich nun beklagen?
> Wer schafft mir mein erworbnes Recht? (V. 11832–33)

Der Held des zweiten Teils gehört in einen aufgeklärten wissenschaftlichen Weltentwurf, in dem ein persönlicher Gott verschwunden ist, das Göttliche vielmehr als das Gesetzliche in der Natur wirkt und der Tod verstanden wird als die Entscheidung zwischen den die Person erhaltenden und den sie auflösenden Kräften.

Verloren geht im Zusammenhang der neuen Weltsicht ebenfalls das „Zeugnis der Sinne" als Mittel der Erkenntnis, sofern diese Erkennen von Gesetzen meint; denn die Naturgesetzlichkeit ist von der Art, daß sie sich der natürlichen Sinneswahrnehmung des Menschen verbirgt. Die Kopernikanische Entdeckung ist der Musterfall dafür.

> Was uns so sehr irre macht, wenn wir die Idee in der Erscheinung anerkennen sollen, ist, daß sie oft und gewöhnlich den Sinnen widerspricht. Das Kopernikanische System beruht auf einer Idee, die schwer zu fassen war und noch täglich unseren Sinnen widerspricht. Wir sagen nur nach, was wir nicht erkennen noch begreifen. Die Metamorphose der Pflanzen widerspricht gleichfalls unsren Sinnen.[111]

Der moderne Erkennende ist nun genötigt, seine natürlichen Wahrnehmungsmittel, Sinne und Verstand, zu übersteigen; zum Erkennen der Gesetze bedarf es eines Abenteuers des Geistes, er muß sie als verborgene der Natur entreißen. Das führt zu der Konzeption der Magie, die der Dichter schon im ersten Teil verwandte, in den zweiten in verändertem Sinn und in der ausschließlichen Beziehung auf Faust übernahm.

Denn auf Aneignung der Welt durch Erkennen ihrer Gesetzlichkeit war Faust im Prolog hingewiesen. Nicht in der Unmittelbarkeit des fühlenden Ergreifens sei das Göttliche für den Menschen erreichbar (V. 4710–12), sondern durch Erkennen der verborgen wirkenden dauernden Form im Wechsel der sinnlichen Erscheinungen.

Und auf Wirken mit Hilfe der erkannten Naturgesetze ist Faust nun in seiner entelechischen Natur angelegt:

> Du selbst bist schuld, daß ihrer wir bedürfen (V. 6221),

wird er von Mephisto über sich belehrt. Um Helena und Paris zu beschwören, muß er zu den Müttern gehen; um selbst die Schönheit in der Kunst bilden zu können, muß er des Bildeprinzips der Natur habhaft werden.

Diese Herrschaftsgewalt des Erkennenden über die Naturkräfte benennt der Dichter im zweiten Teil mit dem alten Namen, der die magische Gewalt über die Geister bezeichnete: Magie heißt die außerordentliche Kraft des die Gesetzlichkeit erkennenden Geistes, mit der er von der Welt Besitz ergreift.[112] Der Begriff ist im zweiten Teil durchaus in einem aufgeklärten Sinne zu verstehen, indem er sich überall auf die große „Natur- und Geisteskraft"[113] Fausts als eine zugleich erkennende und schöpferische bezieht[114] – als solche ausdrücklich im ersten und vierten Akt bezeichnet:

1. Akt: Magier ist Faust, sofern er als Plutus, und das heißt: als der dem Reichtum innewohnende Geist, den den Reichtum vernichtenden Trieben gebieten kann:

> Drohen Geister, uns zu schädigen,
> Soll sich die Magie betätigen. (V. 5985–86)

1. Akt: Magier heißt er, wenn er als Künstler zu den bildenden Formen der Natur ins Reich der Mütter dringt und ihnen den Dreifuß als das Formprinzip der Natur raubt:

> Denn wer den Schatz, das Schöne, heben will,
> Bedarf der höchsten Kunst: Magie der Weisen. (V. 6315–16)

4. Akt: Abgesandter des Nekromanten von Norcia nennt er sich (V. 10439–54), wenn er als der über die Triebkräfte der Gewalt gebietende Geist die Herrschaft im Staate wieder herstellen hilft.

Magier: das ist Faust als das Prinzip des neuzeitlichen autonomen Individuums, das in seinem Tun das gesetzliche Tun der Natur wiederholt: die große Entelechie als ein göttliches Analogon.

Mephistopheles

Wer ist nun demgegenüber Mephisto? Denn wie die Welt und Faust sich im zweiten Teil verändert haben, so ist auch Mephisto ein anderer geworden. Er kann unter anderem nicht mehr zaubern. Das Teuflische im einfachen Sinne hat sich verloren und ist einem Wesen gewichen, das um so schwerer zu fassen ist, als es wechselnd und widersprüchlich erscheint.

Max Kommerell hat den Mephisto des zweiten Teils der veränderten Sehart der Dichtung analog als ein kosmisches Prinzip verstanden und ihn auf die Formel gebracht: Das Nein zur Person.[115] Dieser Begriff, der die Selbstdefinition des Teufels im ersten Teil: „So ist denn alles, was ihr Sünde, Zerstörung, kurz das Böse nennt",[116] nach dem neuen Aspekt abwandelt, scheint vor allem am fünften Akt gewonnen und trifft auch für Mephistos Funktion innerhalb des Todesprozesses in gewissem Sinne zu; aber er erklärt nicht seine sehr verschiedenen Verhaltens- und Wirkensweisen in den übrigen Akten.

Wie Faust, so erscheint auch Mephisto in Rollen; und schon die erste, mit der er sich am Kaiserhof einführt, bezeichnet ihn in derselben umfänglichen Weise, wie die Plutusmaske Faust bezeichnet: als Narr ist er am Ende der Genarrte:

> Bei wem soll ich mich nun beklagen?
> Wer schafft mir mein erworbnes Recht?
> Du bist getäuscht in deinen alten Tagen,
> Du hast's verdient, es geht dir grimmig schlecht. (V. 11832–35)

Diese Rollen sind zwar nicht, wie die Faustens, Metamorphosen einer menschlichen Entelechie; denn Mephisto ist nicht Individuum, sondern Prinzip – er stirbt nicht wie Faust. Deshalb ist er alt, kennt die Welt und kann auf Erfahrung pochen. Das bringt ihn auch in Zusammenhang mit Geschichte und Tradition.

Seine Rollen sind Variationen eines Prinzips und richten sich jeweils nach den Weltbezirken, die Mephisto an Fausts Seite durchwandert. Vergegenwärtigen wir sie uns zunächst noch ohne Deutung.

Zur närrischen Zeit am Kaiserhof der Narr der Hofgesellschaft, Erfinder des Scheingeldes, Wunderdoktor mit Schönheitsmitteln, weiß er zugleich von den Müttern und verhilft Faust zum Erschaffen der Scheingestalten.

In der verlassenen gotischen Studierstube, als neuer Lehrer im Faustischen Professorenpelz, negiert er das Denken der gelehrten Schüler, verhilft aber andrerseits dem Homunculus zum wissenschaftlichen Dasein und dadurch mittelbar Faust zum Übertritt in die ersehnte antike Natur.

In der Klassischen Walpurgisnacht, als christlicher Teufel unter den antiken mythischen Naturgeistern ein Fremdling, weiß er sich doch bei den Phorkyaden – nach Art des Mythos – die Maske zu erwerben, mit der er die mythische Helena erreichen kann.

In ihr bedroht er dann im Helenaakt das Scheindasein der antiken Schönheit, bewirkt aber eben mit dieser Bedrohung Helenas Verwandlung und Flucht auf die mittelalterliche Burg und zu Faust und spricht nach Helenas Tod das große Wort zu ihm, das die Lebenslehre aus der Faustischen Begegnung mit Helena zieht (V. 9945–54).

Im Krieg des Kaisers in der Rolle des Anwerbers der drei Gewaltigen, verschafft er Faust in ihnen die Kräfte der rohen Gewalt, mit denen dieser dem Kaiser den Sieg erringt, und erregt selber mit dem Waffen- und Elementen-Wahn die Angst vor der Gewalt, die das feindliche Heer in die Flucht schlägt.

Hieraus ergibt sich erstens: Mephisto gehört auch im zweiten Teil durchaus zu der menschlichen Welt; so wie er sich schon im Prolog des ersten Teils bestimmt hatte:

> Von Sonn' und Welten weiß ich nichts zu sagen;
> Ich sehe nur, wie sich die Menschen plagen. (V. 279–80)

Er ist kein kosmisches, sondern ein menschliches Prinzip – wiewohl es für Goethe nichts gibt, das nicht letztlich ins Ganze des Kosmos verrechnet ist. Schon im ersten Teil ist er nur „Ein Teil des Teils, der anfangs alles war" (V. 1349), er darf „nur frei erscheinen" (V. 336); und auch im zweiten Teil weiß er sich nur mit den Elementen *im Bunde* – „die Elemente sind mit uns verschworen" (V. 11549) – aber er *ist* nicht kosmisches Element. Mit der wirkenden Natur hat er nichts zu tun. „Natur sei, wie sie sei" (V. 10124) muß er zu Beginn des vierten Aktes zugeben und einräumen, Prinzip nicht kosmischer, sondern menschlicher Gewalt zu sein. In der Klassischen Walpurgisnacht, wo die kosmische Natur das eigentliche Thema ist, deckt ihn das Rätsel der Sphinxe in seiner moralischen, und das heißt, in seiner allein auf den Menschen bezogenen Qualität auf:

> Dem frommen Manne nötig wie dem bösen,
> Dem ein Plastron, ascetisch zu rapieren,
> Kumpan dem andern, Tolles zu vollführen,
> Und beides nur, um Zeus zu amüsieren. (V. 7134–37)

Damit scheint, zweitens, Mephisto seine Rolle aus dem ersten Teil als der widergöttliche Begleiter des Menschen weiterzuspielen; jedoch nicht mehr auf die alte Weise: dem Menschen als Stachel von Gott beigegeben. Durch den Drang nach Tätigkeit ist die Entelechie schon selbst ihrem göttlichen Wesen nach bestimmt; um nicht zu erschlaffen, bedarf der Held des zweiten Teils nicht mehr des Mephisto.

Wie die Welt nun nicht mehr auf der Gegenseite Gottes, Faust nicht mehr zwischen Gott und Welt in der Mitte steht, Welt jetzt gesetzlich wirkender Kosmos ist, Faust durch die Welt und in der Welt zu Gott gelangt, so ist Mephisto im zweiten Teil ganz in der Rolle des dem Faust auf diesem Gange Dienenden. Er wirkt durchgängig nach dem von ihm selber formulierten Gesetz: daß er „stets das Böse will und stets das Gute schafft" (V. 1336).

Schon im ersten Teil wirkte er, obschon gegen Gott, so doch im Sinne Gottes; dennoch sind im zweiten Teil seine zerstörende und seine helfende Funktion noch näher aneinander gerückt. Er ist derjenige, ohne den Faust von der Welt nicht Besitz nehmen kann. Er ist der Begleiter der großen Entelechie; der Begleiter Fausts als des autonomen neuzeitlichen Individuums. Mephisto ist die Kehrseite des durch Erkenntnis autonom gewordenen Geistes.

Das menschliche Spezifikum

Was dieser Konzeption für eine allgemeine Goethische Denkvorstellung zugrunde liegt, darauf weist gleichfalls der schon für Faust zitierte Passus aus der Geschichte der Farbenlehre hin:

> Wir befinden uns nunmehr auf dem Punkte, wo die Scheidung der ältern und neuern Zeit immer bedeutender wird. Ein gewisser Bezug aufs Altertum geht noch immer ununterbrochen und mächtig fort; doch finden wir von nun an mehrere Menschen, die sich auf ihre eigenen Kräfte verlassen. Man sagt von dem menschlichen Herzen, es sei ein trotzig und verzagtes Wesen. Von dem menschlichen Geiste darf man wohl ähnliches prädizieren. Er ist ungeduldig und anmaßlich und zugleich unsicher und zaghaft. Er strebt nach Erfahrung und in ihr nach einer erweiterten reinern Tätigkeit, und dann bebt er wieder davor zurück, und zwar nicht mit Unrecht. Wie er vorschreitet, fühlt er immer mehr, wie er bedingt sei, daß er verlieren müsse, indem er gewinnt: denn ans Wahre wie ans Falsche sind notwendige Bedingungen des Daseins gebunden.[117]

Das dialektische Wesen des Fortschritts, von dem hier im Zusammenhang mit dem menschlichen Geist die Rede ist, entspricht einer eminent Goethischen Denkweise, daß in der Natur alle Zunahme auf der einen Seite sich verrechnet gegen Verlust auf einer anderen.

> Bei dieser Betrachtung tritt uns nun gleich das Gesetz entgegen: daß keinem Teil etwas zugelegt werden könne, ohne daß einem andern dagegen etwas abgezogen werde und umgekehrt.[118]

Dies dürfte der Punkt sein, wo sich Gestalt und Funktion des Teufels in das naturphilosophische System Goethes einfügt. Das Widersprüchliche seines Wesens klärt sich weitgehend, wenn man ihn als das „Bedingende" im Sinne des zitierten Passus versteht, das Faust als dem zu so „ungeahnter" „Großheit" fortgeschrittenen menschlichen Geist anhaftet.

Zwar ist der neuzeitliche Mensch, an den Punkt gelangt, wo er die Gesetzlichkeit der Natur erkennen und diese als Erkennender beherrschen kann, der gesetzliche Fall des Menschen überhaupt. Die sich aus dem Erkennen herleitende Autonomie des Menschen bedeutet für Goethe keinen Abfall von der Natur. Die Ursituation am Baum der Erkenntnis, wodurch der Mensch – nach christlicher Auslegung – als Erkennender zugleich sündig wird, wird von Goethe umgedeutet; es ist im Plan der Natur gelegen, in dem Menschen das Lebewesen zu schaffen, das ihr als erkennendes und schaffendes gewachsen ist. Faust, der in Gesellschaft und Kultur die Welt des modernen Menschen nach dem Muster der Natur neu erschafft und im Staat und auf der Erde analog der natürlichen eine gesetzliche Ordnung aufrichtet, ist der Fall, in dem sich das Tun des menschlichen Individuums gesetzlich erfüllt.

Aber es ist ein Tun im Sinne der Natur gegen die Natur. Den gesetzlich wirkenden schöpferischen Kräften stehen bedingende entgegen, die ihn verstricken und ohne die er doch nicht in der Welt wirken kann. Für dieses Mit- und Entgegenwirkende steht Mephisto. Er ist nicht mehr der Fürst dieser Welt, sondern ganz auf die Autonomie des menschlichen Geistes bezogen. Als Begleiter des zu so „ungeahnter" „Großheit" fortgeschrittenen Geistes ist er der bedingende Geist, der dessen Wirken mitermöglicht und mitverwirklicht, und gerade an dessen göttliche Qualitäten in dem Maße gebunden, daß der Mensch als geistiges Prinzip in Faust und Mephisto zerlegt scheint. Die wechselseitige Angewiesenheit Fausts auf Mephisto und umgekehrt ist in jedem Akt nachweisbar.[119] Ist Faust also der Mensch in seiner entelechischen Natur: von seiner göttlichen Seite her als gesetzlich erkennendes und schöpferisches Ich bestimmt, so ist Mephisto das widergöttliche, widernatürliche Prinzip dazu, das menschliche Spezifikum, das in dem Bewußtsein als der „teuflischen" Bedingung seines Wirkens gründet.

Was heißt das?

Gegenüber allen übrigen Lebewesen ist der Mensch dadurch bestimmt, daß er Bewußtsein hat. Er ist das verständige Tier. Das Bewußtsein hat ihn aus seinem kreatürlichen Stand herausgeführt und ihn zu dem künstlichen Lebewesen gemacht, das von sich selber weiß. Als Bewußter ist der Mensch das geschichtliche Wesen: er hat das Bewußtsein der Zeit und der Vergänglichkeit; als Bewußtem eignet ihm Gedächtnis, Reflexion und Erfahrung.

Durch Bewußtsein tritt er aus der Einheit und Unschuld der unbewußten Natur heraus in die Selbständigkeit der Autonomie. Dank des Bewußtseins hat er sich über die übrige Kreatur als derjenige erhoben, der sich die Welt und sich selber vorstellen kann. Als Bewußter ist der Mensch das vorstellende Wesen, als solches sowohl den Schein produzierend wie dem Schein verfallen; als „kleiner Gott der Welt" (V. 281) erschafft er sie sich nach seiner Vorstellung.

Diese vom menschlichen Bewußtsein reflektierte ist eine ganz auf den Menschen als die Mitte bezogene zeitliche Welt, von den menschlichen Sinnen wahrgenommen, vom realen Verstand begriffen, vom Menschen im Laufe seines Lebens, im Laufe seiner Geschichte erfahren und von ihm als gut und böse gewertet; zur Befriedigung der menschlichen Bedürfnisse eingerichtet, zur gewaltsamen Beherrschung durch den Menschen geschaffen und, wie der Mensch, zur Vergänglichkeit und also Sinnlosigkeit bestimmt.

Mit dem Bewußtsein hatte Mephisto schon dem „Herrn" gegenüber im „Prolog im Himmel" die menschliche Tragödie begründet – um seinetwillen hatte er, als Anwalt des Menschen, Gottvater angeklagt:

> Der kleine Gott der Welt bleibt stets von gleichem Schlag,
> Und ist so wunderlich als wie am ersten Tag.
> Ein wenig besser würd' er leben,
> Hättst du ihm nicht den Schein des Himmelslichts gegeben;
> Er nennt's Vernunft und braucht's allein,
> Nur tierischer als jedes Tier zu sein. (V. 281–86)

Demgemäß repräsentiert Mephisto überall die spezifisch menschlichen Geisteskräfte im Gegensatz zu den natürlich-göttlichen. Er ist das Prinzip der Zeitlichkeit, Geschichtlichkeit und Vergänglichkeit, des Moralischen und des Verstandes, der Reflexion und des Scheines, der Erfahrung und der Erfindung, des künstlichen Machens und der Gewalt. Vor allem aber, und das ist das ihn Bezeichnendste: das Mephistophelische Bewußtsein steht ganz im Dienste der menschlichen Triebe; es ist einzig darauf gerichtet, der begehrenden Menschennatur ihre Wünsche zu erfüllen. Darum ist Mephisto: der Erfinder der Vorstellungen, Kenner der Gelegenheiten, Beschaffer der Mittel.

Mephisto und Faust stehen sich als Geisteskräfte polar gegenüber. Während für die entelechische Geisteskraft Erkennen ein intuitives Schauen, ein Gewahrwerden der in den Erscheinungen verborgenen Naturgesetzlichkeit ist, ist es für das reflexive menschliche Bewußtsein ein Vorstellen des vom Menschen Gewünschten; dem entsprechend besteht das Faustische Tun im schöpferischen „Umschaffen des Geschaffenen", in der Umgestaltung der Welt und seiner selbst zur Gestalt und bezieht seine Richtigkeit aus der Analogie zum „ewigen, lebend'gen Tun" der Natur im Sinne des Gedichtes „Eins und Alles";[120] während das Mephistophelische Tun ein bewußtes Machen ist, ein Herstellen künstlicher Möglichkeiten, schlauer Werkzeuge und gewalttätiger Mittel, um das vom Menschen Begehrte möglich zu machen.

So lassen sich Mephistos Rollen aus der Polarität zu Faust[121] und im Hinblick auf die jeweiligen Weltbezirke etwa folgendermaßen verstehen:

1. Akt: Am Kaiserhof, im Weltbezirk der neuzeitlichen Gesellschaft, vertritt er das den täuschenden Schein erfindende Bewußtsein gegenüber Faust als der den verborgenen Wert und das Wesen erkennenden Geisteskraft.

2. Akt: In der gotischen Studierstube, als der Welt des nach Wissen begehrenden christlich-nördlichen Geistes, vertritt er das Bewußtsein als Aufklärung, Erfahrung, Forschung gegenüber Faust als dem unbewußt künstlerisch Schöpferischen.

2. Akt: In der griechischen Elementarnatur der Klassischen Walpurgisnacht vertritt er das christlich-moralische als das der Natur fremde Bewußtsein gegenüber Faust als dem entelechischen Wesen des Menschen, das in der Natur sein schöpferisches Element findet.

3. Akt: Gegenüber dem Phänomen der antiken Schönheit und ihrer Wiederkunft in der Neuzeit vertritt er das Bewußtsein ihrer Geschichtlichkeit und Zeitlichkeit gegenüber Faust als der abendländischen schöpferischen Kraft der zeitlosen Vergegenwärtigung.

4. Akt: Am Kaiserhof, in der politischen Welt des Staates, ist er das menschliche als das Prinzip der Gewalt, auch der Überwältigung durch Wahn, gegenüber Faust als der mächtigen Naturkraft, in deren Hand die Gewalt zum Instrument der Herstellung legitimer Ordnung wird.

5. Akt: Unter dem Aspekt des Todes im fünften Akt endlich vertritt er das menschliche als das Bewußtsein von Vergänglichkeit, Verschuldung und Sinnlosigkeit, das der Erhaltung der entelechischen Person als geistiger Einheit entgegenwirkt.

Ermöglichung und Verstrickung

So gehört Mephisto zum Menschen als begehrendem tätigem Wesen. Weder Philemon und Baucis als Bildern menschlich-pflanzlichen und helfenden Daseins, noch Lynkeus als dem im reinen Gewahrwerden der kosmischen Ordnung sich erfüllenden Geist ist ein Mephisto beigegeben. Er ist durchaus an die Begierden und deren Erfüllung gebunden, und zwar an die sinnlichen wie an die geistigen; er gehört sowohl zu der nach Reichtum und Schönheit begehrenden Gesellschaft wie zu der nach gottähnlicher Erkenntnis begehrenden Wissenschaft; er gehört sowohl zu der nach Macht verlangenden politischen Herrschaft wie zu der nach Herrschaft über die Erde verlangenden Menschheit. Er ist an alles begehrende Menschenwesen gebunden und also so alt, wie der Mensch alt ist; in besonderem Maße aber gebunden an Faust als das große neuzeitliche Individuum:

> Das ist mein Wunsch, den wage zu befördern! (V. 10233)

Denn das eigentlich Mephistophelische entspringt aus dem Moment des Heraustretens des mit Bewußtsein ausgestatteten Menschen aus der unbewußt wirkenden Natur; das heißt: aus dem Moment der Selbständigkeit. Goethe hat die Gestalt des Mephisto aus dem Motiv des biblischen Sündenfalls umgedeutet zu der Chiffre einer anthropologischen Bestimmung. Dieses Moment, das die menschliche Bestimmung von Anfang an ist, tritt ganz in die Erscheinung in der Autonomie des neuzeitlichen Menschen. Hier liegt der Grund der Zuordnung Mephistos zu der christlich-nördlichen Welt und Epoche. Hier ist zugleich der Punkt, wo Mephistophelisches und Faustisches sich berühren. Der autonom gewordene, aus der Einheit der Natur herausgetretene, erkennend und herrschend über die Natur verfügende Mensch ist es, in dem die Dialektik des Mephistophelischen zu Tage tritt; denn Erkenntnis bekommt hier die Tendenz, die natürlichen Verhältnisse des Menschen zu überschreiten und eine Herrschaft auszuüben, die ihn wie einen zweiten Gott in der Natur erscheinen läßt. Hier tritt nun Mephisto in seine Funktion, als das im Dienste der Triebe stehende menschliche Bewußtsein, das die künstlichen Mittel erfindet, um diese gottähnliche Herrschaft Fausts zu ermöglichen. Er tritt also überall dort in Funktion, wo es sich um die Verwirklichung menschlichen und zumal Faustischen Begehrens handelt; und zwar Verwirklichung in ihren zwei Dimensionen:

I. Er ist der Ermöglichende und als solcher, einmal, das Prinzip der Gelegenheit.

1. Akt: Er verschafft die Gelegenheit zum Eintritt am Kaiserhof, indem er sich an die Stelle des alten Narren setzt.

2. Akt: Er nimmt die Gelegenheit des verwaisten Professorenstuhls in der Studierstube wahr und weiß auch hier für Homunculus die Gelegenheit, tätig zu werden: „Hier zeige deine Gabe!" (V. 6901).

3. Akt: Das verlassene antike Vaterhaus ist die Gelegenheit, um als Dienerin Helena in dem Palast zu empfangen.

4. Akt: Er bietet Faust den Krieg als Gelegenheit zur Verwirklichung seines Plans an, dem Meer ein Stück Land abzugewinnen:

> Gelegenheit ist da, nun, Fauste, greife zu! (V. 10239)

Als der Ermöglichende ist er zum anderen und vornehmlich derjenige, der die Mittel zur Verwirklichung der Faustischen Begehren erfindet.

Faust:
> Für jedes Mittel willst du neuen Lohn. (V. 6206)

1. Akt: Er erfindet der Gesellschaft ein neues Geldmittel, wie er für Faust die Mütter und den Gang zu ihnen als das Mittel weiß, das zum Bilden der Scheingestalten führt:

> Das Heidenvolk geht mich nichts an,
> . . .
> Doch gibt's ein Mittel. (V. 6209–11)

2. Akt: Er verhilft Wagner zur Erfindung des Homunculus als des in die Klassische Walpurgisnacht vermittelnden Geistes.

3. Akt: In der Phorkyadenmaske, mit dem Erschrecken der Helena, findet er das Mittel, um sie zu Faust und von neuem als Wirkende in die Geschichte zu treiben.

4. Akt: Er schafft Faust die drei Gewaltigen herbei als die Mittel, um dem Kaiser den Krieg zu gewinnen, ihm „Thron und Lande" zu „erhalten" (V. 10304).

5. Akt: Er dient bei der Beseitigung der beiden Alten wiederum mit dem Mittel der unbedenklichen Gewalt, um Faust zur Vollendung seines Weltbesitzes zu verhelfen.

II. Er ist zugleich damit der Verstrickende. Denn indem Faust nun mit Hilfe der Mephistophelischen Mittel die Welt schöpferisch verwandelt, übt er Gewalt aus, die von dem vergewaltigten Leben als Schuldforderung sich gegen ihn selber und die Einheit der Person richtet. So ist alle Tätigkeit Fausts zugleich ein Sich-Verschulden.

Das trifft sogar für den gedanklich-schöpferischen, den Faust der ersten drei Akte zu, der, um Helena zu bilden, der Natur ihr Bildeprinzip entreißt und dabei in ein „fremdestes Bereich" eingreift, wie es Mephisto vor Fausts Gang zu den Müttern sagt:

> Greifst in ein fremdestes Bereich,
> Machst frevelhaft am Ende neue Schulden (V. 6195–96)

– mehr noch, wenn er das „Unmögliche" (V. 7488) vollbringt, Helena aus dem Totenreich „ins Leben" zu ziehen.

Es trifft vor allem für den tätig-schöpferischen, den zur Herrschaft verhelfenden und Herrschaft ausübenden Faust der beiden letzten Akte zu, der, indem er ein Stück neue Erde schafft, sich an dem elementaren und natürlichen Leben der Erde vergeht, an Philemon und Baucis schuldig macht.

Verschuldung aber rührt her aus dem magischen Verhältnis zur Welt, worein er durch die Mephistophelischen Mittel getreten, und wodurch „die Luft von solchem Spuk so voll" (V. 11410) geworden ist, daß Faust sich nach Wiederherstellung eines reinen Verhältnisses zur Natur sehnt:

> Stünd' ich, Natur, vor dir ein Mann allein (V. 11406)

– eines Verhältnisses, das für Faust, als den in die Welt Eingreifenden, Herrschenden, nicht im Leben, sondern nur im Tode sich herstellen kann.

Erst im Tode zeigt sich der Mephistophelische Geist in seiner bloßen Negativität. War Mephisto bis dahin – und das heißt im Leben – Fausts Helfer, so ist er jetzt – im Tode – Fausts Gegenspieler; und als Gegenspieler der großen entelechischen Geisteskraft in gewisser Weise der Gegenspieler Gottes. Darum tritt er auch hier erst wieder in seiner biblisch-mythologischen Rolle auf, die ihm vom Teufelspakt mit dem „Herrn" her vorgeschrieben ist; unbeschadet der vermutlich frühen Konzeption dieser Szene zwischen 1797 und 1800[122] ist diese Rolle hier für ihn bedeutend. Sie hat sich aber insofern verschoben, als es nun nicht mehr darum geht, ob die sündig gewordene Faustische Seele nach dem Tode dem Teufel verfällt. Mephisto ist etwas am Auflösungsprozeß der großen Organisation, er ist etwas am Sterben Fausts selber, das hier im fünften Akt in seine Momente zerlegt erscheint.

In diesem Todesprozeß, worin Mephisto zunächst seine Rolle als Aufseher der Lemuren erhält, dieser Knochengerippe als Bilder körperlicher Verwesung; wo er dann im Kampf um Fausts „Unsterbliches" zum Anführer der ganzen verbündeten Teufelei und des einschlingenden Höllenrachens wird und sich dabei – wenn auch etwas unsicher (V. 11632–33) – auf die einstige Faustische Schuldverschreibung beruft, vertritt er gegen die Faust zu Hilfe kommenden kosmischen Kräfte der Liebe *das menschliche Todesbewußtsein*, welches meint, daß mit dem körperlichen Zerfall und dem Verlust der Welt das Leben widerlegt sei. (V. 11598–603)

Was sich im Kampf zwischen Teufeln und Engeln abspielt, ist Spiegelung eines Vorgangs innerhalb der Faustischen Geisteskraft. Als Spiel nach dem Tode wird hier etwas ausgespielt, was sich im Tode selber ereignet und entscheidet: das ist für Faust die Entscheidung, ob er sich von seiner körperlichen Vernichtung vernichten läßt. Die schwer verständlichen Verse:

> Ihr wißt, wie wir in tiefverruchten Stunden
> Vernichtung sannen menschlichem Geschlecht;

Das Schändlichste, was wir erfunden,
Ist ihrer Andacht eben recht (V. 11689–92)

enthalten wohl die Deutung der ganzen Szene. Mephisto ist nicht der
Geist der Vernichtung. Nicht das Vergehen als kosmische Naturmacht
steht hier zur Frage; es geht um anderes. Ob der Mensch vom Bewußtsein seiner Vergänglichkeit sich zerstören läßt, ist eine Sache, die er
selber mit seiner Geisteskraft zu bestehen hat. In diesem Kampf ist
Mephisto der Geist, der dem Menschen einsagt: die körperliche Vernichtung sei der Beweis –

So, hoff ich, dauert es nicht lange,
Und mit den Körpern wird's zugrunde gehn (V. 1357–58) –

daß „alles, was entsteht," „wert" ist, „daß es zugrunde geht" (V. 1339
bis 1340). Die „tiefverruchten Stunden" verweisen auf den Augenblick
der teuflischen Verschwörung vor der Verführung am Baume der Erkenntnis, als dem Menschen „das Schändlichste erfunden" wurde mit der
Erkenntnis: das Bewußtsein von Sünde und Tod.

Es bestätigt sich hiermit die Grundkonzeption von dem Mephistophelischen als dem spezifisch dem „menschlichen Geschlecht" eigenen
Prinzip. Gegenspieler Gottes ist er nicht auf gleicher kosmischer Ebene
– als das „Finstere" gegen das „Licht", wie Kommerell meint – „Damit
Farbe sei, bedarf es der Mithilfe des Finstern"[123] – oder wie Nichtsein
gegen Sein.[124] Mit Recht heißt er – nicht der Vernichter, sondern: „der
Geist, der stets verneint". Das aber ist ein Geist des Bewußtseins: Verneinung des Sinnes.

Doch die kosmischen Liebeskräfte, die als „Himmlische Heerschar"
dem kosmischen Subjekt Faust helfend entgegenkommen, wissen es
besser, wenn sie mit „ihrer Andacht" sich des Todes annehmen: Tod ist
nicht Zerstörung und Ende, sondern das Wunder der Verwandlung zu
neuem Leben durch die Kraft der „Liebe", den „Staub zu beleben".

Folget, Gesandte,
Himmelsverwandte,
Gemächlichen Flugs:
Sündern vergeben,
Staub zu beleben. (V. 11676–80)

Denn darin besteht nun zuletzt die Goethische Umdeutung der Mephistophelischen Autonomie: diese gehört zur entelechischen Bestimmung des
Menschen. Sie ist nicht, wie im christlichen, nur widergöttliche Auf-
lehnung, Abfall und Schuld, sondern auf dieser höchsten Faustischen
Erkenntnisstufe das Mittel und die Möglichkeit schöpferischen Tuns

im Sinne der Naturgesetzlichkeit. Darum ist Mephisto der menschliche Geist, der „stets das Böse will und stets das Gute schafft", gegen Gott im Sinne Gottes.

Handlung als Prozeß

Und was ist die Handlung des Dramas, dieses verwirrendste Moment des zweiten Faust, deren Undurchsichtigkeit mit der versagenden poetischen Kraft des zu alten Dichters entschuldigt wurde?

Das Verständnis der Dichtung wird dadurch erschwert, daß es, erstens, keine Handlung gibt, die durchgängig auf Faust als den Helden bezogen ist, und daß, zweitens, überhaupt eine Handlung fehlt, die in fortlaufender kausaler Verknüpfung alle Ereignisse des Dramas miteinander verbindet.

Wollte man die Dichtung nacherzählen, käme man in Verlegenheit. Nach einem Eingangsbild begegnen Faust und Mephisto am Kaiserhof. Daß Mephisto dem Kaiser aus der Geldnot hilft, wäre allenfalls ein die erste Hälfte des Aktes verknüpfendes Thema; aber schon hier fällt das eigentliche Handlungsmoment: die Unterzeichnung des kaiserlichen Dekrets, aus. Die zweite Akthälfte, die Beschwörung der Helena und des Paris, bleibt von der Geldbeschaffung unberührt. Und durch Faust sind die Begebenheiten des ganzen Aktes weder im Thema noch in ihrer Folge zusammengehalten. – Noch schwieriger wird es im zweiten Akt, wo wir Faust ohne Begründung wieder in seinem Studierzimmer antreffen. Daß ein Besuch bei Wagner ihn von seinem Begehren nach Helena abbringen sollte, davon spricht zwar der frühere Entwurf von 1826;[125] doch ist in der Dichtung davon nicht mehr die Rede. Dennoch entsteht hier in Homunculus der Helfer, der ihn in die Klassische Walpurgisnacht führt, damit Faust dort seinen Eintritt in die Unterwelt erwirke und Helena losbitte. Aber gerade diese Szene, um derentwillen die Walpurgisnacht erdacht scheint, bleibt unausgeführt, während die Geschicke des Homunculus die zweite Hälfte der Geisternacht fast ganz in Anspruch nehmen. – Die antike Welt der Helena existiert im ersten Teil des Aktes ohne Faust. Und schließlich kehrt Faust im vierten Akt eigens in den Dienst des Kaisers zurück, um sich ein Stück Meeresstrand zu erwerben; aber von dieser Belehnung hören wir nur beiläufig am Ende des vierten (V. 11035–38) und zu Beginn des fünften Aktes (V. 11115–34), während der vierte Akt im wesentlichen von Niederlage und Sieg des Kaisers berichtet.

Wie ist das Fehlen einer durchgängigen Handlung zu verstehen? Wie soll man die Fülle der Nebenhandlungen neben der Handlung um den

Helden deuten? So anstößig auch immer das Faktum ist, Goethe selbst scheint sich dieser Eigenart der Dichtung bewußt gewesen zu sein, wenn er an Riemer anläßlich der Übersendung des Teilmanuskripts des ersten Aktes schreibt:

> Sie erhalten hierbei . . . das fragliche wundersame Werk bis gegen das Ende. Haben Sie die Gefälligkeit, es genau durchzugehen, . . . vorzüglich aber Folgendes im Auge zu behalten. *Ich unterließ, wie Sie sehen, in prosaischer Parenthese das, was geschieht und vorgeht, auszusprechen, und ließ vielmehr alles in dem dichterischen Flusse hinlaufen, anzeigen und andeuten,* soviel mir zur Klarheit und Faßlichkeit nötig schien. Da aber unsere lieben deutschen Leser sich nicht leicht bemühen, irgend etwas zu supplieren, wenn es auch noch so nah liegt, so schreiben Sie doch ein, wo Sie irgend glauben, daß eine solche Nachhilfe nötig sei.[126]

Der Lebensprozeß

Wir sind gewohnt, unter einem klassischen Drama ein Schicksalsdrama zu verstehen; darin gibt es den Helden und das Schicksal des Helden, an dem, grob gesagt, sein Charakter schuld ist und das sich austrägt in einer Auseinandersetzung des Helden mit der Welt. Dieses Schicksal macht die Handlung des Dramas aus.

Alle diese Begriffe gibt es im II. Faust nur in einem abgewandelten Sinne. Zwar ist Faust der Held, und die Welt zu erfahren sein Schicksal; und so erzählt die Dichtung auch im ganzen Fausts Gang durch die Welt und das Verlassen dieser Welt; aber sie erzählt es nicht in Form einer kausal verknüpften Handlung.

Die einzelnen Akte stellen Bezirke der Welt, Bereiche des Daseins dar, die Faust als eine gefräßige Monade in sich aufnimmt. Der Prozeß des Lebens selbst – als Schema gedacht, wie es der entelechischen Natur Fausts entspricht – tritt an die Stelle einer Handlung und macht den dramatischen Prozeß des II. Faust aus.

Aber auch dieser Prozeß ereignet sich nicht nach Art des Bildungsromans in einer psychologischen allmählichen Entwicklung. Im Wilhelm Meister gibt die Antwort auf die wachsende Kenntnis der Welt das menschliche Innere: es reift heran und bildet sich.[127] Der entelechischen Natur Fausts gemäß vollzieht sich sein Leben nach dem Schema eines biologischen Wachstumsprozesses; das bedeutet: an die Stelle von Entwicklung treten die Begriffe von Metamorphose und Steigerung. Fausts Leben ereignet sich als eine Reihe von Metamorphosen, in denen er sich

mit dem jeweiligen Weltstoff anreichert und schließlich den ganzen Erdkreis ausschöpft.

Gleichgeordnet stehen die Metamorphosen nebeneinander; denn
wenn Faust am Kaiserhof als Hofmagier beginnt und in die kaiserliche
Welt als Abgesandter des Nekromanten von Norcia zurückkommt, ist er
bei der Rückkehr nicht reifer als am Anfang. Zwar ist die Folge, in der
Faust die Welt erfährt, nicht austauschbar; aber das Gesetz, wie Späteres auf
Früheres folgt, ist nicht das der Entwicklung, sondern das der Polarität.

Die Entelechie wird vom Dichter verstanden einmal als sich bildende
Form, zum anderen als tätige Kraft; ihr Wesen, als energische Einheit,
besteht in Funktionen.[128] Dementsprechend zerlegt sich das Leben in
die Prozesse des „Bildens" und „Schaffens",[129] wobei der Prozeß der
Selbstgestaltung zugleich der der Weltgestaltung ist. Während sich
Faust in den ersten drei Akten zu der in ihm angelegten Form bildet –
in den Bildern gesprochen: von dem im Dienste des mittelalterlichen
Kaisers stehenden „Hofmann" zu dem über Knappen und Heerführer
verfügenden Burgherrn des Mittelalters, als dem schöpferisch gewordenen Geist der Neuzeit, ein Prozeß, dem auf der Seite der geschichtlichen
Welt ihre Gestaltung zur Kultur entspricht – betätigt er sich im vierten
und fünften Akt gegenüber der Erde als tätige und zu einem Ganzen
strebende Kraft. Um die beiden Motive: Helena bilden und neue Erde
schaffen, geht das ganze Drama.

Und zwar verwirklicht Faust sein Streben nach Tätigsein zunächst
helfend. Er wird tätig in der Hilfe für den bedrohten Herrscher; von
solchem helfenden Tätigsein schreitet er fort zum eigenen Tätigsein. –
Und so tritt im fünften Akt, im höchsten Alter, Faust selbst als Herrscher vor uns, angefüllt mit seinem ganzen Leben. Der fünfte Akt steht
zu den vier früheren im Verhältnis der Steigerung. Während Faust zuvor
immer auf eine einzelne Tätigkeit gerichtet war, so ist der Hundertjäh-
rige nun tätig in einem ausgezeichneten Sinne. Denn wie das Bilden der
Scheingestalten und die Wiederbelebung der Helena einzelne geistige
Verrichtungen waren, so war auch die Kriegshilfe für den Kaiser eine
besondere und, an dem Tun des alten Faust gemessen, beschränkte
Tätigkeit. Erst die Gewinnung neuen Landes, Herrschaft über ein
Stück Erde, wie sie sich aus dem Thema des vierten Aktes ergibt, wird,
im fünften Akt, zu demjenigen Tun, das alle früheren Tätigkeiten unter
sich begreift;[130] hundertjährig steht Faust höher als je zuvor. Wirkte er
früher in der Welt, so herrscht er nun über eine Welt. „Herrschen" ist
die Chiffre für Steigerung, der „Subordination der Teile" im tierischen
Organismus vergleichbar, die immer „auf ein vollkommneres Geschöpf" „deutet".[131] Daß *alles* darin sein eigenes ist, darauf kommt es an.
Deshalb müssen Philemon und Baucis weichen.

Mit moralischer Besserung und Bildung zum Charakter, wie das
19. Jahrhundert meinte, mit Begnadigung der sündigen, aber zum Guten
strebenden Seele, wie die christliche Deutung wollte, mit dem Verzicht
auf die kapitalistischen Herrschaftsmittel oder dem späten vergeblichen
Entschluß zur Selbstverantwortung des Menschen, wie die marxistische
Auslegung, Georg Lukács[132] oder Hans Mayer,[133] ihn versteht, hat
dieser Lebensprozeß nichts zu tun. Der II. Faust ist ein Drama jenseits
des menschlichen Aspekts.[134] Er ist ein kosmisches Spiel, in dem sich die
in Faust angelegte Potenz ganz im Weltstoff verwirklicht, was von dem
Dichter gleichgesetzt wird mit dem Eintreten des Todes.

Das Bestehen des Todes

Was aber macht das Dramatische dieses Spiels aus, worin besteht das
Schicksal des Helden?

Der Todesaugenblick ist der Augenblick der dramatischen Entscheidung. Ging es bisher um Verwirklichung, so geht es nun im fünften Akt
um Erhaltung Fausts als Person. Der fünfte Akt ist eine Zerlegung dessen, was der Tod ist.[135] Und hier kommt das zur Sprache, was wir in
einem klassischen psychologischen Drama moralisch die Schuld nennen
würden. Im Auftreten der vier grauen Weiber geht es um Fausts Verschuldung und Sühne. Aber diese Verschuldung – obwohl ein moralisches Faktum – wird nicht moralisch verhandelt. Entsprechend der
Natur als Instanz der Dichtung ist Fausts Verschuldung nicht die des
Sündigen, sondern die des Tätigen, der sich handelnd notwendigerweise
in die Welt verstrickt. Die Verstrickung geschieht durch Magie, womit
die Herrschaftsgewalt über die überpersönlichen und durchaus außermoralischen Kräfte gemeint ist, deren sich der Handelnde bedient und
die, indem sie sich selbständig machen, ihn in Schuld verstricken. Die
Verschuldung entspringt aus Fausts magischem Verhältnis zur Welt,
wodurch er sich am Ende des Lebens als Herr und zugleich unfrei fühlt
und wodurch die vier grauen Mächte der Auflösung sich bei ihm einstellen können – vornehmlich die Sorge als die innerlichste. In dem
Moment des Widerrufs der Gewalt:

> Wart ihr für meine Worte taub?
> Tausch wollt' ich, wollte keinen Raub (V. 11370–71)

ist sie da; und Faust, indem er ihr gegenüber kein Zauberwort spricht,
läßt sie zu. In ihr tritt die Macht an ihn heran, die dem Menschen das
Dasein im Augenblick und damit sein tätiges und herrschendes Verhältnis zur Welt nimmt. Indem Faust ihr gegenüber auf die Magie verzichtet,
verzichtet er auf diese Herrschaftskraft; er verzichtet auf das weitere

gewaltsame Heranraffen von Welt als Lebensprozeß. Die Absage an
die Magie

> Nimm dich in acht – und sprich kein Zauberwort! (V. 11423)

ist der Grund, daß die Sorge über ihn Gewalt bekommt und ihn blind
macht. Die Erblindung ist der Verlust des Bezugs des tätig Wirkenden
zur Welt.

Aber es ist nur eine Teilgewalt. Indem Faust mit dem Verzicht auf die
Magie die Sorge an sich heranläßt, widersteht er andererseits ihrer zergliedernden Wirkung und erkennt sie nicht an. Der Wahn Fausts, der
noch die klappernden Lemuren für sein Arbeitsvolk hält, die visionäre
Schau des Erblindeten vom freien Volk auf freiem Grund, die keine
Entsprechung mehr in der Wirklichkeit hat, drückt aufs genaueste das –
über den Verlust des Weltbezugs hinaus – ungebrochene Tätigsein der
entelechischen Natur Fausts aus. Es ist ein Tätigsein, dem die Welt
nicht mehr antwortet, ganz innerlich und monologisch; es ist die reine
Selbsttätigkeit der Entelechie.

Und eine solche tätige Potenz besteht den Übergang. Insofern Fausts
Tod seine Tat ist, er sich tätig in der Mächtigkeit der Person, oder, wie
es in der Dichtung heißt, als „Unsterbliches" erhält, macht schließlich
doch der Charakter des Helden auch im II. Faust sein Schicksal aus.
Denn „Charakter" hieß ja der rastlose Tätigkeitsdrang der mächtigen
Faustischen Potenz. In der ungebrochenen Regsamkeit sieht Goethe die
Gewähr für personale Unvergänglichkeit.

> Beharren eines jeden im Charakter, bis zum Gipfel des mensch-
> lichen Daseins, ohne an die Rückkehr zu denken.[136]

Das Leben Fausts ereignet sich also in einer Folge, die zeitlich verstanden ein Nacheinander von Augenblicken ist. Sie folgen sich nicht kausal,
sondern legen sich nach dem Gesetz der Reihe auseinander. Der Todesaugenblick aber schließt sich an die vorhergehenden nicht an, wie sich im
Leben Augenblick an Augenblick reiht; er begreift alle früheren Lebens-
augenblicke in sich. Sie sind eine Explikation dieses einen Augenblicks.

Von der Schwierigkeit, wie ein solches Zugleich einem Nacheinander
respondieren soll, spricht Goethe in dem Aufsatz: „Bedenken und Ergebung"; es sind Bemerkungen, die das Verhältnis von Natur und Zeit
aufhellen, und obwohl sie zunächst von dem Problem des in die Kategorie der Zeit gebundenen Erkenntnisaktes ausgehen, zielen sie letztlich
auf ein Problem im Erkannten: im Lebensakt selber.

> Die Schwierigkeit Idee und Erfahrung mit einander zu ver-
> binden erscheint sehr hinderlich bei aller Naturforschung: die

Idee ist unabhängig von Raum und Zeit, die Naturforschung ist in Raum und Zeit beschränkt, daher ist in der Idee Simultanes und Sukzessives innigst verbunden, auf dem Standpunkt der Erfahrung hingegen immer getrennt, und eine Naturwirkung die wir der Idee gemäß als simultan und sukzessiv zugleich denken sollen, scheint uns in eine Art Wahnsinn zu versetzen. Der Verstand kann nicht vereinigt denken was die Sinnlichkeit ihm gesondert überlieferte, und so bleibt der Widerstreit zwischen Aufgefaßtem und Ideiertem immerfort unaufgelöst.[137]

Analog einer solchen „Naturwirkung", wie sie Goethe hier beschreibt, ist der Lebensprozeß Fausts konzipiert. Goethes späte Äußerung an Wilhelm von Humboldt, daß „Aristoteles und andere Prosaisten" diese Dichtung „einer Art von Wahnsinn zuschreiben würden",[138] füllt sich mit Inhalt. Die Zumutung, die die Produktion an den Verstand macht, indem sie ihn nötigt, sich über sich selbst „hinauszumuten",[139] ist wohl diese, daß er sich das Leben Fausts simultan und sukzessiv zugleich denken soll. Es liegt an der Konzeption Fausts als eines kosmischen Ichs, daß er Teil hat an zwei verschiedenen Wirklichkeiten. Sein menschliches Leben, das sich als Gang durch die Welt notwendig sukzessiv ereignet, muß der Entelechie gemäß zugleich als simultan gedacht werden: die Reihe der Verwandlungen, in denen Faust erscheint, in Einem Augenblick vereinigt – allerdings in keinem Augenblick der Zeit, sondern in dem zeitlosen Augenblick der Simultaneität.

Dieser kosmische Augenblick ist der Augenblick des Todes, der Augenblick des hundertjährigen Faust. Denn zwar vom menschlichen Leben aus ist der Tod der letzte Lebensaugenblick; als Mensch erfährt hier Faust seine letzte und eigentliche Verwandlung. Aber von der Natur aus ist der Tod der Augenblick des Lebens im ganzen. Denn wie die Geburt nicht nur der erste Lebensaugenblick ist, sondern der zeitlose, in dem die Entelechie überhaupt in die körperliche Wirklichkeit eintritt, so ist der Tod derselbe Augenblick, in dem sie sich aus der Verwirklichung, das Leben im ganzen sich in die Idee zurückzieht.

Meinte der fünfte Akt nur das Ende, so wäre er als der letzte Augenblick innerhalb des Lebens ergriffen, dem sich ein Ausblick nach Jenseits anschlösse. Faust aber steht in diesen Situationen zu Beginn des Aktes vor seinem Leben im ganzen. – Philemon und Baucis und Lynkeus sind Gegenbilder unverstrickten Daseins, in denen sich menschliches Leben in Erfüllung seines kreatürlichen und seines Erkenntnis-Auftrags in Anfang und Ende rein zusammenschließt. – Ebenso geht es bei der gewaltsamen Aneignung des letzten Stückchens fremder Erde um das

Prinzip der Weltaneignung überhaupt; und schließlich steht auch die Sorge für die gesamte Verschuldung Fausts und meldet sich nicht nur als Folge der eben vollstreckten Gewalt an den beiden Alten.[140]

Das Faustische Leben vollzieht sich – in den ersten vier Akten – in einer sukzessiven Reihe von Verwandlungen.[141] Als Mensch verwirklicht sich Faust notwendigerweise nacheinander. Dennoch ereignet sich dieser Prozeß nicht als stufenweise Entwicklung, weil diesem Nacheinander ein Zugleich entspricht. Denn Fausts Sterben, der fünfte Akt, ereignet sich in einer kosmischen Wirklichkeit, in der Leben und Sterben nur noch ein Ein- und Ausatmen, Verwirklichung und Entwirklichung sind. Der letzte Akt steht zu den übrigen im Verhältnis von Simultaneität und Sukzession.

Der Akt als Bildeprozeß

Dennoch gibt es eine poetische Handlung – die Folge der einzelnen Ereignisse innerhalb der Akte – die der Lebensprozeß Fausts, von dem soeben die Rede war, noch nicht erklärt. Diese bezieht ihre wesentlichen Motive: Kaiserhof und Helena, aus dem alten Volksbuch, sie übernimmt die Lokalitäten: Studierstube und Walpurgisnacht, aus dem ersten Teil und bringt in ihnen als symbolischen Räumen jeweils ein Stück Welt zur Erscheinung.

Dieser einzelne Weltbezirk, zu dem sich jeder Akt schließt, wird nicht statisch, sondern wirkend gefaßt: als Funktion; Funktion im Sinne der Goethischen Bestimmung verstanden als „das Dasein in Tätigkeit gedacht".[142] Die Begriffe von Charakter und Handlung sind aufgegeben[143] zugunsten eines Gesamts von Teilkräften oder Teilfunktionen, in die sich der Weltbezirk auseinanderlegt. Handlung ist dann das Zusammenwirken dieser Teilkräfte in einem Prozeß.

Dieser Prozeß, obwohl sich sukzessiv ausbreitend, bedeutet als Dauer: Augenblick; er meint als Geschehen: Verwandlung, als den Lebensprozeß aller Natur.[144] Der Akt geht aus von der Welt im Zustand der Defizienz, der sich durch das hinzutretende Wirken von Mephisto und Faust jeweils zu einer neuen Totalität ergänzt. Die defizienten Situationen sind:

1. Akt: Der Kaiserhof in Geldnot
     Hier aber fehlt das Geld (V. 4890).
2. Akt: Die verlassene Studierstube in Erwartung Fausts
     Erwartet seinen alten Herrn (V. 6663–65).
3. Akt: Die in die Heimat zurückkehrende Helena ohne den Gatten
     Aus der großen Leere Bedürfnis des Eingreifens.[145]

4. Akt: Die kaiserliche Herrschaft im Augenblick des Abfalls der Macht
    Zur Morgenstunde, die bedenklich waltet (V. 10461)
5. Akt: Faust, hundertjährig, in der Fülle des Weltbesitzes ungenügsam
    Die wenig Bäume, nicht mein eigen,
    Verderben mir den Weltbesitz. (V. 11241–42)

Der Prozeß der Verwandlung des Phänomens zu einer neuen Ganzheit
macht jeweils die Handlung des Aktes aus. An die Stelle der dramatischen
Akthandlung tritt also im zweiten Teil der Dichtung der Prozeß der
Phänomenbildung. Die Handlung stellt nicht eine Fabel dar, sondern
ist das Ereignen eines Bildeprozesses.

1. Akt. – Das bedeutet für den ersten Akt, nicht im Sinne einer Interpretation, sondern einer Schematisierung der Handlung:
    Gesellschaft – als ein Gesamt von Welt – zerlegt sich in: Kaiser, Mini-
ster, Hofgesinde, Narren, Astrologen, Herold, Bannerherrn, Kämmerer,
Pagen, Architekt, Dichter, Gelehrten, die Ritter und die Damen etc. als
in ihre verschiedenen Teilkräfte; sie faltet sich in das Bedürfnis nach
Geld und den Wunsch nach Schönheit, in zwei für sie signifikante, polar
sich ergänzende Begehren auseinander.
    Im Augenblick der Not treten Mephisto und Faust als „neuer Geist"
ein und ergänzen (1) durch Erfindung des Scheingelds, (2) durch Erschaffung des Schönen im Kunstschein die Gesellschaft zu einer neuen
Totalität.
    2. Akt. – In der gotischen Studierstube stellt sich der forschende
christlich-nördliche Geist – als ein Gesamt – in einzelnen Kräften (Famulus, Baccalaureus, Wagner) dar und ist durch das Streben nach gesetzlicher Erkenntnis vom Menschen, nach dessen künstlich-wissenschaft-
licher Erzeugung, bezeichnet.
    Auch hier treten im Augenblick der höchsten Erwartung (auf die
Rückkehr des „alten Herrn", auf das Gelingen des Experiments) Mephisto samt Faust als die neuen Geisteskräfte ein und ergänzen sich durch
Homunculus – zu (1) dessen Entstehen und (2) dessen Wissen von der
Walpurgisnacht sie mithelfen – zu der neuen Totalität des christlich-
nördlichen Geistes, der der antiken Natur zustrebt.
    2. Akt. – Auf die das Schöne bildende griechische Elementarnatur
bezieht sich das Gesamt mythischer Geister der Klassischen Walpurgisnacht. Auch sie ist gefaßt in einem Augenblick des Übergangs, wo sie in
Wiederholung von einstmals erzeugter schöner Form neue bilden, gebildete zur schönen Erscheinung umbilden kann.
    Faust und Homunculus treten hier ein als diejenigen, an denen sich
der verwandelnde Prozeß vollziehen soll, sie sind im Zustand höchster

Verwandlungsbereitschaft; andrerseits ergänzen sie durch ihr Hinzutreten die versammelten Naturkräfte zur Ganzheit ihrer bildenden Funktion.

3. Akt. – Im Helena-Akt ist die sich aufbreitende Welt (Königin, Chorführerin, Chor) von Helena aus als dem zeitlosen Phänomen antiker Schönheit, dem Urphänomen des menschlichen Urbildes überhaupt, gedacht.

Auch Helena wird angetroffen in einem Augenblick der Verlassenheit von dem antiken Gatten; ein Augenblick, den das Hinzutreten Mephistos und Fausts – als des schöpferisch gewordenen abendländischen Geistes – verwandelt. Während Mephisto, in der Rolle der Dienerin des verlassenen antiken Vaterhauses, Helena durch die Bewußtmachung ihres Daseins als leerer Kunstmaske zu Faust und damit erneut als Wirkende in die Geschichte treibt, tritt Faust in die leer gewordene Stelle des Liebhabers ein, zeugt mit ihr den Genius der neuen Kunst und zieht so die bisher Zeitlose in ihr neuzeitliches geschichtliches Dasein.

4. Akt. – Im vierten Akt bezieht sich das Gesamt von wirkenden Kräften: Kaiser, Obergeneral, die drei Heeresteile, Kundschafter und Herolde, auf die staatliche Herrschaft, die sich in einem Zustand äußerster Machtlosigkeit befindet, in den nun Faust im Verein mit den drei Gewaltigen und Mephisto eintritt. Sie ergänzen diese Welt um das Moment der Macht über die rohen Triebkräfte menschlicher Gewalt und um das der günstigen Naturumstände, die dem Mächtigen glücklich zu Hilfe kommen.

5. Akt. – Im fünften Akt bezieht sich alles hier Vereinte (Philemon und Baucis, der Wanderer und Lynkeus, die vier grauen Weiber, unter ihnen die Sorge, die Lemuren, die Teufel und die Himmlischen Heerscharen im Verein mit dem Personal der Bergschluchten) auf den Todesprozeß, der sich darin als in einem Gesamt menschlicher und kosmischer Weltbezüge darstellt; er betrifft Faust, den hundertjährigen, der im Besitz der Weltfülle gequält ist von der Begierde nach dem letzten Stück fremder Welt.

Im Augenblick des Todesübergangs, da der Weltbesitz wie die Weltverschuldung vollkommen ist, erhält er sich gegenüber den zergliedernden Kräften durch ungebrochenes Tätigsein in der personalen Einheit seiner Geisteskraft, die nun, von den entgegenkommenden kosmischen Liebeskräften aufgenommen, lernt sich aufzugeben. Als bisher Weltanraffende ergänzt sie sich um die kosmische Qualität des Sichaufgebens zu der reinen Lebensbewegung der Entelechie.

Fausts Gang durch die Welt

Prolog

Der Anfang der Dichtung ist ein Prolog. Er geht der Weltwanderung Fausts voraus, die sich mit dem Tode am Ende noch einmal zu einem Leben zusammenschließt. So ist der Prolog das Antreten zu diesem erneuerten Leben. Die Ereignisse stehen an der Stelle einer Wiedergeburt.

> . . . so konnt ich mir nicht anders helfen als den Helden, wie ich's getan, völlig zu paralysieren und als vernichtet zu betrachten und aus solchem scheinbaren Tode ein neues Leben anzuzünden.[1]

Die Wiedergeburt ist eine Verwandlung: aus dem Schuldigen in den auf eine neue Weise die Welt Erfahrenden. Insofern ist es zugleich die poetologische Verwandlung aus dem Faust des ersten in den des zweiten Teils: aus dem psychologischen in ein kosmisches Ich.

Die Verwandlung geschieht durch die Natur. Denn der an Gretchens Leben schuldig Gewordene begegnet, überraschenderweise, wieder in „anmutiger Gegend". Auf „blumigen Rasen gebettet" sucht Faust „ermüdet", „unruhig" nach Schlaf. Abenddämmerung kündigt die Nacht an; Elfen sind um ihn. Sie heißen „edel" im Gegensatz zu ihren quälenden Geschwistern, den Alben, die die Albträume bringen:

> Die ihr dies Haupt umschwebt im luft'gen Kreise,
> Erzeigt euch hier nach edler Elfen Weise,
> Besänftiget des Herzens grimmen Strauß. (V. 4621–23)

Ariel ist ihnen beigegeben, um als Chorführer ihr Wesen zu artikulieren. Er ist selber einer dieser Naturgeister: derselbe, in dem in Shakespeares „Sturm" sich die Natur des Menschen hilfreich annahm, und mit dessen Zitierung der Dichter an diese von Shakespeare und der Renaissance wiederentdeckte göttliche Natur anknüpft. So wird Ariel auch hier zur Stimme der helfenden Natur, die in ihren Elementargeistern den zerstörten Faust vom „erlebten Graus" und den „Pfeilen" des Selbstvorwurfs befreit; befreit durch Vergessen und Schlaf.

Als Frühlingsgeister sind die Elfen Geister der Erneuerung:

> Wenn der Blüten Frühlingsregen
> Über alle schwebend sinkt,
> Wenn der Felder grüner Segen
> Allen Erdgebornen blinkt . . . (V. 4613–16)

Die jährlich sich erneuernde Natur nimmt sich des „Paralysierten" an, den Unglück vernichtet hat:

> Kleiner Elfen Geistergröße
> Eilet, wo sie helfen kann;
> Ob er heilig, ob er böse,
> Jammert sie der Unglücksmann. (V. 4617–20)

Klein als Geister des Elements, sind sie groß als Kräfte der Natur. Natur hilft, wo der bewußte Mensch sein Leben verwirkt zu haben scheint. Sie hilft ungeachtet seiner Schuld. Der Schlaf als Begleichung von Fausts Schuld ist Zeichen, daß nun die unbewußte Natur in ihm und für ihn handelt. Heilig oder böse gelten nichts in dieser neuen kosmischen Wirklichkeit, in die Faust von nun an als entelechisches Ich hineingestellt ist; es gilt nur Erhalten und Erneuern von Leben.

> Es ist alles Mitleid und das tiefste Erbarmen. Da wird kein Gericht gehalten und da ist keine Frage, ob er es verdient oder nicht verdient habe, wie es etwa von Menschenrichtern geschehen könne.[2]

Sich des Anderen erbarmen und helfen bezeichnet ein wechselseitiges Verhalten des Lebendigen in der Natur. Wie es hier das Verhalten der Elfen zu Faust bestimmt:

> Jammert sie der Unglücksmann (V. 4620),

so wiederholt es sich in dem Verhalten Fausts zum Kaiser des vierten Akts:

> Er jammert mich; er war so gut und offen. (V. 10291)

Es erläutert die Beziehung zwischen Philemon und Baucis und dem Wanderer:

> Meine Wirte möcht' ich segnen,
> Hülfsbereit, ein wackres Paar (V. 11051–52)

und wird sogar die „Liebe" artikulieren, mit der die „selige Schar" Fausts „Unsterblichem" entgegenkommt:

> Und hat an ihm die Liebe gar
> Von oben teilgenommen,
> Begegnet ihm die selige Schar
> Mit herzlichem Willkommen. (V. 11938–41)

Und so ereignet sich die Wiedergeburt Fausts in eins mit der Erneuerung der Natur zwischen Abend und Morgen, wie es der neuen Einheit zwi-

schen Entelechisch-Menschlichem und Natürlichem entspricht. Ariel
erläutert wieder den Vorgang:

> Vier sind die Pausen nächtiger Weile,
> Nun ohne Säumen füllt sie freundlich aus. (V. 4626–27)

Die vier Pausen, in denen die Nacht fortschreitend verweilt, geben
Raum für vier Handlungen, in denen die Naturgeister lebenbewahrend
wirken sollen. Es sind die vier Vigilien, zu denen einst die römischen
Wachtposten nächtens wechselten, dieselben, die in christlicher Zeit mit
frommen Gebetsübungen ausgefüllt wurden, daß die Seele „wache und
nicht schlafe", in denen nun die Nacht selber das Wachen für den Menschen übernimmt; die neuen Vigilien der Elfen werden für Faust zum
Schlaflied, seine Versenkung ins Unbewußte zur Rückführung in seine
entelechische Natur.[3]

Das Lied hat in seiner kreisenden Bewegung die Form der Wiederkehr vom Licht zum Licht. Seinen vier Strophen entspricht das Tun, in
dem die Natur – verlöschend und wieder ins Licht zurückkehrend – sich
wiederherstellt. Indem Faust in diese Bewegung miteinbezogen ist,
sprechen sie zugleich aus, was sich mit ihm als einem kosmischen Ich
ereignet.

1. Die Farben des Tages schwinden, Dämmerung breitet sich friedvoll
über die Erde wie über das kindliche, von der mütterlichen Natur ein-
gewiegte Herz und schließt in den müden Augen die Pforte zum Tag.

> Süße Düfte, Nebelhüllen
> Senkt die Dämmerung heran,
> Lispelt leise süßen Frieden,
> Wiegt das Herz in Kindesruh. (V. 4636–39)

2. Tiefe Ruhe der Natur in nächtlicher Klarheit ist Anwesenheit des
Göttlichen, des funkelnden Sternenlichts, das zugleich fern und im
Widerglanz des Sees nah ist:[4] nächtlich ruhende Natur als reine Spiegelung des Ideellen. Ja das Herrschen des Vollmonds in der tiefsten Ruhe
bezeichnet die Mitternacht als den zeitlosen Augenblick, wo die verlebte
Zeit aufgehoben ist und die Dimension des Ewigen herrscht. Als der
ewige Augenblick ist er zugleich der Augenblick der Verwandlung:

> Große Lichter, kleine Funken
> Glitzern nah und glänzen fern,
> Glitzern hier im See sich spiegelnd,
> Glänzen droben klarer Nacht;
> Tiefsten Ruhens Glück besiegelnd
> Herrscht des Mondes volle Pracht. (V. 4644–49)

3. Mit dem Verlöschen der Stunden des alten Tags, dem Aufhören der Zeit, schwinden auch die Verwundungen der Leidenschaft. Das Ich ist weder von Schmerz noch von Glück mehr bewegt; und wie die Natur dank des wiedererscheinenden Lichts von neuem in Farben, Formen und wachsendem Leben morgendlich ersteht, so soll auch das Ich sich dem Licht des neuen Morgens anvertrauen:

> Fühl es vor! du wirst gesunden.
> Traue neuem Tagesblick!
> Täler grünen, Hügel schwellen,
> Buschen sich zu Schattenruh,
> Und in schwanken Silberwellen
> Wogt die Saat der Ernte zu. (V. 4652–57)

4. Zuletzt ist Licht Verführung zum Ergreifen des neuen Lebenstages. Wie die Natur sich von der Nacht als der Hülle, unter der sie sich erneuert, befreit, so soll auch Faust den Schlaf von sich werfen. Und hier fällt das Wort, das den Vorgang in seinem Naturcharakter enthüllt: als Metamorphose;

> Schlaf ist Schale, wirf sie fort! (V. 4661)

– wie seine Chrysalide der Schmetterling.

Die Ereignisse, von denen die Elfen singen, fügen sich so zu der Verwandlung zusammen, die sie als Naturkräfte in dem Schlafenden bewirken.[5]

Aber die erneuernde Verwandlung umgreift nicht nur den Schlaf, sie umgreift ebenso das neue Erwachen, entsprechend den polaren Lebensbewegungen, die den Menschen nun als kreatürliches Wesen bezeichnen. Im Schlaf war die sich selbst erneuernde Kraft der unbewußten Natur Fausts tätig, ihr stellt sich in dem Erwachenden das tätige Ich zur Seite, das von neuem begehrend von der Welt Besitz ergreift.

Schon die Elfen hatten Faust als Begehrenden aufgerufen und ihn, „Wunsch um Wünsche zu erlangen", auf das kommende Licht gewiesen. Sie hatten an ihn als den „Edlen" appelliert, und damit an denjenigen, der, entgegen der zaudernden Menge, das neue Leben entschlossen ergreifen soll, weil er es als „Verstehender" ergreifen kann:

> Säume nicht, dich zu erdreisten,
> Wenn die Menge zaudernd schweift;
> Alles kann der Edle leisten,
> Der versteht und rasch ergreift. (V. 4662–65)

Dennoch, wenn gleich darauf die Sonne aufgeht, sind die Elfen dem Licht nicht gewachsen. Ariel interpretiert sie von seiten des elementaren Lebens: es ist mit seinen Sinnen für die Erfahrung des Lichts nicht ausgestattet.

> Auge blinzt, und Ohr erstaunet,
> Unerhörtes hört sich nicht. (V. 4673–74)

Es zieht sich in die Tiefe des Stofflichen zurück und bleibt dem Anspruch der Wahrheit „taub".

Dagegen Faust: erwachend wird er sich sogleich der Beständigkeit der Erde, die den Wechsel auch dieser Nacht überdauerte, er wird sich seiner selbst als atmendes Lebewesen bewußt; er begreift sich als Begehrender, mit Lust sich Erfüllender, er nimmt von sich als Beschließender, zum „höchsten Dasein" Strebender Besitz, und er tritt endlich vor die Welt als Schauender.[6]

Anders als dem animalischen Leben, ist sie ihm erschlossen: und zwar durch das Auge. So sieht er die Welt im Dämmerschein, er sieht Himmelsklarheit von oben eindringen, sie erscheint in Farben – ein Paradies. Demgemäß schaut er nach oben, er sieht das Licht auf den Gipfeln der Berge, er sieht es sich stufenweise ins Tal senken, die Welt erschafft sich in Farben als eine Wirkung des Lichts.

Ihr Erstehen im Tageslicht kommt einer Erkenntnistheorie gleich. Das Verständnis derselben ist durch Kantische wie Platonische Kategorien verstellt. Am Ende nämlich sieht Faust in den Sonnenglanz, und im Angesicht des reinen Lichtes muß er sich mit Schmerzen abwenden, um am farbigen Abglanz des Sonnenbogens das erstrebte Leben zu finden. Ist das wirklich dieselbe Erfahrung, die die Weisheit der Kreatur schon wußte: daß auch der Mensch mit seinem Erkenntnisorgan der Wahrheit des Lichts nicht gewachsen ist?

Das Blenden geht nicht von der blendenden Farbe, sondern von dem Licht als Energie aus.

> Das höchst energische Licht wie das der Sonne . . . ist blendend und farblos.

beginnt der Paragraph 150 der Farbenlehre.[7] Nicht an dem glänzenden *weißen* Licht ist es gelegen, daß das Auge es nicht ertragen kann. Das Weiße schon ist „die vollendete Trübe, die gleichgültigste, hellste, erste, undurchsichtige Raumerfüllung".[8] Das farblose energische Sonnenlicht bezeichnet hier die ungeheure göttliche Lebenskraft, die im Stoff alles einzelne Leben auf der Erde schafft und erneuernd erhält.

Dem Anblick dieser göttlichen Kraft gegenüber macht Faust die Erfahrung: Dem direkten Zudringen des Menschen, der sich in dem

5 Lohmeyer, Faust

Licht eine Offenbarung des göttlichen Weltwesens erhofft, bleibt es die Antwort schuldig. Das Leben der Welt ist ein „Flammenübermaß", dem die *unmittelbare* Erfahrung nicht gewachsen ist: ob ein Liebendes oder Hassendes sich darin verbirgt, bleibt eine menschliche Frage.

> So ist es also, wenn ein sehnend Hoffen
> Dem höchsten Wunsch sich traulich zugerungen,
> Erfüllungspforten findet flügeloffen;
> Nun aber bricht aus jenen ewigen Gründen
> Ein Flammenübermaß, wir stehn betroffen;
> Des Lebens Fackel wollten wir entzünden,
> Ein Feuermeer umschlingt uns, welch ein Feuer!
> Ist's Lieb'? ist's Haß? die glühend uns umwinden . . .
>
>   (V. 4704–11)

Das meint: der Mensch ist nicht so gebildet, daß sich ihm das lebenschaffende Weltwesen im ganzen und unverkörpert zeige. Verzicht bedeutet diese Erfahrung nur in bezug auf das Unterfangen des ersten Teils. Dem licht-verwandten Auge zeigt sich das „energische Licht" auf andere Weise: in dem farbigen Bogen, den göttliches Sonnenlicht und wäßriges Element zusammen wirken, offenbart die Natur Faust in einem „bedeutenden Phänomen" das göttliche als das gesetzliche Wirken der erscheinenden Welt.

Es ist davon im allgemeinen Teil ausführlich die Rede gewesen. Das dort über den Sonnenbogen Gesagte ist hier um seine Beziehung zum Auge zu ergänzen. – Die in Farben erscheinende Körperwelt, die der Sonnenbogen symbolisiert, ist nicht bloßer Schein, sondern vom Licht fürs Auge und mit dem Auge sichtbar gemachte Welt der Erscheinungen. So wie die Farben „Taten des Lichts" sind, „Taten und Leiden",[9] so ist auch das Auge eine Bildung des Lichts. Goethe spricht von der „unmittelbaren Verwandtschaft des Lichtes und des Auges", ja er fordert auf, „sich beide zugleich als eins und dasselbe zu denken".[10] Deshalb ist das Auge dem Licht gewachsen in dem genauen Sinne, wie Goethe es „sonnenhaft"[11] nennt. Seine Farbenlehre gehört aufs engste mit seiner Morphologie zusammen. So wie der Fisch „in dem Wasser durch das Wasser"[12] gebildet ist, so hat das Auge „sein Dasein dem Licht zu danken":

> Aus gleichgültigen tierischen Hülfsorganen ruft sich das Licht ein Organ hervor, das seines Gleichen werde; und so bildet sich das Auge am Lichte für's Licht, damit das innere Licht dem äußeren entgegen trete.[13]

Während das Tier mit seinen „gleichgültigen Hülfsorganen" – den Grubenaugen des niederen Getiers etwa – sich durch Helligkeitsunterschiede in der Welt lediglich zurechtfindet, ist es dem Auge eigen, in Farben zu sehen. Durch die Farben aber gibt es erst eine entschiedene Welt, mit Formen, Perspektive und Distanzen.

> Nunmehr behaupten wir, ... daß das Auge keine Form sehe, indem Hell, Dunkel und Farbe zusammen allein dasjenige ausmachen, was den Gegenstand vom Gegenstand, die Teile des Gegenstandes von einander für's Auge unterscheidet. Und so erbauen wir aus diesen Dreien die sichtbare Welt.[14]

Durch die Farbe erst wird das Auge der Natur als eines Ganzen ansichtig,

> denn sie ist es ganz, die sich dadurch dem Sinne des Auges besonders offenbaren will.[15]

Die vom Licht erhellte ist somit eine vom Auge erschlossene Welt. Dank der Farbe zeigt sie sich in ihrer Ordnung, in ihrer Gesetzmäßigkeit. Darum nennt Goethe die Farbe „die gesetzmäßige Natur in bezug auf den Sinn des Auges".[16] Das meint: so wie das Licht die Farben bewirkt, so hat es sich in dem menschlichen Auge das Organ geschaffen, dem die Welt als eine in Farben erhellte erkennbar ist. In den Farben hat sich die Natur „zum Menschen" „heraufbegeben".[17] – Vom Licht selber aber sagt Goethe:

> Eigentlich unternehmen wir umsonst, das Wesen eines Dinges auszudrücken. Wirkungen werden wir gewahr, und eine vollständige Geschichte dieser Wirkungen umfaßte wohl allenfalls das Wesen jenes Dinges.[18]

Im Sonnenbogenbild sind Farbe und Auge zugleich das Gemeinte und Gleichnis; der als Erkenntnisorgan ausgezeichnete Gesichtssinn steht für die menschliche Erkenntniskraft überhaupt. Das Gleichnis sagt, daß der Mensch irrigerweise nach einer unmittelbaren Erkenntnis des Weltwesens strebt, und verhilft zu der neuen Einsicht jener ursprünglichen Erschlossenheit der Welt, die durch die Korrespondenz zwischen Farbe und Auge, erscheinender Welt und „weltgemäßem Organ" hergestellt ist.

Das Sonnenbogengleichnis erteilt somit dem Menschen seine Funktion im Ganzen des Kosmos: die Welt als eine gesetzliche zu erkennen.

> Der spiegelt ab das menschliche Bestreben.
> Ihm sinne nach ... (V. 4725–26)

Und so belehrt und verwandelt wendet sich Faust noch einmal und aufs neue der Welt zu.

5*

Gesellschaft

Phänomen

Auf seinem Gang durch die Welt kommt Faust zunächst an den Hof des Kaisers.

Dieser begegnet in verschiedenen Situationen: in der Anarchie der Geldnot, in der Maskerade der Mummenschanz, im Reichtum des neuen Geldes und bei einer theatralischen Veranstaltung.

Fragt man nach dem Gemeinsamen dieser Situationen, so bleibt als einziges verbindendes Moment, da eine durchgängig sich darstellende Handlung oder ein alles erlebender Held fehlt, der Kaiserhof als die Welt, die sich in ihnen ausbreitet.

Läßt man die Personen vorüberziehen, die hier auftreten: Kaiser, Minister, Hofgesinde; Narr, Astrologe, Herold; Kämmerer, Page, Diplomat; Bannerherr und Hofmann, Poet und Gelehrter, Architekt und Gouvernante, die Ritter und die Damen, und vergleicht sie mit dem Personal des vierten Aktes, so erkennt man als das ihnen Gemeinsame ihre Zugehörigkeit zur Hofgesellschaft.

Menschliche Welt erscheint hier unter dem Aspekt des Sozialen. Der mittelalterliche Kaiserhof als konkrete geschichtliche Erscheinung wird vom Dichter zugleich als Symbol für eine Form gefaßt, die menschliches Dasein für sein Zusammenleben ausprägt. Im Kaiserhof des ersten Aktes chiffriert sich Gesellschaft als ein eigener Weltbezirk und stellt sich als geistiges Phänomen in wechselnden Situationen dar.

Dieselbe Zerlegung findet auch innerhalb der einzelnen Situationen statt. Wenn der Kaiser mit dem Staatsrat tagt, ist es nicht allein der Kanzler, der über die Anarchie des Reiches Klage führt: Heermeister, Schatzmeister und Marschalk geben verschiedene Bilder der allgemeinen Auflösung, in die das Reich geriet. Wenn dann Mephisto den Rückgriff auf die Kleinodien im kaiserlichen Boden als Lösung aus der Geldnot empfiehlt, so antwortet darauf nicht nur der Kaiser: Kanzler und Heermeister, Schatzmeister, Marschalk und „die Menge" sind wieder da, um das Projekt prüfend zu erwägen (V. 4939–40), es als Rettung zu begrüßen (V. 4943–44), es als teuflisch zu verwerfen (V. 4941–42). – Wenn schließlich Page und Bannerherr, Kämmerer und Narr eigens vom Kaiser befragt werden, wie sie das neue Geld verwenden wollen, so wird deutlich: nicht der Fortgang einer dramatischen Handlung fordert solche

Zerlegung; Reihung ist das Prinzip, nach dem die Szenen komponiert sind. Die Natur, die die bildende Form nur in der Reihe der erscheinenden Metamorphosen verwirklicht, ist das Muster, nach dem die Dichtung verfährt.[1]

Denn in den übrigen Szenen wiederholt sich dieses selbe Kompositionsprinzip. Ist es Sitte des Kaiserhofs, sich jährlich einmal in der Mummenschanz zu maskieren, und ziehen die Gruppen der Masken in langem Zuge vorüber; führen während der Beschwörung des Paris „jüngere" und „ältere" Damen das Wort und entzücken sich „Ritter" und „Page", „Diplomat" und „Hofmann", „Poet" und „Gelahrter" über die Erscheinung der schönsten Frau, so will überall die Reihe der Bilder und Stimmen auf Gesellschaft als ihr Allgemeines hinweisen.

Wie nun die Fülle des Einzelnen sich zur Reihe zusammenfindend die Situation bildet, so erwächst Gesellschaft als ganzes Phänomen aus der Reihe der Situationen. Als Metamorphosen einer Form verstanden, sind diese daher nicht kausal verknüpft: eine Situation folgt nicht aus der anderen; Gesellschaft findet sich in immer neuer Lage und kennzeichnet sich darin.

Geldnot und Mummenschanz sind in sich vollendete Bilder, so wie Fausts Gang zu den Müttern und Mephistos Kurpfuscherei sich jeweils zu einem Ganzen schließen. Selbst Geldnot und Scheingeldbesitz, der Gang zu den Müttern und das Bilden der Scheingestalten auf dem Hoftheater können durch die Art, wie sich eine jede Szene in sich rundet, für unabhängig voneinander gelten.

Als Reihung indes bedeutet ihre Folge nicht zeitlichen Ablauf. Das Nacheinander ist die Weise, wie das Phänomen Gesellschaft, als ein simultan zu denkendes, sich sukzessiv auseinanderlegt.

Prozeß – Die Gesellschaft der Neuzeit

Dennoch ereignet sich etwas in dem Akt: Gesellschaft zerlegt sich nicht nur in die Reihe der Situationen; es gibt eine Art von Handlung. Mephisto im Verein mit Faust „zaubert" der Gesellschaft das neue Geld. Faust mit Mephistos Hilfe „zaubert" dem Hof Paris und Helena auf das Theater. Denn das Phänomen wird als „Funktion", und das bedeutet: als „Dasein in Tätigkeit" gedacht.[2] Gesellschaft erscheint als ein dynamischer Weltbezirk und faltet sich in ihre Momente als in Allegorien der sie bewirkenden Kräfte auseinander.

Die Handlung chiffriert zwei Prozesse, in denen Gesellschaft aus dem Zustand der Not in den des Besitzes wechselt. Indem ihre höchsten Werte: Reichtum und Schönheit, Ereignis werden, bindet sich die triebhafte menschliche Welt zur Gesellschaft als Form. Als Handlung ereignet sich der Bildungsprozeß des Phänomens.

Aber zugleich bedeutet dieser Prozeß: die Bildung der Gesellschaft der Neuzeit. Der Moment der zerfallenden mittelalterlichen Welt zeigt an, daß es sich um einen ideellen Verwandlungsprozeß handelt, der sich zugleich als geschichtlicher Prozeß abspielt. Indem sich die Gesellschaft also bildet, verwandelt sie sich in die moderne Gesellschaft. Und Faust im Verein mit Mephisto sind die neuen Geisteskräfte, die durch ihr Eintreten im rechten Augenblick diese Verwandlung bewirken.

Goethe hat diesen Prozeß innerhalb der sozialen Welt hier gefaßt in Analogie zu sprunghaften Verwandlungen innerhalb der Natur, das heißt Naturverwandlungen, die eine neue Epoche einleiten. Unter der Überschrift: „Konflikte" faßt er solche dem natürlichen und dem sozialen als dem künstlichen Bereich gemeinsamen „Sprünge" in einem Schema zusammen:

Konflikte
Sprünge der Natur und Kunst
Eintretender Genius zur rechten Zeit
Element genugsam vorbereitet
Nicht roh und starr
Auch nicht schon verbraucht
Ebenso mit der Organisation

Hier springt die Natur auch nur, insofern alles vorbereitet ist, als ein Höheres, in die Wirklichkeit Tretendes zur eminenten Erscheinung gelangen kann.[3]

Gesellschaft in der Not

Die Triebe

Gesellschaft stellt sich im Kaiserhof als gestufte Lehensordnung dar, gipfelnd in dem Kaiser als ihrer Spitze. Sie zerlegt sich in kaiserliche Ämter: Kanzler, Heermeister, Schatzmeister, Marschalk, Kämmerer, Diplomat;
lehensständische Stufungen: Ritter und Bannerherr;
Hofchargen und höfische Einrichtungen: Hofmann und Page, Narr und Astrologe,
und faßt in dieser Gliederung, die zum Teil geschichtlich weit Auseinanderliegendes vereint, eine jahrhundertelange historische Entwicklung zu der idealen Einheit dieser Ordnung zusammen.

Schon dadurch steht die feudale Ordnung nicht mehr für sich selber als eine Gesellschaftsform neben möglichen anderen, sondern wird zur

Chiffre für Gesellschaft überhaupt; sie ist dem Dichter nur verbindlich, sofern sich darin die soziale Welt als eine gegliederte, und das bedeutet zunächst: eine nach oben und unten gestufte darstellt.

Der aber in ihr wirkende, der soziale Mensch, ist ihm durch die menschliche Triebnatur definiert:[4] als gesellschaftlicher ist der Mensch von seinen begehrenden Leidenschaftskräften her verstanden, eine Bestimmung, die den sozialen Menschen im allgemeinen wie den der Neuzeit im besonderen bezeichnet.

Die Triebe sieht Goethe in Analogie zu den Elementen der kosmischen Natur als die willkürlichen und außermoralischen Kräfte im Menschen,[5] die der Antrieb sind zu allem sozialen Tun: zum Zusammenwirken in einem Ganzen, zu sozialen Leistungen in Wohlstand und Kultur wie zur Auflösung des Ganzen.

Aus dieser Leidenschaftsnatur des Menschen ist der Kaiserhof konzipiert; und zwar hebt er sich ab gegen ein Gefüge, das – nach dem Modell des menschlichen Organismus und in der Denkweise der Aufklärung – aus der Polarität von triebhaft agierender Menge und die Triebe lenkender Vernunft gedacht ist. So umfaßt Menge am Kaiserhof Minister wie Hofgesinde, Volk wie Gebildete als Variationen des Menschenwesens, das begehrend lebt in einer der Täuschung ausgelieferten Welt des Scheins.

Ihr stünde als Polarität das bewußte Individuum gegenüber als das die leidenschaftliche Menge mit Vernunft Lenkende. Diese Funktion fiele dem Kaiser zu, in ihr wäre seine Position als Autorität, seine Überordnung in einer Spitze begründet; der Kaiser – als der Bewußte – wäre der die Gesellschaft als ein Ganzes Repräsentierende; in ihm würde das ideelle Ganze Erscheinung im Sinne der Repräsentanz.[6]

Aber der Kaiser des ersten Akts ist nicht von dieser Art. Der Hof allegorisiert eine Triebwelt, die von der Menge bis zur höchsten Spitze reicht.

> ... Verworren, scheckig, wild
> Umdrängt uns hier ein fratzenhaft Gebild. (V. 5691–92)

Er wird gefaßt in zwei polaren, für Gesellschaft im allgemeinen, besonders aber für die moderne Gesellschaft signifikanten Begierden, die den Akt in zwei Hälften teilen: in dem Verlangen nach Reichtum, auf das sich die ersten drei Szenen – Saal des Thrones, Weitläufiger Saal, Lustgarten – und in dem Bedürfnis nach Schönheit, auf das sich die letzten drei Szenen – Finstere Galerie, Hell erleuchtete Säle, Rittersaal: Dämmernde Beleuchtung – beziehen. Indem sich diese Wünsche im Laufe des Aktes als neue „Einrichtungen" in der Gesellschaft realisieren: der neue Geldbegriff konzipiert, das moderne Theater geschaffen wird, befriedigt sich die anarchische Welt von neuem in einer Ordnung.

Den Prozeß der Gesellschaftsbildung versteht Goethe nicht als Ersetzung einer sozialen Klassenordnung durch eine andere. So wenig Gesellschaft hier nur die höfisch-aristokratische umfaßt – die Mummenschanz ist gleich dem „Römischen Karneval" als ein Volksfest konzipiert, an dem alle Stände als bildende Kräfte des gesellschaftlichen Organismus teilhaben – so wenig meint die Anarchie am Kaiserhof nur das Ende der bestehenden Feudalordnung.

Gesellschaftsbildung wird hier nicht aus der Problematik von Herrscher und Beherrschten entwickelt. Das Phänomen des Herrschens behandelt der vierte Akt. Die Bildung der sozialen Welt zu einem gesellschaftlichen Ganzen tritt hier im ersten Akt unter das Gesetz alles natürlichen Bildens: Gesellschaft wird verstanden als Gebilde, in dem ein Ideelles in die Erscheinung tritt; Wiederbildung zur Gesellschaft als In-Erscheinung-Treten eines neuen Ideellen, durch das sich die soziale Welt von neuem zur Gesellschaft als Form bindet.

Auflösung und Bildung zur Form verhalten sich zueinander wie die beiden Pole, zwischen denen sich der Lebensprozeß der sozialen Welt immer wieder vollzieht. Dieser Prozeß ist hier gefaßt als der Entstehungsmoment der modernen Gesellschaft. Sie bildet sich nicht durch Veränderung der bisherigen sozialen Struktur, sondern durch Neukonzeption der Idee und Möglichkeit gesellschaftlichen Reichtums: als Wohlstand und als Kultur der Neuzeit.

Der Zustand der „Not", von dem die „Handlung" ihren Ausgang nimmt,

> Sag', weißt du Narr nicht auch noch eine Not? (V. 4876)

meint also etwas viel Umfassenderes als eine materielle Geldnot. Er bedeutet die Auflösung der Gesellschaft in ihren unsozialen Elementarzustand; die Welt am Ausgang des Mittelalters, regiert allein von der zerstörenden Triebnatur, der das Polare: die „Gestalt" als die zu einem Ganzen ordnende Idee mangelt.

> Wer schaut hinab von diesem hohen Raum
> Ins weite Reich, ihm scheint's ein schwerer Traum,
> Wo Mißgestalt in Mißgestalten schaltet,
> Das Ungesetz gesetzlich überwaltet
> Und eine Welt des Irrtums sich entfaltet. (V. 4782–86)

In den Berichten der Minister erhält diese zerstörende Elementarnatur ihre vielfache Stimme. In ihnen ist das die Ordnung ausführende Moment überhaupt bezeichnet; zugleich sind sie die Konservativen, die an der alten Ordnung des christlichen Gottesstaates festhalten (V. 4903–08);

aber nun, da sie als ordnende Organe wirkungslos sind, ist es ihre Funktion, die Defizienz der Ordnung zu beklagen: den Zustand der Sozietät in ihrer elementaren Begehrlichkeit als Herrschaft der die Gesellschaft zerstörenden Begierden, angefangen bei Raub, Ehebruch und Kirchenschändung (V. 4787–88), über Totschlag und Plünderung (V. 4812–13 und 4825–26) zu Abgabenhinterziehung (V. 4832–33), versagendem Engagement der Parteien (V. 4841–46), unsozialem Egoismus (V. 4847 bis 4851), bis hin zum mangelnden Sinn für Sparsamkeit (V. 4852–55) und alles vertuendem „Gesäufte" (V. 4864).

Denn der Kaiser ist nicht der „vernünftig" (V. 5961) Lenkende, nicht das polare Element zur leidenschaftlichen Menge. In ihrer Spitze kulminiert die Gesellschaft in ihrem Maximum an Leidenschaftlichkeit. Als die jugendliche große Triebnatur der heraufkommenden Renaissance – „ein edler Wein . . . in gewaltiger Gärung"[7] – repräsentiert er den ungeheuren Anspruch des Individuums der Neuzeit auf Genuß. Als Kaiser Genießender, versucht er zu vereinigen, was nicht zusammengeht. Denn „Genießen heißt: sich und andern in Fröhlichkeit angehören, Herrschen" aber „heißt: sich und anderen im ernstlichsten Sinne wohltätig sein".[8]

Im alten Narren und im Astrologen als seinen Ratgebern (V. 4730–31) ist der Schwarmgeist personifiziert, der ihn leitet: in dem Astrologen der Wahn von einer wunderbaren Glückserfüllung aus den Sternen; in dem Narren die Illusion von einem sorgenlosen Lebensgenuß aus den Sinnen. Es sind die beiden Rollen, deren Funktionen im Laufe des Aktes in verwandelter Form an Faust beziehungsweise Mephisto übergehen werden.[9]

Trotzdem unterscheidet den Kaiser etwas Bedeutendes von allen anderen: Kulmination ist er, insofern er sich nicht am einfachen Genießen genügen läßt; der Begriff von einer im Genuß sich steigernden Gesellschaft besteht allein in ihm. Es gibt eine Rangstufung der Leidenschaften: der Kaiser will den ganzen Genuß und er will den höchsten. Wie er das neue Geld erst im Verschwenden (V. 6143 ff.), sein Herrschertum erst im Traum von der Allherrschaft genießt (V. 5988–6002), so verlangt es ihn nach einem gesteigerten Leben: im Feiern des Karnevals, im Anblick der „Musterbilder" der Schönheit. Und in diesen erhöhten Lebensgenuß möchte er die ganze ihm übergebene Welt versetzen.

> Und als er ging, die Krone sich zu holen,
> Hat er uns auch die Kappe mitgebracht. (V. 5074–75)

Die Mummenschanz ist dieser erhöhte Augenblick. Unter solchem Vorzeichen des „Glücks" fühlt sich der Kaiser, als er die Versammlung im Thronsaal eröffnet:

Und also, ihr Getreuen, Lieben,
Willkommen aus der Näh und Ferne!
Ihr sammelt euch mit günstigem Sterne:
Da droben ist uns Glück und Heil geschrieben. (V. 4761–64)

Das ist der Beginn des Aktes. Der gesteigerte Augenblick, der die „Handlung" auslöst, ist der Doppelaugenblick der Not und des beginnenden Festes, in dem Mephisto in der Narrenmaske in die Lücke, die der alte Narr hinterläßt, Faust in der Plutusmaske an der Stelle des mangelnden Reichtums in den Kaiserhof einschlüpfen können und ihn um das jeweils Fehlende ergänzen. Denn was fehlt, ist das, was die nach Genuß strebende Gesellschaft erst zur Erfüllung bringt: es fehlt der Reichtum als die Idee einer Gesellschaft in allgemeiner Wohlfahrt und Glück; und es fehlt die Erkenntnis der Bedingungen, unter denen er sich in der neuzeitlichen Gesellschaft einstellen könnte. Diese bringt der moderne erfindende und erkennende Geist, der mit Mephisto und Faust in den Kaiserhof eintritt. Sie kommen zunächst als die neuen Geldmacher.

Das Geld

Im „Thronsaal" begegnet als erster Mephisto, der die Anarchie erklärt als einen Mangel an Geld.

Wo fehlt's nicht irgendwo auf dieser Welt?
Dem dies, dem das, hier aber fehlt das Geld. (V. 4889–90)

Der Lustgarten zeigt dann in der Tat die befriedigte Gesellschaft im neuen Geldbesitz. Aber nicht der Vorgang, wie es zu der Veränderung kommt, macht die fortlaufende Handlung der ersten drei Szenen aus. Während vieles darin nicht mit der neuen Geldbeschaffung zusammenzuhängen scheint, fehlt andererseits ein für sie wichtigstes Handlungsmoment im Spiel: die kaiserliche Signatur des Papierscheins; es wird nur nachholend davon berichtet, ebenso wie auch die dramatischen Ereignisse Fausts Anteil am Zustandekommen des Geldes, auf den zweimal ausdrücklich hingewiesen wird (V. 6052–53; V. 6131 ff.), nicht darstellen.

An der Stelle der fehlenden kausalen Handlung ereignet sich vielmehr die Entstehung des Geldes als der Prozeß seiner Bildung aus den Komponenten, die das Geld ausmachen. Der moderne, auf das Gesetzliche gerichtete Geist erkennt das Wesen des Geldes als durch ideellen Schein und materiellen Wert definiert; indem er beide von ihren Funktionen her neu konzipiert, erfindet er einen neuen, auf dem Vertrauen in Schein und Wert beruhenden Geldbegriff als die Bedingung des neuzeitlichen dynamischen Wohlstandes.

Seit den frühen Zeiten, wo die menschliche Welt vom unmittelbaren
Tauschhandel dazu überging, sich einen Wert zu erfinden, an dem sich
der eigene Besitz maß, wodurch das fehlende Bedürfnis erreichbar wurde,
gibt es das Geld.[10] Geld ist ein Wert, der nur in der menschlichen Gesellschaft seinen Platz hat; es ist ein der ganzen sozialen Welt gemeinsamer
Wert; Geld ist als Setzung ein ideeller Wert. Dieser war nun im Mittelalter dem Gold (Silber oder anderen wertvollen Metallen oder Stoffen)
übertragen, das durch Seltenheit des Vorkommens, Schwierigkeit der
Gewinnung, Härte und Glanz des Materials selber einen hohen Materialwert darstellte. Ideeller und Materialwert entsprachen im Golde einander.
Als Mittel zur Erfüllung aller materiellen Begehren war das Gold der
höchste Wert der Gesellschaft.

Darauf beruhte die Macht des Goldes, wie sie die Geschichte der
Farbenlehre beschreibt:

> Hat man jene drei erhabenen, unter einander im innigsten
> Bezug stehenden Ideen Gott, Tugend und Unsterblichkeit, die
> höchsten Forderungen der Vernunft genannt, so gibt es offen-
> bar drei ihnen entsprechende Forderungen der höheren Sinn-
> lichkeit Gold, Gesundheit und langes Leben. Gold ist so
> unbedingt mächtig auf der Erde, wie wir uns Gott im Weltall
> denken.[11]

Darauf beruhten die Bemühungen des Mittelalters um die Herstellung
künstlichen Goldes, Bemühungen um die Erfindung des Steins der Weisen, die die Geschichte der mittelalterlichen Alchemie ausmachen und
die zu der Rezeptur der Falschmünzerei führen, wie sie sich in dem von
Mephisto „eingeblasenen" Horoskop des Astrologen verbirgt.[12]

> Die Sonne selbst, sie ist ein lautres Gold,
> Merkur, der Bote, dient um Gunst und Sold,
> Frau Venus hat's euch allen angetan,
> So früh als spat blickt sie euch lieblich an;
>
> Die keusche Luna launet grillenhaft;
> Mars, trifft er nicht, so dräut euch seine Kraft.
> Und Jupiter bleibt doch der schönste Schein,
> Saturn ist groß, dem Auge fern und klein.
> Ihn als Metall verehren wir nicht sehr,
> An Wert gering, doch im Gewichte schwer.
>
> Ja! wenn zu Sol sich Luna fein gesellt,
> Zum Silber Gold, dann ist es heitre Welt;
> Das übrige ist alles zu erlangen:

Paläste, Gärten, Brüstlein, rote Wangen,
Das alles schafft der hochgelahrte Mann,
Der das vermag, was unser keiner kann. (V. 4955–70)

Denn Merkur und Venus, die alchemistischen Bezeichnungen für Quecksilber und Kupfer, sind die Metalle, aus deren Legierung in der mittelalterlichen Falschmünzerei das falsche Gold gemacht wurde.[13]

Die reihenweise Aufzählung der sieben Planeten nach ihrer Sonnennähe – hier als die sieben Metalle gemeint – gliedert sich zweimal durch Doppelverse in drei Gruppen. In der ersten Gruppe stellt sich das falsche Scheingold (Quecksilber und Kupfer) neben das „lautre" der Sonne. – Auch in den folgenden sechs Zeilen benennen Mars, Jupiter und Saturn in Eisen, Zinn und Blei die Metalle, aus deren Legierung das falsche Silber hergestellt wurde, das hier Luna als dem echten zur Seite tritt.[14]

Indem aber schließlich in der glücklichen Konstellation, wo Sol sich zu Luna gesellt,[15] alle die billigeren Metalle in das Gold und Silber verwandelt erscheinen, das die Welt wieder heiter macht, so löst das zusammenfassende Korollar das Rätsel, das sich in dem Anfang des Horoskops verbirgt. Denn in diesem durch Fälschung gewonnenen neuen Gold- und Silbergeld ist nun wieder das Zaubermittel da, mit dem sich alle irdischen Wünsche erfüllen lassen: Besitz, Liebeslust und Gesundheit.[16]

Der Schein – Mephisto

Der „hochgelahrte Mann, der das vermag" (V. 4970) – ein heimlicher Hinweis auf Faust als den selbständigen Geist der Neuzeit – war im Mittelalter der Alchemist, als der auch der historische Faust begegnete. Mit dem Versprechen, künstliches Gold machen zu können, war ein solcher bei Hofe jeder Zeit zugelassen.

Der Alchemist als der dem Kaiser durchaus Willkommene: das ist die Rolle, die Mephisto den Kaiserhof eröffnet, wenn er trotz vorgehaltener Hellebarden der Wache dennoch sogleich „am Throne knieend" begegnet; denn sie spiegelt eine von Hans Sachs in der „Historia des Kaisers Maximilian" geschilderte Szene,[17] in der ein Alchemist mit der Zusage, aus Kupfer „klares" Gold machen zu können, in das „gmach" Einlaß begehrt, „drin Keyser Maximilian mit seinen rhäten hilte rhat", und, von dem Türhüter abgewiesen, vom „herolt" dennoch auf Befehl des Kaisers hereingeholt wird.

Die Wache hält ihm an der Schwelle
Kreuzweis die Hellebarden vor –
Da ist er doch, der kühne Tor!
– (*Mephistopheles, am Throne knieend . . .*) (V. 4740–42)

In dieser Weise mit geprägten Formen „zitierend" zu dichten, ist ein dem
ganzen II. Faust eigenes poetisches Verfahren, wodurch es dem Dichter
gelingt, indem er darstellt, zugleich zu deuten.[18]

Mephisto also, auf diese Weise in den Thronsaal eingedrungen, ist da
in der Rolle des Alchemisten, der dem Kaiser durchaus erwünscht ist.
In der Folge des mittelalterlichen als der moderne Falschmünzer auftretend, erfindet er nun ein Scheingold anderer Art.

Er tut es in der Rolle des Narren, der sich sogleich selbst deutet, indem
er sich auf den „Weisen" als auf seine polare Ergänzung bezieht.

> . . . hier aber fehlt das Geld.
> Vom Estrich zwar ist es nicht aufzuraffen;
> Doch Weisheit weiß das Tiefste herzuschaffen.
> . . .
> Und fragt ihr mich, wer es zutage schafft:
> Begabten Manns Natur- und Geisteskraft! (V. 4890–96)

Weist das Letzte wiederum auf Faust als den aus mittelalterlichen Bindungen emanzipierten autonom-erkennenden Geist der Neuzeit, was
bedeutet dann ihm gegenüber Mephisto als Narr?

Schon indem er als der neue sogleich an die Stelle des alten tritt, ist in
ihm – nach dem Gesetz der wiederholten Spiegelung[19] – aus dem Narren
ein Prinzip des Närrischen geworden, das, kaum auf die eine Weise
beseitigt, auf eine neue aufersteht:

> Gleich hinter deiner Mantelschleppe
> Stürzt er zusammen auf der Treppe;
> . . .
> Sogleich mit wunderbarer Schnelle
> Drängt sich ein andrer an die Stelle. (V. 4732–37)

Der Gestus, mit dem er sich einführt, bezeichnet das Närrische als eine
immerwiederkehrende Erscheinung innerhalb der Gesellschaft.

Er stellt sich durch ein Rätsel vor, zu dem er selbst die Lösung ist – eine
Form der Vorstellung, die sich als die Mephistophelische in den nächsten
drei Akten wiederholen wird.[20]

> Was ist verwünscht und stets willkommen?
> Was ist ersehnt und stets verjagt?
> Was immerfort in Schutz genommen?
> Was hart gescholten und verklagt?
> Wen darfst du nicht herbeiberufen?
> Wen höret jeder gern genannt?

Was naht sich deines Thrones Stufen?
Was hat sich selbst hinweggebannt? (V. 4743–50)

Die beiden Schlußzeilen lösen das Rätsel zunächst in demselben Sinne wie die einführende Geste. Indem er sich als dasjenige beschreibt, was sich zugleich des „Thrones Stufen" „naht" und was „sich selbst hinweggebannt" hat, enträtselt er sich noch einmal als das dem neuen und dem alten Narren Gemeinsame, das Närrische schlechthin.

Was aber dieses Närrische als Rolle des Mephisto bedeutet, worin es als Qualität des modernen erfindenden Geistes besteht, verrät Mephisto, wenn er sich in Antilogien aussagt: die Art seiner Aussage enthält die Deutung.

Das zugleich Verwünschte und Willkommene, Ersehnte und Verjagte, in Schutz Genommene und Verklagte ist der leere Schein, für dessen Täuschung der begehrliche Geist des sozialen Menschen anfällig ist. Im christlichen Mittelalter im Teufel Person geworden – daher der Übergang von dem „Was" (V. 4743–46) zu dem „Wen" der Frage (V. 4747 bis 4748) – und als der nicht Herbeizuberufende (V. 4747) verpönt, erfreut sich dieser selbe Scheingeist in der Neuzeit unter der Narrenkappe allgemeiner Beliebtheit, ihn „höret jeder gern genannt". Im erneuten Wechsel vom „Wen" zum „Was" (V. 4748–49) deutet sich nicht nur an, wer sich unter der Narrenkappe verbirgt, sondern auch was aus dem Teufel des Mittelalters in der aufgeklärten Neuzeit geworden ist: ein dem menschlichen Geist immanentes Prinzip. Es entspricht der Verwandlung Mephistos vom ersten zum zweiten Teil: vom Teufel in die Idee des Teuflischen als des menschlichen Spezifikums.

Der Narr Mephisto ist das Prinzip des Scheins als die fragwürdige Möglichkeit des menschlichen Bewußtseins, sich etwas vorstellen zu können: es erfindet sich das Wünschenswerte und stellt es sich als das Vorhandene vor. Gegenüber Faust, der weise ist, weil er das im Verborgenen Vorhandene erkennen kann – Erkennen also ein Vorstellen des Unsichtbaren ist, was materiell oder geistig wirkend da ist – ist Mephisto ein nur dem Schein nach Weiser. Er erfindet ein verborgenes Mögliches, um der begehrlichen Natur des Menschen ihre Wünsche erfüllbar erscheinen zu lassen. Er ist die polare bedenkliche Seite der Faustischen, das Gesetzliche erkennenden Geisteskraft: die Einbildungskraft des menschlichen Geistes als Prinzip der Täuschung.[21]

In dieser Funktion wirkt Mephisto während des ganzen ersten Akts; nur in ihr und in keiner anderen Einheit– weder in einem christlichen noch in einem moralischen, noch in einem charakterologischen, noch in einem kosmischen Prinzip – nur in dieser anthropologischen Funktion fassen sich seine verschiedenen Rollen und Wirkensweisen in der Gesellschaft als zu einem Ganzen zusammen.

1. Er erfindet ein möglicherweise im Boden verborgenes Gold, um der Gesellschaft ihre Begehren zum Schein zu befriedigen.

2. Er erfindet das Märchen von der dem Kaiser dienenden Elementarnatur, um ihm seine Herrschaftswünsche in der Phantasie zu erfüllen.

3. Er ist derjenige, der sich angesichts der Papiergeldwährung mit dem Geldschein identifiziert; er weiß dessen praktische Vorteile zu benennen (V. 6097–6110) und auch das Kreditwesen in seinen bedenklichen Möglichkeiten einer unbegrenzten Bedürfnisbefriedigung vorteilhaft anzupreisen (V. 6119–30).

4. Noch zu den Müttern verrät er – wenngleich „ungern" – den Weg, auf dem es Faust gelingen soll, den neuen – „wahren" – Schein der Kunst hervorzurufen.

5. Er erfindet der Gesellschaft Wundermittel, um ihr ihren Wunsch nach Schönheit und Wirkung durch Schönheit scheinhaft zu erfüllen.

6. Er täuscht ihr bei dem Erscheinen von Helena und Paris auf der Bühne das Eintreten eines übernatürlichen Wunders, einer magischen Geistererscheinung vor, um ihr Verlangen nach Wahn zu erfüllen.

7. Und selbst dort, wo er den Faustischen Wahn, das Scheinbild der Helena für Wirklichkeit zu nehmen, zu zerstören unternimmt, selbst dort noch erweist er sich – wie vordem als Geist des Geldscheins – als Geist des Theaterscheins, der das Bewußtsein von Helena als dem von Faust gemachten Scheinbild hat:

> Machst du's doch selbst, das Fratzengeisterspiel. (V. 6546)

8. Ein Blick auf den vierten Akt schließlich lehrt, daß sein Wirken auch da noch durch eine Variation dieses Scheinprinzips – dem veränderten Weltbezirk angemessen – erklärt wird, wenn er nun „vom Sein den Schein" trennend nur mit dem Schein der Gewalt und das heißt mit der menschlichen Angst vor der Gewalt der Elemente wirkt:

> Nun, schwarze Vettern, rasch im Dienen,
> Zum großen Bergsee! Grüßt mir die Undinen
> Und bittet sie um ihrer Fluten *Schein.*
> Durch Weiberkünste, schwer zu kennen,
> Verstehen sie, vom *Sein* den *Schein* zu trennen,
> Und jeder schwört, das sei das Sein. (V. 10711–16)

Der Narr Mephisto am Kaiserthron: damit steht nicht nur ein neuer Narr an der Stelle des alten; es tritt ein neues wirkendes Geistesmoment in die Gesellschaft, das ihrer Bereitschaft zur Täuschung, sich der Sorgen zu entschlagen und dem Genuß sich hinzugeben, glücklich entgegenkommt, entsprechend dem früher zitierten Strukturschema.[22]

Element genugsam vorbereitet
Nicht roh und starr
Auch nicht schon verbraucht.

Etwas in der Gesellschaft Angelegtes trifft in Mephisto auf den ihr komplementären Geist. Es entsteht eine Konstellation, die auf eine Verwandlung, das Eintreten eines neuen Zustandes, hindeutet. Mephisto erfindet ein möglicherweise vorhandenes Gold und weiß es, weil die Gesellschaft es ersehnt, als „ein erreichbares Wirkliches"[23] hinzustellen. – Schon die trügerischen mittelalterlichen Erfindungen künstlichen Goldes mit Hilfe des Steins der Weisen erläutert die Geschichte der Farbenlehre auf diese Weise:

> Wenn es nun edel ist, jene drei hohen Ideen Gott, Tugend und Unsterblichkeit in sich zu erregen und für die Ewigkeit zu kultivieren; so wäre es doch auch gar zu wünschenswert, sich ihrer irdischen Repräsentanten für die Zeit zu bemächtigen. Ja diese Wünsche müssen leidenschaftlich in der menschlichen Natur gleichsam wüten ... Was wir auf solche Weise wünschen, halten wir gern für möglich, wir suchen es auf alle Weise, und derjenige, der es uns zu liefern verspricht, wird unbedingt begünstigt. Daß sich hierbei die Einbildungskraft sogleich tätig erzeige, läßt sich erwarten.[24]

Die Geschichte der Farbenlehre beschreibt solche Art der Täuschung auch anderen Orts als eine moderne Form des Aberglaubens, eine Art von halb geheimer Wissenschaft:

> Es gibt so manches Wünschenswerte, möglich Scheinende; durch eine kleine Verwechslung machen wir es zu einem erreichbaren Wirklichen.[25]

oder

> Es ist der Mißbrauch des ... Wahren, ein Sprung von der Idee, vom Möglichen, zur Wirklichkeit, ... wodurch unsern liebsten Hoffnungen und Wünschen geschmeichelt wird.[26]

Durch eine solche „kleine Verwechslung" weiß Mephisto auch jetzt sein modernes Gold der Gesellschaft glaubhaft zu machen, das im Unterschied zum mittelalterlichen kein falsches, sondern ein eingebildetes Gold ist. Er verkündet Schätze, die sich möglicherweise im Laufe der Geschichte in der Tiefe des kaiserlichen Bodens angesammelt haben, als etwas real Vorhandenes.

> Bedenkt doch nur: in jenen Schreckensläuften,
> Wo Menschenfluten Land und Volk ersäuften,

> Wie der und der, so sehr es ihn erschreckte,
> Sein Liebstes da- und dortwohin versteckte.
> So war's von je in mächtiger Römer Zeit,
> Und so fortan, bis gestern, ja bis heut'.
> Das alles liegt im Boden still begraben:
> Der Boden ist des Kaisers, der soll's haben! (V. 4931–38)

Er täuscht einen wirklichen Reichtum durch einen möglichen, den realen durch einen erfundenen Wert vor. Und die begehrliche Gesellschaft nimmt, weil sie sich reich wünscht, das Gewünschte für das Reale. Zuerst allerdings, solange sich Mephisto die Glaubwürdigkeit seines „Projekts"[27] noch auf die unmoderne mittelalterliche Weise durch das „schon verbrauchte Mittel"[28] des Horoskops (V. 4955–4970) bestätigen läßt, verfallen nur die Minister der Täuschung: die Hüter der alten Ordnung aus dem dringlichen Wunsch nach Wiederherstellung von Ordnung überhaupt; Kaiser und Menge mißtrauen noch (V. 4971–72; V. 4973–76).[29] Erst wenn er an den modernen Aberglauben appelliert, die Stichworte vom „geheimen Wirken der ewig-waltenden Natur" (V. 4985–86) fallen, vom Weisen, der unten „unverdrossen" „forscht" (V. 5030), und wenn die Erfahrung selbst die Beweisstücke für den verborgenen Reichtum zu liefern scheint (V. 5009–5013), ergreift der Wahn die ganze Gesellschaft.[30]

Aber dem ungestümen Verlangen des Kaisers, sogleich mit dem Schürfen zu beginnen, begegnet Mephisto mit immer weiterem Preisen, detaillierterem Schildern der Schätze in der Tiefe. Die Vorstellung ist wirksamer als die Wirklichkeit. Je realer sie werden, je sinnlicher die „goldnen Humpen, Schüsseln, Teller" (V. 5019), die „Pokale" (V. 5021) und „Essenzen" „edler Weine" (V. 5027) den Gelüsten der Begehrenden entsprechen, desto mehr entschwinden sie ins Unterirdische, Eingebildete. Der Glaube an den leeren Schein, die bloße Vorstellung des Goldes als Wahn: das ist Mephistos Anteil an dem neuen Geld.

Und im Wahne, reich zu sein, schickt sich die Gesellschaft an, noch „lustiger das wilde Karneval" (V. 5059–60) zu feiern.

Gesellschaft als Fest

Die Mummenschanz

In der Mummenschanz jährt sich das Fest, das der Kaiser mit der Krone aus Rom brachte; aus der Stiftung der Sitte sprach der Wunsch nach einem „heitern Reich", nach Erfüllung der Lust in Einem Augenblick des Jahres.

> Der Herr, auf seinen Römerzügen,
> Hat, sich zu Nutz, euch zum Vergnügen,
> Die hohen Alpen überstiegen,
> Gewonnen sich ein heitres Reich. (V. 5068–71)

Der Sinn dieser Erfindung, die Rolle der Mummenschanz innerhalb des Aktes, ist aus der Konzeption einer dramatischen Handlungsfolge kaum zu fassen.[31] Aus der Verlegenheit einer Erklärung half man sich im wesentlichen durch zweierlei Antworten. Man sagte:

1. die Mummenschanz sei notwendig, weil sie eine Aufgabe in der Handlung hat.[32] Und tatsächlich unterzeichnet der Kaiser bei dieser Gelegenheit einen Schein, der dadurch in die Geltung von Geld kommt. Aber wenn die Unterzeichnung sich dann gerade nicht im Spiel ereignet, wenn nur hinterher von ihr erzählt wird, wird die Begründung fragwürdig.[33]

2. Indem man einsah, daß der Handlungsverlauf die Fülle der Bilder nicht rechtfertigte, verzichtete man auf alle dramatische Begründung und erklärte den Maskenzug aus der Biographie des Dichters:[34] eine Erinnerung an den Römischen Karneval, oder: der bedeutendste der Maskenzüge, wie Goethe sie aus festlichem Anlaß auch sonst für den Weimarer Hof erfand; der Maskenzug konzipiert aus keinem anderen Anlaß als „zu gefallen".[35] Indessen umfaßt er – mit über 900 Versen – fast den achten Teil des II. Faust. Bedeutete er nichts als eine Gelegenheitsdichtung – das Unverhältnismäßige zwischen Umfang und Bedeutung überraschte.

In der Tat ist die Mummenschanz Teil eines Ganzen; aber dieses Ganze ist nicht eine kausal gefügte Handlung, sondern ein sich in polaren Situationen vollziehender Verwandlungsprozeß. Sie ist der Augenblick der glücklichen Erfüllung im Jahreslauf der Gesellschaft. Der junge Kaiser, mit dem ein neues Lebensbedürfnis einzieht, ist derjenige, der die glückliche Gelegenheit stiftete, es ist dieselbe Gelegenheit, bei der auch Faust in den Kaiserhof eintritt.

Zeigte sich die Gesellschaft im Augenblick der Not in ihrer unsozialen Triebnatur, so präsentiert sie sich nun im festlichen Augenblick – im geordneten Zug der Masken – in ihrer sozialen Gestalt. In der Mummenschanz wird die Gesellschaft zu einer Allegorie ihrer selbst. Die Kappe, unter der sie sich verbirgt, offenbart sie in ihrem geselligen Wesen:[36]

> Nun sind wir alle neugeboren;
> Ein jeder weltgewandte Mann

Zieht sie behaglich über Kopf und Ohren:
Sie ähnelt ihn verrückten Toren,
Er ist darunter weise, wie er kann. (V. 5076–80)

Der Dichter hat nicht gespart auf diese Bedeutung der Mummenschanz hinzuweisen.

1. Heiter, die Vokabel, die die ganze Mummenschanz durchzieht,[37]
wird ihm zum Ausdruck des ungetrübten, und das will heißen: des vollkommeneren Selbstbesitzes der Gesellschaft in dieser Nacht.

2. Der Herold kündigt sie als Römischen Karneval an und unterscheidet sie ausdrücklich von den bisher üblichen mittelalterlichen „Teufels-
und Totentänzen" (V. 5065–67); damit wird sie zur Gelegenheit, bei der
sich nicht zufällige, sondern, in den aus Rom tradierten Masken, die wirkenden und formenden Kräfte der gesellschaftlichen Ordnung einfinden.
Sie bekommt dadurch die Vorzüge des Gestalthaften beigelegt, die
Goethe seit der italienischen Reise Italien gegenüber Deutschland
zuspricht, und von denen er zu Beginn des Aufsatzes: „Schicksal der
Handschrift" spricht:

> Aus Italien dem formreichen war ich in das gestaltlose
> Deutschland zurückgewiesen, heiteren Himmel mit einem
> düsteren zu vertauschen.[38]

Es ist derselbe Aufsatz, in dem er vom „Römischen Karneval" in eins
mit den Abhandlungen über die „Metamorphose der Pflanzen" und über
„Kunst, Manier und Stil" spricht als drei Aufsätzen über Bildungsgesetzlichkeiten von Gesellschaft, Natur und Kunst.

So ist die Mummenschanz zwar eine Erinnerung an das römische Fest;
aber wie anders als biographisch ist das einstmals Erlebte nun ergriffen.
Schon in der „Italienischen Reise" beschreibt Goethe den Karneval als
ein Lebensfest des Volkes, ein Fest nämlich, in dem „der Unterschied
zwischen Hohen und Niedern" „einen Augenblick aufgehoben"
„scheint", „alles" „sich einander" „nähert";[39] in dem „wir mitten unter
dem Unsinne auf die wichtigsten Szenen unsers Lebens aufmerksam
gemacht"[40] werden; bei dem „die schmale, lange, gedrängt volle Straße
an die Wege des Weltlebens" „erinnert".[41]

Als Urphänomen oder, wie das römische Fest in der Italienischen
Reise auch genannt wird: als „bedeutendes Naturerzeugnis",[42] dient es
dem Dichter hier als Zeichen für ein Lebensfest in dem Sinne, daß sich
das Leben des Volkes darin selbst deutet.

Gesellschaft als ihr lebendes Bild, so könnte man die Mummenschanz in
Einem Worte fassen. Denn was in langem Zuge anscheinend zufällig und

unverknüpft in einzelnen Bildern vorüberzieht, schließt sich, genauer gesehen, zu Einem Bilde zusammen, das die Gesellschaft als ein organisches Ganzes aus sich hervortreten läßt, sich bildend aus dem Zusammenwirken von Kräften und kulminierend in der Apotheose der Tüchtigkeit – als dem Wert, in dem sie sich als ein tätiges Ganzes erfüllt. – Polarität und Steigerung, die Bildungsgesetze der natürlichen Organisation, bestimmen daher auch Erfindung und Folge ihrer Bilder im Ganzen wie im Einzelnen. Aus der Polarität ist es zu verstehen, wenn sich die Masken in zwei Gruppen scheiden: in die Charaktermasken, die die wirkenden Kräfte des sozialen Menschen bezeichnen:

seine geschlechtliche Natur (Gärtnerinnen und Gärtner; Mutter und Tochter; Fischer und Vogelsteller),

sein körperliches Schaffen (Holzhauer, Pulcinelle, Parasiten, Trunkner),

sein geistiges Bilden (Naturdichter, Hof- und Rittersänger, Nacht- und Grabdichter, Satiriker),

und die mythologischen Masken, die die in der Gesellschaft herrschenden Mächte meinen:

die verbindenden (die Grazien),

die leitenden (die Parzen),

die störenden (die Furien).[43]

Aus der Steigerung erklärt sich die Scheidung in Maskenbilder und in lebende Allegorien, es erklärt sich das Gefüge des Zuges, das stufenweise von einfachen Masken (Gärtnerinnen und Gärtner) zu reich gegliederten Gruppen aufsteigt (Viktorie mit Klugheit, die Furcht und Hoffnung zügelt, auf dem Koloß reitend), über die sich schließlich das Spiel der Allegorien erhebt, das einen Sinn hat und dem Kaiser eine Lehre erteilen will.[44]

Die sozialen Masken

Der gesellige Mensch als Naturwesen, in Geschlechter geschieden, von den Kräften des Geschlechts bewegt und auf Anziehung und Vereinigung angelegt: Gärtnerinnen und Gärtner eröffnen den Zug; durch die Scheidung in weiblich und männlich als Natur bezeichnet, verrät die Gärtnermaske zugleich, daß Natur hier künstlich gezüchtet erscheinen will; auf das Künstliche in Kostüm und Verhalten wird immer wieder hingewiesen (V. 5106–7; V. 5134–35; V. 5147, V. 5176–77, u. a.). – Was Goethe über das Wesen der Gesellschaft überhaupt sagt: daß sie „weder Kunst noch Natur" sei, „sondern beides zugleich",[45] gilt hier insbesondere vom Bereich des Erotischen: das natürlich triebhafte Verlangen, das sich in den vom Menschen ausgebildeten Formen, den „Kunstformen" seines Handelsgeschäfts abspielt: als Angebot, Werbung und Kaufwahl.

Das Weibliche, darauf bedacht, sich zu schmücken, durch modischen Putz seinen Reiz zu erhöhen, Blume und Züchterin in eins:

> Niedlich sind wir anzuschauen,
> Gärtnerinnen und galant;
> Denn das Naturell der Frauen
> Ist so nah mit Kunst verwandt (V. 5104–07),

umgeben von den Attributen der Fruchtbarkeit:

> Olivenzweig mit Früchten:
> Bin ich doch das Mark der Lande (V. 5123),

des Friedens:

> Friedenszeichen jeder Flur (V. 5125),

der Nahrung:

> Ährenkranz golden (V. 5128–31),

der Mode:

> Phantasiekranz (V. 5132–35),

der männlichen Werbung:

> Phantasiestrauß (V. 5136–43),

und des die Werbung erwidernden aufkeimenden weiblichen Gefühls:

> Rosenknospen, Ausforderung (V. 5144–57);

gefolgt von dem derberen Männlichen:

> Bieten bräunliche Gesichter (V. 5162),

das sich statt durch Blumen durch Früchte empfiehlt (V. 5158–63), nicht den Reiz, sondern den Genuß will:

> Über Rosen läßt sich dichten,
> In die Äpfel muß man beißen (V. 5168–69)

und mit dem erfeilschten (V. 5116) Weiblichen vereinigt ein Ganzes bildet.

> Unter lustigen Gewinden,
> In geschmückter Lauben Bucht,
> Alles ist zugleich zu finden:
> Knospe, Blätter, Blume, Frucht. (V. 5174–77)

Das ganze erotische Vokabular, das sich die Gesellschaft für ihr Liebes-
geschäft erfand, hier ist es anzutreffen: Da ist vom Verstecken, um entdeckt zu werden (V. 5150–51); vom Versprechen und Gewähren
(V. 5155) und – in der Variante des Liebesgeschäfts als bloßem Waren-
angebot („Mutter und Tochter") – vom Verfangen und Hangenbleiben
die Rede (V. 5195; V. 5198), und wo es ums „Gewinnen" und „Fangen",
„Entgehen" und „Festhalten" geht, erscheinen „Fischer und Vogelsteller mit Netzen, Angeln und Leimruten", das Gemeinte mimisch fort-
setzend (nach V. 5198). Das Ganze: eine Abbreviatur des geselligen
Lebens unter dem Aspekt des Geschlechtlichen.[46]

Ihnen reihen sich die sozialen Temperamente an – in den „Holzhauern":
die das „Grobe" Schaffenden,[47] die körperlich Tätigen; in den Pulcinel-
len: die sich vor der Arbeit Drückenden,[48] die Nichtstuer; in den Parasiten: die auf Kosten anderer Lebenden, die Schmeichler und Gerüchte-
macher[49] als die Schmarotzer der Gesellschaft;[50] und in dem Trunknen
schließlich: der Freie (V. 5264), der aller Rücksichten auf sie ledig ist
und in der Bewußtlosigkeit (vor V. 5263) des Trunkes gefunden hat,
worauf die ganze Gesellschaft aus ist: Genuß und Behagen.[51]

Der Gruppe der Groben (V. 5207), Schwitzenden (V. 5214) sollten
sich die Feinen (V. 5209), die Witzenden (V. 5211) anschließen, das
körperliche Schaffen durch das geistige Bilden ergänzend. Als solche
figurieren die Modeliteraten, die die Poesie als Stand im Raum des Gesellschaftlichen vertreten. Eifersüchtig einander am Auftreten hindernd,
sind sie dadurch bezeichnet, daß ihr Platz im geselligen Kosmos leer
bleibt:[52]

> Im Gedräng von Mitwerbern aller Art läßt keiner den andern
> zum Vortrag kommen.

Es wird erst eines anderen Verständnisses von Poesie bedürfen, einer
Poesie, wie sie im Knaben Lenker erscheint, die Funktion des geselligen
Lebens ist, um diese Lücke auszufüllen; denn die Anwesenden, zwei ver-
schiedenen literarischen Richtungen verschrieben,

> Naturdichter und Hof- und Rittersänger,

ja sogar von der Erfindung einer dritten, noch neueren okkupiert:[53]

> Nacht- und Grabdichter ... im interessantesten Gespräch mit
> einem frisch erstandenen Vampyren begriffen ... woraus eine
> neue Dichtart sich vielleicht entwickeln könnte,

sind allein mit ihrer eigenen Wirkung als Künstler beschäftigt und nicht
im Stande, eine bildende Funktion in der Gesellschaft zu übernehmen:

> Lassen sich entschuldigen.

Einzig der „Satiriker" kommt zu Wort, um, ähnlich dem Trunkenen, in
der völligen Freiheit von allen gesellschaftlichen Rücksichten die tiefste
Bezogenheit auf die Gesellschaft zu bekennen:

> Dürft ich singen und reden,
> Was niemand hören wollte. (V. 5297–98)

Die Lebensmächte der Gesellschaft

Von anderer Art ist, was nun in den mythologischen Masken erscheint;
nicht wirkende Kräfte der menschlichen Natur, sondern Lebensmächte,
die in der Gesellschaft wirken und die Menschennatur vom sozialen
Element her formend bestimmen. Ihre gesellschaftliche Färbung lassen
sie gerade durch die bewußte Abweichung von ihrem antiken Wesen,
durch ihr Auftreten in „moderner Maske" erkennen.

Als erste erscheinen die Grazien, in denen die Anmut zur Qualität des
geselligen Lebens wurde:
zur Höflichkeit im „Geben":

> Leget Anmut in das Geben (V. 5300),

zur Dankbarkeit im „Empfangen":

> Leget Anmut in's Empfangen,
> Lieblich ist's, den Wunsch erlangen (V. 5301–02),

zur Frömmigkeit gegenüber dem notwendig eingeschränkten Lebens-
geschick im Ganzen:

> Und in stiller Tage Schranken
> Höchst anmutig sei das Danken. (V. 5303–04)

Darauf folgen als die Mittleren der Dreiergruppe die Parzen, gleichfalls in bedeutender und durch einen Rollentausch bezeichneter Abwand-
lung; denn statt Atropos, der unerbittlichen Alten, die im antiken
Mythos den Lebensfaden abschneidet, führt nun Klotho, die Junge, die
Schere, die sie „heute" (V. 5327), und das heißt im Augenblick des
Festes, der die Gesellschaft in ihr geselliges Wesen bringt, ungenutzt
„im Futteral" (V. 5328) trägt. So sprechen sie nicht als Todes-, sondern
als Lebensmächte; sie sprechen von der Menschennatur, wie sie die
Gesellschaft braucht: einfügsam, ausgeglichen und mit Sinn für Maß
(V. 5309–5315):

> Daß er Euch gelenk und weich sei,
> . . .

Daß er glatt und schlank und gleich sei,

. . .

Denkt an dieses Fadens Grenzen;

sie fordern auf zu der sorglosen Hingabe an das Fest als den Augenblick glücklicher Ungebundenheit[54] und raten schließlich zum Sich-Einfügen in die Gesellschaft als Lebensordnung.

Keinen lass ich überschweifen:
Füg' er sich im Kreis heran!

. . .

Stunden zählen, Jahre messen,
Und der Weber nimmt den Strang. (V. 5333–44)

Ihnen reihen sich als dritte, polar zu den Grazien, die Furien an, die, gesellschaftlich geworden, nun jung, hübsch und wohlgestaltet sind, aber hinter freundlichen Frätzchen sich als die störenden Mächte („Stadt- und Landesplage") menschlicher Liebesbeziehung verbergen.[55]

Alekto, die einst Vergehen an verwandtem Blut und Leben vergalt,[56] vergällt nun als gesellschaftlicher Klatsch das Glück der Verliebten. Megära, früher die Verargende, versteht jetzt durch Langeweile und Gewöhnung das Glück der Ehe zu gefährden:

Der Mensch ist ungleich, ungleich sind die Stunden,
Und niemand hat Erwünschtes fest in Armen,
Der sich nicht nach Erwünschterem törig sehnte,
Vom höchsten Glück, woran er sich gewöhnte;
Die Sonne flieht er, will den Frost erwarmen. (V. 5372–76)

Und Tisiphone, früher die Mordrächerin des Mythos, weiß nun den Wechsel des Gefühls (V. 5383) als das schlechthin Unerlaubte in der Gesellschaft – als ihre Todsünde – durch Unversöhnlichkeit zu rächen:

Singe keiner vom Vergeben!
Felsen klag ich meine Sache,
Echo, horch! erwidert: Rache;
Und wer wechselt, soll nicht leben. (V. 5389–92)

Den Gipfel des Zuges aber bildet Viktorie, stehend auf dem Elefanten- koloß, dem Sinnbild der Kraft und Masse der Gesellschaft,[57] unter sich die „Klugheit", welche „Furcht" und „Hoffnung", als die den Tätigen lähmenden Mächte der Angst und der Illusion, gebändigt hält: eine Apotheose menschlicher Tatkraft. Sie wird zur Siegerin des ganzen gesellschaftlichen Kosmos ausgerufen, weil sie den höchsten sozialen Wert: das Lebensrezept des Tüchtigen darstellt.

Wenn sich ihr schließlich in Zoilo-Thersites das neidische Lästererpaar
anhängt, das im Altertum den Ruhm der Homerischen Helden wie ihres
Dichters schmälerte, so tritt in der Doppelmaske das Lästern als Prinzip
auf, das sich überall in gesellschaftlicher Welt zugleich mit dem Erscheinen des Ideellen einstellt (V. 5459–70). Indem sich die Doppelmaske
unter dem Streich des Heroldstabs in „Otter" und „Fledermaus" verwandelt, löst sie sich in die giftige („Otter") und verdunkelnde („Fledermaus") Nachrede auf, die das „Hohe tief" und das „Tiefe hoch" macht
(V. 5467–68); zugleich zeigt sich aber darin, wer, anfangs als wirkendes
Prinzip in die Gesellschaft eingedrungen, nun in ihr da ist: Mephisto, als
der durch Nachrede wahnverbreitende Geist, auf den die Gesellschaft
hier – polar zu ihrem Verhalten im Thronsaal – mit Furcht und Schaudern reagiert.

Plutus

Mit Viktorie ist der Zug der Masken, in dem sich die Gesellschaft darstellt, beendet. Wenn gleich darauf Knabe Lenker, Plutus und Geiz auf
dem Wagen hereinbrausen, so scheint nun – nach dem Muster des
Römischen Karnevals – den Masken ein Zug der Wagen zu folgen.[58]
Dennoch tritt mit ihnen etwas Fremdes in das Fest ein, das der Ordner
nicht mehr geplant hat. Der Einschnitt ist darin bezeichnet, daß die
Zuschauer schon im Begriff sind, sich zu zerstreuen. Diesem Unbekannten begegnet auch der Herold mit Verlegenheit; schaudern
(V. 5520) machen ihn die neuen Gestalten, und er sucht für ihre Aufklärung bei den Umherstehenden Hilfe.

> Die Bedeutung der Gestalten
> Möcht ich amtsgemäß entfalten.
> Aber was nicht zu begreifen,
> Wüßt ich auch nicht zu erklären;
> Helfet alle mich belehren! (V. 5506–5510)

Ihr andersartiges Wesen zeigt sich an in dem Geisterhaften ihrer Ankunft, sie sind von anderer Stofflichkeit als die früheren Masken,
„luftige Gespenster" (V. 5501), und ihr Wagen „teilet nicht die Menge"
(V. 5514). Als „Allegorien" (V. 5531–32), wie sie sich einführen, reihen
sie sich zwar den Sinnbildern des Maskenzuges an und bleiben insoweit
in des Herolds Kompetenz; ja der Auftritt des Reichtums mit Huldigung
an den Fürsten scheint das Schema herkömmlicher höfischer Maskenzüge geradezu zu erfüllen, wo die Dedikation der Schätze der krönende
Abschluß war, auf den die Maskerade eigentlich hinauslief, der sie aber
hier zugleich übersteigt. Denn die Deutung, die der Herold versucht,

bleibt an der Maske hängen, die „Schale" (V. 5607) der neuen Gestalten
indessen verbirgt ein „Wesen" (V. 5607), das mit der Auflösung der
Allegorie nicht restlos enthüllt ist. Wie der Knabe Lenker sein Rätsel in
eigener Kompetenz gleich dreifach auflöst,

> Bin die Verschwendung, bin die Poesie,
> Bin der Poet, der sich vollendet,
> Wenn er sein eigenst Gut verschwendet (V. 5573–75),

so verbirgt sich auch hinter Plutus ein Mehrfaches, das sich erst nach und
nach enthüllt.

Wer sind die fremden Allegorien und auf wessen Wink kommen sie
herbei?

Mit ihnen tritt das der Gesellschaft Fehlende in diese Welt ein. Analog
Mephisto, der sich bei Hof einführte, indem er die Lücke des alten
Narren füllt, ergänzt auch Plutus mit seinem Erscheinen die Gesellschaft
um das ihr Mangelnde: Plutus erscheint beim Maskenfest als der Wunsch
des Kaisers.

> Plutus, des Reichtums Gott genannt!
> Derselbe kommt in Prunk daher:
> Der hohe Kaiser wünscht ihn sehr. (V. 5569–71)

Mit seinem Erscheinen beginnt daher ein Spiel, in dem die höchsten
Wünsche der Gesellschaft Wirklichkeit werden. Lassen wir zunächst
beiseite, wer es inszeniert, so ereignet es sich jedenfalls in drei Akten:
es beginnt mit der Selbstdarstellung des Plutus, setzt sich fort, indem
Plutus in die Gegenwart dieser Welt eintritt und ihr das Gold bringt, und
endet in einer Katastrophe, mit dem Untergang dieser Welt.

Plutus, indem er sich gewissermaßen von oben,

> ... Durch die Fenster
> Ziehen luftige Gespenster (V. 5500–01),

auf die Gesellschaft niederläßt, tritt in sie als ihr Gott ein, der denn auch
alle Merkmale des Vollkommenen zeigt: im Kostüm eines orientalischen
Despoten – im „Falten-" (V. 5566) oder, wie eine frühere Fassung hieß,
im „vollen Kleid",[59] im „Schmuck des Turbans" (V. 5565), drückt er in
seinem Aussehen – „das Mondgesicht", „ein voller Mund, erblühte
Wangen" (V. 5563–64) – Gesundheit; in seinem Wesen – er ist von „reichem Behagen" (V. 5566), „Er hat nichts weiter zu erstreben" (V. 5556)
– Zufriedenheit aus. Als „Gott" (V. 5569) aber ist er nicht durch einen
begrenzten Besitz, sondern durch die reine „Lust zu geben" (V. 5558)
beschrieben; und so verrät sich denn auch seine Göttlichkeit schon in

den ersten Worten an den Knaben Lenker, die zwei Bibelworte wiederholen:

> ... Bist Geist von meinem Geiste (V. 5623)[60]

und

> Mein lieber Sohn, an dir hab ich Gefallen. (V. 5629)[61]

Herrscherlich kommt er auf einem Wagen gefahren, mit Kutscher und
hinten aufgehocktem Lakaien; indem sich der Lenker als „Verschwendung" (V. 5573) und der „abgemagerte" (V. 5646) Lakai als „Geiz"
(V. 5665) aus der Beziehung auf ihren Herrn benennen, präsentiert sich
Plutus in dieser Dreiheit phänomenartig als wirkende Macht, die von der
Verschwendung bis zu Habgier und Geiz reicht; er erscheint, sofern er
sich im geistigen Stoff der Phantasie verschwendet, als Poesie; und sofern
die Habgier ihn raffend zusammenbringt –

> Nur viel herein und nichts hinaus! (V. 5651) –

und der Geiz ihn grimmig bewacht, als materieller Besitz und als Geld.
Denn auch der Geiz – obwohl seinem Wesen nach Negation – ist hier
im Dienste des Reichtums gedacht, für den er schaffen muß nach dem
ihm innewohnenden Mephistophelischen Gesetz, daß er „stets das Böse
will und stets das Gute schafft". (V. 1335–36)

Die geistige Einheit dieser drei findet ihr poetisches Zeichen darin,
daß es dieselben Flügelrosse sind, die, unter der Lenkung des „Knaben",
als Pegasus den Wagen auf den Flügeln der Begeisterung in das Fest
tragen, und die unter der Herrschaft des Geizes zu feurigen Geizdrachen
werden, welche erst auf Befehl des Plutus (nach „Weigerung", wie ein
Fragment heißt,[62]) die Goldkiste samt Geiz vom Wagen heruntersetzen.

> Er winkt, die Drachen rühren sich;
> Die Kiste haben sie vom Wagen
> Mit Gold und Geiz herangetragen (V. 5684–86).

Plutus aber als absoluter Herrscher in der Gesellschaft, den Reichtum
göttlich als wirkende Macht verstehen, heißt, ihn über seine Rolle als
Bringer des Goldes erweitern. Es heißt, ihn als *Gott* des Goldes in den
Rang einsetzen, den die Geschichte der Farbenlehre dem Gold erteilt:
Gold als oberster Wert der „höheren Sinnlichkeit", der „so unbedingt
mächtig auf der Erde" ist wie „Gott im Weltall", dessen „sich zu bemächtigen" die menschliche Natur „gleichsam wütet", und dessen Besitz, neben „Gesundheit" und „langem Leben", eins der drei Erforder-
nisse zur „höchsten irdischen Glückseligkeit" ist.[63] Es ist eine Konzeption von Reichtum, die sich aus den Triebkräften der menschlichen
Natur herleitet: Habgier und Geiz als Antriebe zum materiellen Besitz,

Verschwendung – entspringend dem Überfluß des Lebens – als der ursprüngliche menschliche Impuls, aus dem alles höhere geistige Leben in der Gesellschaft entsteht.[64]

In Plutus ist also nicht das Gold im Sinne des „Kapitals" vergottet,[65] das verbieten allein schon die Bibelzitate; indem er die obersten Wünsche des sinnlichen Menschen erfüllt, wird er zum Inbegriff der Lebensfülle, zur Erfüllung „höchster irdischer Glückseligkeit":

Wo du verweilst, ist Fülle (V. 5699).

Knabe Lenker

In diesem Lebensreichtum ist die „Poesie" mit einbeschlossen. Der Knabe Lenker wird von Plutus als „mein lieber Sohn" (V. 5629) angesprochen und stellt sich selber als die „Verschwendung" (V. 5573) vor.

Zum Verständnis dieser poetischen Konzeption gibt des Plutus orientalisches Gewand einen Hinweis, indem es auf den west-östlichen Geist hinweist, aus dem das Bild erfunden ist. Und wäre es nicht das Gewand: „Prahlen"[66] (V. 5580) und „Sich verschwenden"[67] (V. 5575), dem Herrscher die „Palme" „erringen"[68] (V. 5617) und sich „verraten"[69] (V. 5706) sind Epitheta des Knaben Lenker, die ihre genaue Analogie im Divan haben und die auf ein analoges Verhältnis von Leben und Dichten schließen lassen.

Denn im Divan wird das Dichten ausdrücklich aus dem Bereich der Kunst gelöst und zu einem Akt des Lebens gemacht. In den „Noten und Abhandlungen zum Divan" heißt es:

Poesie ist, rein und echt betrachtet, ... keine Kunst, weil alles auf dem Naturell beruht, welches zwar geregelt, aber nicht künstlerisch geängstigt werden darf; auch bleibt sie immer wahrhafter Ausdruck eines aufgeregten, erhöhten Geistes ...[70]

Dichten versteht sich dort als Folge eines Lebens aus der Fülle.

Eh' er singt und eh' er aufhört,
Muß der Dichter leben.
Und so mag des Lebens Erzklang
Durch die Seele dröhnen ...[71]

Aber uns ist wonnereich
In den Euphrat greifen,
Und im flüssgen Element
Hin- und wider schweifen.
Löscht ich so der Seele Brand,
Lied es wird erschallen ...[72]

Er begreift sich als Leben, das im erhöhten Augenblick sich seiner selbst
inne wird.[73] Dichtung ist dort Geist gewordene Lebensverschwendung.[74]

Und zwar wird diese Lebensfülle im Divan nicht erfahren im Übermaß
des Schmerzes – nicht der Moment, aus dem die „Marienbader Elegie"
entstand, ist der Moment des Divan; unter den vier „Elementen", aus
denen dort ein „Lied sich nähren" soll,[75] erscheint nicht „die Qual",[76]
sondern der Rausch des Trunkenen,[77] der Übermut des Siegers,[78] die
Dreistigkeit des Verächters,[79] die Seligkeit des glücklich Liebenden.[80] Es
ist die Konzeption des schöpferischen Augenblicks als eines übermütigen
Lebens aus der Fülle, wo Leben in Geist übergeht, was den Divan mit
dem Knaben Lenker verbindet.

Was nun im Divan in der Figur Hatems vereint ist: Leben, das sich
im Augenblick der Verschwendung zum „Lied ballt",[81] Dichtung, in
der das Leben zum geistigen Besitz wird, ist in Plutus und Knabe in
Vater und Sohn aufgespalten. Deshalb die Worte des Knaben zu Plutus:

> Wo du verweilst, *ist* Fülle (V. 5699),

denen die Selbstauslegung des Knaben entspricht:

> . . . Wo ich bin,
> *Fühlt* jeder sich im herrlichsten Gewinn. (V. 5699–5700)

Poesie ist also hier gefaßt als das Sich-Selber-Fühlen der Fülle.

Das Fest, aus dem die Poesie als Schmuck und Steigerung der Lust
(V. 5578) hervorgeht, das ist der Lebensaugenblick, aus dem sich der Knabe
zunächst erklärt und den er im Maskenfest auch sogleich hervorruft;
denn indem er die schmückenden Gaben seiner Phantasie unter die „liebe
Menge" (V. 5590) „schnippt" (V. 5592) und mit dem Entzücken er-
höhtes Leben verbreitet (V. 5588–89), tut er, was er soeben als das
Wesen der Poesie beschrieb:

> Beleb und schmück ihm Tanz und Schmaus (V. 5578).

Die andere Selbstauslegung gibt er, zu Plutus gewendet, in der Eigenschaft als Wagenlenker seines Herrn. Hier versteht sich die Poesie nicht
aus der Situation des Festes, sondern aus der des Wagenkampfes der
Kampfspiele, nicht als die Schmückende, sondern als die Rühmende,
die nach den „Noten und Abhandlungen zum Divan" die eigentliche
Aufgabe der Dichtung ist.[82]

In Anlehnung an Pindarische Metaphern wird das siegreiche „Vier-
gespann" (V. 5613) des Herrschers zum Gefährt der Dichtung, die Wett-
fahrt zur Wagenfahrt des Liedes, der Dichter zum Meister der Begeisterung.

> Hast du mir nicht die Windesbraut
> Des Viergespannes anvertraut?
> Lenk' ich nicht glücklich, wie du leitest?
> Bin ich nicht da, wohin du deutest?
> Und wußt' ich nicht auf kühnen Schwingen
> Für dich die Palme zu erringen? (V. 5612–17)

Dichtung tritt hier als die Rühmende zum Leben hinzu wie für Pindar:
als Erhöhung und Sinngebung des Lebens.

> Wenn Lorbeer deine Stirne schmückt,
> Hab ich ihn nicht mit Sinn und Hand geflochten? (V. 5620–21)

Während sich Plutus und Knabe Lenker bei ihrer Ankunft in ihrer
Gleichartigkeit bestätigen, ja auf dem Höhepunkt ihrer Selbstenthüllung
in dem Verhältnis des Vaters erkennen, der den Sohn verklärt, artikulieren sie sich im Abschiednehmen in ihrer Gegensätzlichkeit. Denn als
Reichtum, der Fülle und Erfüllung des Lebens bedeutet, fühlen sie sich
zunächst aufs nächste verwandt (V. 5698). In dem Sinne kann der Knabe
von sich selber rühmen:

> Auch ich bin unermeßlich reich
> Und schätze mich dem Plutus gleich (V. 5576–77),

kann Plutus dem Knaben bezeugen:

> Bist Geist von meinem Geiste. (V. 5623)

Aber sofern der Reichtum des Plutus Erfüllung im Leben schenkt, der
Reichtum des Knaben aber Erfüllung in der Phantasie, bedeuten sie
gegensätzliche Lebenswege. Daher die Worte des Knaben:

> Auch schwankt er oft im widersinnigen Leben:
> Soll er sich dir? soll er sich mir ergeben? (V. 5701–02)

Ja sofern die Erfüllung in der Dichtung unbedingter ist,

> Bin der Poet, der sich vollendet,
> Wenn er sein eigenst Gut verschwendet (V. 5574–75),

vollkommener als die Erfüllung im Leben, kann Plutus sogar dem Knaben eingestehen:

> Bist reicher, als ich selber bin (V. 5625).

Und so kehrt der Lenker denn auch – aus dem Dienst seines Herrn
entlassen (V. 5689–90) – in seine eigene „Sphäre" (V. 5690) zurück, die
nicht die des Plutus ist. Vielmehr bestimmt sich die Poesie nun gerade aus
dem Gegensatz zu der des Reichtums im Leben. Sie versteht sich im

Unterschied zur realen Wirklichkeit als die Welt der Phantasie, die der Dichter, ohne an die „allzu lästige Schwere" (V. 5689) der Realität gebunden zu sein, „frei" entwerfen kann.

Sie versteht sich ferner aus dem Gegensatz zur Tagesgegenwart, der Welt verworrener Leidenschaften –

> Verworren, scheckig, wild (V. 5691) –

als die vom Dichter geschaffene „klare" (V. 5693) Welt, in der das Bedingte des Lebens zum „Schönen" (V. 5695) und „Guten" (V. 5695) vollendet erscheint.

Und sie versteht sich endlich aus dem Gegensatz zur Gesellschaft als die der Einsamkeit (V. 5696), wo der Dichter unabhängig von Zerstreuungen und Verstrickungen seine „Welt schafft" (V. 5696).

Poesie, wie sie im Knaben Lenker erscheint, meint mit Dichtung noch etwas Erstes, ganz Allgemeines: Poesie entsprungen aus dem Element geselligen Lebens. Gebildet aus dem besonderen Lebensstoff der Phantasie, dem Stoff der menschlichen Träume (V. 5592), geboren aus der Fülle des Lebens (V. 5699), frei von allen realen Bedingungen des Dichters (V. 5689), weiß diese Poesie noch nichts vom Dichten als Bilden der Schönheit nach Analogie der Natur, weshalb Faust zu den Müttern gehen muß – und sie weiß noch nichts von der Leidenschaft, die den Dichter angesichts des Bildes der Schönheit ergreift und in den Zustand des Zeugenden bringt, der schließlich zur Geburt des Euphorion führt.

Denn in diesen Schritten ist das Verhältnis vom Knaben Lenker zu Euphorion bezeichnet; Wesen, von denen Goethe ja sagt, daß sie ein und dasselbe sind.[83] Wenn die in der Maske des Lenkers erschienene Poesie in Euphorion wiederkehrt, hat sie inzwischen den langen Weg, der in der Klassischen Walpurgisnacht von der Entstehung des Mythos in den Anfängen der Erdgeschichte bis zu seiner Wiedererzeugung aus der griechischen Natur führt, über die europäische Kulturgeschichte im Helenaakt zurückgelegt, wo sie dank der Hochzeit zwischen mittelalterlichem nördlichem Geist und antiker Form im geschichtlichen Augenblick der Renaissance gezeugt und in der Klassik der Neuzeit geboren worden ist. Euphorion ist gegenüber dem Knaben Lenker, der Poesie als Funktion des geselligen Lebens, die geschichtlich wirklich gewordene, neuzeitliche Poesie.

Das Spiel um das Gold

In dem Spiel, das mit dem Erscheinen des Plutus begann, bildet seine Selbstdarstellung den ersten Akt. Diese ereignet sich auf dem prächtigen Wagen, farbig glitzernd und umschwirrt von „bunten Sternen", den der

Knabe Lenker hineinfährt; das heißt, Plutus tritt in die Gesellschaft ein auf dem Vehikel der Poesie und bleibt, solange er auf dem Wagen thront, in der Wunschsphäre der Phantasie. „Auf dem Wagen": das ist Plutus in einer Art von Epiphanie; als Idee irdischer Glückseligkeit, als ideelle Erfüllung der begehrenden Gesellschaft.

Mit der Bühnenanweisung: „Plutus steigt vom Wagen" (vor V. 5683) beginnt der zweite Akt des Spieles: der Reichtum tritt in die Gegenwart des Kaiserhofs ein. Es ist eine Geste, die den Überschritt von der Phantasie in die Wirklichkeit bezeichnet, weshalb ihn der Herold ein „Wunder" nennt – in Analogie zur Geburt des Homunculus oder des Euphorion, Überschritte eines Geistigen in die Wirklichkeit, die gleichfalls „Wunder" genannt werden.[84]

> Die Kiste haben sie vom Wagen
> Mit Gold und Geiz herangetragen,
> Sie steht zu seinen Füßen da:
> Ein Wunder ist es, wie's geschah. (V. 5685–88)

Erst von jetzt an erscheint der Reichtum in der Bedingtheit der Realität. Es ist der Augenblick, in dem er auch in „Kiste" und „Gold" materialisiert da ist; denn vorher war von beiden nicht die Rede; und es ist derselbe Augenblick, in dem sich die Poesie auf dem Wagen der Phantasie von Plutus trennt.

> So lebe wohl! du gönnst mir ja mein Glück; ...
> (*Ab, wie er kam.*) (V. 5707)

Die Kiste öffnet Plutus mit des „Herolds Rute" (V. 5710), wie der Stab nun in Analogie zur Wünschelrute heißt. Er trifft (V. 5710) mit ihr „die Schlösser", so wie die Wünschelrute auf verborgene Schätze trifft. Die Öffnung der Kiste geschieht also als Entfesselung (V. 5709) verschlossener (V. 5711) „Schätze": auch dies den Überschritt von der Idee zur Wirklichkeit, vom Wunsch ins Leben chiffrierend.

Als goldnes Blut (V. 5712), das „wallt" (V. 5712) und „schwillt" (V. 5714) offenbaren sich die Schätze nun als das Element der Leidenschaft.[85] Und zwar respondieren sie in ihrer Erscheinungsform je dem Begehrenden: vor dem Blick der Menge präsentieren sie sich als „Kronen, Ketten, Ringe" (V. 5713), die sich in „gemünzte" Dukatenrollen (V. 5718–19) umschmelzen. – Reichtum, und zwar in den „Kronen" höchste gesellschaftliche Autorität wie auch jeglicher Schmuck des Lebens, „Ketten, Ringe", münzt sich als „Begehr" (V. 5721) der „Menge" (vor V. 5715) in seinen schieren Geldwert um; wie er sich nachher unter den Mephistophelischen Händen des Geizes zum „Teig"

(V. 5785) unanständiger Gebilde und schließlich, unter dem Anblick des Kaisers, in den Traum kaiserlicher Allmacht verwandelt (V. 5997–6002).

> Denn dies Metall läßt sich in alles wandeln. (V. 5782)

Die Kiste meint das Gold als höchsten ideellen Wert der Gesellschaft, der sich, je nach dem Wunsch des Begehrenden, so oder so realisiert.

Mit dem Herabsteigen des Plutus vom Wagen war die Allegorie in Spiel übergegangen; jetzt mit der Entfesselung der Geldgier bei der Menge droht das Spiel in Wirklichkeit überzugehen.

> Man bietet's euch, benutzt's nur gleich
> Und bückt euch nur und werdet reich. –
> Wir andern, rüstig wie der Blitz,
> Wir nehmen den Koffer in Besitz. (V. 5723–26)

Hier ist der Moment, wo der Herold als der Wächter über die Maskerade einzugreifen hat.

> Was soll's, ihr Toren? soll mir das?
> Es ist ja nur ein Maskenspaß.
> Heut abend wird nicht mehr begehrt;
> Glaubt ihr, man geb' euch Gold und Wert?
> . . .
> Ihr Täppischen! ein artiger Schein[86]
> Soll gleich die plumpe Wahrheit sein. (V. 5727–34)

Aber seine Macht, die auf Arrangieren der Masken im Sinne von Ordnunghalten der Gesellschaft ging, scheint nicht zu genügen, um solchen Übergriff der entfesselten Begierden zu verhüten. Er appelliert an Plutus selber: nun aber nicht an die Maske, sondern an das, was sich darin verbirgt:

> Vermummter Plutus, Maskenheld (V. 5737).

Der sich in Plutus Vermummende,[87] der Held der Maske (V. 5737) jedoch ist Faust. Er allein ist in der Lage mit dem ausgeliehenen Stabe des Herolds, das heißt: mit der gesellschaftlichen Ordnungsgewalt, den Übergriff der Menge auf das Gold zu wehren:

> Schlag dieses Volk mir aus dem Feld! (V. 5738)

Aber in welcher Eigenschaft verleiht Faust dem sonst nur innerhalb des Gesellschaftlichen fungierenden Stabe solche Gewalt? – Wie der Stab in seiner Hand, ins flüssige Gold getaucht, erglüht,

> Wie's blitzt und platzt, in Funken sprüht! (V. 5743)

wie mit ihm ein magischer Kreis um die Kiste gezogen wird,

> Jetzt fang' ich meinen Umgang an (V. 5747),

deutet es darauf, daß hier eine hohere Geisteskraft am Werk ist. Es ist ein Vorgang, der dem Leuchten (V. 6261) und Blitzen (V. 6261) des Schlüssels in der Hand Fausts gleicht, wenn dieser zu den Müttern hinabsteigt. Mit dem Hinweis auf Plutus als die Maske für Faust ist es offenbar noch nicht getan. Wie verhält sich die Maske zu Faust?

Es ist der erste Auftritt Fausts, der sich in der Plutusmaske am Kaiserhof gleichsam einschleicht, so wie Mephisto zu Beginn in die Narrenmaske eingeschlüpft war. In der Plutusmaske tritt Faust endlich als derjenige auf, den Mephisto schon im Thronsaal als den Bringer des Goldes der Tiefe angekündigt hatte:

> Und fragt ihr mich, wer es zutage schafft:
> Begabten Manns Natur- und Geisteskraft. (V. 4895–96)

Die außerordentliche Geisteskraft, die mächtige Natur der großen Entelechie, ist also die Rolle, in der Faust zu Beginn des zweiten Teils wieder in die Welt eintritt. Die Maske des Plutus wird, auf Faust bezogen, zu der „Schale", die sein „Wesen" bezeichnet (V. 5607). Als Plutus enthüllt sie ihn in dem Reichtum seiner Anlage.[88]

Reicher Geist und Geist des Reichtums stehen hier im Wechselspiel; auf Plutus bezogen ist Faust der Geist, der als Wissen vom Sinn und Wesen des Reichtums seiner Allegorie innewohnt. Als der Wissende, der im Zusammenwirken mit dem Stab die höhere Einsicht in den Reichtum vertritt, vermag Faust die Menge, den unsinnigen Haufen (V. 5755), vom Besitz des höchsten Wertes auszuschließen. Aus der Kompetenz des Reichtums heraus kann er mit der Umsetzung des Goldes in bloßes Geld nicht einverstanden sein. Der Herold dankt seiner „klugen Macht" (V. 5764).

Menge versteht sich hier – wie auch schon in der Thronsaal-Szene – aus dem Gegensatz zum Wissenden als das begehrliche menschliche Wesen, das ohne Einsicht hin- und her „wechselt" (vor V. 5715), triebhaft vorwärtsdrängt (V. 5715–26) und ängstlich zurückweicht (V. 5748 bis 5756) und statt „Wahrheit" überall „dumpfen Wahn" „anpackt".[89] (V. 5735)

Als Geist des Reichtums weiß Faust, daß der Reichtum zum Kaiser, der höchste Wert der Gesellschaft in die Hand dessen gehört, der sie als ein Ganzes repräsentiert. Er weiß freilich auch, daß diese höchste Möglichkeit, als die der Erfüllung gesellschaftlichen Glücks, die höchste Gefahr einschließt.

Geiz

Ehe diese Gefahr aber hereinbricht, erhält der Geiz seinen Auftritt.
Wenn in seinen Händen das Gold sich in einen Phallus wandelt, so verrät sich darin, was aus dem Gold, als der Forderung der höheren Sinnlichkeit, für die gemeine Sinnlichkeit wird. Es ist die höchste Glückserfüllung auf der gemeinen sinnlichen Stufe.

Zugleich steht die Bedrohung der Gesellschaft, die der Mephistophelische Verstoß gegen „die Sittlichkeit" bedeutet –

> Ich fürchte, daß er sich ergetzt,
> Wenn er die Sittlichkeit verletzt (V. 5793–94) –

im Gegensinn zu der größeren Gefahr, die „uns von außen droht"
(V. 5797). Mit ihr verglichen bleibt das Unanständige doch noch inner-
halb der Gesellschaft. Deshalb die Abwehr des Plutus gegenüber dem
Herold, als dem Hüter der gesellschaftlichen Ordnung:

> Laß ihn die Narrenteidung treiben! (V. 5798)

Der große Pan

Denn was der Gesellschaft von Grund auf entgegenwirkt, was sie nicht
nur in ihrer Konvention verletzt – „Gesetz ist mächtig" – (V. 5800),
sondern in ihrem Bestand bedroht – „mächtiger ist die Not" – (V. 5800),
ist das Elementare an höchster Stelle, die Entfesselung der Triebe im
Amt des Kaisers.

Das bricht herein mit dem Gefolge des großen Pan, und damit treten
wir in den dritten und letzten Akt des Spieles ein. Es ist ein wilder
Schwarmzug der Naturgeister, der jetzt im Maskenzug als dem Ort der
Gesellschaft, „der Flitterschau" des „geputzten Volkes" (V. 5815), „un-
widerstehlich" Platz greift;

> Das wilde Heer, es kommt zumal
> Von Bergeshöh und Waldestal,
> Unwiderstehlich schreitets an:
> Sie feiern ihren großen Pan. (V. 5801–04)

mit den Faunen: der Trieb des Geschlechtlichen;

> Ein stumpfes Näschen, ein breit Gesicht,
> Das schadet alles bei Frauen nicht;
> Dem Faun, wenn er die Patsche reicht,
> Versagt die Schönste den Tanz nicht leicht. (V. 5825–28)

mit dem Satyr: der unbürgerliche Freiheitsdrang;

> In Freiheitsluft erquickt alsdann,
> Verhöhnt er Kind und Weib und Mann,
> Die tief in Tales Dampf und Rauch
> Behaglich meinen, sie lebten auch,
> Da ihm doch rein und ungestört
> Die Welt dort oben allein gehört. (V. 5834–39)

in den Riesen: die Pan nach außen schützende, rohe Freundeskraft;

> Die wilden Männer sind's genannt,
> Am Harzgebirge wohlbekannt;
> Natürlich nackt in aller Kraft,
> Sie kommen sämtlich riesenhaft,
> . . .
> Den derbsten Schurz von Zweig und Blatt:
> Leibwache, wie der Papst nicht hat. (V. 5864–71)

und in den Nymphen, ihr Gegenstück, die heiter zugetane Liebe – die allein in der großen Leidenschaftsnatur das „Ernste und Gute" wahrnimmt.

> Ihr Heitersten, umgebet ihn,
> Im Gaukeltanz umschwebet ihn!
> Denn weil er ernst und gut dabei,
> So will er, daß man fröhlich sei. (V. 5876–79)

Pan selber ist das Ganze, vom Dichter vielleicht in dem ihn einführenden merkwürdigen „Auch" angedeutet:

> Auch kommt er an (V. 5872)

Die Nymphen präsentieren ihn in seiner spätantiken Bedeutung als „All der Welt" (V. 5873). Indem er sich mit unbedingter Gewalt – gleich mächtigen Naturphänomenen – äußert: in der vollkommenen Stille des Mittags,

> Und wenn er zu Mittage schläft,
> Sich nicht das Blatt am Zweige regt;
> . . .
> Die Nymphe darf nicht munter sein,
> Und wo sie stand, da schläft sie ein. (V. 5884–89)

im gewitterartig sich entladenden Gebrüll

> Wenn unerwartet mit Gewalt
> Dann aber seine Stimm erschallt

> Wie Blitzes Knattern, Meergebraus,
> Dann niemand weiß, wo ein noch aus (V. 5890–93)

ist er die große menschliche Natur als die Summe ungebändigter Trieb-
kraft.

Einen besonderen Platz in der Mitte des Gefolges nehmen die Gnomen ein. Sie sind hier die Geister der verborgenen Metalle, die sie zum
hilfreichen Gebrauch des Menschen zutage bringen.

> Metalle stürzen wir zuhauf
> Mit Gruß getrost: Glückauf, Glückauf!
> Das ist von Grund aus wohlgemeint:
> Wir sind der guten Menschen Freund (V. 5852–55).

Sie bringen zumal das Gold, um das es ja in diesem Exodus des Maskenzuges geht, und das sich auf diese natürliche Weise Pan zugehörig erweist. Naturgeister, die sie sind, und als solche wie das übrige Gefolge
außermoralisch, kümmert es sie nicht, wenn der Mensch ihre guten
Gaben zum bösen („stehlen und kuppeln" V. 5857) und gefährlichen
(Krieg als „allgemeinem Mord" V. 5859) Tun verwendet.

> Doch bringen wir das Gold zu Tag,
> Damit man stehlen und kuppeln mag,
> Nicht Eisen fehle dem stolzen Mann,
> Der allgemeinen Mord ersann.
>   . . .
> Das alles ist nicht unsre Schuld. (V. 5856–62)

Als Geister des Goldes aber unterstehen sie nicht nur dem Pan, sondern
stehen auch zum Plutus in Beziehung. So sind sie ein Mittleres zwischen
Plutus und Pan und werden in der „Deputation" zu Mittlern zwischen
beiden.

Das Merkwürdige nämlich während des stürmischen Einzugs ist das
Verhalten des Plutus; obwohl er voraussieht, daß das „Wunderlichste"
„geschehn" „kann" (V. 5812), öffnet er dem „wilden Heer" (V. 5801)
den eben um die Goldkiste gezogenen Bannkreis. Aber schuld daran ist
gerade sein Wissen: daß sich nämlich in der Pansmaske der Kaiser verbirgt; in der Triebnatur die höchste Repräsentanz der Gesellschaft. Und
der höchsten Repräsentanz gehört der höchste gesellschaftliche Wert.

> Ich kenn euch wohl und euren großen Pan!
> Zusammen habt ihr kühnen Schritt getan,
> Ich weiß recht gut, was nicht ein jeder weiß,
> Und öffne schuldig diesen engen Kreis. (V. 5807–10)

Das ist nun die andere Konfiguration, die – nach dem Abgang des Knaben Lenker – Plutus mit Pan bildet: der Reichtum und der Kaiser, die dank der Doppelschichtigkeit des Spiels der Masken, daß nämlich in den Masken „dramatische Personen" stecken, zugleich zu der Polarität zwischen Faust als dem Wissenden und dem Kaiser als der großen unbewußten Triebnatur wird.

Die biographischen Analogien dieser Szene zu Goethe, dem jungen Karl August und deren „stürmischem" Freundeskreis sind unüberhörbar; ja vom Dichter ausdrücklich gemacht in den „am Harzgebirge wohlbekannten" (V. 5865) Riesen, die hier als die engste Umgebung – „die Schar" (V. 5953) des Kaisers, „in harzig Reis" „eingeschnürt" – (V. 5955) an des Kaisers und dem „allerseitigen Untergang" (V. 5957) schuldig werden.

Unüberhörbar sind auch die Analogien zu dem Gedicht „Ilmenau",[90] wo in der Vision jenes nächtlichen Waldlagers wilder Gesellen

> Welch nächtliches Gelag am Fuß der Felsenwand?
> Bei kleinen Hütten, dicht mit Reis bedecket.

der Weimarische Freundeskreis des jungen Großherzogs angesprochen ist, an dem Goethe selber als Fremder zugleich und Freund teilnahm:[91]

> Von fremden Zonen bin ich her verschlagen
> Und durch die Freundschaft festgebannt.

Der Dichter spricht auch dort von der „Schar" als „wildem Geisterheer", als „Gnomen", als „Zigeunern"; und sagt von ihnen

> Unbändig schwelgt ein Geist in ihrer Mitten,

wie er auch dort – analog dem Pan vom Fürsten als „dem edlen Herzen" redet, den „die schmerzlich überspannte Regung" „bald da, bald dort hinaus" trieb.

> Noch ist, bei tiefer Neigung für das Wahre,
> Ihm Irrtum eine Leidenschaft.
> . . .
> Kein Fels ist ihm zu schroff, kein Steg zu schmal.

Und auch Goethes Rolle dem Fürsten gegenüber ist in dem Gedicht dieselbe wie die des Plutus-Faust gegenüber Pan. Denn so wie in „Ilmenau" kein Akt des Bewußtmachens von seiten des Freundes dem in sein eigenes Chaos verstrickten Fürsten helfen kann,

> Kein liebevolles Wort kann seinen Geist enthüllen,
> Und kein Gesang die hohen Wogen stillen. . .

so wird auch das Spiel mit der Feuerquelle in der Mummenschanz zu einem solchen vergeblichen Versuch des Plutus, die drohende Realität im Spiel und als Spiel vorwegzunehmen; dem Kaiser die schrecklichen äußeren Folgen des Chaos im eigenen Innern ins Bewußtsein zu bringen. Denn veranstaltet wird das „Flammengaukelspiel" (V. 5987), um den Kaiser aufzuschrecken – es ist der Schrecken für den Pan –

> Schrecken ist genug verbreitet (V. 5970)

aber aufgenommen wird es vom Kaiser als Scherz:

> Ich wünsche mir dergleichen Scherze viel. (V. 5988)

Daß nämlich Faust in der Plutusmaske der Arrangeur des Spieles ist, macht der Dichter deutlich, wenn auch Plutus es ist, der das Spiel mit des „heilgen Stabs Gewalt" (V. 5972) wieder zu beenden weiß:[92]

> Hülfe sei nun eingeleitet! (V. 5971)

Die Katastrophe

Die Wendung zur Katastrophe nahm das Spiel mit der „Deputation der Gnomen": der Dedikation des Reichtums an Pan. Das veränderte Versmaß – statt des Knittelverses der trochäische Vierheber – zeigt an, daß sie in neuer Funktion sprechen. Sie beginnen wiederum als die Naturgeister der unterirdischen Metalle: dem erschließenden Menschengeist droben entsprechen sie drunten als die Schenkenden. Sie stehen zum Menschen in dem der Natur gemäßen Verhältnis von Unten zu Oben.

> Wenn das glänzend-reiche Gute
> Fadenweis durch Klüfte streicht,
> Nur der klugen Wünschelrute
> Seine Labyrinthe zeigt,
> Wölben wir in dunklen Grüften
> Troglodytisch unser Haus,
> Und an reinen Tageslüften
> Teilst du Schätze gnädig aus. (V. 5898–5905)

Aus dieser natürlichen Zuständigkeit für das Gold betrachten sie nun auch die Zauberquelle des Plutus als das Ihrige. Und indem sie auch dieses Gold dem Pan dedizieren, übergeben sie es ihm gleichsam aus dem der Natur entnommenen richtigen Verhältnis vom Unteren zum Oberen: den höchsten Wert an die höchste Repräsentanz. Es ist ein Akt, der

die legale Bezogenheit zwischen Reichtum und Kaiser ausdrückt, weil
sie sich auf die Analogie der Natur berufen kann:

> Nimm es, Herr, in deine Hut. (V. 5911)

Denn indem das Gold dem Kaiser als dem Repräsentanten des Ganzen
gehört, gehört es der „Welt":

> Jeder Schatz in deinen Händen
> Kommt der ganzen Welt zugut. (V. 5912–13)

Nun ist aber der Reichtum des Plutus nicht irgendein realer Goldfund,
sondern das Gold als Idee, nämlich die absolute Erfüllung sinnlichen
Glücks, das Wunder der Verwirklichung:

> Eine Quelle wunderbar,
> Die bequem verspricht zu geben,
> Was kaum zu erreichen war. (V. 5907–09)

Der Kaiser, mit dem Reichtum konfrontiert, bedeutet die Möglichkeit
der höchsten Erfüllung: die Möglichkeit der Verwirklichung des Reichtums. In der Dedikation der Schätze an Pan kommt der Maskenzug also
an sein Ziel. Insofern geschieht sie im Sinne des Plutus.

Wenn Plutus es trotzdem nur „geschehen läßt", so ist es, weil er zugleich der Wissende ist. Er „weiß" (V. 5809) zugleich, daß dieser Kaiser
als der leidenschaftlich Begehrende sich an der „Feuerquelle" (V. 5921)
verbrennen wird.

> Wir müssen uns im hohen Sinne fassen
> Und, was geschieht, getrost geschehen lassen,
> Du bist ja sonst des stärksten Mutes voll.
> Nun wird sich gleich ein Greulichstes eräugnen...
> (V. 5914–17)

Und in der Tat: die Gnome führen Pan an die Quelle heran, und indem
ihm plötzlich sein Bart hineinfällt und die Flammen ihn – samt Kranz,
Haupt und Brust – ergreifen, treten Maske und Träger der Maske auseinander. Am Spiel der absoluten Erfüllung verbrennt sich der Kaiser.
Das Gold wird für ihn zum Feuer, zum chaotischen Element der Leidenschaft, in welchem sich, wie er es in der folgenden Lustgartenszene
selber beschreibt, sein Kaiseramt zum Traumgebilde der Herrschaft über
die Allnatur verwandelt:

> Durch fernen Raum gewundner Feuersäulen
> Sah ich bewegt der Völker lange Zeilen,
> Sie drängten sich im weiten Kreis heran

Und huldigten, wie sie es stets getan.
Von meinem Hof erkannt' ich ein und andern,
Ich schien ein Fürst von tausend Salamandern. (V. 5997–6002)

Er spiegelt sich in den Flammen als dem Wunschbild seiner Pans-Maske,
genießt sich in seinem Schein-Ich, bis die Flammen in der Maske den
Schein ergreifen und Kaiser und Kaisermacht zerstören.

Uns droht ein allgemeiner Brand.
Des Jammers Maß ist übervoll,
Ich weiß nicht, wer uns retten soll.
Ein Aschenhaufen einer Nacht
Liegt morgen reiche Kaiserpracht. (V. 5965–69)

Der Herold, der im Anfassen des zum Plutusszepter gewordenen
Heroldsstabes selber zum Eingeweihten, zur Stimme des Spiels wird (vor
V. 5920), während Plutus das Wirken vorbehalten ist, kommentiert das
Geschehen von der Seite der gesellschaftlichen Ordnung: die große
Triebnatur im Amt des höchsten Ordnenden, die in der Möglichkeit der
vollkommenen Glückserfüllung durch Unmaß der Leidenschaft zu
„allerseitigem Untergang" (V. 5957) wirkt.

Dieses Unmaß indessen hängt dem Kaiser nicht von Charakter an – als
wirkende Kräfte, die die Gesellschaft bilden, sind die Personen im II.
Faust keine Charaktere – es hängt am Stand seiner Jugend. Sein Unmaß
ist jugendliche Ungeordnetheit, der gegenüber keine Belehrung voll-
bringen kann, was nur die Verwandlung in eine andere Lebensstufe zu
leisten vermag; wie es von Karl August in „Ilmenau" heißt:

Wer kann der Raupe, die am Zweige kriecht,
Von ihrem künft'gen Futter sprechen?
Und wer der Puppe, die am Boden liegt,
Die zarte Schale helfen durchzubrechen?
Es kommt die Zeit, sie drängt sich selber los
Und eilt auf Fittichen der Rose in den Schoß.

Die hier bezeichnete Lebensverwandlung liegt im II. Faust zwischen
dem ersten und vierten Akt, zwischen dem jugendlichen Kaiser und dem
des Mannesalters, – weil es das Gesetz dieser Dichtung so verlangt.
Jugend geht hier nicht in Reife über nach dem psychologischen Gesetz
der Entwicklung; Jugend und Reife stehen nebeneinander als Lebens-
stufen, die bestimmten Funktionen des Kaisers zugeordnet sind, welche
sich vom jeweiligen Weltbezirk her bestimmen. So wie im vierten Akt
dem Kaiser Herrschen und Tat entsprechen, so entsprechen ihm in der
gesellschaftlichen Welt des ersten Aktes Genießen und Leidenschaft.

Dabei heißt er hier wie dort der „Gute":

> Denn weil er ernst und gut dabei . . . (V. 5878)
> Der gute Kaiser . . . (V. 10243)
> Er jammert mich; er war so gut und offen. (V. 10291)

Das heißt, als große Leidenschaftsnatur ist der Kaiser zugleich von großer Gesinnung. Sein biographisches Vorbild läge weniger in Ludwig XVI. als in dem jungen Karl August: in der „Fülle einer Jugend, die sich fühlt und nicht weiß, wo sie mit Kraft und Vermögen hinaus soll".[93] So deuten es die beiden abschließenden Verspaare durch ihren Parallelismus, indem sie Unvernunft der Hoheit und Unmaß der Jugend eins fürs andre setzen:

> O Jugend, Jugend, wirst du nie
> Der Freude reines Maß bezirken?
> O Hoheit, Hoheit, wirst du nie
> Vernünftig wie allmächtig wirken? (V. 5958–61)

Schon die Eigenschaften, die den Kaiser im „Thronsaal" auszeichneten: sorglos (V. 4766), heiter genießend (V. 4768), mit Zeit verschwenderisch (V. 5057), aber auch ungebärdig (V. 4923–26), ungeduldig (V. 5047), unvorsichtig (V. 5059–60), bezeichnen das Wesen hoher leidenschaftlicher Jugend. Und so ist auch sein Verhalten gegenüber der „Feuerquelle" – daß er sein Leben in den Traum entwirft und als Traum vollendet – Zeichen seines jugendlich-unbewußten, selbstbezogen-genießenden Zustandes. Nicht umsonst weiß er später nichts mehr von der Unterzeichnung des Papiers (V. 6063–65).
   Die ordnende geistige Kraft, die der Herold in der „Vernunft" (V. 5961, 5967) beschwört, nach der er im Übermaß des „Jammers" (V. 5966) ruft, kommt mit dem Eingreifen des Plutus zur Wirkung:

> Schlage, heilgen Stabs Gewalt . . . (V. 5972).

Heilig heißt der Stab, weil er in der Hand des Plutus-Faust nun zur ordnunggebietenden Kraft nicht über die Gesellschaft, sondern über die Elemente wird, mit der Faust sowohl dem Brand wie dem Spiel ein Ende macht. Und auch in dieser Funktion betätigt er sich noch einmal als der Wissende und damit als der eigentliche Gegenpart des Kaisers: neben der triebhaft unbewußten großen Natur die große bewußte Geisteskraft, die die „Geister" der Triebe bändigt:

> Drohen Geister uns zu schädigen,
> Soll sich die Magie betätigen. (V. 5985–86)

Magie, die sich hier wie stets mit der Person Fausts verbindet, ist die mächtige Beherrschung der Elemente als der Triebnatur durch den großen erkennenden Geist.

Der neue Reichtum

Das Papiergeld

Im „Lustgarten", in der „Morgensonne" des neuen Tages ist alles schon geschehen: der Kaiserhof hat das neue Geld, Faust und Mephisto gehören zum Hofe. Sie werden kniend („beide knien") vor dem Kaiser angetroffen. Es bedarf nur einer letzten Geste. Mit der Bemerkung

> Kaiser, zum Aufstehen winkend

ist ihre Aufnahme vollzogen. Was weiter geschieht, scheint noch ein Allerletztes, wird sich aber als wichtiges, den ganzen Prozeß zusammenschließendes Moment herausstellen: die Verleihung des „innren Bodens" (V. 6133) an Faust und Mephisto als „Kustoden" (V. 6134) der „Schätze" – die Einsetzung Fausts zum Schatzmeister der „Unterwelt".

Statt daß die Geldbeschaffung als Fabel erzählt wird, breitet sich das Phänomen des Reichtums in seinen wirkenden Momenten auf, die zusammen eine Verwandlung bewirken: die Entstehung des Papiergeldes, als des Mittels zu einem neuen Reichtum. – Als Ganzes bedeutet der Prozeß: die Konzeption eines neuen gesellschaftlichen Wohlstandes. Als solche ist sie vom Dichter nicht als Irrweg gemeint, sondern ist Erkenntnis und Beschreibung eines spezifischen Phänomens der Neuzeit, in dem das Moment des Scheins eine wesentliche Rolle spielt.

Der Prozeß ereignet sich – entsprechend den drei Szenen – in drei Schritten. Der erste, den das früher zitierte[94] Kompositionsschema notiert als: „Element genugsam vorbereitet, nicht roh und starr, auch nicht schon verbraucht", war folgender:

1. Im „Saal des Thrones" verstand der Narr Mephisto den Geldwert des Goldes als Schein vom konkreten Gold zu trennen. Er weckte bei der Gesellschaft die Bereitschaft, an ein gedachtes Gold als an einen wirklichen Wert zu glauben:

> Es liegt schon da, doch um es zu erlangen,
> Das ist die Kunst! Wer weiß es anzufangen? (V. 4929–30)

Er stärkte die Einbildungskraft:

> Wer Wunder hofft, der stärke seinen Glauben (V. 5056)

und bewirkte den Glauben an einen leeren Schein. Solange der Narr allein diese Konzeption vertrat, war sie trügender Schein; solange der Astrolog durch ein täuschendes Horoskop das „Projekt" (V. 4888) glaubwürdig zu machen versuchte, war es bloßer Trug. Das war die Situation der Thronsaal-Szene.

2. Es bedürfte „begabten Manns Natur- und Geisteskraft", die wüßte, wie ein wirklicher Reichtum „zu Tage" zu schaffen wäre (V. 4895–96); es bedürfte des „hochgelahrten Manns, der das vermag, was unser keiner kann" (V. 4969–70), damit der Schein Wert bekäme. Das Schema notiert den zweiten Schritt mit den Worten: „Eintretender Genius zur rechten Zeit".

Als solcher trat während der Mummenschanz Faust in der Plutus-maske auf: in der Maske, die den Reichtum als Gott personifizierte, das heißt: in der Idealität seines Wesens; Reichtum als Ziel und Erfüllung der tätigen Gesellschaft, der in der Hand des Kaisers der „ganzen Welt" zugute kommt. Es ist die Idee von einer neuen Erfüllung, die damit in die nach Genuß begehrende moderne Gesellschaft eintritt: Realisierung des Lebens in seinem Reichtum als wirtschaftlicher Wohlstand, als geistige Kultur. Sie stellt sich an die Stelle der früheren, christlich-mittelalterlichen Idee vom Gottesstaat, die den Kaiser als Statthalter Gottes dachte: Geistlichkeit und Ritterschaft den Thron schützend und dafür dessen Herrschaft als seine geistlichen und weltlichen Diener aus-übend:

> ... Kaisers alten Landen
> Sind zwei Geschlechter nur entstanden,
> Sie stützen würdig seinen Thron:
> Die Heiligen sind es und die Ritter;
> Sie stehen jedem Ungewitter
> Und nehmen Kirch und Staat zum Lohn. (V. 4903–08)

Die neue Idee, auf die sich nun alles zuordnet, war allerdings darauf angewiesen, daß sie vom Kaiser angemessen rezipiert würde. Ihm aber – mit dem Reichtum konfrontiert – spiegelte sich diese höchste Erfüllung nicht als Vision von einer tätigen Gesellschaft im materiellen und kul-turellen Wohlstand, sondern als Traumbild seiner selbst als dem All, dem die Völker huldigten. In diesem wahnhaft gesteigerten Selbstgefühl unterzeichnete er – wie man supplieren muß – den von den Ministern gefertigten Papierschein und autorisierte ihn als Geld. Der trügende Schein in Gestalt des Scheingeldes und die sich in ihrem eigenen Glanz genießende Hoheit korrespondierten einander, so daß in der auf Trug und Wahn gegründeten Irrealität die Fragwürdigkeit des Papiergeldes beruht. Die Epiphanie des Reichtums in seiner Idealität zugleich mit dem Entstehen des trügenden Scheingeldes: das war der Augenblick der Mummenschanz.

3. Nun aber, im „Lustgarten", kommt das dritte Moment hinzu: das, wodurch – nach dem Schema – ein neues „in die Wirklichkeit Tretendes zur eminenten Erscheinung" gelangen kann; das Moment, das der neuen Konzeption von Reichtum ihre spezifische Wirklichkeit verleiht: das verwandelnde Moment durch die Person Fausts.

Daß es sich bei dem Prozeß der drei Szenen in der Tat um eine Verwandlung handelt, zeigt sich, wenn Faust und Mephisto nun selbst als Verwandelte da sind: nicht mehr als wirkende Masken, sondern nach Art von „Hofleuten" „anständig, nicht auffallend, nach Sitte gekleidet"; denn gleich durch die Worte, mit denen sich Faust einführt:

> Verzeihst du, Herr, das Flammengaukelspiel? (V. 5987)

identifiziert er sich unausgesprochen mit dem Träger der Plutusmaske; und das heißt, er steht jetzt da als derselbe, der im Maskenspiel die Idee des Reichtums darstellte und daher nun bei Hofe weiterhin aus der Kompetenz des Reichtums sprechen kann.

Zunächst allerdings kommt er als solcher noch nicht zu Wort. Davor schiebt sich die Rückerinnerung des Kaisers an jenen Augenblick an der Goldquelle: seinen Traum von der absoluten Majestät. Und Mephisto weiß den Traum mit der Vorspiegelung der Allherrschaft über die vier Elementenreiche ins Märchenhafte fortzuspinnen. Auch Mephisto betätigt sich hier als derselbe in neuer Rolle, als „Verwandelter": entsprechend dem veränderten Kostüm des Hofmanns, wirkt er nicht mehr in der Narrenmaske als der Schein erfindende menschliche Geist, sondern im Amt des Hofnarren als der Spaßmacher, der den Kaiser mit seinen Märchen unterhält.

> Welch gut Geschick hat dich hieher gebracht,
> Unmittelbar aus Tausendeiner Nacht?
> Gleichst du an Fruchtbarkeit Scheherazaden,
> Versichr' ich dich der höchsten aller Gnaden.
> Sei stets bereit, wenn eure Tageswelt,
> Wie's oft geschieht, mir widerlichst mißfällt! (V. 6031–36)

Solche „Märchen" werden in den Noten und Abhandlungen zum Divan „Spiele einer leichtfertigen Einbildungskraft" genannt, die „das Unwahrscheinliche als ein Wahrhaftes ... vorträgt", und ausdrücklich dort – wie auch hier im Lustgarten – mit den TausendundeineNacht-Märchen in Verbindung gebracht. Ihr eigentlicher Charakter ist, „daß sie keinen sittlichen Zweck haben und daher den Menschen nicht auf sich

selbst zurück, sondern außer sich hinaus ins unbedingte Freie führen".[95]
Mephisto erweist sich damit auch in der Hofnarrenrolle als der Gegen-
spieler des Plutus-Faust, insofern er den Kaiser mit seinen „Spielen einer
leichtfertigen Einbildungskraft" von der Selbsteinsicht ablenkt, statt,
wie Plutus im Maskenspiel, ihm die verborgene Wahrheit über die eigene
Natur offenbar zu machen. Und der Kaiser nimmt die Mephistophelischen
Märchen als das, was sie sind, Zerstreuungen von der widerlichen
Realität der „Tageswelt" (V. 6035).

Damit scheint das, was sich während des Spiels in der Mummenschanz
ereignet hat, als bloßer Schein abgetan. Aber gerade in diesem Moment
muß der Kaiser erfahren, daß das nächtliche Ereignis in die Wirklichkeit
dieses Tages fortwirkt. Das Papiergeld ist geschaffen; der Kaiser kann
sich nicht davon distanzieren. Zwar ist er – im Unterschied zu den
Ministern und der Menge – derjenige, der angesichts des Scheingeldes
„ungeheuren Trug" (V. 6063) ahnt. So bewußtlos er im Traum des
Spiels den Schein zum Geld autorisierte, so wenig kann er, im Licht des
Tages, seinem Wert vertrauen (V. 6064–65).
Hier nun tritt Faust in seine Funktion: Faust, der aus der Kompetenz
des Reichtums für die Wirklichkeit der fingierten Schätze bürgen wird. Daß
er jetzt, dem Kaiser gegenüber, der für die Gelderfindung Verantwortliche
ist, zeigt sich schon, wenn er es ist, der den Hinweis des Schatzmeisters:

> Befrage diese, die das Werk getan! (V. 6052)

beantwortet und nicht Mephisto:

> *Faust:* Dem Kanzler ziemt's, die Sache vorzutragen. (V. 6053)

Und so gipfelt denn seine einzige Rede in dieser ersten Akthälfte – die
einzige an den Kaiser gerichtete des ganzen Aktes überhaupt – in einem
Appell: zu vertrauen (V. 6118). Denn indem er es nun ist, statt anfangs
Mephisto, der auf die verborgenen Schätze im kaiserlichen Boden hinweist, wird das Hinweisen etwas anderes.

> Doch fassen Geister, würdig, tief zu schauen,
> Zum Grenzenlosen grenzenlos Vertrauen. (V. 6117–18)

Indem er den Kaiser in die Würde des tiefen Schauens (V. 6117) einschließt, bekennt Faust sich selber als den Schauenden und den grenzenlos Vertrauenden. Die Analogie zum Gang zu den Müttern zeichnet sich
ab, der Blick ins „Tiefste", das „Grenzenlose":

> Nach ihrer Wohnung magst ins Tiefste schürfen (V. 6220)

> Und hättest du den Ozean durchschwommen,
> Das Grenzenlose dort geschaut (V. 6240)

> ... Mütter, die ihr thront
> Im Grenzenlosen ... (V. 6428)

Faust betätigt sich hier in der Rolle, die ihm im ganzen ersten Akt zufällt und von der noch ausdrücklich zu reden sein wird, in der Rolle des seherischen Geistes; und das heißt, in der Rolle dessen, der die verborgenen Werte und wirkenden Kräfte erkennt und aus dieser Erkenntnis wirkt. Er tritt damit als die erkennende Vernunft ergänzend zum Kaiser hinzu, ohne daß der Kaiser am Ende der Vernünftige wäre. Als diese erkennende Geisteskraft wirkte er in der Plutus-Maske und arrangierte das Spiel mit dem Gold, als solcher wird er den Gang zu den Müttern unternehmen und die Scheingestalten bilden, und als solcher wirkt er hier im „Lustgarten".

Was Faust hier visionär vor sich sieht, sind die verborgenen Metalle und Bodenschätze, die den unerschöpflichen Reichtum der kaiserlichen Lande ausmachen.

> Das Übermaß der Schätze, das, erstarrt,
> In deinen Landen tief im Boden harrt,
> Liegt ungenutzt. Der weiteste Gedanke
> Ist solches Reichtums kümmerlichste Schranke;
> Die Phantasie, in ihrem höchsten Flug,
> Sie strengt sich an und tut sich nie genug.
> Doch fassen Geister, würdig, tief zu schauen,
> Zum Grenzenlosen grenzenlos Vertrauen. (V. 6111–18)

Dem „Übermaß" steht das „Erstarrt", dem „Harren" das „Ungenutzt" entgegen. Es weist auf einen immobilen Zustand der Gesellschaft zurück, deren Reichtum im konkreten Materialwert der unbearbeiteten Metalle bestand und also begrenzt und ausschöpfbar war: auf die statische Gesellschaft vor dem Anbruch der Neuzeit.

Faust aber sieht diesen Reichtum als einen der Ausnutzung „harrenden"; er weist damit auf den erkennenden modernen Geist, der sich der „ungenutzten" Naturschätze bemächtigen, sie aus ihrer „Erstarrung" lösen, aus ihrem „harrenden" Zustand befreien wird, und damit einen Reichtum in Gang setzen, für den der „weiteste Gedanke" die „kümmerlichste Schranke" ist; denn eine Erfindung wird neue Erfindungen hervorrufen, das Fortschreiten im Ausnutzen der Schätze und Kräfte der Erde wird nicht aufhören; es wird eine dynamische Bewegung von grenzenlosem Ausmaß in Gang kommen. Unbegrenzt ist dieser Reichtum nicht nur wegen der immer fortschreitenden Möglichkeit der Ausnutzung des Bodens, sondern weil er, statt im konkreten Wert, in der

Dynamisierung eines potentiellen besteht. – Der Dichter deutet damit auf eine Entwicklung hin, die mit den Erfindungen der modernen Naturwissenschaft zugleich die enorme Ausweitung der Industrie und Technik im 19. Jahrhundert bringen wird und deren Anfang er höchst bewußt erlebt hat. – Indem Faust nun diese verborgenen Schätze visionär ins Bewußtsein hebt – aus dem fiktiven Reichtum, den Mephisto imaginierte, einen potentiellen macht – bringt er dem Mephistophelischen Scheingeld die Wertdeckung.

Schein und Kredit

Diese von Faust und Mephisto gemeinsam geschaffene Geldkonzeption[96] spricht die zweimalige Rede Mephistos (V. 6097–6110; und V. 6119 bis 6130) und die des Faust aus (V. 6111–18), in der sich das Wesen des Papiergeldes jeweils von seinen geistigen Bestandteilen her formuliert. Diese Konzeption ist es, zu der der Kaiser dann sein Jawort geben wird, in ihr wirkt der Mephistophelische Anteil, verwandelt, förderlich zum Ganzen.

Die schwierigen Verse werden durchsichtiger, wenn man bei der Interpretation davon ausgeht, daß die darin evozierten konkreten Situationen durchgängig Aussagen über die Wesensmomente des neuen Geldes sind: angefangen bei Mephisto, der als Erfinder des Scheingeldes nun zur Stimme des neuen, aus Scheinen bestehenden Geldes wird und die enorme Bequemlichkeit und Beschleunigung hervorzuheben weiß, die von den Fazilitäten der neuen „Schedel"[97] auf alles ausgeht: vom Liebesverkehr bis zur rascheren Zahlmöglichkeit des in der unbequemen Uniform steckenden Soldaten.

> Wer die Terrassen einsam abspaziert,
> Gewahrt die Schönste, herrlich aufgeziert,
> Ein Aug verdeckt vom stolzen Pfauenwedel;
> Sie schmunzelt uns und blickt nach solcher Schedel,
> Und *hurtiger* als durch Witz und Redekunst
> Vermittelt sich die reichste Liebesgunst.
> Man wird sich nicht mit Börs und Beutel plagen,
> Ein Blättchen ist im Busen *leicht* zu tragen,
> Mit Liebesbrieflein paarts *bequem* sich hier.
> Der Priester trägts andächtig im Brevier,
> Und der Soldat, um *rascher* sich zu wenden,
> Erleichtert *schnell* den Gürtel seiner Lenden.
> Die Majestät verzeihe, wenn ins Kleine
> Das hohe Werk ich zu erniedern scheine. (V. 6097–6110)

Ihm folgt Faust (V. 6111–18), dessen Schlußworte an das Vertrauen appellieren, auf dem die Dynamisierung der unterirdischen Schätze beruht. Dieses Vertrauen ist, in Hinsicht auf das Geld, nichts anderes als der *Kredit*. Es ist dasjenige Moment, das Faust aus seiner Erkenntnis der potentiellen Schätze des kaiserlichen Bodens und aus seiner Plutusrolle, in der er die Idee des Reichtums repräsentierte, als den ideellen Wert in die Entstehung des Papiergeldes einbringt. Faust bürgt für die mögliche Wirklichkeit der Werte.

> Der Kredit ist eine durch reale Leistungen erzeugte *Idee* der Zuverlässigkeit.[98]

> Zum idealen Teile gehört der Kredit, zum realen Besitztum physische Macht pp.[99]

Wenn sich Mephisto schließlich noch einmal zum Fürsprecher des Papiergeldes macht (V. 6119–30), so hat sich nun Papierschein und Kredit zu dem Phänomen Geld- und Kreditwirtschaft zusammengetan, deren Vorteil in der Austauschbarkeit der Zahlungsmittel und also in ihrer beständigen Liquidität besteht.

> So bleibt von nun an allen Kaiserlanden
> An Kleinod, Gold, Papier genug vorhanden. (V. 6129–30)

Wenn Mephisto darin wiederum vor allem die scheinhafte Seite des Kreditwesens hervorhebt,

> Ein solch Papier, an Gold und Perlen Statt,
> Ist so bequem, man weiß doch, was man hat;
> Man braucht nicht erst zu markten noch zu tauschen,
> Kann sich nach Lust in Lieb und Wein berauschen.
> Will man Metall: ein Wechsler ist bereit,
> Und fehlt es da, so gräbt man eine Zeit.
> Pokal und Kette wird verauktioniert,
> Und das Papier, sogleich amortisiert,
> Beschämt den Zweifler, der uns frech verhöhnt.
> Man will nichts anders, ist daran gewöhnt (V. 6119–28),

so bezeichnet eben dies den Vorstellungscharakter, das Gedachte, das für die spezifische Wirklichkeit des Ökonomischen in der Moderne charakteristisch ist. Als der Mephistophelische Anteil offenbart es zugleich das Dialektische im Fortschritt: die Verwegenheit im modernen erfindenden Geiste.

> So wenig nun die Dampfmaschinen zu dämpfen sind, so wenig
> ist dies auch im Sittlichen möglich: die Lebhaftigkeit des Han-

dels, das Durchrauschen des Papiergelds, das Anschwellen der
Schulden um Schulden zu bezahlen, das alles sind die ungeheuern Elemente, auf die gegenwärtig ein junger Mann gesetzt
ist.[100]

Mit dem Dank für das „hohe Wohl" (V. 6131) des Reiches (V. 6131)
und dem Anvertrauen des inneren Reichsbodens (V. 6133) an Faust und
Mephisto macht sich der Kaiser die Erfindung des Papiergeldes erst
eigentlich zu eigen (V. 6131–40); was er zuvor unbewußt unterzeichnete,
dafür steht er nun ein. Es ist die Geste, die der Einsetzung des Papiergeldes zur Reichswährung gleichkommt. Zum Papierschein (Mephisto)
und dem Kredit (Faust) tritt damit in dem Kaiser die Autorität, die die
Gültigkeit der Währung gewährleistet; der sich die Gesellschaft, indem
sie das Geld benutzt, als dasjenige Moment anschließt, das seine Geltung,
seinen Kaufwert darstellt.

Was mit dem neuen Geldwesen von Faust und Mephisto geschaffen
worden ist, ist nicht ein neuer Reichtum, sondern das Mittel und die
Möglichkeit dazu. Selbst seinem Wesen nach bloße Vorstellung, ist dieses Geld darauf angewiesen, durch den kundigen Menschengeist und eine
tätige Gesellschaft in Wert verwandelt zu werden. Kennzeichnend aber
für die Situation am Kaiserhof ist es, daß dieser Wissende, nämlich Faust,
als der Schatzmeister des „inneren Bodens", in diesem Moment abtritt;
er tut es im Verein mit dem Schatzmeister der „obern" Welt, das heißt
mit dem, der für die Verwaltung der Staatskasse verantwortlich ist.

> Vereint euch nun, ihr Meister unsres Schatzes,
> Erfüllt mit Lust die Würden eures Platzes,
> Wo mit der obern sich die Unterwelt
> In Einigkeit beglückt zusammenstellt. (V. 6137–40)

Was sich hier in den beiden Schatzmeistern als das Obere und das
Untere zusammentun soll, ist der offenbare und der verborgene Schatz –
das Geld als Schein und als Wert verstanden; ein Verhältnis, das sich
sogleich im zweiten Teil des Aktes in bezug auf die Schönheit wiederholen wird: aus dem Zusammenspiel von Theater und Mütterreich ihre
Erscheinung in der Kunst als Wahrheit im Schein.

Womit der Kaiser allein übrig bleibt, ist Mephisto als das Moment des
leeren Scheins, welches anzeigt, daß Kaiser wie Gesellschaft ohne
Bewußtsein vom Wesen des Geldes mit dem Scheingeld umgehen wie
mit Werten. Denn wenn der Kaiser nun die Gesellschaft mit dem neuen
Geld beschenkt – und „Page", „Kämmerer" und „Bannerherr" stehen
hier als Reihe für das Phänomen der Gesellschaft im ganzen – so befrie-

8*

digt jeder damit seine Begierden wie zuvor mit dem Gold; und es sind
dieselben wie eh und je, und sie betreffen immer nur das Eigene. Der
Kaiser, abschließend, konstatiert die Unveränderlichkeit der sozialen
Menschennatur und das Ausbleiben jedes Impulses zu gemeinnützigem
Tun, ohne ihn doch selber aufzubringen.

> Ich hoffte Lust und Mut zu neuen Taten;
> Doch wer euch kennt, der wird euch leicht erraten.
> Ich merk es wohl: bei aller Schätze Flor,
> Wie ihr gewesen, bleibt ihr nach wie vor. (V. 6151–54)

Wenn am Ende auch der alte Narr wieder da ist, ist der Kaiserhof von
neuem zu einem „närrischen" Ganzen geworden, bereichert um die
Potenzen von Faust und Mephisto.

Der neue Geldbesitz bewirkt keine Verwandlung, er versetzt die
Gesellschaft nicht in gesunde Funktion, sondern offenbart sie gerade in
ihrer Scheinhaftigkeit. Die eigentliche Verwandlung, die im Laufe des
Prozesses eintritt, ist die Bildung der modernen Wirtschaftsgesellschaft,
jener Prozeß, der mit dem Moment des Scheins nicht nur die neuzeitliche, sondern Gesellschaft überhaupt auf ihr Gesetz bringt.

Die Struktur des ersten Aktes

Reichtum und Schönheit

Es macht das Besondere dieses ersten wie aller Akte des II. Faust aus,
daß er, durch eine Mittelzäsur getrennt, in zwei Teile zerfällt, die symme-
trisch gebaut sind. Diese beiden Hälften sind thematisch durch die Worte
Fausts bezeichnet:

> Erst haben wir ihn reich gemacht,
> Nun sollen wir ihn amüsieren. (V. 6191–92)

Die Zäsur liegt zwischen der „Lustgarten"-Szene und der Szene
„Finstere Galerie" und scheidet den Prozeß der modernen Konzeption
des Scheingelds von dem der Entstehung des modernen Theaters, das
die magische Geisterbeschwörung des Mittelalters ablöst.

Jedesmal sind es drei Szenen, die sich zu einer Einheit zusammenschließen, und jedesmal ereignen sich in ihnen die Prozesse auf dieselbe
Weise. In der Szenen-Dreiheit sind jeweils die drei Momente benannt,
die zu den neuen Einrichtungen führen.

Um diese Schritte zunächst schematisch zu bezeichnen, so geht aus
einer Polarität, in der die beiden ersten Szenen jeweils zueinander stehen

– „Saal des Thrones": „Weitläufiger Saal" und „Finstere Galerie": „Hell erleuchtete Säle" – die dritte Szene als Vereinigung des Polaren hervor. In den Namen „Finstere Galerie" und „Hell erleuchtete Säle" spiegelt sich diese Entgegensetzung als Lichtpolarität wider, die sich dann zu der „Dämmerung" im Rittersaal vereinigt; in den Benennungen „Saal des Thrones" und „Weitläufiger Saal" ist sie nach den Gegensätzen von Zusammenziehung und Ausdehnung gedacht, die sich dann zu dem Garten der Lust als dem gemeinsamen Dritten zusammenschließen.

Das bedeutet für die erste Akthälfte:

Aus der trügenden Scheinvorstellung von einem verborgenen Reichtum, dem die triebhafte Gesellschaft verfällt – erste Szene – und der Epiphanie des Reichtums in seiner Idealität als dem Erfüller irdischer Glückseligkeit im Maskenfest – zweite Szene – entsteht in der dritten Szene die Konzeption des Scheingeldes als des Mittels und der Möglichkeit für einen zukünftigen wirtschaftlichen Wohlstand der Gesellschaft.

Das bedeutet für die zweite Akthälfte, wo das Verhältnis zwischen erster und zweiter Szene vertauscht ist:

Aus dem Verlangen nach Schönheit, das sich die Gesellschaft durch Täuschung zu verschaffen sucht – zweite Szene – und der Erkenntnis der Prinzipien, nach denen die Natur die Schönheit bildet – erste Szene – ersteht in der dritten Szene die Bühne als die Einrichtung in der Gesellschaft, wo sich sinnliche Schönheit als Erscheinung der Wahrheit darstellt.

Jedesmal stehen die erste und zweite Szene im Verhältnis von Realität und Idealität zueinander, und jedesmal führt die dritte Szene, durch das Eintreten der ideellen Vorstellungen in die Realität, zu der neuen Konzeption der Mittel, mit denen sich die Gesellschaft ihre materiellen und geistigen Bedürfnisse befriedigen kann. Die erste (beziehungsweise zweite) und dritte Szene stehen daher jeweils zueinander im Verhältnis von Defizienz und möglicher Verwirklichung in einer neuen Realität.

Daß die erste Akthälfte auf das Geld als Mittel zur Erlangung eines materiellen Wohlstandes und die zweite auf das Theater als das Mittel zum Entstehen einer geistigen Kultur bezogen ist, das unterscheidet die beiden Hälften; aber daß die beiden getrennten Verrichtungen: das Bilden des Scheingeldes und das Bilden der Scheingestalten, vom Dichter so beschrieben werden, als ob beide Prozesse ein und dasselbe wären, das macht aus den getrennten Teilen die polaren Hälften eines Ganzen. Denn nach den Worten der Dichtung hebt Faust mit dem Bilden von Paris und Helena den „Schatz" der Tiefe, der dem Scheingeld seinen Wert gibt.

Denn wer den Schatz, das Schöne, heben will,
Bedarf der höchsten Kunst, Magie der Weisen. (V. 6315–16)

Damit wird aus dem notwendigen Nacheinander der Prozesse als Akt-
geschehen ihr Zusammenfallen in einem ideellen Augenblick; Wirtschaft
und Kultur sollen als die beiden polaren Aspekte der gesellschaftlichen
Ordnung verstanden werden, um deren neue Konzeption durch den
modernen, autonom erkennenden Geist es in dem Akt geht.

Die neue Magie

Hält man sich an die poetische Handlung, die sich wiederum nicht ereignet, sondern von der nur nachholend erzählt wird (V. 6181–87), so
wünscht der reiche (V. 6191) Kaiser, nun von Faust und Mephisto
amüsiert (V. 6192) zu werden.

Der Kaiser will, es muß sogleich geschehn,
Will Helena und Paris vor sich sehn;
Das Musterbild der Männer so der Frauen
In deutlichen Gestalten will er schauen. (V. 6183–86)

Das „Mittel" (V. 6211), das Mephisto dafür weiß, ist der Gang zu den
Müttern. Dazu übergibt er Faust einen Schlüssel; ein Dreifuß soll die
Beute des Ganges sein, mit dessen Hilfe Faust die gewünschten Gestalten
wird beschwören können. Von den Müttern zurückgekehrt, tritt Faust
– angetan mit dem „Priesterkleid" (V. 6421) – vor den Hof, der Dreifuß
folgt ihm. Das Zeremoniell eröffnet er mit einem Gebet, dann berührt er
mit dem Schlüssel den Dreifuß, die Luft beginnt zu klingen, und aus dem
Weihrauchdunst lösen sich Paris und Helena. Der Gang zu den Müttern
gibt sich als die Prozedur, der sich Faust als Zauberer unterziehen muß.
Als Zauberer war er im „Lustgarten" noch eben vom Schatzmeister
apostrophiert worden:

Ich liebe mir den Zaubrer zum Kollegen. (V. 6142)

Mephisto jedoch, als Faust von ihm die Ausführung des kaiserlichen
Wunsches verlangt, ist zunächst um eine Auskunft verlegen; mit dem
Hervorrufen von „Hexenfexen", teuflischen Kretins und „Teufels-
Liebchen" hat diese Beschwörung offenbar nichts mehr zu tun. Mephisto
weist auf Stufen der Magie, auf deren höchster nicht etwa er selbst steht.
Hier entwand sich das Zaubern dem Teufel. Zwar weiß Mephisto das
Mittel der Beschwörung, aber nur das Mittel weiß er, den Zugang zu den
Müttern hat er nicht.

So ist Magie nicht mehr wörtlich verstanden; gemeint ist nicht mehr die Tätigkeit dessen, der auf geheime Weise mit einer Geisterwelt zusammenhängt. Das Zaubern steht zeichenhaft für ein Tun, das an eine höchste Geisteskraft gebunden ist. Die Zaubergewalt ist an Faust übergegangen.

Damit wird aus der Geisterbeschwörung vor Hofe, wie sie das Mittelalter kannte,[101] das Bilden von Musterbildern im Stoffe der Kunst. In dem Magier Faust verbirgt sich der Dichter – wie es noch eine frühere Fassung des Verses 6436 unmetaphorisch aussprach:

> Die einen faßt des Lebens holder Lauf,
> Die andern sucht getrost der *Dichter* auf.[102]

Was nun sind Musterbilder, und weshalb muß Faust, um sie bilden zu können, zu den Müttern gehen?

Zum Verständnis hilft zunächst die Struktur des Aktes weiter. Nach dem Willen der Dichtung löst Faust ja mit seinem neuen Unternehmen das Versprechen ein, das er auf das Heben der Schätze aus der Tiefe gegeben hatte. Eine Verrichtung rückt an die Stelle der anderen, wie es Mephisto sagt:

> Denn wer den Schatz, das Schöne, heben will,
> Bedarf der höchsten Kunst, Magie der Weisen. (V. 6315–16)

Damit werden die Musterbilder zu dem Schatz, der hier als das „Schöne" erläutert ist, und ihr Bilden gleichfalls zu einem „Heben" aus der Tiefe durch die „höchste Kunst" des weisen Magiers Faust.

Ein Schatz aber ist das Schöne, wenn man es als Bildung von der Natur her versteht. Schön ist die gelungenste Bildung, in der es der Natur glückt, ohne störende Einwirkung der Elemente die Urform rein auszubilden, so daß das Bildegesetz an dem schönen Exemplar unverborgen hervortritt. Insofern die Natur in der Schönheit die Urform bewahrt, ist Schönheit ein Schatz. Das Gedicht „Vermächtnis"[103] spricht in dem Sinne von der Schönheit – dort Schmuck des Alls genannt – als „lebendgen Schätzen", weil sie die Gesetze in sich bewahren, die die Ewigkeit des Seins gewährleisten.

> Das Sein ist ewig; denn Gesetze
> Bewahren die lebend'gen Schätze,
> Aus welchen sich das All geschmückt.

Wird auch hier das Schöne ein Schatz genannt, so bekundet sich darin eben ein solches Verständnis von Schönheit, das nicht im ästhetischen Bereich wurzelt, wo das Schöne als „relativ, konventionell, ja indivi-

duell"[104] dem Urteil des Beschauers zugeschrieben, oder „durch irgendeine Proportion von Zahl oder Maß"[105] bewiesen wird. Beides gehört
für Goethe auf die Seite eines subjektiven, vom Menschen gesetzten, als
Reiz empfundenen Schönheitsbegriffes; von derart willkürlicher Bildung wären die „Teufels-Liebchen", die als bloßen schönen Schein
Mephisto wohl hervorzaubern könnte. Aus einem solchen „konventio-
nellen" Schönheitsbegriff resultiert das Urteil der beiden Hofdamen
angesichts Helenas als der göttlichen „Heroine". (V. 6202)

> *Ältere Dame:*
> Groß, wohlgestaltet, nur der Kopf zu klein.
> *Jüngere:*
> Seht nur den Fuß! Wie könnt er plumper sein! (V. 6502–03)

Eine „Heroine" (V. 6202) aber ist eine von Gott Gezeugte, in der das
Göttliche verkörpert ist. Als Attribut der Helena bedeutet das: daß
Schönheit hier aus ihrer objektiven Funktion innerhalb der Natur verstanden ist; Schönheit als Urphänomen, in der das natürliche Bildeprinzip sichtbare Erscheinung wird.

In Helena und Paris, als dem „Musterbild der Männer so der Frauen"
(V. 6185), soll also das Urbildliche des Menschen im Scheinstoff der
Kunst verkörpert erscheinen. Sie stehen für die Schönheit als Fälle, in
denen Urbild und individuelle Erscheinung rein zusammentreffen, für die
Schönheit als Urphänomen der Natur.[106] Sie sind Scheingestalten in
dem Sinne, daß in ihnen die Gestalt (V. 6186) des Menschen im Schein
und als Schein deutlich (V. 6186) erscheint.

Urphänomen und Urbild – von Goethe auch Form, Gestalt oder Idee
genannt – sind in der Forschung häufig verwechselt,[107] als Begriffe streng
auseinanderzuhalten. Urphänomene sind für Goethe durchaus *Erscheinungen* und gehören als solche der sinnlichen Realität an, haben aber als
Erscheinungen des Urbildes ebenso an der ideellen Wirklichkeit der
Urbilder teil. Goethe definiert sie in einer Maxime als

> ideal als das letzte Erkennbare
> real als erkannt
> symbolisch, weil [sie] alle Fälle begreif[en]
> identisch mit allen Fällen.[108]

Dies ist der Grund, warum Faust – um die menschlichen „Musterbilder"
bilden zu können – zunächst zu den Müttern gehen muß. Nur wo Schönheit als Erscheinung des Urbildes verstanden wird, muß der, der sie als
Kunst wiederbilden will, zunächst zum Erkennenden der Bildeformen
der Natur werden, die in den Müttern ihr poetisches Bild erhielten.

Kunst wird damit zu einer die natürliche Bildegesetzlichkeit offenbar machenden zweiten Natur; und Faust, indem er das der Natur entrissene Verfahren bildend wiederholt, zum Imitator des Schöpfers der Natur, und das heißt, zum weisen Magier (V. 6316).

> Wem die Natur ihr offenbares Geheimnis zu enthüllen anfängt, der empfindet eine unwiderstehliche Sehnsucht nach ihrer würdigsten Auslegerin, der Kunst.[109]

An die Stelle einer dramatischen Handlung, die die magische Beschwörung der Helena und des Paris vor Kaiser und Hof erzählte, tritt wiederum – wie in der ersten Akthälfte – eine Sukzession von Momenten, worin sich das Aufsuchen der Urformen der Natur durch Faust und das Erscheinen der Musterbilder der Schönheit auf dem Hoftheater zu dem Ganzen eines Prozesses zusammenfügt. Es ist ein Prozeß, in dem der Dichter auseinanderlegt, was er unter künstlerischem Schaffen – als dem Überführen von Ideellem in sinnliche Bilder – und was er unter dem Theater versteht als der Einrichtung, wo dieses Ideelle in der Gesellschaft zur Erscheinung kommt.

Dieser Prozeß zerfällt als Bildeprozeß der Kunst in zwei Teile: einen Akt des erkennenden Schauens („Finstere Galerie") und einen Akt des formenden Bildens („Rittersaal"), zwischen die sich die Gesellschaft als das Element des Scheins schiebt, worin das Ideelle Erscheinung wird.

Als künstlerischer Bildeprozeß ist er das Ereignis eines Augenblicks, faltet sich hier aber in drei Szenen auseinander, deren zeitliches Nacheinander nur die Weise der poetischen Veranschaulichung ist. Es gibt – gleich in der ersten Szene – deutliche Zeichen für das Fiktive der Folge. Schon hat Faust die von Mephisto befohlene Bewegung mit dem Schlüssel gemacht, durch die er sich den Dreifuß unten bei den Müttern aneignet (nach V. 6293), da erst stampft er mit dem Fuß (nach V. 6304), um in die Tiefe zu versinken.

Das Schauen der Urbilder

Der „Seher" gehört zu den liebsten Symbolen Goethes im Alter und ist aufs engste mit seiner Erkenntnislehre verbunden. Bakis,[110] Makarie,[111] der Alte mit der Lampe[112] gehören als Erfindungen hierher. Eine erhöhte Tätigkeit des Auges bekam in ihm einen eigenen Namen. In der Schau des Sehers findet Goethe Analoges zu dem geistigen Blick, der in einem glücklichen Augenblick durch die mannigfaltigen sinnlichen Erscheinungen hindurch die wirkende geistige Form erkennt, die diesen Bildungen zugrunde liegt. Der Seher wird zum Zeichen für die intuitive Wahrnehmung des Gesetzlichen in den Erscheinungen.[113]

Von dieser Art ist der Prozeß, der Fausts Bilden der Scheingestalten
vorausgeht. In seinem Gang zu den Müttern chiffrieren sich die einzelnen
Momente, die zu einer solchen offenbarenden Schau der Urformen der
Natur führen.

Dieser Gang stellt im Ganzen ein gefährliches Wagnis des erkennenden Geistes dar, das zunächst darin besteht, die gewohnte Sicherheit
menschlich-sinnlicher Vorstellungen zu verlassen. Er beginnt daher mit
dem Erschrecken vor dem Unbekannten,

> *Faust (aufgeschreckt):* Mütter!
> *Mephistopheles:*   Schaudert's dich?
> *Faust:* Die Mütter! Mütter! – 's klingt so wunderlich!
>   (V. 6216–17)

er beginnt mit Fausts Erschaudern als dem Zeichen der Furcht.

Denn indem er als Erkennender in ein „höheres Geheimnis" (V. 6212)
der Natur einbricht, tut er etwas den „Sterblichen" (V. 6219) gewöhnlich
Verwehrtes, etwas, was die natürliche Wahrnehmungskraft des sinnlichen
Auges (V. 6241–46) wie auch die Aussagemöglichkeit des Verstandes übersteigt:

> Von ihnen sprechen ist Verlegenheit. (V. 6215)

Kein Weg empirischer Erfahrung führt in dieses „Unbetretene"
(V. 6222–23), keine Methode eröffnet das „Nicht zu Erbittende"
(V. 6224); es ist ein Gang in die „Einsamkeit" (V. 6227), das heißt: fort
von der Erfahrungswelt. Was Faust hier zugemutet wird, ist eine Art
negativer Ontologie.

Deshalb ist die erste Voraussetzung für das Gelingen dieses Wagnisses offenbar eine bestimmte Verfassung des Faustischen Geistes.
Denn auf die Mephistophelische Frage

> Hast du Begriff von Öd' und Einsamkeit? (V. 6227)

antwortet Faust mit der Geschichte seines geistigen Scheiterns in der
Studierstube des ersten Teils (V. 6231–38). Die Tragödie der Verzweiflung an der menschlichen Erkenntnismöglichkeit muß offenbar voran-
gegangen sein, angefangen vom Ekel am Lernen und Lehren des Nicht-
zuerkennenden:

> I. Teil:
> Bilde mir nicht ein, was Rechts zu wissen,
> Bilde mir nicht ein, ich könnte was lehren, (V. 371–72)
> II. Teil:
> Mußt' ich nicht mit der Welt verkehren?
> Das Leere lernen, Leeres lehren? (V. 6231–32)

über die Verzweiflung, sich über das erkannte Wahre nicht mitteilen zu dürfen:

I. Teil:
Ja, was man so erkennen heißt!
Wer darf das Kind beim rechten Namen nennen?
Die wenigen, die was davon erkannt,
Die töricht gnug ihr volles Herz nicht wahrten,
Dem Pöbel ihr Gefühl, ihr Schauen offenbarten,
Hat man von je gekreuzigt und verbrannt. (V. 588–93)

II. Teil:
Sprach ich vernünftig, wie ich's angeschaut,
Erklang der Widerspruch gedoppelt laut (V. 6233–34)

bis zu der vernichtenden Antwort – den „widerwärtigen Streichen"
(V. 6235) – des Erdgeistes, die zur „Wildernis" (V. 6236), nämlich in
das Nichts des Selbstmords trieb:

I. Teil:
Ich, Ebenbild der Gottheit, das sich schon
Ganz nah gedünkt dem Spiegel ew'ger Wahrheit,
. . .
Und abgestreift den Erdensohn;
. . .
. . . wie muß ich's büßen!
Ein Donnerwort hat mich hinweggerafft. (V. 614–22)
Den Göttern gleich ich nicht! zu tief ist es gefühlt;
Dem Wurme gleich' ich, . . . (V. 652–53)

II Teil:
Mußt ich sogar vor widerwärtigen Streichen
Zur Einsamkeit, zur Wildernis entweichen (V. 6235–36).

Nur wer aus Verzweiflung am Erkennen der Wahrheit an die Grenze
dieser „Einsamkeit" (V. 6236) geraten ist, ist vorbereitet, die „ewig
leere Ferne" (V. 6246) auszuhalten, in der die Mütter angesiedelt sind.
Nur der, den der Überdruß an der Scheinerkenntnis in den Entschluß
getrieben hatte, „ins Nichts dahinzufließen":

I. Teil:
Ja, kehre nur der holden Erdensonne
Entschlossen deinen Rücken zu! (V. 708–09)

Zu diesem Schritt sich heiter zu entschließen,
Und wär es mit Gefahr, ins Nichts dahinzufließen! (V. 718–19)

entwickelt nun die „Kraft" (V. 6252), in dem „Nichts" (V. 6256) der
Mütter – und das heißt in dem Getrenntsein von aller Sinnlichkeit, von
dem Mephisto redet – „das All" (V. 6256), und das heißt das *Sein* der
Gesetzlichkeit, das den Erscheinungen innewohnt,[114] zu finden:

> II. Teil:
> Nur immer zu! wir wollen es ergründen,
> In deinem Nichts hoff' ich das All zu finden. (V. 6255–56)

Die Verse des ersten und zweiten Teils respondieren und beantworten
einander.

Es ist der erste gelungene Schritt auf dem gefährlichen Weg ins
„Tiefste" (V. 6220) der Erde:

> Nach ihrer Wohnung magst ins Tiefste schürfen (V. 6220)

und offenbar die unerläßlich zu erfüllende Bedingung, durch die Faust
sich als der Geist erweist, als der er schon zum Kaiser gesprochen hatte,
„würdig, tief zu schauen" und „zum Grenzenlosen" „Vertrauen" zu
fassen (V. 6118).

Denn diese geistige Kraft der Umwertung bringt Faust nicht nur das
Mephistophelische Zugeständnis ein

> Und sehe wohl, daß du den Teufel kennst (V. 6258),

sondern zugleich damit die Überlieferung des Schlüssels, der den
gefährlichen Weg ins „Grenzenlose" (V. 6240) weisen und den Zugang
zu den Müttern öffnen soll.

Trotzdem muß die Auskunft Mephistos, die Faust „des ewigen
Sinnes" ansichtig werden läßt, jeden verwirren, der in ihm nur den Ver-
führer des ersten Teiles erblickt. Sie ist in der Tat das erste Zeugnis jener
anthropologischen Umdeutung, die seine Gestalt durch Goethe im
II. Faust erfahren hat. Sein Wissen von den Müttern läßt sich kaum noch
mit dem Hinweis erklären, daß er als „Geist" auch von diesen Geistern
Kenntnis habe. Er wirkt hier – in der Rolle des Dieners der großen
Entelechie – immerhin als der Ermöglichende eines ungeheuren Unter-
fangens, das Faust aus den Grenzen der sinnlichen Empirie hinausführt.
Er tut das offenbar in derjenigen Qualität, durch die der Mensch, als vor-
stellendes Wesen, aus seinem kreatürlichen Weltverhältnis herausge-
treten ist und das Künstliche und Scheinbare verfertigt. Denn auch das
Auskunftgeben über die Wahrheit der Mütter dient hier dem Machen
eines höchsten Scheins: in der Kunst. Mephisto vermag – und muß – es
allein für Faust und mit Bezug auf Faust. Seine Rolle ist dieselbe, wie
überall an Fausts Seite, wo dieser „magisch" in die Natur eingreift.

Der Schlüssel

Faust, „das kleine Ding" (V. 6259) zunächst gering schätzend, wird bald
gewahr, daß es kein gewöhnlicher Schlüssel ist, wenn er in seiner Hand
zu wachsen, zu leuchten und zu blitzen (V. 6261) beginnt. Licht und
Feuer deuten auf seine geistigen Qualitäten,[115] das Wachsen auf eine
Steigerung der Faustischen Geisteskraft.
Analoges begegnet in der dritten Weissagung des Bakis.

> Nicht Zukünftiges nur verkündet Bakis, auch jetzt noch
> Still Verborgenes zeigt er, als ein Kundiger, an.
> Wünschelruten sind hier, sie zeigen am Stamm nicht die Schätze,
> Nur in der fühlenden Hand regt sich das magische Reis.[116]

Hier sind es die Ruten, die, am Stamm leblos und ohne geistige Eigenschaften, erst in der „fühlenden Hand" des Sehers zu „Wünschelruten"
werden, die die „still verborgenen Schätze", das heißt, die in den Erscheinungen verborgenen Bildeformen der Natur, anzeigen.[117]
Wie die Wünschelruten in der Hand des Bakis, so entwickelt auch
der blitzende Schlüssel erst in der Hand Fausts sein das „Verborgene"
aufschließendes Vermögen. Es heißt von ihm, daß er die „rechte Stelle
wittern" (V. 6263) wird, die zu den Müttern führt: auch das eine Qualität, die ihn mit den Wünschelruten verbindet. „Wittern" und sich
„regen" sind Geistesprozesse, die ein rationales Erkennen übersteigen.
Das „Wittern" des richtigen Weges mit Hilfe des Schlüssels besagt, daß
der Zugang zu den Müttern keiner Verstandesoperation verdankt wird,
sondern eine Geistestätigkeit höherer und umfassenderer Art ist. Der
Schlüssel wird damit zum poetischen Zeichen für die genialische Geistes
kraft Fausts in dem glücklichen Augenblick einer seherischen Schau,[118]
die das ermöglicht, was in der Terminologie der Goethischen Erkenntnistheorie „Aperçu" heißt.

> Alles, was wir Erfinden, Entdecken im höheren Sinne nennen,
> ist die bedeutende Ausübung, Betätigung eines originalen
> Wahrheitsgefühles, das, im stillen längst ausgebildet, unver-
> sehens, mit Blitzesschnelle zu einer fruchtbaren Erkenntnis
> führt. Es ist eine aus dem Innern am Äußern sich entwickelnde
> Offenbarung, die den Menschen seine Gottähnlichkeit vor-
> ahnen läßt. Es ist eine Synthese von Welt und Geist, welche
> von der ewigen Harmonie des Daseins die seligste Versiche-
> rung gibt.[119]

Wenn Faust daraufhin das Schaudern wiederum überfällt,

> *Faust (schaudernd):*
> Den Müttern! Trifft's mich immer wie ein Schlag!
> Was ist das Wort, das ich nicht hören mag? (V. 6265–66)

versteht er es nun als ein Zeichen, mit dem sich ihm das Ideelle anzeigt:

> Doch im Erstarren such' ich nicht mein Heil,
> Das Schaudern ist der Menschheit bestes Teil (V. 6271–72).

Es ist ein Schritt von der Furcht zur Ehrfurcht, wie ihn die „Wander-jahre" beschreiben:

> Der Natur ist Furcht wohl gemäß, Ehrfurcht aber nicht; man
> fürchtet ein bekanntes oder unbekanntes mächtiges Wesen;
> der Starke sucht es zu bekämpfen, der Schwache zu vermeiden,
> beide wünschen, es los zu werden... Ungern entschließt sich
> der Mensch zur Ehrfurcht, oder vielmehr entschließt sich nie
> dazu; es ist ein höherer Sinn, der seiner Natur gegeben werden
> muß, und der sich nur bei besonders Begünstigten aus sich
> selbst entwickelt.[120]

Und indem er das „Erstarren" nun abschüttelt, „Schaudern" als Reak-tion der Ehrfurcht vor dem Höheren begreift, ist Faust reif für die Mephistophelische Anweisung, die ihm das Übergehen in einen umfas-senderen, die Kategorien der Sinnlichkeit übersteigenden Geistes-zustand beschreibt.

> Versinke denn! Ich könnt' auch sagen: steige!
> 's ist einerlei... (V. 6275–76)

Und der allgemeinen Anweisung für diese Operation folgt das Rezept für die spezifische Weise sogleich hinterher:

> ... entfliehe dem *Entstandnen* (V. 6276).

In den „Versuchen zur Methode der Botanik" beschreibt Goethe die hier an Faust gegebene Weisung als theoretisches Erkenntnisverfahren:

> Wenn ich eine *entstandne* Sache vor mir sehe, nach der Entste-
> hung frage und den Gang zurück messe so weit ich ihn ver-
> folgen kann, so werde ich eine Reihe Stufen gewahr die ich
> zwar nicht neben einander sehen kann sondern mir in der Er-
> innrung zu einem gewissen *idealen Ganzen* vergegenwärtigen
> muß. – Erst bin ich geneigt mir gewisse Stufen zu denken, weil
> aber die Natur keinen Sprung macht, bin ich zuletzt genötigt
> mir die Folge einer ununterbrochenen Tätigkeit als ein Ganzes

anzuschauen indem ich das Einzelne aufhebe ohne den Eindruck zu zerstören. ... Wenn man sich die Resultate dieser Versuche denkt, so sieht man daß zuletzt die Erfahrung aufhören das Anschauen eines Werdenden eintreten und die Idee zuletzt ausgesprochen werden muß.[121]

„Dem Entstandnen" „entfliehen" (V. 6276), damit ist Faust also aufgefordert, erstens, die sinnlichen Erscheinungen aufzugeben, sofern sie schon gebildete sind – die perfektische Form „entstanden" gibt einen Hinweis zu diesem Verständnis; und zweitens, von den entstandenen Gebilden abzusehen, sofern sie einzelne, zufällige Erscheinungen in ihrer Besonderheit sind.

Um in die „losgebundnen Reiche" „der Gebilde" (V. 6277) hinüberzugehen, soll er das einzelne entstandene Exemplar um die Stufenreihe seines Werdens ergänzen, die mannigfaltigen besonderen Erscheinungen zu der Reihe verwandter Spezies und Arten zusammenfügen, um zu der geistigen Form zu gelangen, die als das Gemeinsame, Bildende gestalthaft und doch als „ein Werdendes" daraus hervortritt. Der Eintritt in das losgebundene Reich der Gebilde meint also den Überschritt aus der sinnlich-sichtbaren Wirklichkeit der entstandenen Erscheinungen in die Wirklichkeit der den Erscheinungen metamorphosierend innewohnenden geistigen Bildeformen.

„Losgebunden" (V. 6277), als Synonym zu absolut, scheint zwar einen Idealismus platonischer Art zu bekennen, ein Für-sich- und An-sich-Sein der Urformen in einer eigenen jenseitigen Welt.[122] „Dem Entstandnen" entfliehen, scheint eine Aufforderung zu sein, nicht die erscheinende Wirklichkeit, sondern die irdische Welt zu verlassen. Indessen die platonische Form dieser Jenseitigkeit ist nur die Weise ihrer Verbildlichung. „Losgebunden" muß in dem Sinne verstanden werden, daß die Urformen nur hier gedanklich-poetisch vom Lebensstoff isoliert sind.

Denn tatsächlich erweist sich das Verhältnis des „Entstandnen" zum Absoluten gerade umgekehrt als im Platonismus. Wie die Sätze aus der „Methode der Botanik" zeigen, ist das „ideale Ganze", also die Urform, worin die einzelnen Erscheinungen aufgehoben sind, nicht als etwas Abgesondertes, sondern gerade in der Stufenreihe der Erscheinungen Wirkendes und Wirkliches gedacht, und auch das geistige „Anschauen" der Form als des Ganzen geht aus der Beobachtung des einzelnen Sinnlichen hervor.

Für diesen Überschritt wird an Fausts höchsten Mut appelliert:

Da fass' ein Herz, denn die Gefahr ist groß (V. 6291).

Denn es ist ein Schritt, der der menschlichen Erfahrung, nach Kant, versagt ist. Aber gerade von ihm schreibt Goethe in dem Aufsatz „Anschauende Urteilskraft":

> Hatte ich doch erst unbewußt und aus innerem Trieb auf jenes Urbildliche, Typische rastlos gedrungen, war es mir sogar geglückt, eine naturgemäße Darstellung aufzubauen, so konnte mich nunmehr nichts weiter verhindern das Abenteuer der Vernunft, wie es der Alte vom Königsberge selbst nennt, mutig zu bestehen.[123]

In der Begeisterung, die Faust nun überkommt, in der „Stärke" für das „große Werk" (V. 6282), die ihm aus dem Besitz des Schlüssels erwächst, aus der Entschiedenheit der „gebietenden Attitüde" (V. 6293), durch die er sich, ihn schwingend, den Eingang zu den Müttern öffnet, wird deutlich, daß das Abenteuer des Geistes gelungen, Faust der Urformen ansichtig wird. Und als Held – und das ist der dritte und letzte Schritt – als Held des geistigen Abenteuers (V. 6300) raubt er den Dreifuß.

Die Mütter

Die Mütter sind das Reich der Urformen der Natur. Als die ewigen, von der Vergänglichkeit ihrer stofflichen Substrate unabhängigen Formprinzipien heißen sie „Göttinnen" (V. 6218). Sind sie jenseits von „Ort" und „Zeit" (V. 6214), so meint das, daß die Kategorien der erscheinenden Wirklichkeit für sie nicht gelten, weil sie in allen natürlichen Erscheinungen wirkend, dennoch zu keiner Zeit und an keinem Ort in Einem Exemplar wirklich da sind. In der transzendenten Wirklichkeit angesiedelt, ist „Einsamkeit" (V. 6213) um sie; der Erscheinungswelt entgegengesetzt, fehlen ihrem Reich die Wirkungen der Körperlichkeit (V. 6248), des Lichts (V. 6246) und des Schalls (V. 6247).

Die Mütter sind ein Mehreres; aber als solches sind sie eine begrenzte Pluralität. Wir werden darauf noch zurückkommen.[124] Die Dreiheit ihrer Gebärden: des Sitzens, Stehens und Gehens, bezeichnet sie als das Prinzip des Seins, das in den drei Bereichen der Natur: dem mineralischen (Sitzen), dem pflanzlichen (Stehen), dem tierischen (Gehen) gleichermaßen gesetzlich bildend wirksam ist.[125] So wie die Mütter nur „Schemen" (V. 6290) sehen, sind sie selbst Schemen; das heißt reine Formen abgesondert von aller Verwirklichung im Stofflichen. Dasselbe Verständnis begegnet in dem Aufsatz „Schicksal der Druckschrift":

> Freundinnen, welche mich schon früher den einsamen Gebirgen, der Betrachtung starrer Felsen gern entzogen hätten, waren

auch mit meiner abstrakten Gärtnerei keineswegs zufrieden. Pflanzen und Blumen sollten sich durch Gestalt, Farbe, Geruch auszeichnen, nun verschwanden sie aber zu einem *gespensterhaften Schemen*.[126]

Auch in der 23. Weissagung des Bakis findet sich Analoges, wenn dort von Gespenstern die Rede ist:

> Was erschrickst du? – „Hinweg, hinweg mit diesen Gespenstern!
> Zeige die Blume mir doch; zeig' mir ein Menschengesicht!
> Ja, nun seh' ich die Blumen; ich sehe die Menschengesichter –"
> Aber ich sehe dich nun selbst als betrognes Gespenst.[127]

Der der abstrakten Urform von Pflanze und Tier ansichtig Werdende erschrickt vor ihnen als vor Gespenstern; wird aber seinerseits angesichts der sinnlichen Blumen und Menschengesichter selber zum „betrognen Gespenst", das heißt, von dem Anblick der geistigen Formen als der Wahrheit ausgeschlossen und der Vergänglichkeit auch der eigenen Person überlassen.

Als transzendente Bildeformen sind die Mütter der „ewige Sinn" (V. 6288), das heißt, der ewige Gedanke der Natur, der mit sich selbst im dialogischen Gespräch ist. Und zwar ist ihre „ewige Unterhaltung": „Gestaltung" und „Umgestaltung" (V. 6287). Als Urformen das Prinzip des Seins, sind die Mütter also zugleich das Prinzip der Metamorphose, und zwar der Metamorphose der *Formen*.[128] Ihre „ewige Unterhaltung" besteht in der Gestaltung und Umgestaltung der Gestalten, was synonym mit Formen ist.

Diese Formen nun, die die Mütter als die möglichen Bildemuster der Natur ständig denken („Unterhaltung"), haben ein eigenes poetisches Zeichen in den „Bildern aller Kreatur" (V. 6289) erhalten, die der Mütter „Haupt umschweben" (V. 6429), ja es in „Wolkenzüge"-ähnlichem Geschlinge umtreiben (V. 6279). Die Mütter selbst aber sind die, die die Bildung und Umbildung ihrer selbst als mögliche Bilder aller Kreatur bewirken.

Welche Bildevorstellungen der Natur drückt Goethe in diesen Zeichen aus?

Allgemein gesprochen: zum genauen Verständnis der Mütter müssen wir uns von allen am Platonischen Ideenreich gebildeten Vorstellungen trennen. Zum ersten enthält die Welt der Mütter ausschließlich die Formen der bildenden Natur und nicht wie bei Plato die Ideen alles Seienden. Die Idee des Schönen ist nicht bei den Müttern.[129] Zum zweiten ist die

Welt der Goethischen Formen nicht wie bei Plato als eine Welt des starren unbewegten Seins von der Welt der Erscheinungen als der des Werdens getrennt; sondern das Werden, die Metamorphose des Bildens und Umbildens der Formen, ist bei Goethe in den Formen als dem Prinzip des Seins mitenthalten.

Goethe geht in seiner Konzeption der Urformen nicht von Platon, sondern von Linné aus. Wir exemplifizieren zunächst am Pflanzenreich: Was er vorfand, als er sich mit der Bildung der vegetabilen Welt zu befassen begann, war das System von „Klassen, Gattungen und Arten"[130] der Pflanzen, in das Linné „den herrlichen Weltgarten"[131] eingeteilt hatte, wodurch die einzelnen Pflanzenindividuen in einer Unzahl von Genera aufgehoben waren. Mit dem Dank an den Schöpfer eines solchen Pflanzenkosmos[132] verbindet sich ihm aber sogleich der Zweifel, ob dieses System ein naturgemäßes[133] sei: das heißt, ob in ihm zugleich die Weise erkannt ist, wie die Natur selbst bei der Bildung der Pflanze im einzelnen und in Hinsicht auf Arten, Gattungen und Klassen verfahre. Goethe schreibt darüber in der „Geschichte meines botanischen Studiums":

> ... vorläufig ... will ich bekennen, daß nach Shakespeare und Spinoza auf mich die größte Wirkung von Linné ausgegangen und zwar gerade durch den Widerstreit zu welchem er mich aufforderte ...[134]
> Unauflösbar schien mir die Aufgabe, Genera mit Sicherheit zu bezeichnen, ihnen die Spezies unterzuordnen. Wie es vorgeschrieben war, las ich wohl, allein wie sollt ich eine treffende Bestimmung hoffen, da man bei Linnés Lebzeiten schon manche Geschlechter in sich getrennt und zersplittert, ja sogar Klassen aufgehoben hatte; woraus hervorzugehn schien: der genialste scharfsichtigste Mann selbst habe die Natur nur en gros gewältigen und beherrschen können.[135]

Aus der Einsicht in das Übergängliche einer Spezies in die andere, aus der Beobachtung von „lüderlichen"[136] und „Geschlechtern" mit „Charakter",[137] aus der Wahrnehmung, daß durch die Verschiedenheit der klimatischen wie der physiologischen Bedingungen der Pflanzen „das Geschlecht sich zur Art, die Art zur Varietät und diese wieder durch andere Bedingungen ins Unendliche sich verändere",[138] kam Goethe die Überzeugung, „daß die ... Pflanzenformen nicht ursprünglich determiniert und festgestellt" seien, „ihnen sei vielmehr, bei einer eigensinnigen, generischen und spezifischen Hartnäckigkeit, eine glückliche Mobilität und Biegsamkeit verliehen, um in so vielen Bedingungen, die über dem Erdkreis auf sie einwirken, sich zu fügen und danach bilden und umbilden zu können".[139]

Durch Vergleichen verschiedenartigster Pflanzen, aber auch der verschiedenen Pflanzenteile untereinander gelangte Goethe schließlich zu der Einsicht in „die *ursprüngliche Identität* aller Pflanzenteile",[140] die er in einer Art von Urblatt oder Auge faßte.

> Jedes Blatt, jedes Auge an sich hat das Recht, ein Baum zu sein.[141]

Dieses vegetabile Prinzip, das durch Bildung und Umbildung seiner selbst dem ganzen Pflanzenreich von der Wurzel bis zur Frucht wie auch von der Alge bis zum Baum formend zugrunde liegt, faßt Goethe unter der Idee der Urpflanze, womit er nicht mehr wie ursprünglich bei der Entdeckung in Sizilien irgendeine bestimmte sinnliche Form verbindet.

Nicht anders verfährt er im tierischen Bereich. Dort wendet er sich von der offen zutage liegenden „Metamorphose der Insekten" ausgehend – „diese leugnet niemand; der Lebensverlauf solcher Geschöpfe ist ein fortwährendes Umbilden, mit Augen zu sehen und mit Händen zu greifen"[142] – der vergleichenden Anatomie der Wirbeltiere zu. In den Wirbelknochen faßt er das identische Organ, das in ständiger Metamorphosierung als Urform aller höheren tierischen Bildung zugrunde liegt.

> Ich hatte mich indessen ganz der Knochenlehre gewidmet; denn im Gerippe wird uns ja der entschiedne Charakter jeder Gestalt sicher und für ewige Zeiten aufbewahrt. Ältere und neuere Überbleibsel versammelte ich um mich her und auf Reisen spähte ich sorgfältig in Museen und Kabinetten nach solchen Geschöpfen, deren Bildung im ganzen oder einzelnen mir belehrend sein könnte. Hiebei fühlte ich bald die Notwendigkeit einen Typus aufzustellen, an welchem alle Säugetiere nach Übereinstimmung und Verschiedenheit zu prüfen wären, und wie ich früher die Urpflanze aufgesucht, so trachtete ich nunmehr das Urtier zu finden, das heißt denn doch zuletzt: den Begriff, die Idee des Tiers.[143]

Auch hier wird unter dem Urtier schließlich das formende animalische Prinzip überhaupt verstanden, das alle tierischen Klassen, Gattungen und Arten von den Infusorien bis zu den Säugetieren und dem Menschen unter sich begreift.

> Hat man aber die Idee von diesem Typus gefaßt, so wird man erst recht einsehen, wie unmöglich es sei eine einzelne Gattung als Kanon aufzustellen ... Am wenigsten ist der Mensch, bei seiner hohen organischen Vollkommenheit, eben dieser Vollkommenheit wegen, als Maßstab der übrigen unvollkomm-

neren Tiere aufzustellen. . . Die Klassen, Gattungen, Arten und
Individuen verhalten sich wie die Fälle zum Gesetz; sie sind
darin enthalten, aber sie enthalten und geben es nicht.[144]

Diese Goethische Konzeption eines vegetabilen und animalischen formenden Prinzips der Natur hat zu der Erfindung der Mütter geführt.
Ihre einzige, sie entschlüsselnde Anschaulichkeit erhalten die Mütter
durch die Gebärden, in denen sie anzutreffen sind.

> Die einen sitzen, andre stehn und gehn (V. 6286).

In dem „Stehn" chiffriert sich die dem vegetabilischen Prinzip eigene
Tendenz, die den ganzen pflanzlichen Bereich auszeichnet: die Vertikal-
tendenz.

> Die Vertikaltendenz äußert sich von den ersten Anfängen des
> Keimens an; sie ist es wodurch die Pflanze in der Erde wurzelt
> und zugleich sich in die Höhe hebt.[145]

Durch das „Gehn" ist die dem tierischen formenden Prinzip spezifische
Eigenschaft der Bewegung, und zwar der Bewegung von einem Ort
zum andern wie der Beweglichkeit der einzelnen tierischen Glieder,
gefaßt.

Daß aber beide, die Stehenden und Gehenden, zu einer Gruppe zusammengenommen sind, „andre stehn und gehn", erklärt sich offenbar
aus Goethes vermutend geäußerter Annahme, die die heutige biologische Forschung bestätigt, daß sich der vegetabile und der zoologische
Typus letzten Endes auf einen gemeinsamen Lebenspunkt zurückführt
und daß es die Bedingungen des Lebens waren – „wie's eben kommt"
(V. 6287) – die darüber entschieden, ob es zu der Formenbildung im
pflanzlichen oder tierischen Bereich führte.

> Wenn man Pflanzen und Tiere in ihrem unvollkommensten
> Zustande betrachtet, so sind sie kaum zu unterscheiden. Ein
> Lebenspunkt, starr, beweglich oder halbbeweglich, ist das was
> unserm Sinne kaum bemerkbar ist. Ob diese ersten Anfänge,
> nach beiden Seiten determinabel, durch Licht zur Pflanze,
> durch Finsternis zum Tier hinüber zu führen sind, getrauen
> wir uns nicht zu entscheiden, ob es gleich hierüber an Bemer-
> kungen und Analogie nicht fehlt. So viel aber können wir sagen,
> daß die aus einer kaum zu sondernden Verwandtschaft als
> Pflanzen und Tiere nach und nach hervortretenden Geschöpfe,
> nach zwei entgegengesetzten Seiten sich vervollkommnen, so
> daß die Pflanze sich zuletzt im Baum dauernd und starr, das

Tier im Menschen zur höchsten Beweglichkeit und Freiheit sich verherrlicht.[146]

Diesen beiden – den Stehenden und Gehenden, als den „andern" – sind „die einen" Sitzenden (V. 6286) vorangestellt, die offenbar das formende Prinzip im anorganischen Bereich der Natur veranschaulichen; denn auch dem Gestein wohnt – nach Goethe – ein Streben nach Form potentiell inne. Sowie der Kern der Erde beim Übergang von dem flüssigen in den festen Zustand sich sogleich kristallisierte,[147] so heißt es auch von dem Granit als der äußersten Kruste dieses Kernes, daß er „durch Kristallisation entstanden" ist.[148] Ja, von den „Mineral-Körpern" im allgemeinen sagt Goethe, daß sie untereinander gewisse, zwar leicht wieder lösbare körperliche Verbindungen eingehen,[149] denen „die Chemiker . . . die Ehre einer Wahl bei solchen Verwandtschaften zuschreiben", so daß „wir ihnen . . . den zarten Anteil, der ihnen an dem allgemeinen Lebenshauche der Natur gebührt, keineswegs absprechen wollen".[150] Unter dem, „was Gestalt hat" und dem Gesetz der Metamorphose unterliegt, nennt Goethe in einer Nachlaßnotiz, „Morphologie" überschrieben, neben dem „Vegetativen" und „Animalen Menschlichen" als drittes „das Unorganische".[151]

Dieses Prinzip, durch seine Gebärdensprache des Sitzens, Gehens und Stehens in den drei Naturbereichen formwirkend zu denken, bestimmt sich in den „Einen" und den „Andern" als eine unbestimmbare aber begrenzte Pluralität, und es definiert sich durch seinen Namen „Mütter" als ein zeugendes Prinzip; das will sagen: die formenden Prinzipien sind für Goethe zugleich die die Form Zeugenden. Die Urformen tragen auch den Zeugungstrieb in sich.[152]

Das impliziert zweierlei – wir exemplifizieren wiederum an der Pflanze.

1. Das Urblatt als Form ist zugleich die Kraft, die in ständiger Metamorphosierung ihrer selbst die einzelne Pflanze bildet. Form und Wachstum sind eins.

> Jedes der bekannten Dinge, die wir im weitsten Sinne lebendig nennen, hat die Kraft, seinesgleichen hervorzubringen. . . An denen Körpern, welche wir Pflanzen nennen, bemerken wir die doppelte Kraft seines gleichen hervorzubringen einmal ohne sichtbare Wirkung der Geschlechter einmal durch ihre sichtbare Wirkung. . . Was wir Wachstum der Pflanzen nennen ist nur eine Hervorbringung ihres gleichen ohne Geschlechtswirkung. Durch diese Hervorbringung ihres gleichen geschieht keine Absonderung wie durch die Zeugung und Geburt. Es ist aber eben so gut eine Hervorbringung ihres gleichen. . . Im

Samenkorn ist das ganze System der Pflanze vollendet, es fängt nun aufs neue wieder an.[153]

Deshalb wendet sich Goethe auch gegen die Evolutions- und Epigenesistheorien, als zu „roh und grob gegen die Zartheit des unergründlichen Gegenstandes".[154] Er will die Form, die die Pflanze etwa als metamorphosiertes Blatt auf immer neue Weise bildet, weder im Samenkorn vorher eingeschachtelt denken noch durch das äußere Hinzutreten von Stoff erklären.

> So wenig man leugnen kann, daß eine Pflanze von ihrer Wurzel bis zur Blume und Frucht zusammenhängt und von unten auf den tätigsten Einfluß empfindet, so scheint es doch, daß jedes Organ, an jedem Knoten selbst tätig sei und sich dadurch gleichsam selbst hervorbringen und gestalten und den folgenden zu einer neuen Hervorbringung und Gestaltung Gelegenheit und Anlaß vorbereiten müsse... Man darf sich also nicht denken, daß in der Pflanze irgendwo ein Vorrat sei, aus welchem alle die Teile nach und nach hervorgebracht werden, sondern jedes Organ bringt auf seiner Stufe durch seine besondere Determinationen und was es sich sowohl von innen als von außen zueignet seine Bildung und seine Eigenschaften zu Wege.[155]

2. Das Urblatt als Form ist zugleich die Kraft, die in ständiger Metamorphosierung ihrer selbst die Fülle der Klassen und Genera als mögliche Bildeformen im vegetabilischen Bereich hervorbringt. Urform und Genera sind eins.

Diese Anschauung Goethes von den formenden als den die Klassen und Genera zeugenden Prinzipien chiffriert das Bild von den Müttern, deren Haupt die „Bilder aller Kreatur" (V. 6289) umschweben. Es ist eine poetische Zerlegung, die zwei verschiedene Qualitäten derselben Formprinzipien in eigenen Zeichen isoliert. In der Dreiheit der Mütter sind die zeugenden Urformen in den drei Naturbereichen gefaßt. Die ihr Haupt umschwebenden Bilder aber meinen die Klassen, Gattungen und Arten, die diese im geistigen Dialog mit sich (V. 6287–88) als mögliche Bildeformen der erscheinenden Natur erzeugen.

Heißt es von diesen Bildern, daß sie sich „wie Wolkenzüge" (V. 6279) um die Mütter schlingen, so bedeutet dies: die Mütter sind umgeben von einem Geschlinge in ewiger Verwandlung ineinander übergehender Arten, zu denen sie selbst die zeugende Urform sind. Denn von der Idee der Metamorphose sagt Goethe:

> [Sie] ist eine höchst ehrwürdige, aber zugleich höchst gefährliche Gabe von oben. Sie führt in's Formlose; zerstört das Wis-

sen, löst es auf. Sie ist gleich der vis centrifuga und würde sich in's Unendliche verlieren, wäre ihr nicht ein Gegengewicht zugegeben, ich meine den Spezifikationstrieb.[156]

Gegen diesen verwirrenden Verwandlungtrieb der Formen wird Faust aufgerufen, mit dem Schlüssel anzugehen; das heißt: Faust soll mit der ihm nun eigenen höheren Anschauungskraft, dem Schlüssel, die andrängende Fülle der sich verwandelnden Formen als Metamorphosen der gemeinsamen Urform erkennen.

> Wie Wolkenzüge schlingt sich das Getreibe,
> Den Schlüssel schwinge, halte sie vom Leibe! (V. 6279–80)

Als „Wolkenzüge" aber beschreiben sich diese Bildeformen der Klassen, Gattungen und Arten sowohl wegen ihrer Unstofflichkeit wie wegen ihrer Wandlungslust, die gleich den Wolken eine ständige Verwandlung *genau umrissener* Gestalten ist. Daher Goethe auch an anderer Stelle das Wort „Bildung" dem Ausdruck „Gestalt, Form oder Bild" vorzieht.

> Wollen wir also eine Morphologie einleiten, so dürfen wir nicht von Gestalt sprechen; sondern wenn wir das Wort brauchen, uns allenfalls dabei nur die Idee, den Begriff oder ein in der Erfahrung nur für den Augenblick Festgehaltenes denken. Das Gebildete wird sogleich wieder umgebildet.[157]

Unter diesen von den Müttern in der dauernden „Unterhaltung" (V. 6288) mit sich selbst entworfenen Gattungen und Arten befinden sich nun auch die „längst nicht mehr Vorhandenen".

> . . . Entfliehe dem Entstandnen
> In der Gebilde losgebundne Reiche!
> Ergetze dich am längst nicht mehr Vorhandnen. (V. 6276–78)

Das heißt: die Pflanzen- und Tierformen, die sich in den Erscheinungen verwirklichen, wechseln zu den einzelnen Erdzeiten und innerhalb der verschiedenen Erdzonen. Unter anderen äußeren klimatischen oder inneren physiologischen Bedingungen des Lebens bilden sich andere Arten; die Natur bedarf zur Verwirklichung der einzelnen Arten besonderer Lebensbedingungen auf der Erde. Mephisto, der immer innerhalb der Zeitlichkeit denkt, spricht daher von den „längst nicht mehr Vorhandenen". Es ist die Zeit der beginnenden Paläontologie; Funde ur- und vorzeitlicher vegetabiler oder animalischer Bildungen sind von größtem Interesse als Schlüssel für die allgemeinen, den Wechsel der einzelnen historischen Erdepochen überdauernden Bildungsgesetzlichkeiten.

Wenn ich ein zerstreutes Geripppe finde, so kann ich es zusam-
menlesen und aufstellen; denn hier spricht die ewige Vernunft
durch ein Analogon zu mir, und wenn es das Riesenfaultier
wäre.[158]

Die transzendente Wirklichkeit der Mütter aber kennt die Zeit nicht. Sie
scheidet nicht zwischen erscheinenden oder möglichen, aber gegenwärtig nicht verwirklichten Formen. Die ausgestorbenen und die gerade
verwirklichten Formen sind für sie einerlei.

In den Müttern ist also die bildende Natur unter dem Aspekt der dauernden Form gefaßt, was sowohl Form und Zeugung der Form wie auch
Form und Umformung zu Klassen und Arten meint.

Deshalb sind die Mütter nicht der Hades. Paris und Helena sind dort
nicht als die Schatten ihres früheren antiken Daseins anzutreffen.[159]

Auch als einmal gewesene „Urphänomene"[160] sind sie nicht hier aufgehoben. Auch die Urphänomene sind nicht bei den Müttern, der Wirklichkeit des Überphänomenalen. Denn Urphänomene sind Erscheinungen, als solche immer ein Gewordenes, und gehören, so sehr sie an der
Urform teilhaben, dennoch der sichtbaren Wirklichkeit an. Goethe definiert sie als bedeutende „Fälle", durch die die „höheren Regeln und Gesetze" des Erscheinenden sich „dem Anschauen offenbaren".[161]

Schließlich sind die Mütter auch nicht der Ort, wo sich in den „Bildern
aller Kreatur" die Monaden – und als solche Paris und Helena – als die
einzelnen unvergänglichen Lebenseinheiten regen.[162] Ein geistiges Le-
benszentrum wie Homunculus, der als animalische Monas alle Merkmale
des Individuums trägt, kommt nicht von den Müttern; denn in dieser
Wirklichkeit der Arten und Gattungen ist gerade von allem Individuellen abgesehen. Abgesehen ist damit auch von allem Leben; die die
Mütter umschwebenden „Bilder" des Lebens sollen zwar „regsam" aber
„ohne Leben" (V. 6430) gedacht werden, während die Monaden gerade
durch ihre Lebendigkeit als durch die „rotierende Bewegung ... um
sich selbst"[163] gekennzeichnet sind.

Und so fehlt diesen Bildern im Mütterreich endlich auch ganz das
Schicksal oder die Biographie. Sie können sich nicht wie Monaden vergrößern oder wieder in ihre Elemente zerfallen, weil sie sich als reine
Formen in keinem Individuum ganz verwirklichen. Deshalb gleicht das
Tun der Mütter, ihr „Verteilen" (V. 6433) der Bilder „ans Zelt des Tages,
zum Gewölb der Nächte" (V. 6434), nicht dem der Parzen – wie Schadewaldt und Diener[164] meinen – die den Menschen die Lose verteilen, große
und kleine, glückliche und unglückliche; vielmehr geht es in dem Verteilen der Bilder durch die Mütter um das Verwirklichen von Arten und

Gattungen als bildenden Formen in den Erscheinungen. Es wird noch davon die Rede sein.[165]

Der Dreifuß

Was bei den Müttern ist und weshalb Faust sich dorthin wagen muß, sind nicht Paris und Helena,[166] sondern der glühende Dreifuß, den er als das innerste Heiligtum der Mütter entwendet.

Was bedeutet der Dreifuß, weshalb ist er bei den Müttern und wozu muß Faust sich seiner bemächtigen?

Der Dreifußraub ist als Motiv dem griechischen Mythos entnommen: Herkules, der Halbgott,[167] raubte ihn aus dem Tempel seines göttlichen Halbbruders Apollon in Delphi. Der Dreifuß – auch dort im Innersten des Tempels stehend – ist das heilige Gerät des Gottes der Dichtung, über dem die Priesterin die göttliche Wahrheit in den Wahrsprüchen des Orakels verkündet.

Mit dem Bildprozeß im Sinne des Versinnlichens von göttlicher Wahrheit hat er auch hier zu tun; und auch hier bei den Müttern ist sein Ort durch das Innerste, im „tiefsten, allertiefsten Grund" (V. 6284) bezeichnet. Schon die Wohnung der Mütter war durch das „Tiefste" (V. 6220) beschrieben, als solche hieß sie auch ein „Geheimnis" (V. 6212) und wurde das „Nicht zu Betretende" (V. 6223), also mit dem Namen des Tempelinnersten, dem „Adyton", benannt. Der Dreifuß aber soll das Tiefste dieses Tiefsten, den innersten Kern des Geheimnisses, ihren „allertiefsten Grund" (V. 6284) bilden. „Grund" ist hier im Zusammenhang des Ganges zu den Müttern als eines geistigen Erkenntnisprozesses synonym mit Logos zu verstehen und meint Wesen oder Prinzip. Goethe nimmt darin einen Ausdruck des Plutarch auf, dessen er sich ja für seine eigene Mütterkonzeption überhaupt bediente; auch dort finden sich im Innern des Dreiecks, als dem Feld der Wahrheit, die logoi.[168]

Der Dreifuß als der „tiefste, allertiefste Grund" meint also das Prinzip ihres geistigen Tuns; er bedeutet die Form als innerstes Prinzip der Natur. Das Glühen („ein glühnder Dreifuß" V. 6283) – korrespondierend dem Leuchten des Schlüssels (V. 6261) als der hohen Geisteskraft des Menschen – bezeichnet ihn als ein höchstes geistiges Vermögen der Natur. Und so ist es auch der Schein des Dreifußes, in dem Faust die Mütter sehen kann. Das heißt: während die Mütter die die Lebensbilder gewissermaßen bewußtlos Zeugenden sind, ist in dem Dreifuß die Form als das geistige Bildprinzip der Natur gefaßt und hat darin ihr eigenes Zeichen erhalten. Als solches tritt er ergänzend zu den Müttern als den Chiffren für die Formen als zeugenden Prinzipien hinzu. Als ihr Innerstes, Verborgenstes: die Form als das höchste Naturprinzip, bedeutet er zugleich die „Wahrheit", womit Goethe wiederum das Plutarchische Motiv in seinem Sinne umdenkt.

In der Form als Prinzip aber treffen sich Natur und Kunst. Wenn Faust also, um die Schönheit zu bilden, den Müttern den Dreifuß entreißt, so geht es bei diesem Raub eben um das Formprinzip der Natur. In dem bekannten Brief vom 8. Juni 1787, in dem Goethe Charlotte von Stein seine Entdeckung der Urpflanze mitteilt, schreibt er:

> Sage Herdern, daß ich dem Geheimnis der Pflanzenzeugung und -Organisation ganz nah bin und daß es das Einfachste ist, was nur gedacht werden kann ... Die Urpflanze wird das wunderlichste Geschöpf von der Welt, über welches mich die Natur selbst beneiden soll. Mit diesem *Modell* und dem *Schlüssel* dazu kann man alsdann noch Pflanzen ins unendliche erfinden, die konsequent seyn müssen, das heißt: die, wenn sie auch nicht existiren, doch existiren könnten und ... eine innerliche Wahrheit und Nothwendigkeit haben. Dasselbe Gesetz wird sich auf alles übrige lebendige anwenden lassen.[169]

Schon hier wird unter der Urpflanze als dem „Modell" für alle Pflanzenbildung – „wodurch sich alle einzelnen Gebilde als Pflanzen erkennen lassen"[170] – zugleich das *Formprinzip* verstanden, mit Hilfe dessen sich zugleich mögliche Pflanzen von innerlicher Wahrheit und Notwendigkeit „ins unendliche erfinden" lassen – die „wenn sie auch nicht existieren, doch existieren könnten". Der Schritt vom Erkennen der Urform der Natur zum Erfinden nach dem Prinzip der Urform ist schon hier im naturwissenschaftlichen Bereich von Goethe sogleich vollzogen.

In diesem Erfinden aber ist auch das Tun des Künstlers beschrieben, der die Urform der Natur nachbilden und sie in der Schönheit als „Musterbild" zur Erscheinung bringen will, und das heißt: auch das Tun Fausts.

Wenn Faust also angesichts der Mütter mit dem Schlüssel den Dreifuß berührt und ihm dieser nun als „treuer Knecht" (V. 6294) folgt, so heißt das: seiner erkennenden Anschauungskraft der Urformen schließt sich das Geheimnis des Bildeprinzips der Natur auf.

Das Glück, das Faust daraufhin erhebt (V. 6295), meint den glücklichen Augenblick des Schaffenden. Denn mit dem Dreifuß im Besitz des Gesetzes aller Bildung der Natur ruft Faust als Held des geistigen Abenteuers nun „Held und Heldin aus der Nacht" des Nichts (V. 6298) hervor. Ein „Erster" (V. 6299) solcher Tat ist er, weil alle Kunst eine „erste Welt" ist (V. 9565), nämlich unmittelbare Verwirklichung des Urbildlichen im künstlerischen Stoff.

Mephisto als Wunderarzt

In den Hiat zwischen Abstieg zu den Müttern und Rückkehr von dort
schiebt sich in Analogie zu Fausts „magischer" Tätigkeit in der Finsternis – „Finstere Galerie" (vor V. 6173) – Mephistos magische Tätigkeit
in der Helle der „erleuchteten Säle" (vor V. 6307). Paralipomenon 100
notiert:

> Geister citiren . . . Meph. hinter Faust . . . Faust zur Magie,
> Meph. als Curtisan.[171]

Als „Curtisan" erscheint Mephisto in der Rolle des Wunderarztes.
Es ist wiederum die Rolle des historischen Faust, die Mephisto damit
übernimmt – so wie er auch anfangs in dessen Rolle als Alchemist auf-
getreten war – und die in der vornehmen Gesellschaft des ancien régime
Cagliostro,[172] Hahnemann[173] und Mesmer[174] spielten. In den Schlössern
des ausgehenden 18. Jahrhunderts magnetisierte man. Die Wunder-
kuren nach Art des animalischen Magnetismus waren die Sensation in
Wien, Paris und Berlin, und die Betrugsprozesse erschütterten die französische und deutsche Aristokratie vor dem Ausbruch der Revolution.
Mephisto sieht sich von Damen und Herren der Gesellschaft bedrängt
durch eine Fülle von Fällen. Die Welt, kaum daß Mephisto allein ist,
zeigt sich als die „millionenfache Hydra",[175] als welche Goethe die
gemeine Wirklichkeit bezeichnet; und so wie Mephisto der ist, der das
Mittel der Beschwörung für Helena und Paris kannte,

> Das Heidenvolk geht mich nichts an,
> Es haust in seiner eignen Hölle;
> Doch gibt's ein Mittel (V. 6209–11),

so kennt er auch hier die Zaubermittelchen für die Leiden der Schönen:

> Ein Wort, mein Herr! Ihr seht ein klar Gesicht,
> Jedoch so ist's im leidigen Sommer nicht!
> . . .
> Ein Mittel! (V. 6319–23)

oder:

> Die Menge drängt heran, Euch zu umschranzen.
> Ich bitt' um Mittel! Ein erfrorner Fuß . . . (V. 6329–30)

Es spiegelt sich darin die Geschichte des Aberglaubens wider, dem die
Gesellschaft seit je verfiel – vom Mittelalter bis in die Goethische Gegenwart. Denn auch in dem Mephistophelischen Wunderrezept „zu Glei-

chem Gleiches" (V. 6336), mit dem er durch einen Tritt mit dem Pferdefuß den erfrorenen Fuß der „Braunen" (V. 6329) heilt, wird die Heil-
methode des Homöopathen Hahnemann „similia similibus curentur"
parodiert, die sich dem Prinzip der zeitgenössischen wissenschaftlichen
Medizin „contraria contrariis" als moderner Aberglaube entgegenstellt.
Es ist nicht die einzige Analogie zwischen mittelalterlicher und moderner
aufgeklärter Quacksalberei: das äußere Bestreichen mit Kohle, das nach
Mephistos Wunderrezept die Reue im Herzen des ungetreuen Geliebten
bewirken wird (V. 6348–54), lebt in dem Mesmerschen Verfahren des
Streichens mit dem Magneten oder der Hand wieder auf, welches körperliche wie seelische Leiden heilen will, indem es die als Krankheit unter-
brochene Harmonie zwischen Körper und Seele wiederherstellt. Mephisto, der moderne Scharlatan, ist sich seiner Identität mit dem alten
Teufel durchaus bewußt, wenn er die Kohle von einem Scheiterhaufen
kommen läßt, „den wir sonst emsiger angeschürt" (V. 6358). „Sonst",
das meint das Mittelalter als die unaufgeklärte Zeit, in der noch unbe-
fragt an die teuflischen Zauberrezeptchen geglaubt wurde.

Die Gesellschaft, die solchem Wahn erliegt, erweist sich wiederum als
das Element des täuschenden Scheins. Ja der Aberglaube gehört offenbar
so eigens zu ihr, daß sie Mephisto um immer neue Proben seiner Schein-
kunst angeht. Aber anders als Faust unten bei den Müttern, der sich als
Erkennender des Wahren das Geschlinge der „Wolkenzüge" „vom
Leibe zu halten" versteht, weiß Mephisto sich am Ende der Andrängen-
den (vor V. 6364) nicht mehr zu erwehren; dieselbe Verfallenheit an den
Wahn, die er anfangs in der Gesellschaft erzeugte, holt ihn nun ein, und
er sucht Zuflucht bei der Wahrheit.

> Schon wieder Neue! Welch ein harter Strauß!
> Ich helfe mir zuletzt mit Wahrheit aus;
> Der schlechteste Behelf! Die Not ist groß. –
> O Mütter, Mütter! laßt nur Fausten los! (V. 6363–66)

Der Ruf nach Wahrheit ist der Ruf nach Faust.

Die Verfallenheit der Gesellschaft an Wahn und falsche Wunder: das ist
das eine Moment der Szene, das das Motiv der ersten Aktszene wiederholt. Die Gesellschaft Fausts und seines Wirkens bedürftig: das ist die
andere Bedeutung.

Mephistos Ruf nach Faust ist Ausdruck dieses Angewiesenseins der
Gesellschaft auf Fausts Erscheinen. Er entspricht als Geste des Bedürfnisses aufs genaueste der Anziehung von Polarem: die Gesellschaft in
ihrer Formlosigkeit bedarf des Erscheinens der Form; dem täuschenden
Schein ausgeliefert, bedarf sie der Erscheinung des Wahren.

Und so beschreiben die folgenden Verse die Gesellschaft im Begriffe, zu dem Element zu werden, in dem das Wahre im Schein, und das heißt die Schönheit, erscheinen kann.

> Die Lichter brennen *trübe* schon im Saal,
> Der ganze Hof bewegt sich auf einmal.
> Anständig seh' ich sie in Folge ziehn
> Durch lange Gänge, ferne Galerien.
> Nun! sie versammeln sich im weiten Raum
> Des alten Rittersaals, er faßt sie kaum.
> Auf breite Wände Teppiche spendiert,
> Mit Rüstung Eck' und Nischen ausgeziert. (V. 6367–74)

Das „Trübe", auf das Mephisto als erste Zurüstung zum künftigen Ereignis hinweist, ist nicht nur poetisches Zeichen einer sich verbreitenden geheimnisvollen Stimmung, die der Geistererscheinung günstig ist, es meint zugleich die Gesellschaft, die gewissermaßen zum Medium wird, aus sich die Schönheit entwickeln kann; denn „Trübe" entleiht der Dichter hier zugleich als Begriff der Farbenlehre und verwendet ihn im Sinne des Gedichtes „Wiederfinden":

> Sie entwickelte dem Trüben
> Ein erklingend Farbenspiel.[176]

„Trübe" heißt in der Farbenlehre die durchscheinende Materie als das Mittlere zwischen den Gegensätzen von Licht und Nicht-Licht, an dem sich dank der Begegnung der Pole die Farben entwickeln.[177]

Indem die Gesellschaft nun selber beginnt, Form zu werden – sich aus der verworrenen Vielfalt einzelner Begierden zu dem gemeinsamen Verlangen nach dem Anblick höchster menschlicher Schönheit zu ordnen (V. 6368–72) – zeigt sie sich auf das Erscheinen der Form gestimmt. „Teppiche" und Zier (V. 6373–74) sind weitere Stichworte, die auf ihr Gerüstetsein auf das Kunstereignis hindeuten. Und so kann Mephisto schließlich mit Recht zusammenfassend feststellen:

> Hier braucht es, dächt' ich, keine Zauberworte;
> Die Geister finden sich von selbst zum Orte. (V. 6375–76)

Das Theater

Der „Rittersaal" ergänzt den Prozeß, zu dem sich die letzten drei Aktszenen zusammenfügen – sofern er sich auf Faust bezieht – um das Moment des Bildens der Schönheit. Aber sofern diese Bilder dann auf der Bühne im Anblick der Gesellschaft erscheinen, ist der Prozeß zugleich auf die Gesellschaft bezogen und bezeichnet die Geburtsstunde des modernen Theaters.

Ging es in der „Finsteren Galerie" um die Urbilder der Natur im Verborgenen, zeigte sich in den „Hell erleuchteten Sälen" die Gesellschaft in ihrem Verlangen nach eigener Schönheit wiederum als das Element von trügendem Schein, das dank Mephistos Wirken auf den gemeinsamen Anblick menschlicher Schönheit vorbereitet wird, so geht es nun in der „Dämmernden Beleuchtung" des Rittersaals um das Erscheinen der menschlichen Urbilder in dieser auf sie gestimmten Welt des Scheins; es geht um die Erscheinung eines Normativen auf dem Theater.

Wieder ist der ganze Hof versammelt:

> Hier sitzt nun alles, Herr und Hof im Runde,
> Die Bänke drängen sich im Hintergrunde;
> Auch Liebchen hat in düstern Geisterstunden
> Zur Seite Liebchens lieblich Raum gefunden (V. 6385–88);

aber nun ist der Hof unter dem Aspekt seiner geistigen Bedürfnisse gefaßt. Das Wort führen nicht die Minister, sondern im Verein mit den Damen und Herren des Hofes Architekt, Poet und Gelehrter. Und der Herold, der für das Schauspiel Zuständige, hat sein Amt an den Astrologen abgetreten, damit dieser das Folgende als das von der Gesellschaft begehrte Wunderereignis kommentiere. Dieser folgt darin zunächst den Einbläsereien des Mephisto, der im Souffleurloch Platz genommen hat und in der Bereitschaft des Hofes zum Glauben an das Wunderbare erneut die Möglichkeit zur Täuschung wahrnimmt.

> Du kennst den Takt, in dem die Sterne gehn,
> Und wirst mein Flüstern meisterlich verstehn. (V. 6401–02)

Diese gelingt ihm bis zum Erscheinen der Geister. Kaum aber tritt Paris hervor, so „schweigt" der Astrolog in seinem kommentierenden „Amt" (V. 6451–52), und angesichts der Helena übermannt ihn die Leidenschaft, und er bekennt außerhalb seines Amtes („als Ehrenmann"!) seine Hingerissenheit von der göttlichen Schönheit – wobei die „feurigen Zungen" des Pfingstwunders[178] anzeigen, daß statt des Scheins nun die Wahrheit über ihn gekommen ist:

> Für mich ist diesmal weiter nichts zu tun,
> Als Ehrenmann gesteh', bekenn' ich's nun.
> Die Schöne kommt, und hätt' ich Feuerzungen!
> Von Schönheit ward von jeher viel gesungen;
> Wem sie erscheint, wird aus sich selbst entrückt,
> Wem sie gehörte, ward zu hoch beglückt. (V. 6481–86)

Was aber dem Astrologen widerfährt und was in der Heftigkeit der Leidenschaft nur wenig hinter Faust zurücksteht, widerfährt – stufenweise unterschieden – der ganzen Gesellschaft. Auch sie erfährt die Schönheit als Wirkung, das heißt in der Funktion, die ihr die Natur zuerteilt: als Verführung zur Vereinigung mit dem Polaren. Denn was sich als Reaktion auf den Anblick von Paris und Helena im Falle der Damen und Ritter als geschlechtliche Wirkung formuliert, als Anziehung durch das andere, Abstoßen von dem eigenen Geschlecht, das wiederholt sich im Falle des Diplomaten als Faszination von Helena als von der Fürstin (V. 6504–05), im Falle des Poeten als Beglückung durch sie als durch den Kuß der Göttin (V. 6510–12), im Falle des Gelehrten als Gefallen an der Gegenwärtigen, weil sich darin ihre Identität mit der Historischen beweist (V. 6533–40). Selbst Fausts Verhalten ordnet sich in diese Reihe, er steht an ihrer obersten Stelle und ergänzt sie um die Erfahrung der Schönheit als leidenschaftliche Entzündung durch das Ideelle.

So unangemessen gegenüber den ideellen Erscheinungen die einzelne Reaktion ist, so schließt doch keine die andere aus. Denn keine – auch nicht die Reaktion Fausts – spiegelt die Erscheinung der Schönheit vollkommen; vielmehr fügen sich erst alle zu dem Ganzen der Wirkung zusammen, in der sich das Wesen menschlicher Schönheit als eines Urprinzips der Natur ausspricht.

Sogar Mephisto im Souffleurloch, als der für den Schein Zuständige, setzt mit dem Erscheinen der Geister seine Einbläsereien nicht mehr gegen den Astrologen, sondern gegen Faust fort. War er bisher gegenüber der Gesellschaft auf Vortäuschung eines Wahns aus, so geht es ihm gegenüber Faust um die Zerstörung eines Wahns; Mephisto ist von nun an um die Aufrechterhaltung des notwendigen Theaterscheins besorgt gegen eine Gefährdung, die von Faust ausgehen wird, und fügt sich damit – analog seiner Befürwortung des Geldscheins – wiederum förderlich ins Ganze; denn er versäumt nicht in den einzelnen Stadien von Fausts leidenschaftlicher Täuschung, ihn darauf hinzuweisen, daß die Geister von Faust selbst gebildeter Schein sind.

So faßt Euch doch und fallt nicht aus der Rolle! (V. 6501)

Ruhig! still!
Laß das Gespenst doch machen was es will! (V. 6514–15)

Machst du's doch selbst, das Fratzengeisterspiel! (V. 6546).

Für das Ereignis selber – für das Bilden der Scheingestalten – bedient sich Faust der Bühne als einer in der Gesellschaft schon bestehenden Einrichtung. Dennoch fällt das, was sich ereignet, nicht in die Kompetenz des Herolds, sondern in die des Astrologen; das heißt: es handelt sich hier nicht um das Ereignis eines Schauspiels, sondern um eine neue Art von Geisterbeschwörung. Insofern zeigt der Astrolog Fausts Wirken mit Recht als ein „Wunder" an, gebunden an den Augenblick „stern-gegönnter Stunden" (V. 6415), das heißt von Faust aus: gebunden an die Gnade des schöpferischen Augenblicks. Er verbannt dazu mit Recht die „Vernunft" und beschwört dafür die „Phantasie" (V. 6416–18); das bedeutet für Faust: er beschwört die Kraft, die in der Verkörperung von Gedanklichem etwas vollbringt, was für die Vernunft zu tun unmöglich ist. Nur in der Erklärung des Wunders selbst, das sich hier ereignet, differieren Kommentator und Schöpfer der Geister. Der Astrolog erklärt das Geistererscheinen als das „kühn begehrte", das übernatürliche Wunder, an das geglaubt werden muß, weil es unmöglich ist. Er erklärt es – analog dem christlichen – als ein Wunder, weil es gegen die Natur ist.

> Mit Augen schaut nun, was ihr kühn begehrt,
> Unmöglich ist's, drum eben glaubenswert. (V. 6419–20)

Für Faust hingegen sind die Geister ein Wunder als Erscheinungen des Naturgesetzes:

> In reicher Spende läßt er, voll Vertrauen,
> Was jeder wünscht, das Wunderwürdige schauen.
>
> (V. 6437–38)

Faust im Priesterkleid übt die Rolle des Priesters als des Künstlers: Offenbarung eines geheimen Göttlichen, insofern er das verborgene Bildeprinzip der Natur in den Erscheinungen der Schönheit als Schau-spiel offenbar macht. Kunst tritt hier neben die Religion als Offenbarung der Wahrheit. Dem Verständnis von Kunst, wie es sich im Knaben Len-ker chiffrierte, als glückliches Innewerden des Lebens im erhöhten Augenblick, reiht sich das Offenbarmachen wirkender Naturgesetzlich-keit in sinnlichen Bildern als ein weiteres Moment an und ergänzt sich durch Fausts Erfahrungen am Ende dieses und der beiden folgenden Akte zu einer Reihe von Momenten, die sich alle zusammen zu dem Phänomen Kunst zusammenschließen. Denn erst durch den Anblick des Helenabildes am Ende dieses Aktes wird Faust bereichert um die Erfahrung der Schönheit als Schicksal des Künstlers, als Erweckung des leidenschaftlichsten Verlangens nach lebendiger Vereinigung mit der einmal in der Geschichte erschienenen Schönheit.

Das Bilden der Scheingestalten

Der Prozeß des künstlerischen Bildens von Helena und Paris versinnlicht sich in drei Momenten:

1. in dem Gebet an die Mütter, das Faust ungehört vor dem Hof spricht;
2. in seinem erneuten Berühren des Dreifußes mit dem Schlüssel, wodurch sich aus der Dreifußschale der Weihrauchnebel löst; und schließlich
3. in der Formung der Weihrauchwolken zu den Scheingestalten nach der dem Wolkenstoff innewohnenden Gesetzlichkeit.

1. Fausts Gebet gilt jetzt den Müttern als den Thronenden (V. 6427), die hier nun zugleich diejenigen sind, die „die Bilder" „des Lebens" (V. 6430) in die Wirklichkeit von Raum und Zeit (V. 6433–34) verteilen. Beschrieb Mephisto sie in der „Finsteren Galerie" als die Wandelnden, mit der Gestaltung und Umgestaltung befaßt (V. 6285–88), so wendet sich Faust nun in den Thronenden an sie als Gestalten. Selber Bildner der erscheinenden Form, bedarf er des Segens der die Erscheinungen Formenden.

Sein Anruf vertieft das von Mephisto Gesagte ins Paradoxe: ihre „einsam"-„gesellige" (V. 6428–29) *Viel-Einigkeit*, umschwebt von „des Lebens Bildern", „regsam, *ohne Leben*" (V. 6429–30).

Die Paradoxe aber bereiten erst die eigentliche Paradoxie vor: das Wunder, das sich ereignet, wenn das Urbild in die Erscheinung tritt; die Koinzidenz von Zeit und Ewigkeit im Urphänomen der Schönheit.

> Was einmal war in allem Glanz und Schein,
> Es regt sich dort; denn es will ewig sein. (V. 6431–32)

Denn auch die Paarung von „Glanz" und „Schein" ist genau wie die des Einmal-Gewesenen (V. 6431) mit dem Ewig-Seienden (V. 6432) als Paradoxie zu verstehen, die in der Schönheit übereinkommt. „Glanz" ist das Prädikat der ideellen Form. Von der aufgehenden Sonne, dem Symbol der Idee, mußte Faust sich abwenden, weil er ihren „Glanz" nicht ertrug (V. 4700–03). „Schein" als Vokabel der Naturlehre, wie er hier gebraucht wird, meint Erscheinung; und zwar in dem Sinne, daß in der Erscheinung der Schein des Stoffes den Glanz der ideellen Form dämpft und dem wahrnehmenden Organ anpaßt. In der Schönheit treffen „Glanz" und „Schein" zusammen: „Glanz" kommt der Schönheit zu, weil sie die glänzendste Enthüllung der Form innerhalb der Erscheinungen ist. „Schein" ist die Schönheit, weil sie, ganz Erscheinung, die Form am durchscheinendsten in sich verhüllt.

So wie Schönheit die Paradoxie von „Glanz" und „Schein" als die von Urbild und Erscheinung in sich auflöst, so auch die des Einmal-Gewesenen und des Ewig-Seienden; denn in der Schönheit kommt einmalig in *einem* Exemplar das zur Erscheinung, was in *aller* Zeit sich verwirklicht. Tatsächlich hieß der Vers „Was einmal war" (V. 6431) in einem Paralipomenon: „Was war, was ist, was kommt."[179]
Was also bei den Müttern ist, was sich dort „regt" (V. 6432) und „ewig sein" (V. 6432) will, ist das Urbildliche, das in allen lebendigen Erscheinungen als dauernde Form wirkt und das die Mütter „zum Zelt des Tages" (V. 6434) und „zum Gewölb der Nächte" (V. 6434) verteilen: das heißt, was sie als formende Arten und Gattungen verteilen in den Kosmos der Natur, der hier auf zweifache Weise gefaßt ist: in „Zelt" und „Gewölb" als Wirklichkeit des Raums, und durch den Wechsel von „Tag" und „Nächten" als Wirklichkeit der Zeit.
Zu dieser Verwirklichung aber im Kosmos von Raum und Zeit, also zu Natur, tritt die Kunst als eine Schöpfung nicht minderer Ursprünglichkeit.

> Die einen faßt des Lebens holder Lauf,
> Die andern sucht der kühne Magier auf. (V. 6435–36)

Auch die Kunst bildet als eine zweite Natur; aber im Unterschied zur Natur nicht nur nach denselben Gesetzen, sondern die Gesetzlichkeit selber, die alles erscheinende Leben formend bestimmt. Mittels des verborgenen Formprinzips, das der Künstler der Natur entreißt, bildet er in seinen Gestalten ihr Urbild.
2. Dieses Bilden des Urbilds der Natur im Scheinstoff der Kunst ist das von Faust ergriffene Amt. Die Berührung des Dreifußes mit dem Schlüssel – unten bei den Müttern – hatte ihm das Formprinzip der Natur dienstbar gemacht (V. 6292–93). Jetzt, von den Müttern zurückgekehrt, berührt er wiederum mit dem Schlüssel die Dreifußschale (V. 6439). Er wiederholt darin die Geste, die er bei den Müttern vollzog, und das bedeutet folgendes:
So wie der Schlüssel – als die anschauende Erkenntniskraft – zur Erkenntnis des Formprinzips der Natur führte, so führt derselbe Schlüssel jetzt durch Anrühren des Dreifußes zur Veranschaulichung des Formprinzips in der künstlerischen Gestalt. Es ist dieselbe Geisteskraft, die Goethe in dem Aufsatz „Stiedenroths Psychologie" die „exakte sinnliche Phantasie"[180] nennt, welche sowohl zur Anschauung des bildenden Prinzips der Natur, wie auch zur Veranschaulichung dieses Formprinzips in der Kunst führt.[181] Dies ist der Grund, warum durch das Berühren mit dem Schlüssel der Dreifußschale der heilige Nebel entströmt

(V. 6440), aus dem sich die Gestalten bilden. Die erkennende Phantasie ist für Goethe zugleich die die künstlerischen Gestalten bildende. Der sich formende Nebel bezeichnet die zarte, ungreifbare Stofflichkeit der Kunst. Zu diesem Stofflichen gehört alles, was an der Kunst sichtbar, hörbar, mit Verstand und Sinnen wahrnehmbar ist, also das Besondere und Individuelle, worin alle Kunst sich darstellen muß. Denn auch die Kunst kann wie die Natur die Form nicht rein erscheinen lassen. Auch sie bedarf der Individuation im Symbol. Auch die Individuation in der Kunst bedeutet, von den reinen Formen aus, zugleich Sichtbarmachung und Verhüllung. So trägt in der vierten „Weissagung des Bakis" die „Schöne" einen „silbernen Schleier", so nennt das Gedicht „Zueignung" Dichtung verschleierte Wahrheit oder metaphorisch ein Geweb aus „Morgenduft" und „Sonnenklarheit".[182] Und so bezeichnet auch hier der Weihrauchnebel als der Stoff, aus dem die Gestalten sich formen, diesen Doppelcharakter des künstlerischen Scheins.[183]

3. Entstehung der Kunst bedeutet das ganze „Geistermeisterstück" (V. 6443) des sich auferbauenden Tempels, vor den Paris und Helena treten. Der Tempel, als Kulisse schon vor dem Erscheinen der Geister da, steht als Abbild des Alls symbolisch für die Kunst überhaupt:

Dem Atlas gleich, der einst den Himmel trug (V. 6405).

Sein Klingen aber deutet auf das Ursprüngliche des Vorgangs, auf die neue Geburt von Kunst, die sich hier ereignet (V. 6447–48).

Die stoffliche Formung der Scheingestalten vollzieht sich nach der dem Scheinstoff eigenen Wolkengesetzlichkeit. In die geistigste, die „gedehnte" Form (V. 6442) der obersten Wolkenregion zunächst eingehend, verdichten sie sich dann zu der „geballten" (V. 6442) Form der mittleren Region, um sich schließlich nach dem Gesetz der Polarisation verschränkend (V. 6442) zu trennen und als getrennte Einheit (V. 6442) sich wieder auf einander zu beziehen (V. 6442). Deshalb ist ihre Individualität das Unbeständigste. Sie sind eine Zweiheit, insofern sich das menschliche Urbild seinem Wesen nach in zwei Geschlechter auseinanderfaltet – daher der Singular: „Musterbild der Männer so der Frauen." Und sie heißen symbolisch Helena und Paris, insofern diese von der Natur einmal verwirklichten Musterbilder Urphänomene des menschlichen Urbildes waren. Ihre symbolischen Namen also gleichen dem, was in der lebendigen Natur der Stoff ist, der das Urbild zur Erscheinung und zur Individuation bringt. Durch ihre Teilhabe am Ideellen sind die Scheingestalten von der höchsten Wahrheit, ihre individuelle Realität aber ist von der flüchtigen Stofflichkeit des poetischen Scheins. Schließlich bekräftigt den Scheincharakter der Erscheinungen das erläuternde

Nachwort des Astrologen, der dem Ganzen seinen Theatertitel: „den
Raub der Helena" (V. 6548) gibt.

Die Pantomime

Dieser Titel gilt dem Spiel, das die von Faust gebildeten Geister auf-
führen und das als poetische Erfindung zu dem Tiefsinnigsten der Faust-
dichtung überhaupt gehört. Eine ganze Ontologie der Schönheit ist darin
enthalten.

Die Geister sprechen eine Sprache, die nicht die des Wortes, sondern
der Gebärden ist. Kunst soll hier noch ganz allgemein verstanden werden
als sinnliche Verkörperlichung eines Gedanklichen und noch nicht als
Erscheinen der Form in dem besonderen Stoff der Sprache. Erst wenn
Faust sich mit der antiken Schönheit auf der mittelalterlichen Burg vereinen wird, entsteht, als Form im sprachlichen Stoff, das moderne Gedicht.

Und dieses Gebärdenspiel ist bedeutend für die Geister. Paralipomenon
100 notiert es als ein besonderes Moment der Szene:

Erscheinungen	Paris	Die Frauen loben die Männer
tadeln	Helena	Die Frauen tadeln die Männer loben
Gebärdenspiel.[184]		

Das Vermögen nämlich, sich in Gebärden frei und vollkommen aus-
drücken zu können, bezeichnet Paris und Helena in der dem Menschen
spezifischen Schönheit seiner körperlich-geistigen Natur. Es bezeichnet
sie also als künstlerische Symbole organischer Schönheit.

> Wenn ich . . . sage, dies Tier ist schön, so würde ich mich ver-
> gebens bemühen, diese Behauptung durch irgendeine Propor-
> tion von Zahl oder Maß beweisen zu wollen. Ich sage viel-
> mehr nur soviel damit: an diesem Tiere stehen die Glieder alle
> in einem solchen Verhältnis, daß keins das andere an seiner
> Wirkung hindert . . ., so daß das Tier nur nach freier Willkür
> zu handeln und zu wirken scheint . . . Rücken wir nun zu dem
> Menschen herauf, so finden wir ihn zuletzt von den Fesseln der
> Tierheit beinahe entbunden, seine Glieder in einer zarten Sub-
> und Koordination, und mehr als die Glieder irgendeines andern
> Tieres dem Wollen unterworfen, und nicht allein zu allen
> Arten von Verrichtungen sondern auch zum *geistigen Ausdruck*
> geschickt. Ich tue hier nur einen Blick auf die *Gebärdensprache*,
> die bei wohlerzogenen Menschen unterdrückt wird, und die
> nach meiner Meinung den Menschen so gut als die Wortsprache
> über das Tier erhebt.[185]

Der Inhalt des Spiels aber sagt, was diese organische menschliche
Schönheit ihrer Funktion nach ist, das heißt, was sie wirkt. Denn die
Pantomime wiederholt nicht den Mythos vom Raub der Helena, sondern
deutet ihn. So sind auch die Spieler nicht selbstverständlich durch den
Mythos vorgegeben, das Signifikante der Verbindung von Helena mit
Paris wird erst deutlich im Vergleich zu Helenas anderen Verbindungen
mit Herkules und Achill in der Walpurgisnacht und mit Menelas in der
Spartaszene des dritten Aktes.

Nicht die Erzählung vom Raub der Helena, sondern die Geschichte
von Endymion und Luna ist die Vorlage für das Geisterspiel – wie es die
Hofdame im Anblick der Helena bemerkt und der Poet es bestätigt:

> Endymion und Luna! wie gemalt! –
> Ganz recht!... (V. 6509–10)

Erst von hier aus erklärt sich die sonst unverständliche Anfangsszene:
Paris als „Schläfer" (V. 6506) – und nicht, wie wir erwarten, als Entfüh-
rer, der Helena aus dem Tempel der Aphrodite raubt.

Endymion ist wie Paris (V. 6459) ein Schäfer, der von Luna mit
ewigem Schlaf beschenkt wurde, damit sie den Schlafenden allnächtlich
in einer Höhle antreffen und ihn küssen könne. Das nämlich ist auch die
Rolle des Paris der Pantomime. Auch er präsentiert sich anfangs schlafend.

> Er setzt sich nieder, weichlich, angenehm. (V. 6463)
> Er lehnt den Arm so zierlich übers Haupt. (V. 6465)
> Sanft hat der Schlaf den Holden übernommen. (V. 6471)

Und auch Helena verhält sich der Rolle der Luna entsprechend, wenn sie
„herabzusinken" (V. 6510) scheint, sich über den schlafenden Paris
neigt und ihn küßt.

> Ganz recht! Die Göttin scheint herabzusinken,
> Sie neigt sich über, seinen Hauch zu trinken;
> Beneidenswert! – Ein Kuß!... (V. 6510–12)

In der Rolle der Luna aber deutet sich Helena wiederum als Schönheit
im urphänomenalen Sinne, insofern im Monde der Glanz des Sonnenlichts zum Schein gemildert erscheint.

Aus diesen beiden Rollen ergibt sich nun, nach der Goethischen Na-
turgesetzlichkeit alles Polaren, der weitere Verlauf des Spiels. Denn die
einzelnen Gebärden bezeichnen den schlafenden Paris, der unter Helenas
Annäherung, wie durch Luna, „von ihrer Schönheit" „angestrahlt"
(V. 6508) erwacht, über ihren Anblick staunt (V. 6518), sich unter ihrer
Wirkung verwandelt – plötzlich, wie durch ein Wunder (V. 6518), vom

„Knaben" zum „Heldenmann" (V. 6541) – und, zur Sehnsucht nach ihrem Besitz verführt, zum Räuber der Helena wird (V. 6548). „Staunen", „Wunder" und plötzliche Verwandlung sind die Vokabeln und Zeichen, die sich hier wie auch sonst in Goethischer Altersdichtung einstellen, wenn sich dank der Schönheit eine Anziehung des Polaren ereignet.

> Er staunt! Ein Wunder ists, was ihm geschieht. (V. 6518)

> Nicht Knabe mehr! Ein kühner Heldenmann,
> Umfaßt er sie, die kaum sich wehren kann.
> Gestärkten Arms hebt er sie hoch empor,
> Entführt er sie wohl gar? (V. 6541–44)

Auf der Folie von Endymion und Luna erzählt das Spiel vom Raub der Helena also die Urgeschichte des Menschenpaars als die Geschichte der geschlechtlichen Anziehung, die schließlich durch das Eingreifen Fausts zur Geschichte der Schönheit wird. So wie Paris und Helena hier für das „Musterbild der Männer so der Frauen" (V. 6185) stehn, so steht Helena als das Weibliche zugleich für die Schönheit, die das Männliche, noch in sich Befangene, zur Leidenschaft erweckt und zum Verlangen und Ergreifen verführt. Es ist die Urfunktion der Schönheit als Verführung zur Vereinigung mit dem Polar-Getrennten, die ihr Goethe in der Natur zuteilt, die sich hier ereignet.

Das aber, was Paris im Spiel geschieht, steht in genauer Analogie zu Faust. Es ist der Grund, warum er in das Spiel eingreifen und sich an Paris' Stelle setzen will. Denn auch in ihm erweckte Helena die Leidenschaft, das Verlangen nach ihrem Besitz; und indem Faust sie nun zu rauben versucht, wird aus dem Spiel vom Raub der Helena: der Raub der Schönheit durch den Künstler. Oder anders ausgedrückt: durch das leidenschaftlichste Verlangen nach Helena als dem Urphänomen der Schönheit wird Faust zum Künstler.

Die Katastrophe

Aber was Paris im Spiel gelingt, ist für Faust zu tun unmöglich. Indem er die im Schein erschienene Helena zu fassen versucht, „gehen die Geister in Dunst auf" (nach V. 6563). – Die Katastrophe kommt durch eine Verwechslung von Schein und Wirklichkeit zustande, in die Faust durch die Leidenschaft gerät: durch das eigentümliche Künstlerverhängnis der Ablösung der Kunstgeschöpfe von ihrem Schöpfer, wodurch er zu ihnen in ein Verhältnis der Realität tritt. Dies Verhalten entspringt selber der höchsten Objektivation der Kunst; das Werk wird in solchem Maße selbständig, daß es seinen Schöpfer überrascht und ihn mit seiner

Schönheit übermannt. Gewalttätig eingreifend macht Faust seine Schlüsselgewalt geltend:

> Ist dieser Schlüssel nicht in meiner Hand? (V. 6550)

der Schlüssel, der ihm zusammen mit der Kraft des Bildes die Herrschaft über die Gebilde gab. – Mehr noch, er hat ihm mit der Schönheit die Welt neu erschlossen, sodaß Faust zum ersten Mal seit seinen gelehrten Studien, seinen magischen Beschwörungen, seinem Versuch mit dem Teufel, sich das ganze wirkliche Leben anzueignen – zum ersten Mal also seit der Katastrophe des ersten Teils – „Fuß fassen" (V. 6553) und rufen kann:

> Hier sind es Wirklichkeiten ... (V. 6553)

Allerdings dies gerade erweist sich als Täuschung. Was Faust für Wirklichkeit hält, ist der flüchtigste Schein seiner eigenen bildenden Phantasie. Indem er nach Helena greift, greift er in ein Nichts.

Aber mit der Täuschung des Künstlers ist die hier geschehene Katastrophe nicht allein zu fassen. Die Scheingestalten lösen sich nicht nur in Dunst auf; es geschieht zugleich eine „Explosion" (nach V. 6563) und „Faust liegt" – „paralysiert" (V. 6568) – „am Boden" (nach V. 6563).

Vergleichbares begegnet im „Märchen". Dort ist es die Lilie, die, wie Helena den Paris, den häßlichen Mops umarmt und durch diese „furchtbare Gunst" (V. 6514) den Jüngling reizt, so daß er das Verbot, die Lilie zu berühren, vergißt und tot umfällt.[186] Die Lilie ist aber auch dort Symbol für die Schönheit als Erscheinung des menschlichen Urbilds. Das Tödliche ist also nicht der Griff in den Schein, sondern die unvermittelte Berührung mit der Idee.

Auch im Anblick der Helena wird Faust die Idee in der Erscheinung gewahr. Es ist dieselbe Erfahrung, auf die das Sonnenbogengleichnis prologartig vorbereitete und wodurch Welt und Leben, die im ersten Teil sinnlos und nichtig waren, Dauer und neuen Sinn erhalten.

> Hab ich noch Augen? Zeigt sich tief im Sinn
> Der Schönheit Quelle reichlichstens ergossen?
> Mein Schreckensgang bringt seligsten Gewinn.
> Wie war die Welt mir nichtig, unerschlossen!
> Was ist sie nun seit meiner Priesterschaft?
> Erst wünschenswert, gegründet, dauerhaft! (V. 6487–92)

Die Erfahrung der Schönheit – hier ganz als das Gewahrwerden eines Urphänomens beschrieben – verändert Fausts Verhältnis zur Wirklichkeit von Grund aus. Was bisher willkürlich und verworren war, die

„millionenfache Hydra der Empirie",[187] das ist jetzt erschlossen, dem Zufälligen und der Vergänglichkeit entrissen, so daß es nicht bloße Täuschung ist, wenn Faust das als die Wirklichkeit beansprucht und alles Bisherige ihm ins Nichtige versinkt.

Im Gegenbild jener ersten Helenaerscheinung in der Hexenküche, die nur ein Scheinbild sinnlicher Lust war,

> Die Wohlgestalt, die mich voreinst entzückte,
> In Zauberspiegelung beglückte,
> War nur ein Schaumbild solcher Schöne! – (V. 6495–97)

bestimmt sich diese als Scheinbild des menschlichen Urbilds: Schönheit als *Idee und Erscheinung in eins.* Die gekoppelten antithetischen Prädikationen:

> So *fern* sie war, wie kann sie *näher* sein! (V. 6556)

bezeichnen diese Doppelnatur der Schönheit als sinnliche Gegenwart des Urbildes der Natur.[188]

Es ist nun das unabweisbare Bedürfnis Fausts –

> Wer sie erkannt, der darf sie nicht entbehren (V. 6559) –

das als Kunst Erfahrene selbst zu besitzen und leibhaftig zu verwirklichen. Das Unbedingte dieses Bedürfnisses ist noch etwas anderes als jene Künstlertäuschung über die Scheinwirklichkeit der Kunstgeschöpfe; es ist der Versuch, die dort erlebte Einheit von Idee und Wirklichkeit mit dem eigenen Leben nachzuschaffen:

> Das Doppelreich, das große, sich bereiten. (V. 6555)

Faust, dem diese in der Kunst sich offenbarende Einheit Gewähr ihrer Möglichkeit ist, nimmt im leidenschaftlichen Vorgriff das eine für das andere. Er greift nach der als Schein erschienenen Möglichkeit, verführt durch das Übermaß des leidenschaftlichsten Wunsches, wie nach dem Wirklichsten und scheitert. Es ist die gleiche Verwechslung von erwünschtestem Schein und Wirklichkeit, wie sie dem Kaiser gegenüber dem Gold des Plutus widerfährt, die hier wie dort in die Katastrophe als in eine Art Tod treibt; nur daß die Leidenschaft des Kaisers der subjektivsten Imagination, die Fausts dem objektiven Wahren gilt.

Unter der Wirkung der Schönheit wird auch Faust zum Begehrenden, als der der Mensch im ersten Akt gefaßt ist, und damit zu einem Fall des Phänomens Gesellschaft; allerdings zu einem das Höchste Begehrenden – Verwirklichung des Ideellen –, wodurch er, indem er sich in diese Welt einfügt, sie zugleich übersteigt und also notwendig verläßt.

Aber der Scheintod ist nur das eine Moment der Verwandlung, die Faust durch das Gewahrwerden der Schönheit erfährt. Das andere ist der neue Versuch, die der Natur einmal in der Antike geglückte Verwirklichung der Schönheit von neuem zu verwirklichen. Das Wort vom „großen Doppelreich" (V. 6555) weist bereits voraus auf die Gründung dieses Reichs im Helenaakt, die vollzogene Einheit von Idee und Wirklichkeit: und alles was dazwischenliegt, ist nur die Erzählung, wie diese Verwirklichung der antiken Helena gelingt.

Der menschliche Geist

Phänomen

Faust, von Helena „paralysiert", begegnet nun wieder – wie zu Beginn des ersten Teils – in seinem ehemaligen „hochgewölbten, engen gotischen Zimmer".

Während der Plan von 1816[1] von einer Rückkehr in die alte Studierstube nichts weiß, kennt der Entwurf von 1826[2] zwar einen Besuch bei dem „akademisch-angestellten Doktor und Professor Wagner"; aber Grund zu dem Motiv und Erfindung im einzelnen sind noch anderer Art.

Faust ist dort nach einer „schweren" „Schlafsucht", in der sich seine Träume „sichtbar" „begeben", wieder ins Leben zurückgekehrt, Mephisto sucht ihn von seinem leidenschaftlichen Begehren nach Helena durch mancherlei Zerstreuungen abzulenken, eine davon ist der Besuch im Wagnerschen Laboratorium, wo Homunculus *bereits entstanden ist;* im Unterschied zu der Dichtung, wo sich die Studierstube wiederbelebt, ohne daß der bewußtlose Faust Anteil an seiner früheren Umwelt hat, und dem Faustischen Studierzimmer das Wagnersche Laboratorium benachbart ist, in dem Homunculus erst zu entstehen im Begriff ist.

Es ist deutlich: in dem Entwurf von 1826 ist der Besuch bei Wagner noch als Glied einer dramatischen Handlung gedacht, die zwischen Helenas Beschwörung am Kaiserhof und ihrer Losbittung aus dem Hades in durchgehender Folge verbinden soll und die später fehlt.

Statt dessen nun in der Dichtung, unbegründet: die Wiederkehr der Studierstube, aber in neuer Funktion; zwar sind die Menschen darin noch die aus dem ersten Teil bekannten, aber sie erscheinen stufenweise erhöht, in veränderter Rolle. Wagner steht an Fausts Platz, an Wagners Stelle trat ein neuer Famulus, und der Schüler von ehedem ist zum Baccalaureus aufgestiegen. Fausts wird noch ehrfürchtig gedacht, aber die Menschen kehren nicht wieder als ehemalige Faustische Umwelt.

Was „unverändert" wiederkehrt, ist die Studierstube als Gehäuse; und zwar unverändert in dem Maße, daß sie in ihrem all-„unversehrten" Zustand (V. 6571) zur bewußten Spiegelung der vergangenen wird: nicht nur, daß hier alles am alten Platz blieb: Tinte, Papier und der Pelz am Haken; das Gegenwärtige *versteht sich* aus dem Vergangenen: die „bunten Scheiben" heißen „trüber", die Grillen „tausendfach vermehrt",

die Teufelspakt-Feder ein Sammlerstück, und das Mephistophelische
Lehrgespräch läuft ab als ein „Noch-einmal" (V. 6586–6588).
Wiederkehr wird hier verstanden als „wiederholte Spiegelung",
jenes optische Gesetz, das Goethe als poetisches Formprinzip im Alter
vielfach verwendet, wobei er unter wiederholter Spiegelung das Abbilden des Gegenstands als seine Gesetzlichkeit versteht.

> Bedenkt man nun, daß wiederholte sittliche Spiegelungen das
> Vergangene nicht allein lebendig erhalten, sondern sogar zu
> einem *höheren* Leben emporsteigern, so wird man der entopti-
> schen Erscheinungen gedenken, welche gleichfalls von Spiegel
> zu Spiegel nicht etwa verbleichen, sondern sich erst recht ent-
> zünden.[3]

Wiederkehr meint also hier: erneute Vergegenwärtigung des einstigen
Besonderen als sein Allgemeines. Die Studierstube kehrt wieder als
Symbol ihrer selbst.

Wenn dieser nun das Wagnersche Laboratorium zur Seite steht, so
verrät die Erfindung das Formprinzip der Szenen: es heißt Reihung.
„Gotisches Zimmer" und „Laboratorium" reihen sich aneinander als
symbolische Räume, in denen sich das Phänomen des produktiven
christlich-nördlichen Geistes reihenartig auseinanderlegt. Und die
Bewohner dieser Räume, ebenfalls nach dem Gesetz der wiederholten
Spiegelung gebildet, sind zum Bild ihrer selbst geworden und veranschaulichen als geistige Typen verschiedene Erscheinungsweisen dieses
Geistes.

Die leidenschaftliche Affektation Fausts durch den Anblick des Helenabildes wird verstanden als Ereignis, das ihm als künstlerischer
Geisteskraft widerfährt; sie faltet sich auseinander in ein Moment der
Zerstörung („Gotisches Zimmer") und ein Moment der aus der Zerstörung neu erwachenden geistigen Produktivität („Laboratorium"),
wo Faust aus Sehnsucht nach Helena ihre mythische Erzeugung
träumt.

Diese beiden polaren Momente ein und desselben geistigen Ergriffen-
seins Fausts werden in Analogie zu anderen Veränderungsprozessen des
christlich-nördlichen Geistes am Ausgang des Mittelalters gesetzt und
zu einem Ganzen gedacht, das sich versteht als Augenblick der Verwandlung in der Geschichte dieses Geistes.

Die Szenerie ist durchaus zeichenhaft gemeint: wie sich die Studierstube in zwei Räume teilt, so expliziert sich hier erfindender Menschengeist auf zwei Arten und Stufen. Faust, in einem Seitenzimmer liegend,
ist durch Zugänge mit beiden Räumen verbunden, so wie Mephisto
zwischen beiden verbindet.

Das „enge gotische Zimmer" vereint Famulus und Baccalaureus: früher polare Charaktere, wurden sie nun zu Bildern polarer Denkweisen. Name und Charakter, Gangart und Haartracht – ihr Persönlichstes, Unverwechselbares – werden zur Aussage über die Beschaffenheit dieses Denkens. Um ihre poetische Erfindung aber genau zu verstehen, ist noch ein zweites zu bemerken. Der Dichter stattet jeden mit Merkmalen aus, die ihn in verschiedenen historischen Zeiten ansiedeln, und verdichtet dadurch in einem jeden eine ganze Geistesepoche zu ihrem idealen Subjekt. Es ist ein Prinzip der Personenbildung, das dem II. Faust überhaupt eigen ist, das im zweiten Akt noch einmal in Thales, im dritten Akt in Menelas, Lynkeus, den Heerführern, Euphorion, und im fünften Akt in Philemon und Baucis wiederkehrt.

Der Famulus, „bejahrter Student", zaghaft („kaum wag ich's, mich hereinzuwagen" V. 6666) und bescheiden von Natur, lebt in der gotischen Studierstube als in seiner Welt. Als solcher ist er Spiegelung des *früheren* Famulus und damit Bild des im Dienen an der Wissenschaft sich erfüllenden Geistes.[4]

Dieser nun heißt Nikodemus[5] und vergegenwärtigt in seinem Namen jenen neutestamentlichen Nikodemus, der als Pharisäer durch Jesu Wunder gläubig geworden und von ihm über die Neugeburt des Menschen aus „Wasser und Geist" belehrt worden ist.[6] Er ist darum auch in der Studierstube der Gläubige, wie das Reimwort anzeigt: „Oremus".

Indem aber sein Name auf den durch den Glauben wiedergeborenen Menschen zurückweist: das ist der aus dem heidnisch-natürlichen Menschen neugeborene christliche Mensch, macht der Dichter den Famulus zu einer idealen Person, zu der sich die gläubige Haltung des mittelalterlichen Denkens verdichtete und die, historisch fixiert, die Epoche des christlichen Geistes von seinen Anfängen bis zum Ende des Mittelalters umfaßt. Als Gläubiger lebt Famulus in dem „hochgewölbten, gotischen Zimmer" als in einem hierarchischen Kosmos, was sich in seiner aufschauenden Haltung zu Wagner dokumentiert (V. 6674–6676), die sich in dem Aufschauen Wagners zu Faust wiederholt (V. 6659–6662). Diese Haltung der Ehrfurcht führte im Mittelalter sowohl zu einer Hierarchie der Gelehrten wie zu dem hierarchischen Aufbau der Wissenschaft, der das aristotelisch-scholastische Denkgebäude auszeichnet. Gläubiges Anerkennen und frommes Überliefern – Autorität und Tradition – sind die Qualitäten dieses Denkens, dessen gestufter Wissenskosmos in der Kontemplation Gottes seine Erfüllung findet.

Der Baccalaureus – gegenüber dem Heranwankenden (vor V. 6620) der Herstürmende (vor V. 6689), gegen den Zaghaften (V. 6666) der Verwegene (V. 6699), gegen den Ehrfürchtigen (V. 6666–67) der

Anmaßliche (V. 6774–89) – ist den engen Räumen der Studierstube
längst entflohen. In einem Akt der Befreiung hatte sich aus der „Raupe"
(V. 6729) der „Schmetterling" (V. 6730) entpuppt. Der unsichere
Schüler des ersten Teils kehrt wieder als der dünkelnde (V. 6748) Promo-
vierte und damit als das Bild des fortschreitenden Geistes, der sich
entwickelt, indem er sich plötzlich in stoßhaften Verwandlungen
befreit.

Seine Haartracht – der „Schwedenkopf" (V. 6734) – ist die der Truppen des jungen Schwedenkönigs Karls des Zwölften (1683–1718)[7] wie
auch der Jugend der Freiheitskriege;[8] und mit der Haartracht verbindet
sich bei ihm derselbe Geist der Befreiung, mit dem sich zuerst die neuzeitliche Aufklärung vom Perückenzeitalter des Barock losmachte und
der die patriotischen Kämpfer von 1813 beherrschte.

> Indessen wir die halbe Welt gewonnen. (V. 6782)

Die Haartracht ist hier das dichterische Mittel, um in Baccalaureus die
Geistesepoche zu umgreifen, da der denkende Geist sich freisetzte, die
ihren Anfang letztlich in der Reformation hat und bis zu der Philosophie
der Freiheit und der sich daraus nährenden nationalen Befreiungsbe-
strebungen in der Goethischen Gegenwart reicht.

Dieser sich emanzipierende Geist hat aus dem Belehrung suchenden
Schüler des ersten Teils den Rebellen gegen die Lehrer des zweiten Teils
gemacht und, in den Lehrern, gegen die verwaltete Wahrheit (V. 6750
bis 53), gegen den Wert überlieferten Wissens (V. 6758–61), gegen die
Überlegenheit von Alter und Erfahrung (V. 6785–89). Der Baccalaureus
vertritt damit gegen den bewahrenden Geist des Famulus den revolutionären.

Dazu kommt aber noch ein zweites, zeitlich späteres Moment: während die Folie für die Belehrung des Famulus die Unterweisung des
Nikodemus durch den Herrn abgibt, leitet sich der Baccalaureus aus der
früheren Belehrung durch den Teufel her (V. 1868–2050). Er hat den
Stammbuchvers Mephistos aus dem ersten Teil:

> Eritis sicut Deus, scientes bonum et malum (V. 2048)

– das Wort der Schlange am Baum der Erkenntnis – gelehrig befolgt;
denn dieser auf sich gestellte Geist, indem er sich autonom erklärte,
dünkt sich nun in der Tat gottähnlich („sicut Deus") und setzt sich an die
Stelle des Weltschöpfers. Die Dinge existieren ihm nur, insofern sie das
menschliche Bewußtsein apperzipiert. Die reflektierende Allmacht des
Subjekts führt sie aus dem Nichts ins Dasein.

> Die Welt, sie war nicht, eh ich sie erschuf. (V. 6794)

Er betrachtete die Welt „als *seinen* erschaffenen Besitz", sagte Goethe von Fichte;[9] Züge des Fichteschen subjektiven Idealismus geben diesem autonomen Denken schließlich seine modernen Akzente.

Als der befreite Geist ist Baccalaureus durchaus von dem gebundenen des Famulus geschieden, und es bedurfte eines historischen Augenblicks der Zerstörung, damit sich aus dem mittelalterlichen das neuzeitliche Denken bildete (V. 6620–27; V. 6695–98). Dennoch vereint der Dichter beide in demselben Raum: das „Gotische Zimmer" wird ihm zum Ort des *spekulativen* Geistes, der beiden, Famulus wie Baccalaureus, gemeinsam ist. Dieser ist für den Dichter dadurch bezeichnet, daß im scholastischen wie im autonomen Denken dasselbe Moment des reinen Entwerfens wirksam ist: ein subjektives Setzen ohne ein objektives Korrektiv.

Dem steht nun im Laboratorium der forschende als der naturwissenschaftlich-experimentierende Geist entgegen, und das heißt: gegen den spekulativ entwerfenden: der objektiv-erfahrende menschliche Geist, der die Natur im Experiment befragt.

In Wagner ist der Gelehrte der neuen Generation am Werke; auch er kehrte aus dem ersten Teil wieder in erhöhter Position, und das heißt: verwandelt in seinen geistigen Typus. Dabei hat sich das Charakterologische, Individuell-Wagnerische verloren, sein zaghaft-dienendes Wesen, was mit seiner Position als Famulus zusammenhing und welches er an den Famulus des zweiten Teils abgegeben hat; und es ist ihm aus dem ersten Teil geblieben: seine Qualifikation zur Wissenschaft.

> Wie anders tragen uns die Geistesfreuden
> Von Buch zu Buch, von Blatt zu Blatt!
> Da werden Winternächte hold und schön,
> Ein selig Leben wärmet alle Glieder,
> Und ach, entrollst du gar ein würdig Pergamen,
> So steigt der ganze Himmel zu dir nieder. (V. 1104–09)

Konzentration, Ausdauer, Entsagung (V. 6675–80), aber auch geistige Verwegenheit (V. 6838–47) und wissenschaftliche Hybris (V. 6867–70) sind die Eigenschaften, die Wagner jetzt bezeichnen.

Geblieben ist ihm ebenfalls seine Schülerschaft zu Faust, an dessen Stelle er nun steht und auf den seine jetzige Tätigkeit zurückgeht: die Hinwendung zur Natur, der er sich aber nicht auf die einstige Faustische Weise im Ganzen und mit der Allmacht des Gefühls bemächtigt, sondern die er mit den Mitteln der Wissenschaft auf ihre Gesetzlichkeit hin zu erforschen unternimmt. Die Naturwissenschaft war Thema beim Osterspaziergang. Faust sah dort seine Tätigkeit in der Folge seines Vaters,

> Der über die Natur und ihre heilgen Kreise,
> In Redlichkeit, jedoch auf seine Weise,
> Mit grillenhafter Mühe sann,
> Der in Gesellschaft von Adepten
> Sich in die Schwarze Küche schloß
> Und nach unendlichen Rezepten
> Das Widrige zusammengoß. (V. 1035–41)

In diese Folge ist Wagner im zweiten Teil eingetreten und setzt sie als Fausts Adept fort. Das Schülerverhältnis steht hier für ein geistiges Vater-Sohn-Verhältnis; der Enkel betreibt auf bewußterer Stufe, was der Vorfahr noch dunkel begann.[10]

Jene Stufe der alchemistischen mittelalterlichen Tätigkeit, als die Stufe des Faustischen Vaters, ist in der Ausstattung des Wagnerschen Laboratoriums festgehalten, das vorgestellt werden soll „im Sinne des Mittelalters", versehen mit „weitläufigen unbehülflichen Apparaten zu phantastischen Zwecken" – während in Wagner selber wesentliche Züge der experimentierenden Chemie der Neuzeit eingezeichnet sind. In dem Bilde des wissenschaftlichen Chemikers inmitten eines Laboratoriums alchemistischen Stils rafft der Dichter hier die Genese der Chemie zusammen, wodurch die Alchemie nun geschichtlich rehabilitiert erscheint: als die noch ganz in zufälligen Versuchen sich bewegenden Anfänge der modernen theoretischen Wissenschaft.

Und zwar werden diese alchemistischen Unternehmungen, wie sie durch die Prozeduren des Vaters Faust (I. Teil) bezeichnet sind, offenbar in einem bestimmten Augenblick der Geschichte der Alchemie gefaßt, der sich bestimmen läßt durch die Wendung des Interesses von der Metallverwandlung zur Heilmittelherstellung, die mit Paracelsus einsetzt.

> Da ward ein roter Leu, ein kühner Freier,
> Im lauen Bad der Lilie vermählt
> Und beide dann mit offnem Flammenfeuer
> Aus einem Brautgemach ins andere gequält.
> Erschien darauf mit bunten Farben
> Die junge Königin im Glas,
> Hier war die Arzenei, die Patienten starben,
> Und niemand fragte: wer genas? (V. 1042–49)

Diese Verse nämlich enthalten die Anweisung zur Herstellung einer mittelalterlichen Arzenei, die gegen Entzündungen der Haut und der inneren Organe, ja ganz allgemein als Desinfektionsmittel verwandt wurde – ein Quecksilberpräparat, das mit Fett verrieben, als „graue Salbe",[11] auch gegen die Beulenpest (V. 1052) angewendet wurde, wobei es bei zu langem Gebrauch oder zu starker Dosierung zu Vergiftungserscheinungen kommen konnte, zu dem sogenannten Merkurialismus,[12] der zum Tode führte (V. 1048–54). – Als Rezeptur bedeuten die Verse folgendes: Rötliches Quecksilberoxyd („roter Leu") soll mit weißer Salzsäure („Lilie") im schwach erhitzten Wasserbad („im lauen Bad") chemisch verbunden („vermählt") und bei stärkerer Erhitzung durch offenes Feuer („mit offenem Flammenfeuer") von einer Retorte in die andere gebracht („aus einem Brautgemach ins andere gequält"), mehrfach destilliert werden, bis schließlich die flüssige Verbindung in gasförmigen Zustand übergeht und sich als fester Stoff, als Quecksilberchlorid,[13] regenbogenfarbig niederschlägt („erschien darauf mit bunten Farben die junge Königin im Glas").

Dieser in Paracelsus gefaßte Augenblick in der Geschichte der Alchemie ist für Goethe durch zwei Momente gekennzeichnet.

1. Das alchemische Interesse wendet sich dem menschlichen Organismus zu; von Paracelsus stammt bekanntlich der Versuch, einen Menschen künstlich zu erzeugen („Homunculus").[14] Das Interesse richtet sich nun auch auf die Erkenntnis der Heilwirkung metallischer und nichtmetallischer Verbindungen für den menschlichen Körper.

2. Die Alchemie löst sich von der aristotelischen Axiomatik der vier Elemente – Feuer, Wasser, Luft und Erde – als der Urstoffe, aus denen sich alle natürlichen Körper zusammensetzen, die das mittelalterlich-naturwissenschaftliche Denken von der Antike übernommen hatte. Goethe spricht von dieser aristotelischen Setzung als von einer „notdürftigen Topik, nach welcher sich die erscheinenden Erscheinungen allenfalls ordnen . . . ließen. Die faßliche Zahl, die in ihr enthaltene doppelte Symmetrie und die daraus entspringende Bequemlichkeit machte eine solche Lehre zur Fortpflanzung geschickt".[15] Seit Paracelsus ist die Alchemie nun dadurch bestimmt, daß sie auf drei einfachere Grundstoffe, als die Baustoffe aller Körper, zurückgeht, aus denen man sich auch die vier Elemente auf verschiedene Weise zusammengesetzt dachte: „Sal, Sulphur und Mercurius";[16] in der „Geschichte der Farbenlehre" durch „alkalische Grundlagen", „säuernde Wirksamkeiten" und „begeistende Vereinigungsmittel" – nach ihrer Funktion im chemischen Prozeß – übersetzt.[17] Dies ist der für Goethe entscheidende Schritt, wodurch sich mit Paracelsus eine neue Periode der Naturerkenntnis einleitet; er bezeichnet ihm den Ursprung der wissenschaftlichen Chemie und damit zugleich den Augenblick in der Geschichte der Naturerkenntnis, wo sich die ältere von der neuen Zeit scheidet; denn zum ersten Mal gelingt es dem forschenden Geist, die natürlichen Körper zu zerlegen, sie in ihre einfachsten Elemente zu scheiden und sie künstlich wieder zu bilden. Goethe schreibt über diesen Schritt:

In der neuern Zeit brachte die Chemie eine Hauptveränderung hervor; sie zerlegte die natürlichen Körper und setzte daraus künstliche auf mancherlei Weise wieder zusammen; sie zerstörte eine wirkliche Welt, um eine neue, bisher unbekannte, kaum möglich geschienene, nicht geahndete wieder hervor zu bauen. Nun ward man genötigt, über die wahrscheinlichen Anfänge der Dinge und über das daraus Entsprungene immer mehr nachzudenken, so daß man sich bis an unsre Zeit zu immer neuen und höheren Vorstellungsarten heraufgehoben sah ... In dieser Rücksicht haben wir zu unsern Zwecken gegenwärtig nur eines einzigen Mannes zu gedenken – Paracelsus.[18]

Diese chemische Zerlegung wurde zunächst an den Mineralien als der toten Materie experimentiert. Die Kompliziertheit der chemischen Vorgänge in den lebenden Organismen entzog sich jedoch noch dem Verständnis und führte schließlich in der Mitte des 17. Jahrhunderts dank Becher[19] und Stahl[20] zu der Ansicht, daß die organischen Lebensprozesse zwar auch auf dem Gegensatz von Basischem und Saurem beruhen, aber außerdem noch anderen Gesetzen unterliegen als denen der unbelebten Natur: man nahm einen Lebensstoff an, „Phlogiston" genannt, der die Zersetzungsprozesse in den Organismen modifizierte. Den Tod verstand man von daher als den Sieg des Chemismus im Körper über diesen Lebensstoff.

Diese Lehre hat ein Jahrhundert lang die Chemie beherrscht, bis in der zweiten Hälfte des 18. Jahrhunderts der schwedischen (Scheele[21] und Bergman[22]) und der englischen Wissenschaft (Cavendish[23] und Priestley[24]) die chemische Analyse von Wasser und Luft gelang, welche zu der Entdeckung des Sauerstoffs führte und damit auch zur Entsetzung des Lebensstoffes. Auch Goethe lehnte die Phlogistontheorie entschieden ab, sie rückte für ihn als Irrlehre mit der Newtonischen Farbentheorie zusammen.

Schon ein Irrlicht sah ich verschwinden, dich Phlogiston! Balde,
Oh Newtonisch Gespenst, folgst du dem Brüderchen nach.[25]

Die Entdeckung des Sauerstoffs (1774)[26] nämlich war die Voraussetzung für ein neues Verständnis des chemischen Phänomens der Verbrennung und im Gefolge davon für die Erkenntnis des organischen Lebensprozesses als eines langsamen Oxydationsprozesses (Lavoisier 1778).[27] Unter der Überschrift „Das Neueste in der Chemie" notiert Goethe diese Entdeckung in einem Xenion:

Irgend ein Antheil der Luft gehört zum Athmen und Brennen;[28]
Dies ist der Säure Grund, Nahrung des Lebens und Brands.

Dies ist die wissenschaftliche Situation, in die der experimentierende Wagner hineinzudenken ist: wir treffen ihn an bei Versuchen mit Kohlenstoff („lebendige Kohle"), und das heißt: befaßt mit Experimenten der organischen Chemie:

Schon in der innersten Phiole
Erglüht es wie lebendige Kohle. (V. 6824-25)

In Wagner – als dem geistigen Enkel des Faustischen Vaters – faßt sich also, wie wir nun genauer sehen, nicht die Genese der Chemie im allgemeinen, sondern die der organischen Chemie von ihren Anfängen in Paracelsus und der Heilmittelherstellung bis zu ihrer modernen Erkenntnis der organischen Prozesse von Atmung und Stoffwechsel als in einer idealen Person zusammen.

In diesem Sinne wird auch Wagners wissenschaftliche Tätigkeit beschrieben, wenn es von ihm heißt:

Die Schlüssel übt er wie Sankt Peter,
Das Untre so das Obre schließt er auf. (V. 6650-51)

Die Stelle des Neuen Testaments, auf die diese Verse anspielen, findet sich Matthäus 16, Vers 18 und 19:

Und ich sage dir auch: du bist Petrus ... und ich will dir des Himmelreichs Schlüssel geben. Alles, was du auf Erden binden wirst, soll auch im Himmel gebunden sein, und alles, was du auf Erden lösen wirst, soll auch im Himmel los sein.

Lösen und Binden aber sind die Verrichtungen, die das Wagnersche Forschen und Lehren im Sinne eines wissenschaftlichen Experimentierens deuten:[29] nur die analytischen und synthetischen Prozesse der Chemie sind von einem solchen Ausmaß, daß sie den Vergleich mit Petri aufschließender Schlüsselgewalt erlauben, ein Lösen nämlich von gebundenen natürlichen Körpern in ihre Grundstoffe und ein Binden von Stoffen zu naturgemäßen künstlichen Körpern im Sinne der zitierten Goethischen Definition der Chemie.[30]

In dieselbe Richtung weist auch der zweite Vers: denn „das Untre *so* das Obre" aufschließen will bedeuten: daß Wagner das Untre in *Analogie* zum Oberen aufzuschließen vermag. Wo immer in Goethischer Dichtung das Bild von einem Unten zu einem Oben begegnet – und es begegnet allein im II. Faust noch je zweimal im ersten und im vierten Akt[31] – meint es das analoge als das gültige Verhältnis zwischen einem natürlich-gesetzlichen und einem menschlichen Wirken. So hier: die als geschaffene Schöpfung vorliegende Natur – als das „Untere" – schließt Wagner chemisch auf in der Weise, wie sie als das Obere für den Schöpfergott aufgeschlossen ist. Durch die chemische Analyse wird das in der Natur in Körpern Gebundene gelöst, wie es gleichsam vor der Schöpfung für „Gott" gelöst da war; und es wird wiederum chemisch zu künstlichen Körpern neu gebunden analog dem göttlichen Bilden zu natürlicher Schöpfung. Das chemische Tun Wagners ist also ein Lösen und Binden in der Weise des Wirkens eines Weltschöpfers – eine Statthalterschaft Gottes in der geschaffenen Natur (V. 6650).[32]

„Erfinden" ist die Vokabel, in die der Dichter diese Tätigkeit Wagners zusammenfaßt:

> Er ist es, der allein erfand (V. 6655).

In welcher Bedeutung hier „Erfinden" gebraucht ist, geht aus dem Aufsatz „Vorschlag zur Güte" hervor.[33] Mit der Reihe: „Erfahren, Schauen, Beobachten, Betrachten, Verknüpfen, Entdecken, Erfinden", bezeichnet Goethe dort Geistestätigkeiten, die offenbar in steigender Reihe geordnet sind. „Erfinden" als das Endglied dieser mit „Erfahren" beginnenden Reihe bezeichnet also die Wendung vom passiven ins produktive Erkennen: wo Erkenntnis schöpferisch wird. Auf die Chemie angewandt, meint es die bildende Tätigkeit, die mit den gelösten Stoffen eine „künstliche Welt" nach den natürlichen Gesetzen hervorbaut.

Damit aber gerät die wissenschaftliche – als „künstliche" – Tätigkeit in Analogie zur künstlerischen: in dem Bilden natürlicher Gesetzlichkeit auf künstliche Weise.

Von einem solchen analogen Verhältnis zwischen Kunst und Wissenschaft spricht Goethe auch in anderem Zusammenhang. In dem Aufsatz „Schicksal der Druckschrift" sagt er – anläßlich der Metamorphose der Pflanzen, deren wissenschaftliche Gesetzlichkeit er in der Form des Gedichtes dargelegt hatte:

> In diesem Falle war jedoch Gelehrten nicht gut gepredigt, sie . . .
> meinten . . ., wenn man nichts weiter als die Kunst im Auge
> habe . . ., so müsse man nicht tun, als wenn man für die Wissen-
> schaften arbeite, wo dergleichen Phantasien nicht gelten dürf-
> ten . . . nirgends wollte man zugeben, daß Wissenschaft und
> Poesie vereinbar seien. Man vergaß, daß Wissenschaft sich aus
> Poesie entwickelt habe, man bedachte nicht daß, nach einem
> Umschwung von Zeiten, beide sich wieder freundlich, zu
> beiderseitigem Vorteil, auf höherer Stelle, gar wohl wieder be-
> gegnen könnten.[34]

Das Wagner'sche Erfinden, dem in Homunculus ein höchster schöpferischer Entwurf innerhalb der Wissenschaft gelingt, stellt sich dem schöpferischen Erfinden des träumenden Faust analog zur Seite. Denn

auch Träumen meint hier die produktive Tätigkeit des schöpferischen
Geistes, Bilder, die eine natürliche Gesetzlichkeit darstellen, hervorzubringen.

Im Laboratorium also legt sich der Geist als wissenschaftlich und
künstlerisch bildender polar auseinander. Beiden geht es um Erkenntnis
des menschlichen Individuums: der Wissenschaft um das Individuum,
sofern es Lebenskraft ist; der Kunst – wie Fausts Traum zeigen wird –
um das Individuum, sofern es schöne Form ist.

Wenn in dieser Weise Wagners Tätigkeit ernst genommen wird, so
gewinnt die Figur allerdings Züge, die ihr nach der herkömmlichen
Deutung fremd sein müssen. In der Forschung fällt ihm durchgängig die
Rolle einer Karikatur zu, als ob sich Goethe in ihm nur von einem beschränkten Gelehrtentyp, einer mechanistischen Wissenschaftsrichtung
polemisch distanzieren wollte;[35] aber das Komische, das als Element
ziemlich weitgehend in die Dichtung eingelassen wurde, dient im
II. Faust nirgendwo der Satire: es hängt mit dem allegorischen Wesen
der Personen zusammen und dient hier einem Denken in Antithesen, das
jedem seinen polaren Platz anweist. Gerade das Moment der Vermessenheit, welches Wagners Unternehmen enthält – ein Zug der es mit dem
Fausts verbindet – gehört wesentlich zur modernen abendländischen
Naturwissenschaft als Spezifikum des autonomen Wissenschaftsgeistes,
wie er dem christlichen Verständnis von dem menschlichen Verlangen
nach Gottähnlichkeit entspringt.

Prozeß – Die Geisteswende

Dennoch ereignet sich etwas in der Studierstube: der schöpferische
christlich-nördliche Geist faltet sich hier nicht nur – in der Weise des
Phänomens – auf der Schülerstufe wie auf der der produktiven Geister
polar auseinander; er zerlegt sich nicht nur im „gotischen Zimmer" und
im „Laboratorium" in polare geistige Räume und breitet sich so als eine
ganze Welt mittelalterlich-neuzeitlichen Denkens auseinander; es gibt –
wie im ersten Akt – auch hier wiederum eine Art von Handlung. Denn
auch der Geist wird hier als ein lebendiges Phänomen, und das bedeutet:
als „Funktion", als „Dasein in Tätigkeit" gedacht. Er wird in der Studierstube als ein wirkendes organisches Ganzes gefaßt und verkörpert
sich in den Personen zu Allegorien von ihn bildenden und umbildenden
Vermögen und Kräften.

Die Handlung betrifft das Eine Ereignis: Faust und die Lösung aus
der todesähnlichen Paralyse, in die ihn der Anblick des Helenabildes ge-
stürzt hatte und für die Mephisto kein anderes Mittel wußte als die Rück-

kehr in das alte Faustische Studierzimmer. Diese Handlung nun spielt
sich ab als ein doppeltes Geschehen: Wagner mit Mephistos Hilfe gelingt die Erfindung des Homunculus, Homunculus mit Fausts Hilfe
gelingt dann der gemeinsame Übergang in das das Leben aufs neue wek-
kende Helenische Naturelement.

Dieses doppelte Geschehen, das sich in einem Nacheinander ereignet,
soll aber nach dem Willen der Dichtung als das Zugleich Eines Augenblicks gedacht werden; denn es ist Ein Glockenton, der die Dauer der
Ereignisse bezeichnet: Mephisto „zieht die Glocke", die einen „durch-
dringenden Ton" erschallen läßt; mit ihr läutet er sowohl den Famulus
wie den Baccalaureus herbei,[36] und dieselbe Glocke ertönt noch Wagner
im Laboratorium,[37] als hätte sie Mephisto eben gezogen.

Ein Glockenton aber bezeichnet die Zeitlosigkeit des Geschehens; es
ist alles Ein Augenblick. Denn dieser Eine ist als ein glücklicher Augenblick konzipiert: das heißt: als Augenblick einer Verwandlung, die eine
Neugeburt bedeutet.

Ein solcher glücklicher Augenblick ist für Goethe ganz allgemein dadurch definiert, daß sich unter einer außergewöhnlichen Konstellation
gewöhnlich isoliert oder gegeneinander wirkende Kräfte plötzlich zu
gemeinsamem Tun vereinen, wodurch neues Leben entstehen, zerstörtes
wiederentstehen kann. In dem Märchen aus den „Unterhaltungen deutscher Ausgewanderten", das einen solchen glücklichen Augenblick der
Wiederherstellung eines gestörten Weltzustandes als seine Handlung
erzählt, ist dieses Gesetz folgendermaßen ausgesprochen:

> Ein einzelner hilft nicht, sondern wer sich mit vielen zur rech-
> ten Stunde vereinigt . . . Wir sind zur glücklichen Stunde bei-
> sammen; jeder verrichte sein Amt, jeder tue seine Pflicht, und
> ein allgemeines Glück wird die einzelnen Schmerzen in sich
> auflösen.[38]

Nach diesem Schema ist auch die Handlung in der Studierstube zu verstehen: als der glückliche Augenblick einer Neugeburt des christlich-
nördlichen Geistes, zu dessen Gelingen die Personen als ein Gesamt
sonst getrennt wirkender Kräfte plötzlich zusammenhelfen. Die außer-
gewöhnliche Konstellation, die diese Handlung auslöst, tritt durch die
Rückkehr Fausts ein, die lang und sehnlich erwartete.

> Das Zimmer, wie zu Doktor Faustus Tagen,
> Noch unberührt, seitdem er fern,
> Erwartet seinen alten Herrn. (V. 6663–65)

Fausts und mit ihm Mephistos Wiederkunft in das von Faust einst verlassene, „all-unveränderte" (V. 6571) „gotische" Zimmer wird die

„Sternenstunde" (V. 6667) genannt, da in die erstarrte mittelalterliche Gelehrtenwelt neues Leben kommt.

> Was muß die Sternenstunde sein?
> Gemäuer scheint mir zu erbangen;
> Türpfosten bebten, Riegel sprangen (V. 6667–69).

Aber dieses neue Leben geht nicht von Faust aus, der selbst „paralysiert" hinter einen Vorhang auf ein „altväterisches Bett" gelegt wird und keinen Anteil an seiner für ihn abgestorbenen früheren Umgebung nimmt; das neue Leben löst Mephisto aus, indem er die „gellende" Glocke zieht, „wovon die Hallen erbeben und die Türen aufspringen" (nach V. 6619). Was bedeuten diese Zeichen?

Indem zusammen mit Faust Mephisto in die Studierstube wiederkommt, treten hier die neuen Kräfte des christlich-nördlichen Geistes ein: und zwar in der ihn bezeichnenden Polarität: der schöpferischen entelechischen Geisteskraft (Faust) und dem nach immer mehr Bewußtsein drängenden abendländischen Geistestrieb (Mephisto); der eine bewußtlos, vom Anblick des Ideellen zerstört, der andere bewußtmachend.

Fausts Zerstörung nämlich durch das Bild Helenas und seine Sehnsucht, die antike Schönheit wiederzubesitzen, soll als ein Schicksal verstanden werden, das, so sehr es Fausts eigenes ist, zugleich dem Geist seiner ganzen Epoche widerfährt: die Hinwendung zur Antike dem christlich-nördlichen Geist am Ende des Mittelalters. – Deshalb wird Faust ins „hochgewölbte, enge gotische Zimmer" zurückgebracht, weil ihn als den gotischen die Sehnsucht nach der antiken Schönheit paralytisch gefangen hält und das Gefangensein in der ihm zugeborenen christlich-nördlichen Epoche der Grund ist, warum jede Wiedergenesung hier unmöglich.

> Verbräunt Gestein, bemodert, widrig,
> Spitzbögig, schnörkelhaftest, niedrig! –
> Erwacht uns dieser, gibt es neue Not:
> Er bleibt gleich auf der Stelle tot. (V. 6928–31)

Aber es macht das Glück des geschichtlichen Augenblicks aus und bezeichnet die Ambivalenz der Kräfte, die in ihm plötzlich zusammenwirken, daß sich – dank Mephisto – dieser selbe Geist in der polaren Variante zu verwandeln beginnt: der christlich-nördliche als forschender Zeitgeist, wie es der Szenerie der gotischen Studierstube entspricht. Und die Studierstube erzählt zunächst die Geschichte, wie Mephisto diesen erstarrten mittelalterlichen Geist in die Lehre nimmt und ihn, indem er ihn zerstört, in den wissenschaftlichen Geist der Neuzeit verwandelt, der die gesetzlichen Prinzipien der menschlichen Individualität findet; in den Erfinder des Homunculus.

Denn nun kommt eins zum anderen. Das neue Epochenbewußtsein vom Menschen als wissenschaftlichem Prinzip trifft geschichtlich zusammen mit der neu erwachten Leidenschaft der künstlerischen Geisteskraft zur antiken Schönheit und eröffnet ihr diese als Verwirklichung der Naturgesetzlichkeit: es ist die „Renaissance" als der glückliche geschichtliche Augenblick, wo der christlich-nördliche Geist die Antike als die für ihn exemplarische Zeit entdeckt.

Diese Verwandlung macht die „Handlung" der Studierstube aus. Es wiederholt sich das schon am ersten Akt gewonnene Kompositionsgesetz: an die Stelle einer dramatischen Handlung tritt ein Bildungsprozeß: der Prozeß der Umbildung und Neugeburt des christlich-nördlichen Geistes in seinem Streben zur Naturgesetzlichkeit; und das bedeutet, in seine spezifisch neuzeitliche Erscheinung.

Dieser Prozeß zerfällt in den zwei Szenen – „Gotisches Zimmer" und „Laboratorium" – in zwei Momente; er scheidet sich:

1. in ein vorbereitendes Moment der Auflösung. Im „gotischen Zimmer" ereignet sich die Auflösung erstarrter Denkentwürfe des spekulativen Geistes durch das Mephistophelische Prinzip der Bewußtmachung – in Analogie zu der „Auflösung" („paralysiert", V. 6568) der Faustischen schöpferischen Geisteskraft durch den Anblick des Ideellen in der antiken Schönheit.

2. Und er ereignet sich zweitens – in Analogie zu der neu erwachenden Faustischen Produktivität – im „Laboratorium" als ein Moment des glücklichen Gelingens und neuen Verbindens, in dem sich schließlich in der Dreiheit von Homunculus, Mephisto und Faust die neu entbundenen Kräfte des abendländischen Geistes zu dem Geist zusammentun (V. 6983 bis 6987), für den die Antike die Verkörperung der menschlichen Naturgesetzlichkeit ist.

Aufklärung – Mephisto

Auch die Studierstube befindet sich – wie der Kaiserhof des ersten Aktes – anfangs in einer Krise: in der Verlassenheit von dem Lehrer. Und so tritt Mephisto auch hier ein: in eine Lücke. Denn so wie der Kaiserhof sich damit eröffnet, daß Mephisto sich an die Stelle des Narren setzt, so wie Mephisto im dritten Akt den verwaisten Platz seines Herrn im Palast des Menelas einnimmt, so ergreift er auch hier von dem verlassenen Professorenamt Besitz.

Er kehrt in die Studierstube zurück als in einen Zustand der schon lange währenden Stagnation.[39] In dieser Zeit haben sich nur die Grillen tausendfach vermehrt, Mephistos ehemalige Geschöpfe (V. 6596–97), als die Spekulationen, mit denen menschliches Denken sich in die Schein-erkenntnis verfängt; es sind dieselben, die einst Faust in die Verzweif-lung an der Erkenntnis und in die Flucht trieben. Und so erschüttert die Glocke, die Mephisto nun hier zu einem letzten Kolleg (V. 6619) zieht, ein morsches Gebäude, in dem der Kalk zu rieseln (V. 6625) und der Estrich zu springen (V. 6624) beginnt. Sie läutet denselben Augen-blick der beginnenden Veränderung ein, den das „Märchen" mit dem Ausruf ankündigt: „Es ist an der Zeit".[40]

> Diese Mauern, diese Wände
> Neigen, senken sich zum Ende;
> Und wenn wir nicht bald entweichen,
> Wird uns Fall und Sturz erreichen. (V. 6695–98)

Der Famulus, der auf das „gellende" Zeichen herbeiwankt, vertritt dem-gegenüber das Moment der ängstlichen, aber frommen Erwartung; die mit dem Glockenton hereinbrechenden Zerstörungen deutet er wie den Eintritt des Jüngsten Gerichts.

> Welch ein Tönen! Welch ein Schauer!
> Treppe schwankt, es bebt die Mauer;
> Durch der Fenster buntes Zittern
> Seh' ich wetterleuchtend Wittern.
> . . .
> Soll ich fliehen? Soll ich stehn?
> Ach, wie wird es mir ergehn! (V. 6620–33)

Ganz in Hoffnung auf die Wiederkunft des Herrn lebend, erscheinen sie ihm als „Wunder" (V. 6626–27) und der in Faustens altem Vließe Ein-tretende als ein „Riese" (V. 6628).

In welcher Rolle aber kommt der in den Pelz vermummte Mephisto und was tut er in der „gotischen" Studierstube?

Nach dem Polaritätsgesetz der Dichtung ist Mephisto gegenüber Faust, als der bewußtlosen schöpferischen Geisteskraft, der immer mehr Bewußtsein schaffende Trieb des christlich-nördlichen Geistes: im Fausti-schen Pelz in die mittelalterliche Wissenschaftswelt eintretend, kommt er in der Rolle des *neuen* Lehrers. Die Szene spiegelt die Mephistophelische Belehrung des Schülers aus dem ersten Teil wider:

> Auch hängt der alte Pelz am alten Haken,
> Erinnert mich an jene Schnaken,

> Wie ich den Knaben einst belehrt,
> Woran er noch vielleicht als Jüngling zehrt (V. 6582–85),

und spiegelt zugleich – als wiederholte Spiegelung – die Situation, auf die sich schon die einstige Schülerunterweisung bezog, die Situation des Sündenfalls im Paradies. Im Professorenpelz kommt Mephisto also in der Rolle seiner christlichen Muhme, der Schlange, aber nun nicht den frommen Paradiesesmenschen aus dem Kreis der unbewußten Geschöpfe in den Stand des Bewußtseins hebend, sondern die gläubige Geisteswelt durch gesteigertes Bewußtsein aufklärend. Es ist eine Art zweiter Sündenfall, der sich hier am Ende des Mittelalters ereignet: ein Lehrprozeß der erneuten Bewußtmachung, die Geburtsstunde der modernen Wissenschaft.

In dieser Weise wirkt Mephisto durchgängig in der ganzen Szene: sowohl gegenüber Famulus wie gegenüber Baccalaureus ist er der ihre bloßen Denkgebilde Auflösende. Und als dieses Prinzip der Auflösung wird er dann auch im Laboratorium im „rechten Augenblick" bei Wagner eintreten und dem Experimentierenden bei der Lösung seines ungeheuren Versuchs helfend beistehen.

Die Bewußtmachung geschieht zunächst durch ironische Spiegelung: indem Mephisto sich die „rauchwarme Hülle" umhängt und sich als „Dozent" „noch einmal" selbstherrlich „erbrüstet", tritt er vor Famulus hin als die Fratze des sich gottähnlich fühlenden Gelehrten in seinem über jeden Zweifel erhabenen professoralen Dünkel.

> Mich als Dozent noch einmal zu erbrüsten,
> Wie man so völlig Recht zu haben meint.
> Gelehrte wissen's zu erlangen,
> Dem Teufel ist es längst vergangen. (V. 6588–91)

Dann, im Gespräch, das er mit der Geste des in der „Gelehrtenwelt" durchaus Beschlagenen beginnt, der den Famulus –

> Ihr heißet Nikodemus –

und seinen Meister selbstverständlich kennt –

> Wer kennt ihn nicht, den edlen Doktor Wagner –

dann – im Gespräch mit dem Famulus – klärt er ihn über die von ihm verehrte Wissenschaft auf, indem er ihn über deren Vertreter aufklärt. Dabei spricht zu dem Gläubigen der Geist der Unfrömmigkeit:

> Oremus – das lassen wir (V. 6635–36),

der Desillusion:

> Auch ein gelehrter Mann
> Studiert so fort, weil er nicht anders kann (V. 6638–39),

der Resignation:

> So baut man sich ein mäßig Kartenhaus,
> Der größte Geist baut's doch nicht völlig aus (V. 6640–41)

und schließlich der Skepsis gegenüber einer Wahrheitsfindung, die sich als eitler Autoritätswahn und scheinhafter Wissenschaftsbetrieb entlarven läßt:

> Wer kennt ihn nicht, den edlen Doktor Wagner,
> Den Ersten jetzt in der gelehrten Welt!
> Er ist's allein, der sie zusammenhält;
> Der Weisheit täglicher Vermehrer.
> Allwissbegierige Horcher, Hörer
> Versammeln sich um ihn zuhauf.
> Er leuchtet einzig vom Katheder (V. 6643–6649).

Der Gläubigkeit des Famulus stellt er sich hier als das Prinzip des aus der Beobachtung der Realität gewonnenen Widerspruchs entgegen.

In neuer Rollenverteilung setzt sich derselbe Aufklärungsprozeß im Gespräch mit Baccalaureus fort. Dabei ist Baccalaureus so wenig wie Famulus am Ende der Aufgeklärte. Die Belehrung geschieht wiederum durch polare Entgegensetzung. Auf dem Hintergrund des Lehrer-Schüler-Gesprächs aus dem ersten Teil findet sie nun zugleich als Gespräch zwischen Alter und Jugend statt. Denn so wie Mephisto aus dem furchterregenden Riesen – Famulus gegenüber – inzwischen zu dem kahlköpfigen Alten geworden ist, den Baccalaureus noch an demselben Platz wiedertrifft, an dem er ihn als Schüler verlassen hatte, so ist aus Baccalaureus, dem ehemaligen gelehrigen Schüler Mephistos, der unbelehrbare aufgeklärte Junge geworden.

> Doch was soll ich heut erfahren!
> War's nicht hier vor so viel Jahren
> . . .
> Wo ich diesen Bärtigen traute?
> Mich an ihrem Schnack erbaute?
> Aus den alten Bücherkrusten
> Logen sie mir, was sie wußten,
> Was sie wußten, selbst nicht glaubten,
> Sich und mir das Leben raubten. (V. 6701–6710)

Als aufgeklärter Geist modern,

> Mein alter Herr! Wir sind am alten Orte;
> Bedenkt jedoch erneuter Zeiten Lauf
> Und sparet doppelsinnige Worte;
> Wir passen nun ganz anders auf (V. 6737–6740),

als moderner, sich „absolut" Setzender über alle Belehrung hinaus, ist es nun der Schüler als der Junge, der in dem Lehrer den Alten aufklärt: zunächst über dessen Versagen im Lehren der Wahrheit,

> . . . denn welcher Lehrer spricht
> Die Wahrheit uns direkt ins Angesicht?
> Ein jeder weiß zu mehren wie zu mindern,
> Bald ernst, bald heiter-klug zu frommen Kindern (V. 6750–53),

später über die Anmaßung, mit der der Lehrer aus Erfahrung und Alter Überlegenheit herleitet (V. 6758–6761; 6774–75; 6782–84).

Mephisto übernimmt ironisch die Rolle des Belehrbaren. Durch die entlarvenden Aufklärungen über sich anscheinend gelähmt – die Verse

> Zum Lernen gibt es freilich eine Zeit;
> Zum Lehren seid ihr, merk' ich, selbst bereit (V. 6754–55)

variieren ein Xenion desselben Themas:

> Trüge gern noch länger des Lehrers Bürden,
> Wenn Schüler nur nicht gleich Lehrer würden,[41]

das mit der deutenden Überschrift „Lähmung" versehen ist – als Gelähmter auch hier nun im Rollstuhl sitzend und sich immer mehr den Zuschauern als den Illusionslos-Aufgeklärten nähernd (die szenische Bemerkung heißt „Mephistopheles, der mit seinem Rollstuhle immer näher ins Proszenium rückt"); als der „nickende" und „träumende" (V. 6784) Alte zum Totschlagen reif:

> Was habt ihr denn getan? Genickt, gesonnen,
> Geträumt, erwogen, Plan und immer Plan!
> . . .
> Am besten wär's, euch zeitig totzuschlagen (V. 6783–89),

sieht er sich schließlich durch Baccalaureus bis in sein Wesen aufgeklärt, nämlich auf sein Teufel-sein zurückverwiesen:

> Der Teufel hat hier weiter nichts zu sagen (V. 6790),

und selbst als Teufel noch bestritten:

> Wenn ich nicht will, so darf kein Teufel sein (V. 6791).

Mephisto scheint dem Prozeß der Aufklärung, den er selbst angezettelt, selber zum Opfer zu fallen. Denn allerdings: in der vom spekulativen Geist des Baccalaureus neu entworfenen Natur hat er als christlicher Teufel keinen Platz mehr. Mephisto scheint nicht nur aufgeklärt, sondern aufgelöst worden zu sein; aber er scheint es nur – um sogleich den Baccalaureus durch dasselbe Prinzip „aufzulösen" (V. 6792), durch das er selbst als der *alte* Teufel klug wurde: durch das menschliche Prinzip der Erfahrung:

> Bedenkt: der Teufel der ist alt;
> So werdet alt, ihn zu verstehen! (V. 6817–18)

Der Auflösungsprozeß, der von Baccalaureus ausgehend an Mephisto sich vollzieht, wird durch die Form der Ironie zu einer Auflösung des Dogmatismus des spekulativen menschlichen Denkens dank des Vermögens der Erfahrung. Die Ironie ist dabei selber das Mittel des gesteigerten Bewußtseins, demgegenüber der spekulative Baccalaureus zum sich Täuschenden, in dem Schein Befangenen wird.

Das Erfahrung-Machen – der Begriff war schon in dem arroganten Widerspruch des Baccalaureus aufgetaucht:

> Erfahrungswesen! – Schaum und Dust (V. 6758),

wie es der Dichter durchgängig liebt, gewisse Schlüsselworte in den Äußerungen der Gegenspieler zu verstecken[42] – das Erfahrung-Machen und im Laufe der Zeit Erfahrung-Sammeln wird nun schließlich zu dem spezifisch menschlichen Vermögen des erkennenden Geistes, zum Prinzip des alten Mephisto, wodurch sich der Mensch zur Teilhabe am Gesetzlichen steigert: das Erfahren als die menschliche Möglichkeit, das einzelne Widerfahrene im Bewußtsein zu bewahren und es als Summe der Erfahrungen zu kumulieren.

So stellt sich Mephisto neben die beiden polaren Denkformen spekulativen Geistes jedes Mal als der sie Auflösende; neben den frommen Wissenskosmos des Famulus als das Prinzip des skeptischen Widerspruchs – neben den spekulativen Naturentwurf des Baccalaureus als das Prinzip der am Leben gemachten Erfahrung.

Auflösen eines geschlossenen Dogmatismus, Zerstören eines spekulativen Systems – als das Tun des Mephisto – ist aber nur das Mittel der Veränderung des nach Bewußtsein drängenden christlich-nördlichen Geistes – und Mephisto betätigt sich somit wiederum als der, „der stets das Böse will und stets das Gute schafft" – der Veränderung vom spekulativ eingeschränkten Denken des Mittelalters zum kritisch beobachtenden, empirischen Geist der Moderne.

Als ein solcher bewußter wissenschaftlicher Geist, der überliefertes
Wissen kritisch überprüft und spekulatives Entwerfen an der Erfahrung
erprobt, steht Wagner nun im Laboratorium, die Qualitäten von Famulus und Baccalaureus mit denen des Mephisto verbindend: denn er
experimentiert.

> Jeder Versuch aber ist schon theoretisierend; er entspringt aus
> einem Begriff . . . Viele einzelne Fälle werden unter ein einzig
> Phänomen subsumiert; die Erfahrung kommt ins Enge, man
> ist im Stande weiter vorwärts zu gehen . . .
> Sehen wir uns aber nach den eigentlichen Ursachen um, wo-
> durch die Alten in ihren Vorschritten gehindert worden, so
> finden wir sie darin, daß ihnen die Kunst fehlt, Versuche anzu-
> stellen, ja sogar der Sinn dazu. Die Versuche sind Vermittler
> zwischen Natur und Begriff, zwischen Natur und Idee, zwischen
> Begriff und Idee.[43]

Experimentierend arbeitet Wagner an der Retorte mit dem seinem
Versuch angemessenen Stoff. Um einen „Menschen zu machen", experi-
mentiert er mit dem wichtigsten Anteil am organischen Gewebe: dem
Kohlenstoff.[44]

Die neuzeitliche Chemie – Wagner

Das Experiment, mit dem Wagner beschäftigt ist, ist schon im Gange,
wenn die neue Szene beginnt. Eine lange Zeit des Experimentierens im
„allerstillsten Stillen" ging dem jetzigen Augenblick voraus (V. 6675–76).
Hingebende Ausdauer und konzentriertes Wirken in vollkommener Ab-
geschlossenheit sind die unerläßlichen Bedingungen von seiten des forschenden Geistes, um einem solchen Unternehmen zum Gelingen zu
verhelfen.[45]
Aber mit dem furchterregenden Glockenzeichen, demselben, mit dem
Mephisto anfangs Famulus und Baccalaureus herbeigerufen hatte

> Die Glocke tönt, die fürchterliche,
> Durchschauert die berußten Mauern (V. 6819–20)

tritt das Wagnersche Experiment offenbar in ein neues entscheidendes
Stadium. Das „Durchschauern" der Mauern, das dem Schaudern des
Menschen in der Nähe des Ideellen entspricht, weist auf eine Verände-
rung grundsätzlicher Art.

Der organische Kohlenstoff

> Schon in der innersten Phiole
> Erglüht es wie lebendige Kohle (V. 6824–25),

mit dem Wagner in der Retorte experimentiert – Phiole genannt, die damit die Faustische Phiole des ersten Teils evoziert, welche dort den Tod enthielt, in der aber hier nun die Prinzipien menschlichen Lebens erkannt werden – der organische Kohlenstoff ist der wesentlichste der Grundstoffe, aus dem lebendige Körper gebildet sind. Während dieser Stoff bei gewöhnlichen Temperaturen indifferent bleibt – Kohlenstoff reagiert chemisch erst bei 400⁰ C – ist offenbar jetzt der Augenblick gekommen, wo er durch ständiges Heizen Wagners

> Der zarteste gelehrter Männer,
> Er sieht aus wie ein Kohlenbrenner,
> Geschwärzt vom Ohre bis zur Nasen,
> Die Augen rot vom Feuerblasen (V. 6677–80)

einen Grad von Erhitzung erreicht hat, bei dem er aus dem amorphen Zustand

> Schon hellen sich die Finsternisse;
> Schon in der innersten Phiole
> Erglüht es wie lebendige Kohle (V. 6823–25)

in den kristallinen des Diamanten übergeht:

> Ja, wie der herrlichste Karfunkel,
> Verstrahlend Blitze durch das Dunkel.
> Ein helles weißes Licht erscheint! (V. 6826–28)

Goethe benutzt hier eine moderne, von Lavoisier (1773), Scheele (1779) und Mackenzie (1800) gewonnene Einsicht, daß der Diamant, der bisher als Bergkristall galt, eine kristallisierte Form von Kohlenstoff ist.[46]

Der Dichter läßt den Kohlenstoff zunächst in seine rötlich leuchtende Art, in den Karfunkel, übergehen – um des signifikanten Namens willen: Karfunkel ist Carbunculum, die kleine Kohle – und dann erst im Diamanten das Licht weiß sich brechen.[47]

Diese Veränderung, die den Übergang von einem formlosen in einen geformten Zustand bedeutet, aus einem lockeren in einen Stoff von größter Härte, aus der undurchsichtigen in eine durchsichtige Materie, die das Licht stark refrangiert, diese Veränderung ist ein Prozeß der Steigerung. Schon die Veränderung der Farben, die den Prozeß begleitet und die den verschiedenen Stadien des magnum opus der Alchemie entspricht: Schwärzung, Gilbung, Rötung, Bleichung[48] – schon die Veränderung von schwarz über rot zu weiß bestätigt das; denn sie bedeutet im Sinne der Goethischen Farbentheorie: Steigerung über ein Mittleres. Steigerung meint hier: Formung und Reinigung.

Indessen, so verheißungsvoll die Veränderung Wagner erscheint

> Nicht länger kann das Ungewisse
> Der ernstesten Erwartung dauern (V. 6821-22),

es ist bisher nur eine Aggregatsveränderung innerhalb des selben Stoffes. Der Kohlenstoff wird durch die äußere Wärme nicht grundsätzlich gelöst, so daß er sich mit anderen Elementen zum organischen Stoff verbinden könnte; es ist keine chemische, sondern eine physikalische Veränderung; dies ist der Zustand, solange Wagner allein im Laboratorium experimentiert.

In diesem Augenblick „rasselt" es „an der Türe" (V. 6830), und Mephisto tritt ein; wie er selbst sagt: in guter Absicht.

> Willkommen! Es ist gut gemeint. (V. 6831)

Mit ihm kommt das neue wirkende Moment hinzu. Mephisto kommt in der Tat zu Wagner als der er sich schon in dem „Gotischen Zimmer" angekündigt hatte: als „der Mann, das Glück ihm zu beschleunen" (V. 6684). Denn sein Hinzutreten und das Glück, das er ihm zusagt, bezeichnen den eigentlichen Augenblick, zu dem die Aufklärung an dem erkennenden gotischen Geist nur die Vorbereitung war: die „Sternenstunde" (V. 6667) einer modernen wissenschaftlichen Entdeckung, des gelungenen Experimentierens und Findens einer Gesetzlichkeit (V. 6655). Nicht umsonst läßt der Dichter Homunculus als erstes Wort zu seinem Erfinder sagen:

> Es war kein Scherz (V. 6879),

das meint: dieses Mal war es ernst; denn es wurde eine Naturgesetzlichkeit gefunden.

Durch Wagner ist dieser Moment gekennzeichnet als ein Augenblick des modernen Wissenschaftlers –

> Wie sonst das Zeugen Mode war (V. 6838) –

der durch Experiment zur echten, die Gesetzlichkeit aufdeckenden Theorie gelangt. Die Qualitäten der am Objekt gemachten Beobachtung und der durch Beobachtung gewonnenen Erfahrung, als die durch die Mephistophelische Aufklärung in das mittelalterlich-abendländische spekulative Denken eingebrachten Momente, treten in dem „Versuch" als wissenschaftlicher Methode erst eigentlich hervor. Sie verbinden sich hier zugleich mit jener Eigenschaft des Denkens, die der Famulus vorstellte: des Sammelns von Wissen und des Bewahrens in einer geistigen Folge – wie es zum Wesen der Wissenschaft gehört – sowie auch mit der Qualität des forschenden Geistes, den Baccalaureus repräsentierte: der Kraft des theoretischen Entwerfens.

Aber mit Baccalaureus ist Wagner darüber hinaus noch das Moment gemeinsam, das ihn vor allem bezeichnet und ihn zu dem *modernen* Forscher macht: es ist dasselbe, das ihm seinen Namen gibt – als Wagner ist er der Wagende – das Moment der Vermessenheit, mit der sich moderne Wissenschaft an die Stelle Gottes stellt. Sie ist der Grund sowohl für das Wagnersche Glück des Gelingens wie auch für seine Verfangenheit in den Schein, seine Täuschung; während nämlich Wagner die Entdeckung der Prinzipien menschlichen Lebens gelingt, entdeckt er sie doch unter den falschen Voraussetzungen seiner christlichen Epoche. Denn konzipiert wird das Unternehmen aus der christlichen Prämisse der Gottebenbildlichkeit des Menschen – um das einzige, mit Verstand begabte Wesen aus der tierischen, dumpf-sinnlichen Natur zu lösen.

> Behüte Gott! wie sonst das Zeugen Mode war,
> Erklären wir für eitel Possen.
> . . .
> Wenn sich das Tier noch weiter dran ergetzt,
> So muß der Mensch mit seinen großen Gaben
> Doch künftig höhern, höhern Ursprung haben. (V. 6838–47)

Die wissenschaftliche „Erzeugung", das Experiment, dem Menschen in dem künstlichen einen „höhern Ursprung" zu geben, resultiert aus dem christlichen Entwurf des Menschen als einer Geistnatur.

> Ein großer Vorsatz scheint im Anfang toll;
> Doch wollen wir des Zufalls künftig lachen,
> Und so ein Hirn, das trefflich denken soll,
> Wird künftig auch ein Denker machen. (V. 6867–70)

Es ist eine Wissenschaftskonzeption, die sich aus der biblischen Schöpfungsgeschichte herleitet: der Erschaffung des Menschen, gesondert von aller Kreatur, als Krone der Schöpfung, wie sie der naturwissenschaftlichen Erkenntnis des Menschen als einer animalischen Sonderspezies bis in die Mitte des 19. Jahrhunderts hinderlich entgegenstand[49] und mit deren Unrichtigkeit sich Wagner abfinden muß, wenn sich der von ihm „geschaffene" Homunculus schließlich in die Natur begibt, um sich um seinen animalischen Ursprung zu ergänzen.

Andererseits ist es gerade an der Hybris des Wagnerschen Erkennenwollens gelegen: an dem gottähnlichen Anspruch der modernen Wissenschaft auf die Enthüllung der Natur in ihrem *gesetzlichen* Geheimnis, daß ihm das Glück zu Hilfe kommt: nur dem, für den Erkenntnis ein Wagnis ist, steht in Mephisto das bewußtmachende Prinzip dieses christlich-nördlichen Geistes bei.

Durch Mephisto ist der Augenblick gekennzeichnet als das Glück des *Zufalls*, der dem erfahrenen und sich auf lange Erfahrung stützenden Experimentator zum Gelingen verhilft:

> Ich bin der Mann, das Glück ihm zu beschleunen. (V. 6684)

Dieses Moment des Zufalls, das in der Geschichte der wissenschaftlichen Entdeckungen eine so bedeutende Rolle spielt,[50] drückt sich in der Art des Mephistophelischen Eintretens in das Laboratorium aus; denn obwohl „in guter Absicht", tritt Mephisto bei Wagner doch ein als ein Störender:

> Ach Gott! Was rasselt an der Türe? (V. 6830)

und obwohl zu dem „Stern der Stunde" (V. 6832) willkommen geheißen, wird er von ihm doch ängstlich ermahnt

> Doch haltet Wort und *Atem* fest im Munde. (V. 6833)

Aber gerade der Atem ist es, der den „ernstest erwarteten" Prozeß auslöst. Gerade die Luft, durch die Wagner befürchtet, daß das soeben erschienene Licht auslöschen könnte, die gefürchtete Atemluft, ist das von ihm ungewollt hinzutretende Element, das die Auflösung des Kohlenstoffs bewirkt; der Sauerstoff nämlich, den der Atem bedeutet, ist das einzige Element, wodurch der erhitzte Kohlenstoff gelöst wird und ein Verbrennungsprozeß in Gang kommt – aus dem physikalischen ein chemischer Prozeß wird.

Dieser langsame Verbrennungsprozeß – langsam, weil der Kohlenstoff hier zu seiner härtesten Modifikation, zum Diamanten geworden, nur langsam zerfällt – diese Verbrennung stellt den langsamen Oxydationsprozeß dar, der der menschliche Stoffwechsel ist. Dieser wird nun nicht mehr – nach Art der Phlogistontheorie – an das Vorhandensein eines spezifischen Lebensstoffes im menschlichen Organismus gebunden, sondern in dem Sinne erkannt, daß alles menschliche Leben zur Aufrechterhaltung seiner Vorgänge auf Produktion von Energie angewiesen ist, die durch Verbrennung organischer Nährstoffe mit Hilfe von Sauerstoff geschieht; das heißt: durch biologische Oxydation.

> Es leuchtet! seht! (V. 6848)

sind die Worte, mit denen Wagner die beginnende Verbrennung notiert; von dem „Licht", das vorher „erschien" und von außen kam, ist dieses

als das eigene Leuchten des brennenden Kohlenstoffs grundsätzlich
unterschieden. – Damit ist die erste Phase in dem Bildungsprozeß des
Homunculus – „sein Entstehen" – bezeichnet (V. 6819-48). Die
Oxydation, das Prinzip des menschlichen – als physiologischen – Lebensprozesses, ist erkannt.

Wenn Homunculus daher später in Wagner und Mephisto seine beiden Erzeuger mit unterschiedlichen Namen begrüßt, indem er Wagner
anredet:

> Nun, Väterchen! Wie steht's? Es war kein Scherz.
> Komm, drücke mich recht zärtlich an dein Herz! (V. 6879-80)

und Mephisto:

> Du aber, Schalk, Herr Vetter, bist du hier?
> Im rechten Augenblick! Ich danke dir (V. 6885-86) –

so wendet er sich in Wagner, als seinem Vater, an seinen Erfinder,
insofern Wagner die moderne abendländische Naturwissenschaft repräsentiert im Stande der Gottähnlichkeit, wo sie zwar nicht menschliches
Leben zeugen, es aber als Gesetzlichkeit erkennen kann; und er wendet
sich an Mephisto, den „Herrn Vetter", als an seinen „Gevatter", insofern Mephisto, als der zu immer mehr Wissen drängende Trieb des
christlich-nördlichen Geistes, bei der „Erzeugung" des Homunculus
Pate stand und sie durch sein „Dasein" im „rechten Augenblick", und
das heißt, durch den listigen Zufall („Schalk"), der dem erfahrenen Forscher zu Hilfe kommt, ermöglichte. – „Vetter" wird mundartlich durch
Kontamination von „Pfetter" und „Gevatter" auch in der Bedeutung des
althochdeutschen „Gifatero", das ist: geistlicher Mitvater, Pate,
gebraucht.[51]

In einer zweiten Phase, an deren Ende Homunculus als Gestalt im Glas
erscheint, geht es nun um die Bildung seiner Körpersubstanz (V. 6848
bis 6878). Dank der chemischen Oxydation verwandelt sich jetzt der
Kohlenstoff in Kohlensäure, die fähig ist, Verbindungen mit den „viel
hundert Stoffen" einzugehen, aus denen sich der „Menschenstoff"
„komponiert".

> Es leuchtet! Seht! – Nun läßt sich wirklich hoffen,
> Daß, wenn wir aus viel hundert Stoffen
> Durch Mischung – denn auf Mischung kommt es an –
> Den Menschenstoff gemächlich komponieren. (V. 6848-51)

Dieser Kompositionsprozeß ist im ganzen als ein chemisches Kristalli-
sationsverfahren beschrieben. „Kristallisieren" (V. 6860) versteht sich

hier aus dem Gegensatz zum „Organisieren" (V. 6859), das heißt: dem allmählichen Bilden der Natur von innen her aus einem „geheimnisvollen" Zentrum, als das bewußte, künstlich-synthetische Bildungsverfahren der Wissenschaft auf Grund experimenteller Einsicht („verständig zu probieren").

Die Synthese vollzieht sich in drei Momenten:

1. (V. 6849–55) als Herstellung einer Masse aus der Mischung von vielen Stoffen; sie geschieht durch immer wiederholtes Destillieren, indem die flüchtigeren Substanzen aus der Retorte in gasförmigen Zustand übergehend in einen luftdicht verlehmten Kolben wechseln:

> In einen Kolben verlutieren

und von dort – wiederum durch Wärmeeinwirkung – die flüchtigere Flüssigkeit von nicht flüssigen Substanzen getrennt wird:

> Und ihn gehörig kohobieren.

2. (V. 6865–66) als augenblickliche Auskristallisierung:

> Es steigt, es blitzt, es häuft sich an,
> Im Augenblick ist es getan.

Und 3. (V. 6871–74) nach dem trübenden Ausscheidungsvorgang (V. 6872) die Klärung zur Gestalt, als Freisetzung von Energie:

> Das Glas erklingt von lieblicher Gewalt,
> Es trübt, es klärt sich; also muß es werden!
> Ich seh in zierlicher Gestalt
> Ein artig Männlein sich gebärden.

Was nun meint des Homunculus körperlicher Bildungs- als Kristallisationsprozeß? In der Synthese ist aus den „viel hundert Stoffen" ein unteilbares Ganzes geworden. In der chemischen Verbindung der Stoffe zu einer kristallinen Gestalt ist das Prinzip des Lebens als das der Individualität gefaßt. Homunculus in der Phiole bedeutet, daß hier aus Stoffen eine „gläserne", das heißt künstlich-geistige Einheit geworden ist.

Und dazu kommt ein Zweites: von dieser im Glas erscheinenden Gestalt heißt es, daß sie sich sogleich „gebärde" und daß der „Laut", von dem das Glas erklingt, zur „Stimme" und zur „Sprache" wird:

> Ich seh' in zierlicher Gestalt
> Ein artig Männlein sich gebärden.
> . . .
> Gebt diesem Laute nur Gehör,
> Er wird zur Stimme, wird zur Sprache. (V. 6873–78)

Diese Einheit nämlich soll nicht als Form, sondern als Kraft verstanden werden. Die „Gestalt" hat sich ja aus „Gewalt" (V. 6871) gebildet. Die chemische Synthese der Stoffe ist also zugleich gemeint als Prozeß, in dem durch die Umsetzung der Stoffe Energie entsteht: im Prozeß der Synthese freigesetzte Energie.[52] Die Energiebildung findet ihr dichterisches Bild in dem „Blitzen", das sich gerade in dem für den Prozeß richtigen Augenblick der Synthese ereignet:

Es blitzt, es häuft sich an. (V. 6865)

Diese Energie bewirkt die spezifischen Merkmale des Homunculus: das „Sich-Gebärden" und das „Laute geben"; denn sie erzeugt als physische Energie die mechanische Bewegung und führt als elektrische Energie, die Nerven und Gehirn bedient, zur Erzeugung von Lauten und Sprache. Wenn daher Homunculus gleich in seinen ersten Worten sich selber definiert:

Dieweil ich bin, muß ich auch tätig sein (V. 6888),

so bestimmt er sich damit als eine energische Einheit.

In dem Nachlaßaufsatz „Betrachtung über Morphologie überhaupt"[53] spricht Goethe in diesem Sinne von der Lebenskraft als Einheit.

> ... da die vollkommensten derselben [der organischen Körper] uns als eine von allen übrigen Wesen getrennte *Einheit* erscheinet, da wir uns selbst einer solchen *Einheit* bewußt sind, da wir den vollkommensten Zustand der Gesundheit nur dadurch gewahr werden daß wir die Teile unseres Ganzen nicht, sondern nur das *Ganze* empfinden, da alles dieses nur existieren kann, in so fern die Naturen organisiert sind, und sie nur durch den Zustand, den wir das Leben nennen, organisiert und in Tätigkeit erhalten werden können: so war nichts natürlicher, als daß man ... denen Gesetzen, wornach eine organische Natur zu leben bestimmt ist nachzuforschen trachtete; mit völliger Befugnis legte man diesem Leben ... eine Kraft unter; man konnte, ja man mußte sie annehmen, weil das Leben in seiner Einheit sich als Kraft äußert die in keinem der Teile besonders enthalten ist.

Was also ist Homunculus?

Auf das Ganze des Aktes gesehen, ist er die Antwort auf die Frage: was ist individuelles, animalisches Leben? Diese gibt der Dichter in Studierstube und Walpurgisnacht in zwei polar aufeinander bezogenen Prozessen. Das Laboratorium fragt: wie wird aus Stoffen eine Energieeinheit; die Frage wird vom Menschen her gestellt und schließt gewisse vernünftige Anlagen der individuellen Einheit mit ein. Die Walpurgisnacht fragt: wie bildet sich eine solche energische Einheit zu einem bestimmten körperlichen Organismus; die Frage wird vom Tier her gestellt und umschließt seine artspezifische und geschlechtliche Entschiedenheit. Es ist müßig zu fragen, in welchem Augenblick des Prozesses sich das Leben entzündet; beide Prozesse zusammen machen es aus.

Der Aufsatz „Bildungstrieb"[54] endet mit einem Schema, das diese selbe Zerlegung dessen, was Leben ist, wiederholt:

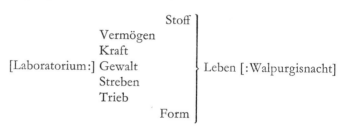

Die zwischen Stoff und Form vermittelnde Reihe von „Vermögen" bis „Trieb" macht dasjenige aus, was im Homunculus des Laboratoriums isoliert ist und die Einheit der Lebenskraft darstellt. Um Stoff und Form dagegen handelt es sich in der Walpurgisnacht, und zwar nicht darum, wie eine Form in den Stoff eingeht, sondern wie eine individuelle Lebenskraft „im" und „durch das"[55] Element zugleich mit ihrer Verstofflichung ihre bestimmte körperliche Form gewinnt.

Was also im Laboratorium erzählt wird, ist das Entstehen einer Lebenskraft. Aber indem die Dichtung darstellt, wie Leben entsteht, sagt sie, was Leben *ist*. Was sich als Handlung gibt, ist die Definition von individuellem menschlichem Leben, als sukzessiver Prozeß nach seinen drei Funktionen beschrieben:

1. Leben als biologische Verbrennung,

2. Leben als Synthesis zur Einheit,

3. Leben als erkennende Tätigkeit auf Grund einer bestimmten Qualität der menschlichen Vernunft, die schon in der Lebenseinheit angelegt ist. Diese dritte Phase wird den Rest des Auftritts im Laboratorium ausmachen (V. 6879–7004).

Der Homunculus des Laboratoriums ist also das Prinzip der lebendigen Individualität im Hinblick auf den Menschen und von der Kraft her gedacht. In der Natur wäre er eine Menschenmonade. Aber er ist künstlich – ein Retortengebilde. Die gegen die Außenwelt ihn abschließende Phiole ist das Symbol seiner Künstlichkeit.

> Das ist die Eigenschaft der Dinge:
> Natürlichem genügt das Weltall kaum,
> Was künstlich ist, verlangt geschlossnen Raum. (V. 6882–84)

Doch seine Künstlichkeit ist von besonderer Art. In der Forschung wird sie gewöhnlich auf die „unnatürliche" Weise bezogen, durch die angeblich Mephisto den Homunculus dem Wagner ins Glas gehext hätte: eine Zauberei als „dramatischer Behelf" (G. W. Hertz):[56]

> ... daß auch Mephisto nicht der Schöpfer des Homunculus ist. Seine Rolle in bezug auf den kleinen Geist erschöpft sich darin, daß er ihn in die Flasche zitiert. Seine Tätigkeit ist ausschließlich ein dramatischer Behelf –

eine Mephistophelische Hexerei, um Wagner zu narren (M. Kommerell)[57]:

> Er wird durch Mephisto genarrt, da ihm dieser das kleine Geistchen in die Retorte hext.

Indessen im II. Faust zaubert Mephisto nicht mehr, er ist ganz zum Ausdruck einer spezifisch menschlichen Möglichkeit geworden. Und wie sollte er, der Fremdling in der Natur, über Monaden verfügen?

Künstlichkeit versteht sich hier aus der Polarität zum Natürlichen, und das heißt: gedanklich Erkanntes aus der Polarität zum natürlich Gezeugten. Des Homunculus Künstlichkeit besteht darin, daß er die wissenschaftlich erkannte und experimentell kontrollierte Gesetzlichkeit der menschlichen Individualität ist, aufgedecktes Naturgeheimnis; denn Leben wird hier erkannt und künstlich gebildet, wie Gott es in der Natur und als Natur werden läßt.

Zwischen Gott und Natur unterscheidet Goethe nur in einem erkenntnistheoretischen Sinne: wenn er das Gesetzliche im Auge hat, das als Natur wirkt, spricht er von Gott; wenn er die bildende Kraft meint, die nach diesem Gesetz schafft, sagt er Natur. Er unterscheidet zwischen der „Weisheit eines denkenden Wesens, welches wir" „der Natur" „unterzulegen pflegen",[58] und der „Urkraft der Natur".[59]

Die Chemie, die hier symbolisch für die gesetzliche, experimentell zu kontrollierende Naturerkenntnis des Menschen steht, gerät bei einer solchen Unterscheidung auf die Seite von und in Analogie zu Gott; indem sie Leben als Krafteinheit von den Grundstoffen und in ihrer Gesetzlichkeit aufbaut, wirkt sie mit den Elementen und Prinzipien, mit denen Gott seine Schöpfung einst gemacht hat. In der „Betrachtung über Morphologie überhaupt" heißt es in diesem Sinne von der Chemie:

> Dem Chemiker, der Gestalt und Struktur aufhebt und bloß auf die Eigenschaften der Stoffe und auf die Verhältnisse ihrer

Mischungen acht hat, ist man ... viel schuldig und man wird ihm
noch mehr schuldig werden, da die neueren Entdeckungen die
feinsten Trennungen und Verbindungen erlauben, und man
also auch den unendlich zarten Arbeiten eines lebendigen
organischen Körpers sich dadurch zu nähern hoffen kann.[60]

Oder:

So hat auch die Chemie die Veränderung der kleinsten Teile so
wie ihre Zusammensetzung genau beobachtet, und ihre letzte
wichtige Tätigkeit und Feinheit gibt ihr mehr als jemals ein
Recht ihre Ansprüche zu Enthüllung organischer Naturen
geltend zu machen.[61]

Die tätige Monas – Homunculus

Mit dem selbständigen Wirken des im Glas erschienenen Homunculus
beginnt schließlich seine dritte und letzte Phase, in der er sein erkennendes Vermögen offenbart und zugleich damit den gemeinsamen Übergang
in die Walpurgisnacht bewirkt (V. 6879–7004).

Zunächst ist er reiner Tätigkeitstrieb:

Was gibt's zu tun? (V. 6901)

oder

Ich möchte mich sogleich zur Arbeit schürzen (V. 6889)

und darin ganz in Übereinstimmung mit der Bestimmung einer *natürlichen* individuellen Lebenskraft, wie sie Goethe an anderer Stelle gibt:

Das Höchste, was wir von Gott und der Natur erhalten haben,
ist das Leben, die rotierende Bewegung der Monas um sich
selbst, welche weder Rast noch Ruhe kennt.[62]

Doch zeigt er bald eine spezifisch vernünftige Qualität; darüber verfügt
er nicht als „allgemeiner historischer Weltkalender", wie ihn noch der
zweite Entwurf zur Ankündigung der Helena konzipierte, worin er noch
ganz die polyhistorischen Züge seines dortigen *alleinigen* Erzeugers
Wagner trägt.[63] Auch Max Kommerell legt ihn noch von dieser Konzeption her aus, wenn er ihn zwar die „Seinseinheit ohne stoffliches
Substrat", doch zugleich ein „Kalendermännchen" nennt, „das" „eigentlich nicht" „weiß, was er gelernt hat, sondern was sich in ihm hervortut,
als unerklärliches Innewerden der Konstellationen".[64] Letzteres vermutlich eine Deutung, die sich auf den Passus des Entwurfs bezieht:

er wisse nämlich in jedem Augenblick anzugeben, was seit Adams Bildung bei gleicher Sonn- Mond- Erd- und Planeten-stellung unter Menschen vorgegangen sei.

Aber die Gelehrtenqualität eines Universalgedächtnisses, in dem alles unter Menschen Geschehene einzeln aufgehoben oder, auf Grund bestimmter, sich wiederholender kosmischer Konstellationen, zu geschichtlichen Epochen geordnet, aufbewahrt ist, hat Homunculus – zugleich mit der alleinigen Abstammung von Wagner – in der Dich-tung verloren.

Ebenso verkennt ihn Friedrich Gundolf in seinen Möglichkeiten, wenn er ihn als das „absolute Denken" versteht,[65] wie auch Helene Hermann durch die Deutung als „freie, uneingeschränkte Intelligenz, die be-greifend aber nicht mitlebend zu allem Zugang hat".[66]

Denn Homunculus ist auch kein intellektuelles Wesen.[67] Er weiß – wie wir sehen werden – nicht alles; sein erkennendes Vermögen hängt ganz mit seinem „monadischen" Wesen zusammen; er verfügt darüber, inso-fern er im Laboratorium als „Mensch gemacht", und das heißt, als physisch-vernünftiges Prinzip gedacht ist. Denn es entspricht Goethes Anschauung, daß der menschliche Geist gewisse Qualitäten sich nicht erst in der Erfahrung erwirbt, sondern sie schon als Anlage mitbringt. Nach der bekannten Nachlaßnotiz Riemers vom 30. März 1833[68] soll Goethe sich in dieser Weise über Homunculus geäußert haben:

> Auf meine Frage, was Goethe unter dem Homunculus gedacht, erwidert mir Eckermann, Goethe habe damit die reine Ente-lechie darstellen wollen . . . den Geist des Menschen, wie er vor aller Erfahrung ins Leben tritt; *denn der Geist des Menschen komme schon höchst begabt an und wir lernten keineswegs alles, wir brächten schon mit.*

Diese von Homunculus mitgebrachte Qualität – der Dichter nennt sie „Gabe" (V. 6901) – bedingt sowohl die Art seines Erkennens wie den Umfang seines Wissens. Sie betrifft die Fähigkeit, in der Natur ideell Wirkendes gewahr zu werden. Selber menschliche Naturgesetzlichkeit, hat er das Wissen von dem Menschen als Naturgesetzlichkeit: von der naturgesetzlichen Bezogenheit des Ichs auf sein Element.

Homunculus entwickelt diese „Gabe" nach demselben Gesetz, wel-ches Wagner als das der natürlichen Lebenseinheit bezeichnet – von ihm dort polar als „Punkt" und „Kraft", das heißt Einheit und Energie, also Energieeinheit, benannt –: nach dem Gesetz des Nehmens und Gebens, wodurch er sich „Nächstes", dann „Fremdes" aneignend zugleich als ein „Selbst" zeichnet.

> Der zarte Punkt, aus dem das Leben sprang,
> Die holde Kraft, die aus dem Innern drang
> Und nahm und gab, bestimmt, sich selbst zu zeichnen,
> Erst Nächstes, dann sich Fremdes anzueignen (V. 6840–43).

Es ist dasselbe Gesetz des Nehmens und Gebens,[69] nach welchem die Faustische Entelechie am Ende des Dramas durch hilfreiche Geister, zumal die seligen Knaben, sich von dem letzten „Erdenrest" reinigen, sich aus dem Element des menschlichen Lebens überhaupt hinausverwandeln wird.

Homunculus betätigt diese „Gabe" zunächst in der Hilfe an Faust und empfängt damit zugleich selber dessen Hilfe; nehmend gibt er (V. 6842). Es ist die Stelle, wo der Bildungsprozeß des Homunculus, als die bisherige Handlung des Laboratoriums, auf Faust übergreift und Homunculus' erkennendes Wirken, im Gefolge von weiteren Prozessen an Mephisto und Wagner, zu dem glücklichen Augenblick führt, in dem die neue Geisteseinheit – Homunculus, Mephisto samt Faust – in das polare Naturelement der Walpurgisnacht strebt.

Fausts Traum

Während sich Homunculus als Helfer gegenüber seinem Erzeuger Wagner – diesen über das dualistische Verhältnis von Körper und Seele zu belehren (V. 6893–96) – wegen Unzuständigkeit sogleich entziehen muß (Homunculus hat nicht die Fähigkeit zum allgemeinen abstrakten Denken, auch nicht als Wagnerisches Geschöpf zum christlichen – es ist die Stelle, die die Gundolf'sche wie die Hermann'sche Homunculus-Konzeption widerlegt), ist er auf seinen Miterzeuger als Helfer zunächst angewiesen: erste Betätigung seines Tätigkeitsdranges verschafft ihm Mephisto – hier wie sonst der Kenner der Gelegenheit[70] – durch den Hinweis auf Faust:

> *Mephistopheles (auf eine Seitentür deutend):*
>   Hier zeige deine Gabe!
> . . .
> *(Die Seitentür öffnet sich, man sieht Faust*
> *auf dem Lager hingestreckt)*
> *Homunculus (erstaunt):* Bedeutend! – (V. 6901–03)

Aber mit dem ersten „Bedeutend" im Anblick des Ruhenden hat Homunculus sich auch schon aus der Mephistophelischen Abhängigkeit gelöst. Er übersteigt ihn und Wagner, ähnlich wie Faust die seligen Knaben, kaum ihrer Hilfe teilhaftig geworden, „überwächst". Denn so wie „die

Phiole" daraufhin aus Wagners Händen „entschlüpft", und zugleich erstmalig von ihrem Leuchten als dem Zeichen eigener geistiger Tätigkeit die Rede ist (V. 6903), so muß auch Mephisto gleich darauf seine Unterlegenheit gegenüber Homunculus eingestehen.

> Ich sehe nichts – (V. 6923)

oder

> Dergleichen hab' ich nie vernommen. (V. 6944)

Dieses erste „Bedeutend" nämlich verrät schon die hohe Fähigkeit des Staunens, die ihn als den das Gesetzliche erkennenden Geist auszeichnet und die die Voraussetzung zum Gewahrwerden des Ideell-Wirkenden in der Natur ist.

„Staunen" verwendet Goethe fast terminologisch als Ausdruck des Innewerdens des Gesetzlichen sowohl im II. Faust wie auch mannigfach andernorts.[71]

Das, was Homunculus angesichts Fausts so erstaunen läßt, ist das Gewahrwerden seines „bedeutenden" Traums. Daß er diese von Faust nur gedachten geistigen Bilder erkennen kann – die Gabe dieses geistigen Schauens, seines Phantasierens (V. 6922) – hat eine Beziehung zum Traum selber. Es ist kein gewöhnlicher Traum. Homunculus wird nicht subjektive Faustische Phantasien gewahr; Faust träumt die Zeugung der Helena, und er träumt sie in Bildern des antiken Mythos. Homunculus' Vermögen, diese mythischen Phantasien wahrzunehmen, zeugt von einer Fähigkeit, nicht nur Geistiges als vom Menschen Gedachtes, sondern Gesetzliches, in der Natur Wirkendes zu erkennen; und zwar in derselben Weise, wie der seherisch-dichterische Geist des träumenden Faust das Ideelle als lebendiges Bild gewahr wird.

Denn nicht an der Unwirklichkeit der Traumbilder, sondern – so sagt es die Dichtung – an den Bildern des Traumes selbst ist es gelegen, daß Mephisto keinen Anteil an ihnen hat. Das, was ihn sie zu sehen verhindert, ist kein Mangel an Geistesschärfe. Goethe sagt ausdrücklich zu Eckermann, daß Mephisto dem Homunculus „an geistiger Klarheit gleicht".[72] Vielmehr sind ihm diese mythischen Bilder durch seine nordische Natur verwehrt.

> Das glaub ich! Du aus Norden,
> Im Nebelalter jung geworden,
> Im Wust von Rittertum und Pfäfferei,
> Wo wäre da dein Auge frei!
> Im Düstern bist du nur zu Hause.

(Umherschauend:)
Verbräunt Gestein, bemodert, widrig,
Spitzbögig, schörkelhaftest, niedrig! – (V. 6923–29)

oder

Mephistopheles sieht davon nichts, und der Homunculus ver-
spottet ihn wegen seiner nordischen Natur.[73]

Liegt es also am Traum, was träumt Faust?

Homunculus sieht als Traumgeschehen die Szene der Vereinigung
Ledas mit dem Schwan – aber nicht, wie man allgemein meint,[74] in der
Weise, wie sie das Correggio'sche Gemälde darstellt: „Leda ... sitzt
nackt am Hain, eben dem Wasser entstiegen, zu dessen Rand ihre Füße
hinabreichen, dem Schwan ... hingegeben usw."[75] Er beschreibt dieselbe Szene, aber in einem anderen Moment:[76] Leda nicht *aus* dem Wasser, sondern *in* das Wasser steigend; und das ist nicht gleichgültig. Sie,
die Eine, begibt sich in das Element als das Andere – und die Wahl der
Worte: „Lebensflamme", „Kristall der Welle", „sich gewöhnen", lassen
aufmerken; denn sie deuten darauf, daß sich in den mythischen Bildern
zugleich ein eigener, den Mythos übersteigender Sinn ausspricht.

In den reinen Naturverhältnissen von klarem Gewässer und um-
schließendem dichtem Hain – inmitten anmutiger Frauen, die sich ent-
kleidend selber Natur werden – ist es die „Eine", „Glänzende" von göttlicher Abkunft, die „in das durchsichtige Helle" des Elements einsteigt.
„Holde Lebensflamme" wird sie genannt, in der wir die Leda des Mythos
erkennen, hier das Bild des schönen Individuellen, von dem allein Reiz
ausgehen kann. „Kristall der Welle" heißt das Wasser, das Bild der
reinen Natur als Lebenselement, in das die individuelle „Flamme" eingeht und das als Welle sie wohlig kühlend umgibt.

Sie setzt den Fuß in das durchsichtige Helle;
Des edlen Körpers holde Lebensflamme
Kühlt sich im schmiegsamen Kristall der Welle. (V. 6908–10)

Das Attribut „schmiegsam" ist bedeutend. Denn gleich wird an der Welle
Statt ein Anderes „ihrem Knie sich schmiegen". Noch sind Flamme
und Element, obwohl sich berührend, rein von einander getrennt.
Doch alsbald entwickelt sich in dem Element, richtiger: entwickelt das
Element selbst aus sich ein „Getöse", „Sausen", „Plätschern", das den
eben noch glatten Wasserspiegel zerstört:

Doch welch Getöse rasch bewegter Flügel?
Welch Sausen, Plätschern wühlt im glatten Spiegel?
(V. 6911–12)

„Wühlen" deutet auf Leidenschaft, in die das Element gerät, vor deren Gewalt „die Mädchen verschüchtert fliehn", deren Macht sich allein die stolze Königin überläßt; denn statt der „schmiegsamen Welle" hat sich nun „der Schwäne Fürst" als das edelste dem Element Angehörige herzugedrängt:

> Zudringlich-zahm. (V. 6917)

Der Mythos weiß, daß sich in ihm Zeus verbirgt. In dem Schwanenfürsten ist das Element selber göttlich geworden. Die spätere Schilderung derselben Szene in der Walpurgisnacht bestätigt diese Auslegung, wenn es dort von dem Schwan heißt: „Sein Gefieder bläht sich schwellend, *Woge selbst*, auf Wogen wellend" (V. 7304–05). Das Element selbst also ist vom Gefühl des Reizenden Individuellen, das darin eingeht, in Liebe entzündet.

Den Vorgang, da leidenschaftlich entflammtes Element sich der „holden Lebensflamme" anschmiegt, der dem Akt der Vereinigung und Zeugung vorausgeht, nennt der Dichter „sich gewöhnen":

> Er scheint sich zu gewöhnen (V. 6917);

umgekehrt wird die „Lebensflamme" Homunculus von Faust gleich sagen, daß er sich nach seinem Naturtraum „hierher", in die gotische Studierstube als das ihm zugeborene Element, nicht mehr wird „gewöhnen" können.

> Waldquellen, Schwäne, nackte Schönen,
> Das war sein ahnungsvoller Traum;
> Wie wollt er sich hierher gewöhnen! (V. 6932–34)

„Gewöhnen" ist das Wort für das eintretende Behagen am reinen Verhältnis des Individuums zum Element, als der Bedingung des Schöpferischen.[77] Goethe selber hat in Italien die belebende Wirkung, die vom gemäßen Element ausgeht, aufs heftigste erfahren:

> So ein Element hab ich mir lange gewünscht, um auch einmal zu schwimmen und nicht immer zu waten.[78]

Fausts Traum erzählt also als Zeugung der Helena die Erzeugung der Schönheit aus der Natur, nämlich aus der Vereinigung der reinen Polarität von Individuum und Element. Aber ehe es zu dieser Vereinigung im Traum kommt, steigt ein Dunst empor

> Und deckt mit dichtgewebtem Flor
> Die lieblichste von allen Szenen (V. 6919–20),

und Fausts Traum verlischt.

Denn in dieses Element einzugehen, sich mit dieser reinen griechischen
Natur zu vereinigen und mit ihr, der Schönheitzeugenden, das einmal
gezeugte schöne Bild von neuem lebendig zu machen, ist der Weg, der
Faust in der Walpurgisnacht bevorsteht. Die Vereinigung zu vollziehen,
die sein Traum verhüllt, ist Faust erst aufgegeben. Noch ist alles in der
Distanz. Fausts Traum ist der schöpferische Ausdruck des Sehnens der
von der Schönheit paralysierten Geisteskraft nach griechischer Natur als
dem ihn wiederbelebenden Element; er ist zugleich das bildgewordene
Verkörperungsgesetz der geistigen „Lebensflamme" überhaupt.

Indem nun dem Homunculus Fausts Traum als das gesetzliche Verhältnis der Lebenskraft zu dem ihr zugehörigen Element erkennbar
wird, kann er der Faustischen Entelechie die „Hülfe" leisten, zu der
Mephisto nicht fähig ist.

> Er (Homunculus) will handeln und da ist ihm das Nächste
> unser Held Faust, der in seinem paralysierten Zustande einer
> höheren Hülfe bedarf.[79]

Zugleich ist wechselseitig auch ihm, der künstlichen Lebensflamme, mit
dem Traumbild von der griechischen Natur geholfen; gebend nimmt er.
Indem er in dem Faustischen Sehnen zugleich seinen eigenen Mangel
gewahrt, wird ihm bewußt, daß Faust zu helfen dasselbe bedeutet, wodurch auch ihm geholfen ist.

> Wie wollt er sich hierher gewöhnen!
> Ich, der Bequemste, duld es kaum. (V. 6934–35)

Und wenn Homunculus daraufhin die Feier einfällt, zu der sich die
griechischen Naturgeister in eben dieser Nacht treffen, so weiß er plötzlich das Faust und ihm gleichermaßen notwendige „Element":

> Jetzt eben, wie ich schnell bedacht,
> Ist klassische Walpurgisnacht;
> Das Beste, was begegnen könnte,
> Bringt ihn zu seinem Elemente! (V. 6940–43)

Mephisto und die Geschichte

Die Kenntnis von der klassischen Walpurgisnacht, über die Homunculus
hier verfügt, verdankt er einem Wissen, zu dem dem Tier der Instinkt
verhilft; der Instinkt als das unbewußte Wissen des animalischen
Individuums von dem ihm Lebensnotwendigen.[80] In Homunculus
betätigt sich dieses auf einer höchsten animalischen, auf der menschlichen
Stufe; denn nicht als „historischer Weltkalender", noch aus einem uni-

versalen geographischen Gelehrtenwissen, hat er diese Kenntnis, sondern dank einem dem Instinkt analogen Vorwissen der menschlichen Natur von der ihm zugehörigen Lebenswelt, das Goethe „Antizipation"[81] nennt. Es ist ein Wissen, das er sich selbst zuspricht, und das er speziell als ein dem Dichter Zugehöriges ansieht. In den Tag- und Jahresheften schreibt er darüber unter dem Abschnitt „bis 1780":

> An allen vorgemeldeten, nach Weimar mitgebrachten unvollendeten Arbeiten konnte man nicht fortfahren; denn da der Dichter durch Antizipation die Welt vorwegnimmt, so ist ihm die auf ihn losdringende, wirkliche Welt unbequem und störend.[82]

Dank diesem antizipatorischen Wissen nun kann Homunculus den Ort des Geistertreffens beschreiben (V. 6952–55). Das, was er beschreibt, ist die Peneioslandschaft als reine, zeugende Elementarnatur mit Fluß, Ebene, Bergen, Büschen und Bäumen, mit feuchten Buchten, wo die Elemente von Erde und Wasser sich mischen; mit Schluchten, in denen Berg und Ebene einander begegnen, und in die auch der Mensch im ewigen natürlichen Wechsel von Vergehen und Werden: „Pharsalus alt und neu" mit einbezogen ist:

> An großer Fläche fließt Peneios frei,
> Umbuscht, umbaumt, in still- und feuchten Buchten;
> Die Ebne dehnt sich zu der Berge Schluchten,
> Und oben liegt Pharsalus, alt und neu. (V. 6952–55)

Mephisto hört jedoch in dieser Naturbeschreibung nur die Beziehung des Orts zur antiken Geschichte („Pharsalus"). Das hängt mit seinem Wesen im zweiten Akt überhaupt zusammen und den wechselnden Rollen, die ihm darin zufallen – ein Wechseln innerhalb desselben Prinzips, das hier nun auch die veränderte Position erklärt, in die Mephisto durch das selbständige Wirken des Homunculus gerät. Denn eben noch an dessen Erfindung beteiligt, befindet er sich auch schon in der Lage der Defizienz und Abhängigkeit gegenüber dieser selben mitgeschaffenen „Kreatur" (V. 7004), ihrem Erkenntnisvermögen und ihrem Wissen von den antiken Naturgeistern.

Mephisto – vom Ganzen der Dichtung her – als das menschliche Spezifikum verstanden, trat im zweiten Akt in die mittelalterliche Studierstube ein in der Rolle des den Menschen Bewußtmachenden. Den um Erkenntnis bemühten Menschengeist jeweils um das ihm Fehlende polar ergänzend, verhalf er ihm zu etwas, was die natürliche Erkenntnisgrenze des Menschen übersteigt: zum Finden der Gesetzlichkeit der menschlichen Individualität. Es ist eine Gesetzlichkeit, die, zwar vom

Menschen gedacht und künstlich isoliert, von der Qualität einer Naturgesetzlichkeit ist; denn sie beginnt selbständig zu wirken.

Mephisto, als ein solches anthropologisches Prinzip, als der zu immer
größerem Bewußtsein drängende Erkenntnistrieb, wie er im menschlichen Geist angelegt ist, Mephisto als ein solcher ist so alt wie der Mensch
alt ist.

Wenn Homunculus nun, eben von sich selbst wissend,

> Dieweil ich bin, muß ich auch tätig sein (V. 6888)

auch schon Mephisto kennt, ihn als den anredet, der im „Norden"
beheimatet, „im Nebelalter jung geworden" ist, so redet er ihn damit in
seiner geschichtlich gewordenen Form an als ein Spezifikum des christ-
lich-abendländischen Menschen, das, im Mittelalter zu seiner eigentlichen Wirkung gekommen, als Epochengeist bis in die Gegenwart fortwirkt (V. 6945–46). Frucht dieses Geistes ist er selber als das erkannte
Naturprinzip des Menschen.

Als solches ist er Mephisto überlegen und erkennt ihn in der Beschränkung seines geschichtlichen Wesens: als den eingeschränkten
Geist des christlich-nördlichen und – wie wir in der Walpurgisnacht
sehen werden – des menschlich-moralischen Weltverständnisses.

Als menschliches Naturprinzip wird Homunculus den Faustischen
Traum gewahr, während der in christlichen Vorurteilen befangene
geschichtliche Mephistophelische Geist das Traumbild von der Zeugung
der Schönheit aus der reinen Natur nicht sehen kann. Die ganz durch die
menschliche Sicht begrenzte naturlose „gotische" Welt – der „Wust
von Rittertum und Pfäfferei" – darin er zuhause ist, läßt das Gewahrwerden des Ideellen-Wirkenden in der Natur nicht zu.

Als solches Naturprinzip hat Homunculus Kenntnis von den in der
Natur wirkenden gesetzlichen Kräften, den antiken Naturgeistern, während Mephisto von ihnen „nie vernommen" (V. 6944) hat. Mephisto
kennt nicht „klassische Gespenster"; er kennt nur die von der subjektiven
Einbildungskraft erfundenen, vom bösen (V. 6975) moralischen Gewissen eingegebenen romantischen Scheingespenster.

> Romantische Gespenster kennt ihr nur allein;
> Ein echt Gespenst, auch klassisch hat's zu sein. (V. 6946–47)

Diese Unterscheidung ist wichtig; denn sie erklärt zuletzt Mephistos
Eingeständnis seiner Unzuständigkeit für Helena, seiner Unfähigkeit,
Faust wieder zum Leben zu erwecken.

> Manch Brockenstückchen wäre durchzuproben

[verschiedene Begegnungen mit einer Scheinhelena wären durchzu-
proben]

> Doch Heidenriegel find ich vorgeschoben. (V. 6970–71)

[doch der Zugang zu den die schöne griechische Natur bildenden
Elementarkräften ist mir verschlossen]
Das will sagen: das Erfinden von schönen Gespenstern muß versagen,
wo es sich um die Erfüllung des Verlangens nach griechischer Schönheit
als dem Urphänomen der Natur handelt.

So wenig Mephisto also Kenntnis von den klassischen Naturgeistern
hat, so wenig zieht es ihn – „südöstlich" – zu jenen hin auf griechischen
Boden. Den Ort ihres Treffens, die thessalische Naturszene, apperzipiert
er nur nach ihrer menschlich-geschichtlichen Seite als die historische
Lokalität der Pharsalischen Schlacht, und auch als solche lockt sie ihn
nicht zum Besuch. Denn die Historie langweilt ihn; auch Pharsalus
bestätigt ihm nur das schon an den modernen Revolutionskämpfen
Erfahrene: die Sinnlosigkeit der politischen Geschichte als ständig sich
wiederholender Selbsttäuschung des Menschen: der Streit dort im Antiken (Pharsalus) wie hier in der Gegenwart (Französische Revolution),
proklamiert im Namen eines Ideals: des Menschenrechts auf Freiheit,
wird in Wahrheit ausgetragen in der Verknechtung durch den Trieb:
den menschlichen Trieb nach Macht. Asmodeus, der als wirkender Geist
hinter aller Menschengeschichte steckt, ist hier nicht der jüngere
jüdische, sondern der uralte persische Teufel, der immer schon, indem er
wissend, zugleich machtgierig machte. (V. 6956–63)

Homunculus indessen erkennt in der Geschichte ein anderes Wirkendes; nicht den menschlichen Machttrieb, sondern die natürliche Lebenskraft des Menschen, der sich seiner Natur gemäß wehrt und sich weh-
rend wächst und sich wandelt:

> Den Menschen laß ihr widerspenstig Wesen!
> Ein jeder muß sich wehren, wie er kann,
> Vom Knaben auf, so wird's zuletzt ein Mann. (V. 6964–66)

Indem sich Homunculus das Geschichtliche im eigenen Sinne des Natur-
prinzips aneignet als ein Werden und Wachsen menschlichen Lebens,
versucht er es nun Mephisto von der Seite des Vergehens schmackhaft zu
machen. Während ihm selber die Fahrt nach Thessalien eine Reise zu den
Geistern des lebendigen Werdens ist (V. 6948), versucht er Mephisto
auf den geschichtlichen, thessalischen Boden zu verlocken, indem er
ihm die Fahrt dorthin als eine Reise zu den Geistern des Verwesenden
und Toten anpreist. Aus seinem naturgesetzlichen Wissen von dem
gemäßen Element als dem vom Ich ersehnten versucht er bei Mephisto

ein Sehnen nach den antiken Geistern zu erwecken, indem er ihm die thessalischen Hexen in Aussicht stellt.

> ... Du bist ja sonst nicht blöde;
> Und wenn ich von thessalischen Hexen rede,
> So denk' ich, hab ich was gesagt. (V. 6976–78)

Und in der Tat: Mephisto wird „lüstern":

> *Mephistopheles* (lüstern):
> Thessalische Hexen! Wohl! das sind Personen,
> Nach denen hab' ich lang' gefragt. (V. 6979–80)

Was zieht Mephisto zu ihnen? Nicht nur, was den Teufel zu allen Hexen zieht. In Gräbern und Grüften des thessalischen Bodens hausend, als Vampyre, die es wiedergängerisch ins Leben zieht, sind diese Hexen selber damit beschäftigt, das Tote wieder ins Leben zu ziehen. Erichtho ist eine von ihnen. In ihnen verkörpert sich das Altertum als totes, wie es im geschichtlichen Boden fortwest und auf „Schlachtfeldern", in Ruinen („gestürzten Mauern") und anderen „klassisch dumpfen Stellen" (V. 7120) dem Griechenlandreisenden gespensterhaft-wiedergängerisch gegenwärtig wird.

> Mit ihnen Nacht für Nacht zu wohnen,
> Ich glaube nicht, daß es behagt;
> Doch zum Besuch, Versuch – (V. 6981–83)

Dieses im Boden steckende Unleben kennenzulernen, vom Geschichtlichen bis hinunter ins Urgeschichtliche des Menschen, zieht den Mephistophelischen Geist an. Auf das Geschichtliche nicht als das sich ständig wiederholende Bekannte, sondern auf das in der Erde begrabene Unbekannte wird Mephisto „lüstern".

Denn soviel ist gewiß: auch Mephisto muß mit in das Geisterfest: um eben des Geschichtlichen willen, der Dimension des „Gespenstisch-Vergangenen", die dem Faustischen Unternehmen anhaftet.

Auch für ihn, den geschichtlichen Geist, muß es etwas dem Schönheitssehnen der schöpferischen Faustischen Geisteskraft Analoges geben, was ihn in die Antike zieht. Es ist wiederum eine der Stellen, wo die polare Einheit von Faust und Mephisto, ihr Angewiesensein aufeinander, evident wird.[83] Denn es geht in der Studierstube um die Hinwendung des christlich-nördlichen Geistes zu der Antike im ganzen, und das heißt, in seinen beiden polaren Kräften, die sich nur ereignen kann, weil sich dem künstlerischen Verlangen nach der antiken Naturschönheit das epochale geschichtliche Interesse an der Antike als einer Epoche menschlichen Vergangenseins gesellt.

Und indem Mephisto nun den Lappen um den bewußtlosen Faust
schlägt, verbinden sie sich mit Homunculus zu dem Phänomen des neuzeitlichen Geistes, der der antiken Natur zustrebt. Homunculus leuchtet
vor (V. 6987). In dieser Dreieinheit wird die Fahrt für den schöpferischen
Geist Faust: ein Weg in den Mythos, für den geschichtlichen Geist
Mephisto: ein Weg in die tote Vergangenheit, und für die Geistnatur
Homunculus: eine Fahrt in die kosmische Welt.

Der Abschied von Wagner

Aber vor diesen endgültigen Aufbruch schiebt sich noch der Abschied
Wagners von Homunculus, der die schmerzliche Lösung des geistigen
Geschöpfs von seinem wissenschaftlichen Schöpfer ist, die Ablösung des
Denkers von dem Gesetzlich-Gedachten. Diese Trennung hängt sich an
die Wagnersche Frage:

> Und ich? (V. 6987)

und spricht in dem „Ich" das Kernwort des ganzen Aktes aus. In dieser
Trennung wird das nach gesetzlicher Erkenntnis strebende Ich (Wag-
ner) von dem Resultat dieses Strebens, dem gesetzlich gedachten Ich
(Homunculus) geschieden.

Als Strebender (V. 6996) also weiß sich Homunculus mit Wagner vereint. Nur ihren „Zweck" – der Dichter nimmt hier den aristotelischen
Begriff des „Telos" auf, welches in der Verwirklichung der strebenden
Potenz besteht – nur den „Zweck" ihres Strebens sieht Homunculus in
verschiedener Richtung:[84]

> Indessen ich ein Stückchen Welt durchwandre,
> Entdeck' ich wohl das Tüpfchen auf das I.
> Dann ist der große *Zweck* erreicht;
> Solch einen Lohn verdient ein solches *Streben:*
> Gold, Ehre, Ruhm, gesundes langes Leben,
> Und Wissenschaft und Tugend – auch vielleicht. (V. 6993–98)

Daß Wagner „zu Hause" bleiben muß, erkennt er ihm nicht um seines
Unvermögens willen zu; als Forscher ist Wagner im Laboratorium in
seinem Element, und was ihn als Vollendung seines Strebens (Telos) er-
warten wird, ist der Lohn durch die höchsten Güter menschlicher Glück-
seligkeit, wie die Farbenlehre sie nennt: „Gold, Gesundheit, langes
Leben" und dazu noch wissenschaftliche „Ehre" und „Ruhm"
(V. 6997–98).
Homunculus indessen weiß, daß er, um seinen „großen Zweck"
(Telos) zu erreichen, um das „Tüpfchen auf das I" – das Tüpfchen auf

13*

das Prinzip des menschlichen Ichs, zu entdecken – noch ein „Stückchen Welt" durchwandern muß. Und dieses Bewußtsein trennt ihn von seinem christlichen Erfinder bis zur Scheidung. Denn während Wagner in dem Homunculus des Laboratoriums seinen Zweck erreicht glaubt, in der wissenschaftlichen Schöpfung den dem höheren Wesen des Menschen angemessenen Ursprung sieht (V. 6846–47; V. 6869–70), bleibt Homunculus mit dem Überschreiten dieser Grenze, mit der Erfahrung seines animalischen Wesens bei den antiken Naturgeistern noch „Wichtigstes zu tun" (V. 6988). Am Gegenbild der Wagnerschen Selbsterfüllung wird klar, was das Ziel des Homunculus und seiner beiden Fahrtgenossen ist: für jeden die Erfüllung in seinem Natur-Element, in dem er wird, was er ist.

Die Struktur des zweiten Akts

Geist und Element

Wie der erste Akt, so zerfällt auch der zweite in zwei aufeinander bezogene Teile. Die Zäsur ist durch den Schauplatzwechsel bezeichnet.

Schon im äußeren Bau der Akthälften wiederholt sich eine gewisse Symmetrie. Wie sich die Studierstube in „gotische Stube" und „Laboratorium" als zwei aufeinander bezogene Szenen gliedert, so gliedert sich auch die Klassische Walpurgisnacht in eine solche doppelte Szenenzweiheit: der „obere Peneios" ist einmal auf den „unteren Peneios", dann als sich wiederholender Schauplatz am „oberen Peneios wie zuvor" auf die „Felsbuchten des Ägäischen Meers" bezogen.

Und dieser äußeren Entsprechung der Akthälften antwortet ihre genaue innere Bezogenheit. Ein „glücklicher Augenblick" in der Geschichte des menschlichen Geistes entspricht einem „glücklichen Augenblick" im Bilden der griechischen Natur; ja nach dem Willen der Dichtung treffen diese beiden wiederum in Einem Augenblick zusammen:

> Jetzt eben, wie ich schnell bedacht,
> Ist klassische Walpurgisnacht (V. 6940–41),

wird sich der Homunculus des Laboratoriums bewußt. Der ganze zweite Akt soll als ein glückliches Zugleich verstanden werden, das sich in Studierstube und Walpurgisnacht als in eine Polarität auseinanderlegt.[85]

Das bedeutet: die Neugeburt des abendländischen Geistes zu einem der Natur gemäßen schöpferischen Prinzip als das Thema des Aktes ereignet sich einmal als ein glückliches Gelingen im erfindenden Geist, zum anderen als ein glückliches Zusammenwirken von Kräften im formenbildenden Element der exemplarischen griechischen Natur.

In diese Polarität von geistigem Entwurf eines Schöpfers und verkörperlichendem Wirken der Natur zerlegt sich für Goethe jede Entstehung eines Individuums. Göttlicher Gedanke und Bildung im und durch das Element, obwohl in der geschaffenen Schöpfung immer vereint, wirken bei dem Entstehen des Individuums als einander bedingende Kräfte.

Wir treten . . . weder der Urkraft der Natur noch der Weisheit und Macht eines Schöpfers zu nahe, wenn wir annehmen: daß diese mittelbar zu Werke gehe, jener mittelbar im Anfang der Dinge zu Werke gegangen sei.[86]

Der Fisch ist für das Wasser da, scheint mir viel weniger zu sagen als: der Fisch ist in dem Wasser und durch das Wasser da . . .[87]

Treten wir ihrer Macht zu nahe, wenn wir behaupten: sie habe ohne Wasser keine Fische, ohne Luft keine Vögel, ohne Erde keine übrigen Tiere hervorbringen können, so wenig als sich die Geschöpfe ohne die Bedingung dieser Elemente existierend denken lassen.[88]

Hierbei ist das Verhältnis von geistigem Prinzip und Element nicht das der Anpassung an ein äußeres Umgebendes; vielmehr wird das Element selber von dem Prinzip als ein Mitbestimmendes in seine körperliche Bildung mit aufgenommen. Alles Lebendige hat also als Gebilde teil am Element.[89]

Nach dem Schema dieser einander bedingenden Urpolarität von geistigem Prinzip und verkörperlichendem Element sind die Verwandlungsprozesse an Homunculus und Faust in der Studierstube und in der Walpurgisnacht zu verstehen. In Analogie zum göttlichen Tun soll das schöpferische Erfinden, in Analogie zum verkörperlichenden Bilden der Elementarnatur soll das Wirken der mythischen Geister gesehen werden. Die Prozesse in beiden Räumen ergänzen einander polar.

Aus dieser Polarität erklärt sich die Entsprechung der Bilder in den beiden Teilen:

In der Studierstube: Homunculus, der in der gläsernen Retorte entsteht. In der Walpurgisnacht: der gläserne Homunculus, der sein Glas zerschlägt und sich ins natürliche Meereselement ergießt.

In der Studierstube: der paralysierte Faust, der aus Sehnsucht nach der antiken Helena ihre Zeugung aus der schönen griechischen Elementarnatur träumt. In der Walpurgisnacht: Faust, dem sich bei der träumenden Manto der Eingang in die Helena bewahrende griechische Erde öffnet.

Die Polarität erklärt auch die Bezogenheit der in den Bildern chiffrierten Vorgänge:

In der Studierstube ist Homunculus vom erkennenden Geist her gefaßt als die in ihren Prinzipien erkannte individuelle Lebenskraft, ausgestattet mit den das Gesetzliche erkennenden Fähigkeiten der menschlichen Vernunft, wie sie als Teil der Schöpfung Gottes zu denken ist. Der menschliche Geist vollzieht erkennend den anfänglichen Gedanken des Schöpfergottes nach. In der Walpurgisnacht ist Homunculus vom bildenden Naturelement her gefaßt als die wissenschaftlich konzipierte individuelle Lebenskraft, die von den mythischen Naturkräften zur animalischen Form verkörperlicht ins natürliche, Leben zeugende Element eingeht.

Das in der Gottnatur immer Vereinte erscheint hier getrennt. In dieser Trennung besteht die Künstlichkeit des Homunculus in der Studierstube; von dieser Künstlichkeit aber rührt andererseits sein Streben nach dem natürlichen Element der Walpurgisnacht.

Homunculus ist das Modell einer menschlich-animalischen Individualität, das Prinzip der Tier-Monade.

Wenn sich die Gesundung Fausts in der Walpurgisnacht in Analogie zu Homunculus und seinem Element-Werden ereignet, so heißt das: auch Faust bedarf der unbewußt bildenden Natur als lebenweckenden Elements. Aus Sehnsucht zur Schönheit der Antike in der ihm zugeborenen gotischen Welt krank geworden, geht er bei den antiken Naturgeistern in das Element ein, in dem er genesen kann. Aus der griechischen schönen Natur strömen ihm wieder dieselben Elementarkräfte zu, die schon einst zur Zeugung der mythischen Sinnformen geführt haben und die auch ihn wieder formenzeugend machen. Die in der Welt der Studierstube krank machende Sehnsucht verwandelt sich hier in die ins Leben ziehende Schöpfergewalt.

Die bildende Natur

Historische Wiederkunft – Erichtho

Die Walpurgisnacht eröffnet Erichtho, die „Düstere". In der „Finsternis" erscheinend, lädt sie ein zu einem „Schauderfest". Die Nacht vor
der Pharsalischen Schlacht,[1] in der sie einst den Geist eines Toten be-
schwor, und die sich in dieser selben Nacht der Jahresfeier der mythischen
Geister jährt, versinnlicht sich ihr in einem „Nachgesicht". Die Walpurgisnacht beginnt mit dem Wiedererscheinen der Antike als toter Geschichte.

„Grauer Zelten Woge" und rote „Wachfeuer" werden am historischen Ort und in der Wiederkehr der historischen Stunde von neuem zum
Scheinbild. Jedoch ist die Finsternis die notwendige Bedingung für sein
Dasein. Sobald sich der Mond erhebt, muß es als „Trug" dem natürlichen Lichte weichen; es bleiben nur die mythischen Bilder zurück, deren
Wiederkommen sich auf eine unausgesprochene Weise an das Erscheinen der geschichtlichen Bilder anschließt.

> Wachfeuer glühen, rote Flammen spendende,
> Der Boden haucht vergossnen Blutes Widerschein,
> Und angelockt von seltnem Wunderglanz der Nacht
> Versammelt sich hellenischer Sage Legion. (V. 7025–28)

Erichtho ist die aus Lukans „Pharsalia"[2] bekannte „thessalische Hexe",
die den Geist eines gefallenen römischen Kriegers wieder heraufrief, um
dem Sohn des Pompejus am Vorabend der Schlacht ihren Ausgang vor-
aussagen zu können.[3] Sie redet als einzige in der Walpurgisnacht in Trimetern, wodurch das antike Maß zu einer bedachten Auszeichnung
ihres unverwandelt-antiken Wesens wird. Beides verbindet sie ausdrücklich mit der geschichtlichen Antike.

Aber sie kennt, wie Helena, ihr Nachleben in der Dichtung.[4]

> Nicht so abscheulich, wie die leidigen Dichter mich
> Im Übermaß verlästern . . . (V. 7007–08)

Das unterscheidet sie von der Lukanischen. Sie ist nicht mehr historische
Person, sie tritt auf als ihr in der Dichtung fortlebendes gespenstisches
Bild. Damit ist sie zum Gegenbild der gleichfalls nur noch in ihrem
dichterischen Bild fortlebenden Helena geworden, die den dritten Akt

eröffnet – gegen die Antike von ihrer unvergänglichen Seite, als Schönheit: die Antike von ihrer abgestorbenen „abscheulichen" Seite, in ihrer
Geschichtlichkeit. Statt der antiken Totenbeschwörerin ist sie nun Bild
der beschworenen toten Antike. Einst gespenstisch in Gräbern lebend,
verkörpert sie jetzt das geschichtliche Altertum als sich wiederbelebendes
Gespenst. Erichtho, die auf den „Pharsalischen Feldern" Wiederkom-
mende: das ist die erinnernde Kraft des geschichtlichen Bodens, wie sie
am historischen Ort und zur historischen Stunde wirksam wird. Sie ist
der bewahrende Geist der antiken Erde, der das in ihr fortwesende geschichtliche Geschehen als Nachbild wieder heraufbringt.

Aber in dieser Wiederholung des einst Geschehenen hat sich das Geschehene verändert: aus dem einzelnen geschichtlichen Nachbild ist ein
Nachgesicht der Geschichte geworden. Denn in der Wiederholung des
Erinnerns treten aus der sich „ewig" wiederholenden Geschichte bestimmte menschliche Triebe als das sich Wiederholende hervor und
werden als die gesetzlich wirkenden Kräfte erkennbar.

> Wie oft schon wiederholt' sich's! Wird sich immerfort
> In's Ewige wiederholen ... Keiner gönnt das Reich
> Dem andern; dem gönnt's keiner, der's mit Kraft erwarb
> Und kräftig herrscht. Denn jeder, der sein innres Selbst
> Nicht zu regieren weiß, regierte gar zu gern
> Des Nachbars Willen, eignem stolzem Sinn gemäß. (V. 7012–17)

Wo sich aber wie in der Pharsalischen Schlacht diese menschlichen
Triebe zu Gewalten steigern und die Größe von Naturelementen erreichen, da erkennt Erichtho nun in diesem Kampf ein „großes Beispiel", in dem die Menschengeschichte die verändernden Kräfte der Erdgeschichte auch als die ihren offenbar macht.

> Hier aber ward ein großes Beispiel durchgekämpft:
> Wie sich Gewalt Gewaltigerem entgegenstellt,
> . . .
> Das wird sich messen. Weiß die Welt doch, wem's gelang
>   (V. 7018–24).

Denn indem sie die Auseinandersetzung zwischen Cäsar und Pompejus
als ein exemplarisches Ereignis versteht, in welchem sich politisch polare
Gewalten messen (der „starre Lorbeer" des Herrschers gegen den „holden tausendblumigen Kranz" „der Freiheit"; der Wachende gegen den
Träumenden)[5] und das heißt, Gewalten von gleicher Größe, wodurch
der Ausgang dem Zufall des Gelingens überlassen ist, versteht sie die
Auseinandersetzung schon in Analogie zu dem Kampf zwischen polaren
kosmischen Elementen, wie ihn die 5. Weissagung des Bakis beschreibt:

Zweie seh' ich! den Großen! ich seh' den Größern! Die beiden
Reiben, mit feindlicher Kraft, einer den andern sich auf.
Hier ist Felsen und Land, und dort sind Felsen und Wellen!
Welcher der Größere sei, redet die Parze nur aus.[6]

Denn auch hier, bei dem Kampf zwischen Erde und Wasser etwa, handelt es sich um Elementargewalten von gleicher Größe, und auch hier
ist der Ausgang des Kampfes der „Parze", und das heißt, dem Zufall des
Schicksals überlassen.

Man mag sich die Bildung und Wirkung der Menschen unter
welchen Bedingungen man will denken, so schwanken beide
durch Zeiten und Länder, durch Einzelnheiten und Massen,
die proportionierlich und unproportionierlich auf einander
wirken; und hier liegt das Inkalkulable, das Inkommensurable
der Weltgeschichte. Gesetz und Zufall greifen ineinander.[7]

Indem Erichtho hier Geschichte in ihren beiden Komponenten benennt: als sich wiederholendes Geschehen und als Zufall, der einen
Epochenwechsel herbeiführt (hier von der römischen Republik zum Im-
perium), benennt sie Geschichte überhaupt in ihrer Gesetzlichkeit und
wird damit selber zum Geist der Geschichte, dessen Blick sich die bedeutenden Ereignisse als „Beispiele" sinnbildlich zeigen.

Diesem auf das Sinnbildliche gerichteten Blick ist es nun zu verdanken,
daß sich die Perspektive erweitert und daß den Bildern der politischen
Geschichte – „angelockt von seltnem Wunderglanz der Nacht"
(V. 7025–28) – sich „hellenischer Sage Legion" anreiht. Geschichte geht
in Mythos über, ja früheste Kunde aus der Erdgeschichte, wie sie der
Mythos überliefert, tritt unter der Gelegenheit der geistigen Wiederkunft
von Vergangenem ins gespenstische Licht der Erinnerung. Aus den
Scheinbildern des geschichtlichen „Gewordenen" werden die Sinnbilder
des natürlichen „Werdens".

Höchst reizend ist für den Geschichtsforscher der Punkt, wo
Geschichte und Sage zusammengrenzen. Es ist meistens der
schönste der ganzen Überlieferung. Wenn wir uns aus dem
bekannten Gewordenen das unbekannte Werden aufzubauen
genötigt finden, so erregt es eben die angenehme Empfindung,
als wenn wir eine uns bisher unbekannte gebildete Person
kennen lernen und die Geschichte ihrer Bildung ... heraus-
forschen.[8]

Dennoch, Erichtho tritt auf, um alsbald wieder abzutreten. Die drei
Luftfahrer begegnen ihr nicht. „Düster" (V. 7006) und „gespenstisch"

(V. 7046) von Aussehen, trägt sie ganz die Züge des Todes, wie die
Antike ihn sich dachte: als ein Nichthaben an Leben, eine Gier, vom
Leben der Lebendigen sich zu nähren. Nicht anders Erichtho, der es
nicht ziemt, „Lebendigem zu nahen", dem sie „schädlich" ist. Wenn
sie also verschwindet, sobald sie Leben wittert, so flieht mit ihr aus der
Wiederkunft der Antike der Hauch des Schauderhaften, Modrigen, Nur-
Gewesenen. Ihr Abtreten ist eine poetische Geste, in der sich ausspricht,
was in dieser Wundernacht von nun an fehlen soll.

In einem Aphorismus, der die Überlieferung behandelt, unterscheidet
Goethe zwischen zwei Weisen, wie Vergangenes in die Gegenwart wirkt:

> Das Abwesende wirkt auf uns durch Überlieferung, die ge-
> wöhnliche ist historisch zu nennen; eine höhere, der Einbil-
> dungskraft verwandte, ist mythisch.[9]

Durch den Prolog wird die mythische Weise, wie in diesem Geisterfest
die vergangene Antike wieder gegenwärtig wird, von der historischen
abgehoben. Denn Helena – die antike – soll in ein neues Leben gezogen
werden. Damit wird hier Wiederkunft überhaupt thematisch, die sich
in einer historischen und einer mythischen Weise darstellt: in dem Jah-
restag von Pharsalus und der Jahresfeier der Walpurgisnacht. Es ist der
Grund, warum beide Gelegenheiten miteinander verbunden sind. Dabei steht nicht Geschichte gegen Mythos; die historische *Weise* vielmehr,
wie die Antike in Erichtho wieder da ist, weicht der mythischen. Denn
im historischen Nachleben hat die Antike das Gespenstische, nach Leben
Gierige, was Erichtho eigen ist. Es ist nicht die Weise, wie der von
Helena Träumende die Geliebte von neuem lebendig macht, der Paralysierte selber zu neuem Leben erweckt werden kann. Das leisten die
mythischen Geister, die derselbe Boden in anderer ewiger Wiederkehr
hervorbringt. Das Schauderfest der gespenstischen Erinnerung weicht
dem Geisterfest der ewig lebendigen Natur.

Der glückliche Augenblick

Wer sind nun die mythischen Geister, die sich in der Walpurgisnacht
einfinden, und was tun sie?

Jedes Jahr einmal versammelt sich in dieser Nacht die antike mythische
Welt. Es ist ein festliches Ereignis, bei dem zusammentrifft, was sonst
getrennt ist. Die Walpurgisnacht ist die Gelegenheit seltenster, aber sich
rhythmisch wiederholender Begegnungen unter den Geistern. Anwesend
sind in dieser Nacht nicht die olympischen Götter, sondern die mythischen Geister sofern sie es mit der Elementarnatur zu tun haben. In

ihnen präsentiert sich die mythische als eine göttlich-bildende Natur. Das heißt einmal: die griechische Natur erscheint hier unter dem Aspekt der Schönheit; ihre geistige Gesetzlichkeit offenbart sie in den Geistern sinnlich gestalthaft. Und das heißt zum anderen: die mythischen Geister chiffrieren in ihrem Tun gesetzliche Bildungsprozesse; durch ihr Wirken wird die griechische zu einer das Gesetzliche sinnlich bildenden, zu einer Formen bildenden Natur.[10]

Die drei Luftfahrer begegnen also in der Geisternacht nicht einer wirklichen, sondern einer geistig wirkenden Natur. „Gespenstisch" (V. 7043) nennt sie Homunculus, nicht weil in ihr das Magische, sondern weil in ihr das Gesetzliche – sonst verborgen Wirkende – erschienen ist. Indem die drei nun hier eintreten, eröffnet sich diese Geisternacht Mephisto und Faust gegenüber als eine vom Werden des Mythos sprechende Natur, so wie sie sich später Homunculus und Mephisto gegenüber als eine vom kosmischen Werden redende Erde auftut.

„Klassische Walpurgisnacht", als mythologisches Ereignis von Goethe erfunden, als poetisches Bild vom ersten Teil übernommen, ist also für den zweiten Teil neu zu verstehen. Noch für das Paralipomenon von 1826 war sie ganz nach dem Muster des ersten Teils gebildet: als Versammlung antiker Ungeheuer aller Art, in denen sich Natur in ihrem die Sinne und den Verstand verwirrenden Charakter spiegelte. (Die Interpretation Emil Staigers[11] geht offenbar von diesem Charakter des Vorentwurfs aus und übernimmt ihn für die fertige Dichtung.)

> Faust hat sich ins Gespräch mit einer, auf den Hinterfüßen ruhenden Sphynx eingelassen, wo die abstrusesten Fragen durch gleich räthselhafte Antworten ins Unendliche gespielt werden. Ein daneben, in gleicher Stellung aufpassender Greif... spricht dazwischen ohne das Mindeste deshalb aufzuklären. Eine kolossale ... Ameise welche sich hinzugesellt, macht die Unterhaltung noch verwirrter. Nun aber da der Verstand im Zwiespalt verzweifelt sollen auch die Sinne sich nicht mehr trauen. Empusa tritt hervor ... sich immer umgestaltend ...[12]

Und sie war als Pendant zum Blocksberg nach Thessalien verlegt, als dem klassischen Hexenland des Altertums.

> Hin und her schwärmen übrigens und rennen die sämtlichen Ungethüme des Alterthums, Chimären, Tragelaphe, Gryllen, dazwischen vielköpfige Schlangen in Unzahl ... der Drache Phython selbst erscheint im Plural ...[13]

Es war eine Konzeption, die ein antikes Pandämonium heraufbeschwor, um darin das Ungeheuerliche des Faustischen Verlangens, Helena aus

dem Totenreich loszubitten, möglich erscheinen zu lassen, und die noch
auf den Hadesgang Fausts als das Ende und den Höhepunkt des Aktes
hinauslief.

In der ausgeführten Dichtung wurde das Symbol, indem es aus dem
ersten Teil übernommen wurde, im aufgeklärten Sinne verwandelt: aus
der romantischen wurde eine klassische Walpurgisnacht, indem die
Magie daraus verschwand. Aus den magischen Geistern wurden natürliche Elementargeister; aus dem Hexenzauber ein Zauber der Natur.
„Wunder" ist das Wort, das die Vorgänge der Nacht bezeichnet: angefangen bei Homunculus' programmatischem Ausruf: „Nun frisch zu
neuen Wunderdingen" und Fausts glücklicher Erkenntnis: „Hier durch
ein Wunder, hier in Griechenland", über die Sirenen: „Niemand, dem
das Wunder frommt", und die Spinxe: „Wundersam, es ist derselbe,
jener alte längst Ergraute" bis zu den „Wundergästen" Thales und
Homunculus, dem „Wundermann" Proteus und dem „feurigen Wunder", in dem Homunculus schließlich ins verkörperlichende Element
eingeht. Die Beispiele wären zu vermehren.[14]

Der Mond, als das göttliche Licht, wird zum Bürgen für die Natürlichkeit der wunderbaren Ereignisse. So wie mit seinem Aufgehen die
Scheinbilder der geschichtlichen Erinnerung schwinden, so steht er mit
hellem Schein als natürlicher Zeuge über der Wundernacht bis zu ihrer
Vollendung, da er mitternächtlich im Zenith verharrt.

Aus dem Schauplatz Thessalien, dem Zauberland antiker Hexen,
wurde die durch gesetzliche Naturkräfte gebildete und immer wieder
sich umbildende thessalische Elementarlandschaft. Die Walpurgisnacht,
in diese sich verwandelnde Landschaft verlegt, meint einen außerordentlichen Augenblick dieser bildenden Natur. Als das seltene Zusammentreffen der Geister, wird sie zum Symbol für eine glückliche Konstellation in ihr, wo sich gewöhnlich isoliert oder gegeneinander wirkende
Kräfte plötzlich zu gemeinsamem Tun vereinigen, um innerhalb ihres
ewigen Bildens den in sie eintretenden abendländischen Menschen natürlich umzubilden. Die Walpurgisnacht wird zum Symbol des Gelingens
einer solchen Verwandlung.

Glück und Gelingen sind daher Schlüsselworte dieser Nacht. Mephisto
gebraucht sie eingangs,

> Glückzu den schönen Fraun, den klugen Greisen! (V. 7092)

genauso wie Faust

> Schon einmal warst du so beglückt (V. 7276)

und

> ... solch ein Sitz muß mich beglücken! (V. 7408)

Chiron

> Ihr glückt es wohl, bei einigem Verweilen (V. 7457),

wie Proteus

> ... Schon ist's getan!
> Da soll es dir zum schönsten glücken (V. 8317–18),

die Arimaspen

> Es wird uns diesmal wohl gelingen (V. 7111),

wie die Lamien

> Greif zu! und hast du Glück im Spiele... (V. 7761)

Das seltene Zusammentreffen zwischen Chiron und Manto in dieser Nacht

> Nun trifft sichs hier zu deinem Glücke;
> Denn alle Jahr, nur wenig Augenblicke,
> Pfleg ich bei Manto vorzutreten (V. 7448–50),

die seltenste Begegnung zwischen Nereus und Galatea, die sich jedes Jahr nur einmal in dieser Nacht ereignet, und die Vater und Tochter mit den Worten feiern:

> Du bist es, mein Liebchen! – O Vater! das Glück! (V. 8424)

sind daher die poetischen Bilder für die glückliche Gelegenheit, denen Faust und Homunculus das Gelingen ihres Abenteuers jeweils verdanken.

Die Geister

Die mythischen Geister – festlich, gesellig vereint – chiffrieren Verwandlungen verschiedenster Art, die innerhalb des Formenbildens dieser Natur zu verstehen sind; sie figurieren nicht als mythische Individuen, sondern bezeichnen Teilkräfte dieser Bildungsprozesse. Die Geisterfülle aus dem Entwurf von 1826 ist daher in der fertigen Dichtung einer bewußten Auswahl gewichen.

> Das Schwierigste indessen war, sich bei so großer Fülle mäßig zu halten und alle solche Figuren abzulehnen, die nicht durchaus zu meiner Intention paßten.[15]

Nichts dient mehr der Erweckung einer poetischen Stimmung – wie Emil Staiger meint:

Wem es genügt, mit halbbetäubten Sinnen auf den Pharsalischen
Feldern und an den Buchten des Ägäischen Meeres hin und her
zu wandern, dem werden zwar unzählige bedeutungsvolle Motive entgehen; er wird den Gehalt des Ganzen aber besser
erfassen, als wer zu ängstlich jedes einzelne Thema herauslöst
oder gar versucht, eine systematische Ordnung nachzuweisen.[16]

Vielmehr hat jede Gestalt eine bestimmte Funktion und einen unver-
rückbaren Platz im Ganzen des Vorgangs; ihre Aussage ist nicht absolut
und außerhalb des Zusammenhanges, sondern nur innerhalb des Kon-
textes zu verstehen.

Als wirkende Natur sind alle Geister gleich. Sofern sie in der Walpurgisnacht erscheinen, sind sie alle Elementargeister. Aber die griechische
Erde ist hier nicht nur als formenbildend im physikalischen Bereich
gedacht. Auch der Mythos wird verstanden als ein Erzeugnis dieser Erde:
als geistige Formen, die sie einst im Zusammenwirken mit dem Menschen bildete. Das unterscheidet die Geister dieser Nacht. Sie teilen sich
in solche, die es mit der Genese des Mythos zu tun haben: Sphinxe,
Sirenen, Ameisen, Greife, die Stymphalischen Vögel, die Köpfe der
Lernäischen Schlange, Peneios mit den Nymphen, Chiron und Manto –
und solche, die mit der Genese der Natur beschäftigt sind. Unter diesen
wiederum finden sich solche, die an den tellurischen Verwandlungen im
anorganischen Bereich beteiligt sind und den analogen sozialen und
politischen Prozessen innerhalb des Kreatürlichen: Sphinxe, Greife,
Ameisen, Seismos, Pygmäen, Daktyle, Reiher, Kraniche – und solche, die
im organischen Bereich bilden: alle Geister des Meeresfestes. Auch die
Geister, denen Mephisto im weiteren Verlauf seines Abenteuers begegnet:
Lamien, Oreas, Dryas und die Phorkyaden gehören in den Naturbereich.

Gleichwohl sind diese Bereiche von Mythos und Natur nicht streng
geschieden. Es gibt Geister, die im einen wie im anderen wirken. Denn
beide Bereiche wurzeln in gewissen Urvermögen der Erde, denen wir
gleich zu Beginn der Walpurgisnacht begegnen werden und die ebenso
mythenbildend wie erdbildend gewirkt haben. Es ist der Grund, warum
die Greife und Ameisen, Sphinxe und Sirenen in beiden Zusammenhän-
gen wiederkehren. – Schließlich gehören auch die Naturphilosophen in
den Kreis wirkender Naturgeister hinein; sie sind erkennender menschlicher Geist als eine *Möglichkeit* der Natur gedacht.

Simultaneität

Als ein glückliches Gelingen der griechischen Natur wollen alle Prozesse
der Walpurgisnacht zu Einem Augenblick zusammengedacht werden.

So vieles und noch mehr denke sich wem es gelingt, als gleichzeitig wie es sich ergiebt.[17]

Dennoch gliedert sich die Nacht in zwei sich genau entsprechende Hälften.[18] In den beiden um den Peneios angeordneten Szenen gelingt das Faustische Abenteuer: während die Szene am oberen Flußlauf von Mephisto zu Faust wechselt und wieder zu Mephisto, sind die Begegnungen am unteren Flußlauf allein auf Fausts Geschick und sein Eingehen in die Helena bewahrende griechische Erde bezogen. – Nicht anders verläuft es in der zweiten Hälfte, in der statt des Faustischen das Abenteuer des Homunculus Thema ist: wieder beginnt die Szene in der steinernen Landschaft des oberen Flußlaufs, wieder wechseln die Begegnungen von Mephisto zu Homunculus und wiederum zu Mephisto; während die letzte Szene, in den Felsbuchten des Ägäischen Meeres, ganz dem Furioso des Eingehens der Lebensflamme Homunculus ins wäßrige Element vorbehalten ist.[19]

Schon die Symmetrie im Bau der beiden Hälften weist darauf hin, daß die Sukzession der Teile nicht kausal-zeitlich zu verstehen ist; wieviel mehr noch spricht dafür das Beginnen der zweiten Hälfte („Am oberen Peneios wie zuvor") auf dem Anfangsschauplatz der ersten; zumal hier dieselben Sirenen, die Faust schon zu Beginn aufforderten, sich zu „unsern Gauen" ans „grüne Meer" (V. 7207–08) zu begeben, immer noch auf den „Ästen" des „Pappelstromes" anzutreffen und erst in der letzten Szene der Walpurgisnacht an dem Meer angekommen sind, wohin sie Faust schon eingangs verführen wollten.

Ebenso unsicher wird die zeitliche Folge zwischen den beiden Teilen, wenn Peneios das Beben der Erde schon im ersten Teil, vor dem Eintreten der Erschütterung, und mit fast denselben Worten bemerkt –

Weckt mich doch ein grauslich Wittern,
Heimlich-allbewegend Zittern (V. 7254–55),

mit denen die Sphinxe es dann im zweiten Teil, nach der Erschütterung, wiederum registrieren:

Welch ein widerwärtig Zittern,
Häßlich-grausenhaftes Wittern! (V. 7523–24)

Auch hier lassen sich die Beispiele vermehren; denn auch Mephisto, der schon in der ersten Hälfte auf sein Abenteuer mit den Lamien aus ist, steht in der zweiten Hälfte immer noch davor.

Es ist alles ein Zugleich: die beiden Hälften folgen nicht zeitlich aufeinander, sondern treten in Analogie zueinander; die drei Abenteuer, die sich in ihnen ereignen, nicht minder.

Denn auch zwischen den Abenteuern zeigt sich wiederum eine genaue Entsprechung in Bau und Verlauf. Jedes Abenteuer zerfällt durch den Szenenwechsel in zwei gleiche Teile:

> Faust: „oberer Peneios" – „unterer Peneios",
> Homunculus: „oberer Peneios wie zuvor" – „Felsbuchten",
> Mephisto: „oberer Peneios" – „oberer Peneios wie zuvor",

die durch jeweils drei Begegnungen bezeichnet sind:
Faust begegnet am „oberen Peneios"

> 1. der Gruppe des vorheroischen Mythos,
> 2. den Sphinxen,
> 3. den Sirenen;

und am „unteren Peneios":

> 1. Peneios und den Nymphen,
> 2. Chiron,
> 3. Manto.

Homunculus begegnet am „oberen Peneios wie zuvor":

> 1. Mephisto,
> 2. Anaxagoras,
> 3. Thales,

und in den „Felsbuchten des Ägäischen Meeres":

> 1. Nereus,
> 2. Proteus,
> 3. Galatea.

Mephisto begegnet am „oberen Peneios":

> 1. der Gruppe der Greife, Sphinxe und Sirenen,
> 2. Faust,
> 3. den Stymphalischen Vögeln und den Köpfen der Lernäischen Schlange;

und am „oberen Peneios wie zuvor":

> 1. den Lamien,
> 2. Homunculus,
> 3. den Phorkyaden.

Jedes Abenteuer gliedert sich in eine vorbereitende Szene, die mit einer Versuchung endet:

Faust: vor den Sirenen,
Homunculus: vor Anaxagoras und seinem Vorschlag, König der Pygmäen zu werden,
Mephisto: vor den Stymphalischen Vögeln und den Köpfen der Lernäischen Schlange,

und in eine solche, in der sich das Eingehen ins Element ereignet, wovon noch zu sprechen sein wird. Das bedeutet: auch die drei Abenteuer ereignen sich nicht in der Zeit und nacheinander, sondern treten, in der Art der Reihe, nebeneinander und erläutern sich gegenseitig.

Verkörperlichen

Denn was ereignet sich in ihnen?
In der Walpurgisnacht tritt der abendländische Mensch wieder in das Gesamt der Natur ein; er reiht sich wieder in den kosmischen Zusammenhang. Die Geisternacht ist der glückliche Augenblick, wo es den Formkräften der griechischen Natur gelingt, ihn in eine schöpferisch-lebendige Individualität zu verwandeln. Es ist eine Verwandlung, die zugleich den Beginn einer neuen geschichtlichen Geistesepoche bedeutet.
Sie betrifft den abendländischen Menschen in seiner Dreiheit. Faust, Homunculus und Mephisto repräsentieren Anteile des menschlichen Prinzips. In ihnen gliedert es sich in ein schöpferisch-entelechisches (Faust), ein biologisch-animalisches (Homunculus) und ein geschichtlich-epochales Prinzip (Mephisto). Homunculus und Mephisto akkompagnieren Faust jeder auf seine Weise. Die abendländische schöpferische Geisteskraft (Faust) wird flankiert von dem menschlichen als animalischem Naturprinzip und von dem epochal eingeengten Bewußtsein des Menschen als eines moralisch-verständigen Geistes.
Die Verwandlung dieser Dreiheit durch die Natur ereignet sich nun in je zwei Schritten:
1. In einem vorbereitenden Akt trennt die Natur sowohl Faust wie Homunculus von Mephisto. Die von Mephisto anfangs prophezeite Vereinigung zu der alten Dreiheit:

> Dann, um uns wieder zu vereinen,
> Laß deine Leuchte, Kleiner, tönend scheinen (V. 7066–67)

findet gerade nicht statt. Mephistos Begegnung, zunächst mit Faust, dann mit Homunculus, die einzige zwischen den drei Abenteurern überhaupt, bedeutet zugleich Scheidung; Scheidung Fausts und Homun-

14 Lohmeyer, Faust

culus' von ihrem naturfeindlichen, christlich-epochalen Anteil, dem sie verpflichtet sind und von dem sie herstammen. Diese Scheidung, die jedesmal in der ersten Szene stattfindet, ist eine der Voraussetzungen für den zweiten Schritt:

2. die Wirkung der formenden Elementarkräfte, die nun auf Faust und Homunculus ausgeht und jedem zum Formwerden durch sein Element, zum Entstehen und Wiederentstehen verhilft.

Auch Mephisto hat an dieser Verwandlung und ihrem Zweischritt teil. Der im Teufel Bild gewordene moralisch-verständige Geist wird im ersten Teil seines Abenteuers vor der Natur als Scheingeist entlarvt und verschafft sich im zweiten Teil seines Abenteuers eine neue Bildlichkeit, die sich aus der Natur herleitet, um darin in einer neuen Geistesepoche wirken zu können.

Die Dichtung selber nennt diesen Prozeß „verkörperlichen". Es ist ein Bilden der Natur von Geist zu Form. Das Wort fällt sowohl im Zusammenhang mit Homunculus:

> Ihm fehlt es nicht an geistigen Eigenschaften,
> . . .
> Doch wär' er gern zunächst verkörperlicht (V. 8249–52)

und meint dort den kosmischen Bildeprozeß, durch den die Natur ein geistig erkanntes menschliches Lebensprinzip in eine animalische Naturform verwandelt: das Sinnbild der Monade des animalischen Typus.

Und es fällt ebenfalls – gleich zu Beginn der Geisternacht – im Zusammenhang mit den Sphinxen, die die mythischen Bilder als Verkörperungen von Geistertönen der Natur bezeichnen:

> Wir hauchen unsre Geistertöne,
> Und ihr verkörpert sie alsdann.

Verkörpern meint auch hier im Bereich des Sinnbilderbildens den Prozeß, in dem diese formenbildende Natur wirkenden Geist in sinnliches Bild verwandelt.

Dieses sinnbildliche Verkörpern ereignet sich nun an Faust und Mephisto in verschiedener Weise. Faust, als schöpferischer Geist, erfährt dieselben Elementarkräfte an sich, die einst zur Verkörperung der mythischen Sinnbilder führten und welche nun in ihm selber seine schöpferischen Kräfte entbinden. In Faust verkörpert sich die schöpferische Individualität zum Schöpfer der Helena; während Mephisto sich zum Gegenteil der Helena macht, zum Bild der Häßlichkeit, in dem sich das moderne geschichtliche Bewußtsein von der Hinfälligkeit antiker Schönheit, von Helenas Vergänglichkeit verbirgt.

Urzeitliches – Die Kräfte der Erde

Die Begrüßung in der Walpurgisnacht fällt überraschenderweise Mephisto zu:

> Glückzu den schönen Fraun, den klugen Greisen! (V. 7092)

Ist er schließlich doch derjenige der drei Reisenden, der hier am ehesten zu Hause ist? So meint er es selbst von der Höhe her:

> Seh' ich, wie durchs alte Fenster
> In des Nordens Wust und Graus,
> Ganz abscheuliche Gespenster,
> Bin ich hier wie dort zu Haus. (V. 7044–47)

Auf dem Boden, in der Nähe, wird sogleich ein anderes deutlich: die Walpurgisnacht beginnt mit der Enttäuschung Mephistos; er findet sich hier „entfremdet" (V. 7081), und das Fremdsein bleibt das Mephistophelische Thema dieser Nacht. Das Antike ist ihm „zu lebendig"; das Reimwort „unanständig" offenbart, in welchem Gegensatz sich diese Andersartigkeit begründet: hier steht eine moralische Wertung der Natur gegen die Unschuld des Lebendigen. Mephisto, unter den antiken Sinnbildern zum christlichen Sinnbild, zum Teufel geworden, steht als naturfeindliches Prinzip gegen die Natur als Prinzip. Deshalb haben es alle Begegnungen des Mephisto mit der Natur im ganzen zu tun. Das unterscheidet sein Abenteuer von denen der anderen.

Sonst gilt für das Mephistophelische, was auch für die beiden anderen gilt:

1. Jeder begegnet in dieser Nacht dem ihm Zugehörigen, und
2. jedes Abenteuer schließt sich über sich ergänzende Erfahrungen und eine Versuchung zu einem Verwandlungsprozeß zusammen.

Seine Reise beginnt bei den Greifen, Sphinxen und Sirenen. Was Mephisto mit ihnen verbindet, scheint äußerlich zu sein: als tierische und halbtierische Mißgestalten entsprechen sie dem Teufel mit dem „Pferdefuß" als das andere, das antike Ungeheure. Doch diese Auslegung führt nicht weit: sie erklärt das wenigste von dem, was sich im folgenden zwischen den Tieren und Mephisto ereignet; und sie erklärt gar nichts von dem Tun derselben Sphinxe, Greife und Sirenen, die in späterem Zusammenhang – am „oberen Peneios wie zuvor" und in den „Felsbuchten des Ägäischen Meers" – auftreten und dort von ganz anderer Art sind. Alles Unterschiedliche aber muß in einem gemeinsamen Wesen gründen.

4*

Weiter in der Richtung einer Deutung führt die Selbstaussage der
Sphinxe, daß „die letztesten" von ihnen „Herkules erschlagen" habe
(V. 7198); denn damit datieren sie sich und die Mischwesen um sich
herum in eine vorheroische Zeit des Mythos, der mit Herkules erst
diejenige folgt, der auch Helena angehört. Ein Paralipomenon notiert:

> Noch ist ihm nicht geholfen
> Alles hat nicht an sie herangereicht
> Deutet auf eine wichtige Vorwelt
> Sie aber tritt in ein gebildetes Zeitalter.[20]

Sie ordnen sich dadurch einer „wichtigen Vorwelt" zu, die sich aus dem
Gegensatz zu einem „gebildeten Zeitalter" als die noch elementare
Urzeit der Erde artikuliert, da diese sich gerade dem Triebhaft-Mißge-
bildeten entrang. Ihr uranfängliches Wesen deutet sich schon darin an
daß Greife, Sphinxe und Sirenen – nach dem damaligen Stand der
Mythologie – bereits dem vorgriechischen (persischen und ägyptischen)
Mythos angehören.[21]

Dank eines naturgenetischen Aspekts, unter dem der Mythos gesehen
wird, werden aus den von Herkules erschlagenen Ungeheuern mythische
„Hieroglyphen"[22] für Urtriebe der Erde, die in allen ihren Bereichen
– vom anorganisch-geologischen bis zum menschlich-verständigen –
gleichermaßen wirksam sind. In den Klauen-, Tatzen- und Krallentieren
(V. 7603; V. 7149; V. 7163) stellen sich die elementaren Kräfte des
Besitzergreifens, des Beharrens und der Harmonie dar.

In dieser triebhaften Funktion innerhalb des Elements wirken die
Greife, Sphinxe und Sirenen am „oberen Peneios wie zuvor" und in der
Meeresfeier, während sie zu Beginn der Walpurgisnacht in ihrer Steige-
rungsmöglichkeit in Richtung auf das Menschliche gefaßt sind. Die Ein-
heit ihrer Mischgestalt (Greife: Löwenadler; Sphinxe: Löwenjungfrauen
Sirenen: Vogeljungfrauen) deutet selber auf Steigerung von Unterem-
Animalischem zu Oberem-Menschlichem, von Trieb zu Geist. Ihre Dreiheit bezeichnet hier die Entstehung der Sprache, des Mythos und der
Musik als Natursprachen der Erde. Durch sie repräsentiert sich Natur
als eine zum Menschen redende. Alles ist daher hier auf Laute gestellt
„Schnarren" (7093) „Hauchen" (7114) „Singen" (7155) „Krächzen"
(7214) „Zischen" (7225); es setzt sich fort am „Unteren Peneios" im
„Lauten" (7260) „Schwätzen" (7261) „Säuseln" (7251) „Lispeln" (7252)
zuletzt im „Wittern" (7254) „Schall" (7316) und „Dröhnen" (7319). Es
ist die Sprache der elementaren Erde als das Urzeitliche, aus dem sich das
Reden in Gebilden erhebt.

Die Greife

V. 7092–7111. – Daß die Greife zur Hieroglyphe der Sprachentstehung werden konnten, hat einen dreifachen Grund.

1. Die Greife heißen danach, wie sie tönen. Sie heißen Greife als ‚Grei‘-schnarrende.[23] Und

2. die Greife tun, wie sie tönen; sie greifen zu[24] als „Grei“-schnarrende. Darin spricht sich die Theorie aus, die, von Herder entwickelt,[25] eigenen Goethischen Vorstellungen vom Ursprung der Sprache entgegenkommt.[26] Danach ist der Mensch, ausgestattet mit der Gabe der „Besinnung“ („Reflexion“),[27] derart beschaffen, daß er sich begegnende Natur unter dem Zeichen merkt, das ihm durch das Ohr zukommt,[28] und, an dieses tönende Merkmal in der Wiederbegegnung sich besinnend, es zum Namen des Wesens macht.

Und zwar entstanden die ersten Namen der Wesen aus tönenden Tätigkeiten.

> Tönende Verba sind die ersten Machtelemente der ältesten Sprachen . . .[29]
> So sind . . . die morgenländischen Sprachen voll Verba als Grundwurzeln der Sprache[30]

Auf die Greife angewendet heißt das, daß ihre mit dem Schnarrton sich verbindende Tätigkeit des Zugreifens – des Herausscharrens von Gold aus der Erde etwa – sich dem menschlichen Ohr als Erkennungszeichen einprägte und in der Wiederbegegnung mit dem „Grei“-Ton sich zu ihrem Namen „Greif“ artikulierte.

3. Nun sind die Greife – nach ihrem Mythos – solche, die nach Gold greifen.

> Man greife nun nach Mädchen, Kronen, Gold . . . (V. 7102);

da indem sie hier mit dem Gold zugleich von den höchsten materiellen Schätzen überhaupt Besitz nehmen – in „Mädchen“ und „Kronen“ von höchsten sozialen Werten – bezeichnen sie den Urtrieb der elementaren Kreatur nach Besitz.

In dieser elementaren Funktion des Besitzergreifens sind die Greife später am „oberen Peneios wie zuvor“ verstanden; daher dort auf dem neu entstandenen Berg ihr gieriges Rufen nach Gold:

> Herein! Herein! Nur Gold zuhauf!
> Wir legen unsre Klauen drauf;

> Sind Riegel von der besten Art:
> Der größte Schatz ist wohl verwahrt. (V. 7602–05)

Von Mephisto aber nun zu Beginn des Geisterfestes als „kluge Greise‘
(V. 7092) angeredet, repräsentieren sie hier zugleich das Besitzergreifen
in einem geistig verständigen Sinne: das menschliche Besitzergreifen vor
der Welt durch das Namen-geben. Der der übrigen Kreatur durch Verstand überlegene Mensch greift, indem er die Welt benennt, nach ihr
und macht sie in der Sprache sich zu eigen.

> Die ganze vieltönige . . . Natur – sagt Herder – ist des Menschen
> Sprachlehrerin . . . Da führet sie alle Geschöpfe bei ihm vor-
> bei; jedes trägt seinen Namen auf der Zunge, und nennet sich
> diesem verhüllten sichtbaren Gotte selbst als sein
> Vasall . . . Es liefert ihm, wie einen Tribut, sein Merkwort ins
> Buch seiner Herrschaft, damit er sich bei diesem Namen seiner
> erinnere . . . Ich frage ob je diese Wahrheit: „eben der Ver-
> stand, durch den der Mensch über die Natur herrschet, war der
> Vater einer lebendigen Sprache, die er aus Tönen schallender
> Wesen zu Merkmalen der Unterscheidung abzog;" ich frage
> ob je dieser trockne Satz auf morgenländische Weise edler und
> schöner könne gesagt werden, als: „Gott führte die Thiere zu
> ihm, daß er sähe, wie er sie nennete; und wie er sie nennen
> würde, so sollten sie heißen!"[31]

Im Krächzen der Greife aber – anders als gleich darauf im Hauchen
der Sphinxe und im Singen der Sirenen – stellt sich dieses erste Sprechen
entsprungen aus dem Urlaut des *begehrenden* Affekts „Grei" dar. Über
Mephistos Anrede als „Greise" setzt er sich in der Reihe:

> Grau, grämlich, griesgram, gräulich, Gräber, grimmig (V. 7096)

fort: es wäre die Mephistophelische Auslegung dieses Uraffekts, durch
die er sich den Naturtrieb nordisch-menschlich zu adaptieren sucht:

> Und doch, nicht abzuschweifen,
> Gefällt das Grei im Ehrentitel Greifen. (V. 7098–99)

Der Einspruch der Greife aber besteht auf jener anderen Verwandtschaft, die erprobt ist:

> Man greife nun nach Mädchen, Kronen, Gold (V. 7102),

auf der Verwandtschaft also mit dem triebhaften Besitzergreifen, wie es
der begehrenden Kreatur eigen ist und wie es sich in der Kraft des
Energischen, dem es gelingt, im Elementar-Menschlichen fortsetzt:

Dem Greifenden ist meist Fortuna hold. (V. 7103)

Der Ursprung der Sprache hängt sich damit an das Besitzergreifen als einen Urtrieb der sammelnden und raubenden Elementarnatur. Es ist der Grund, warum die Greife von den Ameisen,[32] den Tierbildern des Schätze-sammelns,

> Ihr sprecht von Gold, wir hatten viel gesammelt,
> In Fels- und Höhlen heimlich eingerammelt (V. 7104–05)

oder

> Allemsig müßt ihr sein,
> Ihr Wimmelscharen:
> Nur mit dem Gold herein!
> Den Berg laßt fahren! (V. 7598–7601)

und den Arimaspen,[33] den findigen Menschenbildern des Schätzeraubens, umgeben sind:

> Bis morgen ist's alles durchgebracht,
> Es wird uns diesmal wohl gelingen. (V. 7110–11)[34]

Derselbe Urtrieb also, der die Greife auf dem vulkanischen Berg ihre Klauen auf die neu gesammelten Goldschätze legen läßt, führt zu dem ursprünglichen Lautgeben der gewalttätigen Elementarnatur als dem Ursprung der Sprache: das Besitzergreifen als der auslösende Trieb im ganzen sozialen Bereich frühesten animalischen und menschlichen Lebens.

Die Sphinxe

V. 7112–7137. – In den Sphinxen[35] ist ein anderes Vermögen der uralten Erde gefaßt, das sie aus dem Elementaren in Richtung auf das Menschliche gesteigert hat: das Vermögen, zu beharren und Zeugnis zu geben von dem ewig Beharrenden.

Es gründet bei den Sphinxen einmal darin, daß sie aus dem Granit gebildet sind:

> Die ungeheuren Massen dieses Steines flößten Gedanken zu
> ungeheuren Werken den Ägyptiern ein ... Noch sind die
> Sphinxe ... die Bewunderung der Reisenden.[36]

Denn der Granit, als der „älteste, festeste, tiefste, unerschütterlichste Sohn der Natur", „die Grundfeste der Erde", „der seinen Ursprung ... ebensowenig ... aus Feuer wie aus Wasser" herleitet,[37] der „nichts Lebendiges" erzeugend und „nichts Lebendiges" verschlingend[38] „vor

allem Leben und über alles Leben"[39] ist, er ist der ewig Beharrende und
hat die „wichtigsten Ereignisse ... der Erde"[40] von Anbeginn aufgenommen.

In dieser elementaren Funktion – als beharrende Urkraft der Erde, die
dem Granit, gegenüber allen ihren verändernden Kräften, innewohnt[41] –
sind die Sphinxe in der Szene am „oberen Peneios wie zuvor" gefaßt:

> Doch wir ändern nicht die Stelle,
> Bräche los die ganze Hölle (V. 7528–29)

oder

> Ein Sphinx wird sich daran nicht kehren,
> Wir lassen uns im heiligen Sitz nicht stören. (V. 7580–81)

Dieselben Sphinxe aber haben nun auch als Fixsternbilder von Jungfrau und Löwe ihren beharrenden Platz am Himmel, worauf die Dichtung bereits durch die sphinxische Frage:

> Was sagst du zu der gegenwärt'gen Stunde?

– der Walpurgisnacht nämlich – hinweist, die im Doppelsternbild der
Sphinx, im Sternbild von Jungfrau und Löwe also, steht. Die Geisternacht, auf die Nacht vor der Pharsalischen Schlacht datiert, fällt auf die
Nacht zwischen dem 8. und 9. August. Hederich berichtet, daß die
Sphinxe „die Monate Julium und Augustum bei denen Ägyptiern fürgestellet als in welchen die Sonne in der Jungfer und Löwen laufe".[42]
Und so haben die Sphinxe auch als die am Himmel ewig Beharrenden[43]
teil an den wichtigsten Himmelsereignissen und können auch hier Zeugnis ablegen von den kosmischen Uranfängen.

Indem sie aber nun – dank ihrer mythologischen Qualität – in Rätseln
zum Menschen sprechen, so werden sie hier zu Beginn der Walpurgisnacht schließlich zur Hieroglyphe für die Rätselsprache, durch die das
uralte Erdgestein zum Menschen von dem ewig Beharrenden spricht:
für den Ursprung des Mythos; die mythischen Rätselbilder legen Zeugnis ab von den „wichtigsten Ereignissen des Himmels und der Erde",
die das Thema der „ältesten", kosmogonischen „Mythologie"[44] sind.

So ist in den Versen, mit denen sich die Sphinxe vorstellen – und zwar
in Rätselform –

> Wir hauchen unsre Geistertöne,
> Und ihr verkörpert sie alsdann (V. 7114–15)

zugleich die Entstehung des Mythos beschrieben. Darin sagen die
granitenen Tiere selber, was sie sind: noch vor aller mythischen Personifikation stehend, bezeichnen sie sich als „Geistertöne", die verkör-

pert werden; als Geist also, der Form – Sinn, der Bild wird, und das heißt Mythos.

Über die Bedeutung von „verkörpern" herrscht in der Faustkommentierung Uneinigkeit: während Petsch,[45] Beutler[46] und Friedrich-Scheithauer „verkörpern" im Sinne von „vergröbern" verstehen – „Körperlichkeit bedeutet zugleich Vergröberung"[47] – weist schon Witkowski[48] auf die Wortbedeutung hin, die dann Karl Reinhardt[49] durch seine überzeugende Interpretation der ganzen Stelle erst recht erhärtet hat und die der zahlreiche Goethische Wortgebrauch bestätigt:[50] Geistiges in Körperlich-Bildlichem sinnlich machen.

Dennoch bleibt für das Verständnis der Verse zu fragen, wer das „ihr" ist, das verkörpert. Ist zu verstehen: wir Sphinxe hauchen unsre Geistertöne, und ihr seid die Verkörperung; oder ist gemeint: ihr nehmt die Verkörperung vor? Der weitere Verlauf der Dichtung wird zeigen, daß beide Deutungen nebeneinander bestehen sollen und sich auf Mephisto und Faust verteilen.

Hier ist zunächst Mephisto angeredet als das einzige Gegenüber in der übrigen Szene – wie er ja auch gleich im nächsten Vers, ohne merkbaren Wechsel, der Angesprochene ist:

Jetzt nenne dich ... (V. 7116)

der Wechsel vom „ihr" zum „du" ist kein Einwand. Das „ihr" dient in dieser Szene häufig als Anrede für Mephistopheles, und gerade am Ende der Szene kehrt der Wechsel des Numerus noch einmal wieder:

Ja, mische dich zum luftigen Gesinde! – (V. 7240)

Und respektiert nur unsre Lage (V. 7243).

Der Plural, an dieser Stelle unbezweifelbar an Mephisto gerichtet, bezieht sich aber hier notwendig auf den Menschen überhaupt. In Mephisto ist also auch in den ersten Sphinxversen der Mensch angeredet, und zwar als derjenige, der sich soeben – den Greifen, Ameisen und Arimaspen gegenüber – als ihre Sprache Verstehender bewiesen hatte:

Denn ich verstehe Mann für Mann

als die Kreatur also, die Verstand hat.

Ihm antworten nun unmittelbar die Sphinxe und stellen mit ihrer Selbstvorstellung:

Wir hauchen unsre Geistertöne

das eben bei Mephisto aufkommende Wohlbehagen an dieser ihm scheinbar verständlichen Natur

Wie leicht und gern ich mich hierher gewöhne (V. 7112)

von neuem in Frage. Denn nun, bei ihren „Geistertönen", geht es um
ein anderes Sprechen und um ein anderes Verstehen. Als Antwort auf
Mephistos „Ich verstehe Mann für Mann" – also die mythischen Gestalten rundherum – erklärt es das Verstehen der Sphinxsprache als Verkörpern, und ihr Sprechen als Hauchen des den Naturerscheinungen
innewohnenden Sinnes; Verstehen der Sphinxe also: als ein Verkörpern
von Sinn, wie es nicht Mephisto, sondern nur Faust leisten wird, wenn
er Helena von neuem „ins Leben zieht": verkörpert. Mythos wird damit
von den Sphinxen erklärt als der vom Menschen zu Bildern verkörperte
ewige Sinn, den sie, das beharrende Erdgestein, ihm zuhauchen.

Mephisto indessen wird es gleich zufallen, Verkörperung des Sphinxischen Geistergetöns zu werden; denn indem er, sich in ein Gespräch
mit ihnen einlassend, selbst – in der Weise des Ödipusrätsels – die
Lösung ihres Rätselsprechens darstellt (V. 7132–37), wird er – als Teufelsbild – zur Verkörperung ihres Geistergetöns.

Die Sirenen

V. 7152–7180. – In den Sirenen[51] endlich spricht sich ein Vermögen der
Erde aus, das sie als ein höheres nicht in der steinernen anorganischen,
sondern erst in der organisch-lebendigen Natur ausbildet: das Vermögen
der Harmonie und seiner Artikulation in „wohlgestimmten Tönen"
(V. 7159).

Nicht umsonst sind die Sirenen Vögel, die Goethe als Geschlecht
gerade unter dem Gesichtspunkt der Steigerung bedeutend wurden; er
nennt sie in einer Maxime „ganz späte Erzeugnisse der Natur"[52] und
sagt von ihnen: „Die Natur trieb sie zum Singen."[53] Mit der Fähigkeit
des Singens verbindet sich bei ihnen die Zugehörigkeit zum Element der
Luft als der „oberen Region", der Region des Himmels.

Indem sie nun, dank ihrer mythischen Qualität, Verführende sind, so
bedeutet ihr Gesang Verführung, die von oben kommt[54] und zum Höheren führt; Verführung also aus dem bisherigen, von Habsucht und Streit
beherrschten Element („Häßlich-Wunderbaren") zu einem von Harmonie gestimmten Kosmos.

> Ach was wollt ihr euch verwöhnen
> In dem Häßlich-Wunderbaren!
> Horcht, wir kommen hier zu Scharen
> Und in wohlgestimmten Tönen:
> So geziemet es Sirenen. (V. 7156–60)

Das Singen wird als ein Vermögen der Sirenen verstanden, das aus ihrem Verzicht auf „Hassen" und „Neiden" entspringt und das sie als Ausdruck klarster Freuden aus ihrer Himmelsregion zur Erde und zum Wasser herabbringen: der Sirenengesang als Artikulation der Heiterkeit, mit der die Natur nun hier auch den bei ihr eintretenden menschlichen Fremdling willkommen heißt.

> Weg das Hassen! weg das Neiden!
> Sammeln wir die klarsten Freuden
> Unterm Himmel ausgestreut!
> Auf dem Wasser, auf der Erde
> Sei's die heiterste Gebärde,
> Die man dem Willkommnen beut. (V. 7166–71)

In den Sirenen chiffriert sich der Ursprung der Musik als Liebessprache der lebendigen Natur.

Mephisto

Weshalb begegnet nun Mephisto diesen Urtieren?

In die urzeitliche Erde, repräsentiert durch ihre geistigen Vermögen, tritt er gleichfalls als geistig-menschliches Prinzip ein, und zwar als das christlich-nördliche, das in der Natur fremd ist (V. 7080–81). Denn er ist die Kreatur mit moralischem Bewußtsein. Dieses bringt es ihm ein, daß er sich der Natur schämt; der unschuldigen Nacktheit des Kreatürlichen gegenüber ist er der Reflektierende, der sie schamlos findet.

> Fast alles nackt, nur hie und da behemdet:
> Die Sphinxe schamlos, unverschämt die Greife (V. 7082–83)
>
> Das müßte man mit neustem Sinn bemeistern
> Und mannigfaltig modisch überkleistern. (V. 7088–89)

Es ist der Mensch nach dem Sündenfall, der Mensch im Bewußtsein von Gut und Böse, der sich aus der Natur emanzipiert hat, der abendländische Geist, wie er durch seine christliche Geschichte geprägt ist.

Wie Mephisto nun dieses menschlich-epochale Prinzip darstellt, so ist auch die Natur, in die er eintritt, in ihrer Bezogenheit auf das Menschliche gefaßt: indem sie als triebhaft „sprechende", Geist „hauchende" und harmonisch „singende" begegnet, wendet sie sich – als redende Natur – an Mephisto als den Verstand Habenden.

Wenn man sich von den Versprechungen der Dichtung leiten läßt, so hätte Mephisto zunächst statt dieser Urtiere den Thessalischen Hexen begegnen müssen, um derentwillen er sich ja in die Walpurgisnacht

hatte verlocken lassen. Hat die Dichtung das vergessen, oder inwiefern rücken die einen Geister an die Stelle der anderen? Denn mit dem
Anblick Erichthos auf den Pharsalischen Feldern und mit dem Bemerken ihres Ausweichens kann das Mephistophelische Hexenbedürfnis
kaum befriedigt, das dichterische Motiv kaum erschöpft sein.

Immerhin, auch Erichtho ist eine in Thessalien beheimatete Hexe; sie
ist – wie wir sahen – der Geist dieses thessalischen Bodens, in dem sich
das Vergangene, das sich in ihm ereignet hat, aufbewahrt hat und bei
bestimmter Gelegenheit wieder auflebt. In ihr ist diese erinnernde und
die Vergangenheit wieder verkörpernde Kraft der griechischen Erde auf
die geschichtlichen Ereignisse beschränkt; auf den thessalischen als
politisch-geschichtlichen Boden.

Ihn erreichen die christlich-nördlichen Luftfahrer auf ihrem Weg am
ersten. Die historische ist die oberste Schicht dieser Erde – um mit Karl
Reinhardt[55] zu reden; an ihr vorbei tritt nun Mephisto gleich in ihre
tiefste Schicht ein: in ihre Frühzeit.

Was mit den Thessalischen Hexen als den im antiken Boden nach-
geisternden Kräften Mephisto angekündigt war, erfüllt sich hier – statt
unter der politisch-geschichtlichen – unter der erdgeschichtlichen
Perspektive: in der Begegnung mit den urzeitlichen Kräften der elementaren Erde.

Mephisto tritt unter diese Urtiere als der Pferdefüßige. In der gotischen Studierstube in der Professorenmaske erschienen, erscheint derselbe Geist nun hier in der Maske des Teufels. Der Teufel ist also das
Bild, in dem der christlich-epochale Geist unter den antiken Naturgeistern erscheint, um alsbald von ihnen in seiner Scheinbildlichkeit
demaskiert zu werden und seine weitere Reise durch die Geisternacht
mit der Suche nach einem neuen „natürlichen" Bild zu verbringen, in
dem er sich – der verwandelten abendländischen Geistesepoche gemäß –
neu maskieren kann:[56] sich verwandeln aus dem Bild des Bösen in das
der Häßlichkeit.

Demaskierung

V. 7080–7180. – Mephisto als Teufel also, sich zunächst den Greifen zu-
wendend, glaubt in der Tat ihr Sprechen zu verstehen; er fühlt sich bei
ihnen in seinem „Element" (V. 6943). „Gewöhnen" ist auch hier das
Wort, das schon bei Faust und Homunculus in analogem Zusammenhang fiel (V. 6933–34):

> Wie leicht und gern ich mich hierher gewöhne!
> Denn ich verstehe Mann für Mann. (V. 7112–13)

Was ihn anspricht, ist das Gewalttätige der Kreatur; denn im Triebhaft-Gewalttätigen meint er offenbar das Böse zu erkennen.

Die Täuschung bringen gleich darauf die Sphinxe zutage, indem sie den Fremdling auffordern, sich ihnen in der Weise zu nennen, wie sie sich ihm gerade zuvor als Rätsel genannt hatten (V. 7114–16). Mephisto, zunächst ausweichend in die „vielen Namen" – vielnamig wie eine Gottheit – verrätselt sich schließlich in dem Bild der „old Iniquity",[57] der Alten Sünde aus den englischen mittelalterlichen Moralitäten, auf seine nördlich-christliche Weise (V. 7117–23), worauf die antiken Sphinxe nur mit teilnahmsloser Unkenntnis antworten können:

> Wie kam man drauf? (V. 7124)
>
> Mag sein. (V. 7125)

Das Rätselgespräch setzt sich fort in der Sphinxischen Gegenfrage nach der „gegenwärt'gen Stunde" – als nach der Walpurgisnacht (V. 7126) – in deren Sternbild sich die Sphinxe ihrerseits kosmisch „verrätseln"; auf die der christliche Teufel wiederum beziehungslos erwidert:

> Stern schießt nach Stern, beschnittner Mond scheint helle,
> Und mir ist wohl an dieser trauten Stelle (V. 7127–28);

bis schließlich Mephisto selbst zur weiteren Unterhaltung das Rätselraten vorschlägt:

> Gib Rätsel auf, gib allenfalls Charaden (V. 7131),

das von den Sphinxen in ihrer in Sinnbildern sprechenden Weise durch die Rätselfrage an den pferdefüßigen Teufel aufgenommen wird – moderne Wiederholung der antiken Rätselfrage an den schwellfüßigen Ödipus – und die als Lösung ebenfalls, wie im Falle des Ödipus, den Teufel selber hat, ja die den Teufel in der Natur überhaupt auflöst, das heißt als moralisches Sinnbild für nichtig erklärt.

> Versuch einmal, dich innigst aufzulösen:
> „Dem frommen Manne nötig wie dem bösen,
> Dem ein Plastron, ascetisch zu rapieren,
> Kumpan dem andern, Tolles zu vollführen,
> Und beides nur, um Zeus zu amüsieren." (V. 7133–37)

Denn die Schaubühne, auf die der Teufel hier gestellt wird, ist nicht mehr die eigene mittelalterliche der Moralitäten, sondern die fremde antike, nämlich die Bühne für den Zuschauer Zeus, und das heißt: die Natur.

Zeus ist hier nicht gleichzusetzen mit dem „Herrn" aus dem Prolog des ersten Teils, wie es mit anderen vor allem Max Kommerell mit seiner

Definition des Mephisto vor den Sphinxen als „Hofnarr Gottes" tut.[58]
Zeus ist hier – wie schon Karl Reinhardt bemerkt[59] – derselbe, auf den
Nereus (V. 8411) als die zuständige Instanz hinweist, wenn ihn seine
Töchter um Unsterblichkeit der sterblichen Schifferknaben und ihrer
Liebe bitten; er ist der Geist der gesetzlichen Natur; im Hinblick auf
Mephisto gesprochen, ist er die gesetzliche Natur als außermoralisches
Prinzip, vor dem sich das Böse aufhebt.

Während der Teufel nun auf der eigenen moralischen Kunstszene eine
Hauptfigur ist – „Old Iniquity" – wird er auf dieser Naturszene zum
göttlichen Amusement (V. 7137); denn er ist für den „frommen"
Fechter ein Paukzeug („Plastron"), auf das dieser einsticht, um sich im
Widerstand gegen das Böse zu üben, und er ist für den „bösen" Trinker
der Saufbruder („Kumpan"), mit dem zusammen er Tolles vollführt;
er ist also sowohl für den Frommen wie für den Bösen ein Vorwand und
also vor der gesetzlichen Natur nichts als ein künstliches, ein Schein-
prinzip.

Gegenüber den Sirenen wird der Widerspruch zwischen Mephisto und
den zur Harmonie stimmenden Urkräften der Natur vollends offenbar.
Hatten sie mit ihren „wohlgestimmten Tönen" das bisherige Streiten
und Hassen zwischen Mensch und Kreatur

> Ein widrig Volk (V. 7090) –
>
> Die Bestie macht mir Grauen. (V. 7147)
>
> Den mag ich nicht! – Was will uns der (V. 7138),
>
> Der Garstige gehöret nicht hierher! (V. 7139)

durch Liebe ersetzen wollen, so lehnt Mephisto ihr Singen nun als der
christlich-innerliche ab.

> Das sind die saubern Neuigkeiten,
> Wo aus der Kehle, von den Saiten
> Ein Ton sich um den andern flicht.
> Das Trallern ist bei mir verloren:
> Es krabbelt wohl mir um die Ohren,
> Allein zum Herzen dringt es nicht. (V. 7172–77)

Denn er hört in der heiteren Naturmusik die objektive Harmonik der
neuen heiteren Kunstmusik – man darf getrost an Haydn und Mozart
denken –, die in diesem Sinne die reine Fortsetzung der natürlichen
Musik ist, und ist verstimmt. Hier spricht der mittelalterliche Teufel, für
den die musikalischen „Neuigkeiten" die fatale moderne Wendung zur
Klassik bedeuten, der gegenüber er sich auf die fehlende Innerlichkeit des
Herzens beruft.

Die Trennung von Faust

V. 7181–94. – Der singende Sirenengruß, der den menschlichen
Fremdling in der Natur willkommen heißt und dem sich Mephisto nicht
gewachsen zeigt, gilt daher zugleich bereits Faust:

> Auf dem Wasser, auf der Erde
> Sei's die heiterste Gebärde,
> Die man dem Willkommnen beut. (V. 7169–71)

Das eine ruft das andere herbei; in die von Liebe gestimmte Natur tritt
nun derjenige ein, der in ihr die Geliebte sucht und in den „widerwärtigen" Erscheinungen der mythischen „Vorwelt" schon die „großen,
tüchtigen Züge" der zukünftigen schönen Heroenbilder erkennt.

> Wie wunderbar! das Anschaun tut mir Gnüge;
> Im Widerwärtigen große, tüchtige Züge. (V. 7181–82)

Die Aufspaltung des abendländischen Menschen in Faust und Mephisto,
in das schöpferische-natürliche Individuum und sein christlich-epochales
Bewußtsein, wird hier sinnfällig. Mephisto, das bewußte Prinzip,
bemerkt den Faustischen Eintritt und weiß auch die mit Faust eintretende
Verwandlung zur Harmonie in der Natur zu benennen:

> Denn wo man die Geliebte sucht,
> Sind Ungeheuer selbst willkommen (V. 7193–94);

während Faust – schon ganz in der Weise der unbewußt wirkenden
Natur – Mephisto nicht wahrnimmt und, nur auf der Suche nach Helena
begriffen, sich alsbald wieder entfernt. Es ist ein Intermezzo, das mehr
als die Auffaltung des abendländischen Menschen in seine polaren
Kräfte bezeugt; es bedeutet die Scheidung der schöpferischen Geisteskraft von dem moralischen Geist der Epoche.

Der veraltete Teufel

V. 7214–48. – In dem Prozeß der Auflösung des moralischen Teufels
durch die ihn enträtselnde Natur, die die erste Hälfte des Mephistophelischen Abenteuers thematisiert, ist Mephistos Konfrontation mit
dem Krächzen der Stymphalischen Vögel und dem Zischen der vom
Rumpf getrennten Lernäischen Schlangenköpfe schließlich die letzte
Station. Stymphaliden und Schlangenköpfe, beide ausdrücklich zu
Herkules in Beziehung gebracht und als Opfer seiner Taten gekennzeichnet, sind Urkräfte der Überproduktivität dieser urzeitlichen Natur,

wie sie, als Prinzipien, den „vielköpfigen Schlangen in Unzahl", dem
„Drachen Python", der „im Plural" erscheinen sollte, und den „Ameisen",
die „sich gleichsam aus sich selbst entwickeln", aus dem Vorentwurf von
1826[60] entsprechen. Es ist das „Antike", von dem Mephisto zu Beginn
sagte, daß es ihm „zu lebendig" (V. 7087) ist, das ihm in diesen erscheint.

Als solche Urkräfte sich den Greifen, Sphinxen und Sirenen anreihend,
zeigen sie sich aber durch die Tat des Herkules für das „gebildete"
Naturzeitalter, in das nun Faust eintritt, als Überlebte und versuchen
sich daher in dem Kreis der auf Steigerung zum Menschlichen hindeuten-
den Sinnbilder zu empfehlen:

> Sie möchten gern in unsern Kreisen
> Als Stammverwandte sich erweisen. (V. 7223–24)

Was Mephisto an den einen beruhigt, ist die wilde Vitalität, der er sich
nicht gewachsen fühlt:

> *Mephistopheles* (verdrießlich):
> Was krächzt vorbei mit Flügelschlag?
> So schnell, daß man's nicht sehen mag,
> Und immer eins dem andern nach,
> Den Jäger würden sie ermüden. (V. 7214–17)

Was ihn an den anderen ängstigt, ist das Schicksal, das sie durch Herkules erlitten haben und das sie zu etwas Überholtem gemacht hat: Sphinx
zu dem „verschüchterten" Mephisto:

> Vor diesen sei Euch ja nicht bange!
> Es sind die Köpfe der lernäischen Schlange,
> Vom Rumpf getrennt, und glauben was zu sein. (V. 7226–28)

Daß dieses Geschick des Veraltens auch ihm drohen könnte, tritt klar
hervor in der sich sofort anschließenden Frage der Sphinxe:

> Doch sagt, was soll nur aus Euch werden? (V. 7229)

Bewirkt wird diese Unterscheidung zwischen vor- und nach-herkulischer
Naturepoche durch das Hinzutreten und Sich-Entfernen Fausts, wodurch
eine Art von Analogie zwischen den Taten des Herkules und dem Streben Fausts nach Helena – dem Streben nach schöner menschlicher Bildung – hergestellt wird: einem Tun, das ihn nicht nur von Mephisto
unterscheidet, sondern wodurch die gebildetere Natur-Epoche Faust von
Mephisto scheidet, so daß dieser auf die Seite dessen gerät, was nur noch
„glaubt, was zu sein".

Mephisto antwortet auf diese sinnbildliche Erfahrung mit Verdrossen-
heit (V. 7214) und Verschüchterung (V. 7225). Ob er der Aufforderung

der Sphinxe, etwas Neues zu werden, nachkommen, ob er ihre Hilfe nutzen kann? der Sphinxe, die ihn antik („Satyr", „Bocksfuß") umbenennen, ihn zum Vogel „Wendehals" machen, um ihn mit dem „luftigen Gesinde" der Lamien zu verkuppeln – die Antike deutete das Verdrehen von Hals und Kopf beim Wendehals als Verliebtheit[61] – und ihn schließlich ermutigen, dort etwas zu „wagen", wo es ihm „behagt" (V. 7237 bis 7238). „Behagen" ist dieselbe Vokabel, die in dem Verkörperungsprozeß des Homunculus den entscheidenden Schritt ins Element ausdrückt (V. 8266, 8268). Mephistos ängstliches Haltsuchen bei den unveränderlichen Sphinxen

> Ihr bleibt doch hier? daß ich euch wiederfinde (V. 7239)

gibt wenig Hoffnung, daß er der Devise dieser Nacht zur Metamorphose fähig sein wird.

Mephistos Weg in die Natur

Wenn wir Mephisto – nach dem Faustischen Abenteuer – wiederbegegnen, so ist es dieselbe Stelle, an der wir ihn verließen. Der Dichter hat auf die Rückkehr zum alten Schauplatz durch eine Apposition hingewiesen, die er den Sirenen beigibt: „am obren Peneios wie zuvor";[62] aber obwohl der Ort der alte ist, die Szene ist verändert. Es ist ein wiederkehrendes Gesetz im II. Faust, daß Wiederholung Wiederholung auf anderer Stufe ist.

Aus der geschichtlich getränkten mythologischen Landschaft ist inzwischen die geschichtslose kosmische Natur geworden. Bezog sich anfangs die steinerne Szenerie am oberen Flußlauf polar auf eine organisch gebildetere am unteren und verband derselbe Fluß – gewissermaßen eine Genese der Erde in Richtung auf die schöne Form bezeichnend – die beiden Schauplätze miteinander, so stellen sich jetzt dem Schauplatz „am oberen Peneios wie zuvor" die Buchten des Ägäischen Meeres entgegen; das heißt: es tritt einer elementaren Erdlandschaft nun eine elementare Wasserlandschaft gegenüber, und in den durch die beiden Elemente aufeinander bezogenen Szenen ereignet sich zugleich mit dem Schicksal des Mephisto das des Homunculus. Schon daraus wird deutlich, in welcher Richtung Mephistos Weg nun gehen wird: er muß in die lebendige kosmische Natur hinein. Der durch die Sphinxe enträtselte und seiner Berechtigung beraubte moralische Teufel muß sich im Natürlichen neu zu begründen versuchen.

Er beginnt sein Abenteuer nun als der nördliche Irrende in der griechischen Fremde. Das Abenteuerliche ist in den Boden selbst verlegt. Die

Erde ist in vulkanischer Tätigkeit begriffen, der Mephisto nur mit Starr-
heit begegnen kann. Er sehnt sich nach seiner wandellosen Heimat; sein
beständiger Harz wird ihm zum verlorenen „Paradies". Einziger Trost
sind ihm daher die Sphinxe (V. 7689; V. 7806), die ihm, gleich dem Harz,
das Dauerhafte auch dieser Erde garantieren – auch bei ihnen ist „alles
für tausend Jahr getan" (V. 7683) – sowie die Nymphen des den Harz-
felsen ähnelnden alten Granitbergs und der auch im Harz beheimateten
altehrwürdigen Eiche, Oreas[63] und Dryas.[64]

In diese gewalttätigen Veränderungen hineingestellt, sind die Begegnungen Mephistos wie die der anderen Gefährten wiederum drei. Er
folgt auf seiner unwegsamen Reise zunächst den Lamien, trifft mit
Homunculus zusammen und beendet seinen Weg bei den Phorkyaden.
Selber nun reflektierendes nördliches Prinzip, erfährt er auch an ihnen
jedesmal die Natur als Prinzip auf seine Mephistophelische Weise.

Metamorphosen – Die Lamien

V. 7676–7800. – Der Augenblick der Begegnung mit den Lamien[65] ist
zugleich der, in dem Mephisto sich durch das vulkanische Geschiebe
zum ersten Mal von seinen Sphinxen getrennt sieht (V. 7686–7693). Im
Verlust des Unveränderlichen nahen sich die veränderlichsten Geister
dieser Nacht: die Lamien, die ihn sogleich in die lebendige Natur verführen. Der sinnliche Reiz, der von ihnen ausgeht, hebt das Gefühl des
Fremdseins auf. Und so glaubt sich der eben noch Verirrte plötzlich
unter lauter Verwandten:

> Es ist ein altes Buch zu blättern:
> Vom Harz bis Hellas immer Vettern! (V. 7742–43)

Aber nur einen Augenblick lang; bei dem Verdruß über die Verwandtschaft mit der „Muhme" mit dem „Eselskopf", bei dem erneuten Zweifel an der Hübschheit, Gesundheit und Echtheit der anderen „Mühm-
chen", fallen auch schon die Schlüsselworte dieser Nacht – hier zum
einzigen Mal gebraucht –: „Metamorphose" und „Verwandeln", und
weisen auf die Deutung (V. 7759 und V. 7745).

In den Lamien begegnet Mephisto der Natur als dem Prinzip der
unbändigen Verwandlungslust. Das Stichwort der „Metamorphose"
spricht er selbst aus, aber als das gefürchtete:

> Und hinter solcher Wänglein Rosen
> Fürcht' ich doch auch Metamorphosen. (V. 7758–59)

Was ihn hier ängstigt, ist die Lebendigkeit der Natur. Er erfährt in den
Lamien die Metamorphose von ihrer defizienten Seite her: als das Mas-

kenspiel der Natur (V. 7735 „unser Spiel"; V. 7767 „laßt die Masken fahren"; V. 7795 „ist eben hier eine Mummenschanz"; V. 7797 „ich griff nach holden Maskenzügen"); als ihr Vorhalten eines lockenden Scheins (V. 7753) und ihr beständiges Sich-entziehen (V. 7708 „wie wir ihn fliehen"); als die Auflösung ihres schönen Scheins ins Nichts. Sie repräsentieren das natürliche Bildeprinzip ohne den göttlichen Aspekt, die Metamorphose als blinde Veränderung – die Lamien sind dem Mythos nach blind – und nicht als Variation ein und derselben göttlichen Form.

Als eine Reihe hübscher Frauenzimmer, „kleine", „lange", „dicke", kommen sie zunächst, die Verwandlungsfähigkeit in dem Nacheinander von Verschiedenstem exemplifizierend; und indem sie Mephisto umkreisen,

> Kreisen wir um diesen Helden!
> Liebe wird in seinem Herzen
> Sich gewiß für Eine melden (V. 7726-28)

persiflieren sie die göttliche Metamorphose als Figur: der Teufel als die Form, die sich in der „Folge" (V. 7733) der ihn umgebenden Schönen mannigfaltig wiederholt.

Dann in „Empuse"[66] – der Einen, die sich „in vieles verwandeln könnte" (V. 7745) – erscheint die Verwandlungslust der Natur als Prinzip: die die anderen Lamien vertreiben möchte, weil sie ihnen ihr Spiel verdirbt, indem sie sie als Prinzip verrät. Und in der Tat, nachdem Empuse durch ihre Maskierung mit dem Eselskopf den Teufel als den dummen Esel in der Natur demaskiert hat, beginnt auch die allgemeine Demaskierung:

> Laßt nach und nach die Masken fahren
> Und gebt ihm euer Wesen bloß. (V. 7767-68)

Dasselbe Prinzip, das der Teufel in einer christlichen Weltordnung als Einwand gegen die Welt vertritt: Vergänglichkeit und leere Vernichtung, hier begegnet es ihm als heiteres Moment der ewig neckenden und sich versteckenden Natur selber (V. 7700). Sie zeigt ihm, nach dem Muster der Frau Welt, hinter dem schönen Schein die teuflische Kehrseite, indem ihm von jeder „lieblichen" (V. 7753) Gestalt nur das teuflisch Leere in den Armen bleibt. Die Art und Weise seiner Liebschaft trägt daher ganz den Charakter der Sünde (V. 7701) und Zuhälterei; und wenn die Lamien schließlich ihr „Wesen bloßgeben" (V. 7768), so scheinen sie in „Besen" und Hexengesicht (christlich-nördlich), in „Lacerte" (römisch),[67] „Thyrsusstange" (griechisch)[68] und „Bovist"

5*

(orientalisch)[69] das Dirnenwesen vom Harz bis Hellas durchzuvari
ieren.

Indem das Mephistophelische Prinzip des Umschlagens von Lust in
Vernichtung, als das Prinzip des bloßen schönen Scheins, in das Ganze
der Natur zurückgenommen wird, kehrt es sich gegen den Teufel selber
Mephisto ist hier in seinem Wesen in solchem Maße aufgehoben, daß e
sich geradezu in sein Gegenteil verkehrt und vor der Natur – den
trügenden Wechsel – nach der „Dauer" ruft:

> Ich möchte gerne mich betrügen,
> Wenn es nur länger dauerte. (V. 7799–7800)

Als ein Gefoppter zieht er weiter seines Wegs; und wie er sonst sein
Opfer in die Welt sich verirren ließ, so heißt es jetzt in dieser allzu leben
digen Natur von ihm selber: „sich zwischen dem Gestein verirrend"
(nach V. 7800).

Die Trennung von Homunculus

V. 7825–50. – Sein Rat an Homunculus, dem er gleich darau
begegnet:

> Wenn du nicht irrst, kommst du nicht zu Verstand (V. 7847)

ist nur das Resultat seiner eben gemachten Erfahrung mit der Natur. In
diesem Rat ist die eine Seite jener göttlichen Erklärung über das Men
schenwesen von Mephisto zum absoluten Prinzip gemacht, die Got
Vater als die notwendige Bedingung menschlichen Wesens in einem um
fassenderen Sinne verstanden hatte:

> Es irrt der Mensch, solang er strebt (V. 317),

als das sein Streben bedingende Irren.

Auf diesem Hintergrund erscheint das Irren als die „teuflische"
Maxime: der irrige Rat, den Mephisto Homunculus für sein Entstehen
gibt; denn das Irren gehört zu dem verständigen Wesen. Irren kann nu
der Mensch, nur ein reflektierender Geist kann durch Irrtum klug wer
den. Homunculus aber – zwar der Erfindung nach Mensch – will „ent
stehen" als natürliche Kreatur.

Indem sie sich voneinander trennen, scheiden sie sich zugleich grund
sätzlich; es ist eine Trennung, die der Mephistos von Faust entspricht
nur daß sich hier nicht die schöpferische Individualität von seinen
geschichtlich-moralischen, sondern die natürlich gedachte Lebenseinhei
von ihrem nördlich-künstlichen Bewußtseins-Anteil trennt.

Die neue Maske – Die Phorkyaden

V. 7951–8033. – Bei den Phorkyaden[70] endlich ist Mephisto an dem Ort angelangt, der für Homunculus durch Galatea, für Faust durch Manto bezeichnet ist: an dem Ort seiner Verwandlung.

Auch in ihnen begegnet er als menschliches Prinzip der griechischen Natur als Elementarprinzip. Denn ihre Dreiheit (V. 7966), ihr Wohnen in „Tempeln" (V. 7983), das „Staunen", das Mephisto bei ihrem Anblick befällt (V. 7969), deutet auf göttliche Gesetzlichkeit.

Aber diese ist von besonderer Art. Die Phorkyaden sind ein „Dreigetüm" (V. 7975); sie verfügen zusammen nur über „ein Auge" und „einen Zahn" (V. 8014); sie sind die „in Nacht" Lebenden (V. 8010), die „in Einsamkeit Versenkten" (V. 8000). Mephisto, auf dem Weg zu ihnen, schon immer der Möglichkeit des griechischen Höllenfeuers auf der Spur

> Neugierig aber wär' ich, nachzuspüren,
> Womit sie Höllenqual und -Flamme schüren (V. 7957–58),

muß auch zu ihnen ins Innere der Erde steigen; denn sie „kauern" in einer „Höhle" (V. 7965–66). Dryas, die in den Eichen behauste Baumnymphe, ist dann diejenige, die die Phorkyaden ihm benennt; schon das siedelt jene in der Baumregion an (V. 7967–68). Bereits um sie zu erreichen, hatte er sich „durch alter Eichen starre Wurzeln schleppen" (V. 7952) müssen; durch den Vergleich mit den „schlimmen" „Alraunen"[71] (V. 7972) noch einmal auf den Wurzelbereich verwiesen, werden sie schließlich geradezu als das benannt, was in der Schönheit Land „wurzelt":

> Hier wurzelt's in der Schönheit Land,
> Das wird mit Ruhm antik genannt ... (V. 7978–79),

das heißt: sie gehören nicht mehr über, sondern in den Boden. Mephisto steigt zu ihnen nicht, wie Faust, in den „hohlen Fuß des Olymp" (V. 7491) und nicht, wie Homunculus, ins Meer, aber in die unterirdische Wurzelregion der licht- und formlosen Erde hinein.

Die Phorkyaden sind die Prinzipien der Formlosigkeit, aus denen die griechische, die Form offenbarende, schöne Natur hervorgeht, das Prinzip der formlosen Wurzeln ihrer Schönheit.

Von den Wurzeln schreibt Goethe in einer Rechtfertigung zu seiner „Metamorphose der Pflanzen" unter dem Titel „Unbillige Forderung":[72]

Man hat es mir zum Vorwurf machen wollen, daß ich nicht
auch, indem ich die Metamorphose der Pflanzen behandelte
auf die Wurzel Rücksicht genommen habe . . . Sie ging mich
eigentlich gar nichts an; denn was habe ich mit einer Gestaltung
zu tun die sich in Fäden, Strängen, Bollen und Knollen und,
bei solcher Beschränkung, sich nur in unerfreulichem Wechsel
allenfalls darzustellen vermag, wo unendliche Varietäten zur
Erscheinung kommen, niemals aber eine Steigerung und diese
ist es allein die mich auf meinem Gange nach meinem Beruf an
sich ziehen, festhalten und mit sich fortreißen konnte.

Vorher hieß es:

Vor der Wurzel hab ich soviel Respekt als vor dem Fundament
des Straßburger und Kölner Doms, und wie es damit beschaffen sei, ist mir auch nicht ganz unbekannt geblieben . . . Aber
unsere eigentliche Betrachtung des Gebäudes, fängt an von der
Oberfläche der Erde, . . . das alsdann mannigfaltigst in die Höhe
steigt. Das Tiefere worauf das Höhere die Lüfte Suchende ruht
ist dem Verstand der Überzeugung dem Gewissen des Meisters
anheimgegeben.

„Das Tiefere, worauf das Höhere, die Lüfte Suchende ruht", ist die
Wendung, die die Phorkyaden und ihre Prädikationen vor allem erklärt
Gegenüber dem Bereich des Lichts, als der zur Erscheinung kommender
schönen Natur, bezeichnen sie dieses „Tiefere" als das Nächtige (V. 8010)
und Formlose: in äußerer Gestalt („Dreigetüm") und innerer Organisa-
tion („ein Auge" und „ein Zahn"; „regen sich" „zwitschern" „pfei-
fend") das, was der griechische Mythos im Chaos faßte; sie meinen dieses
„Tiefere" als das Steigerungsunfähige, das allenfalls in „unerfreulicher
Varietäten" („Dreigetüm") vorliegt, aber durch keinerlei Formtrieb
über sich hinausdrängt („Schweige still und gib uns kein Gelüsten!"
[V. 8008]); kurz jenes Unterirdische, was die lebendige erscheinende
Form verschweigt und verschweigen muß.

> . . . da ihr, der Welt entrückt,
> Hier niemand seht und niemand euch erblickt (V. 8002–03)

oder

> In Nacht geboren, Nächtlichem verwandt,
> Beinah uns selbst, ganz allen unbekannt (V. 8010–11).

Während nun die Phorkyaden Faust „auf seinem Gange" „eigentlich
nichts angehen" können, welcher der Weg der sich steigernden Natur
der Weg zur schönen menschlichen Form ist, begegnet Mephisto ihner

als ihrer bedürftig. Um ihr Bildnis von ihnen zu erbitten (V. 8015–18), tritt er vor sie hin, da die enträtselnden Sphinxe ihn als ein Nichts in der Natur demaskiert hatten. Es ist sein Verlangen nach neuer Verbildlichung, das er ihnen hier vorträgt und das sich dem Prozeß der Verkörperlichung Fausts und Homunculus' mephistophelisch zur Seite stellt.

Das ungenaue Vorbild für diese Bitte gibt im antiken Mythos die Geschichte des Perseus ab: die Erringung des Gorgonenhaupts, zu dem ihm die Phorkyaden verhelfen müssen. Es ist offenbar, daß der Dichter hier den Phorkyaden auch Züge der anderen Phorkystöchter, der Gorgonen, beilegte; denn das Erschrecken, mit dem die Szene bedeutungsvoll schließt

> Vor aller Augen muß ich mich verstecken,
> Im Höllenpfuhl die Teufel zu erschrecken (V. 8032–33),

kommt eigentlich dem Haupt der Gorgone Medusa zu, deren Antlitz die Wirkung hatte, durch Erschrecken zu versteinern. In der Tat sollten nach einem früheren Schema[73] in diesem Zusammenhang auch die Gorgonen auftreten, und bis in den letzten Entwurf der Hadesszene sollte – im Zusammenhang mit Faust – das Medusenhaupt erscheinen.[74]

An diese Qualität der Gorgonen und die Tat des Perseus knüpft nun Mephistos Bitte an, „der Dritten Bildnis ihm zu überlassen" (V. 8017). Nur ist die Geste, mit der er vor die Phorkyaden hintritt, nicht mehr die des Perseus als des Raubenden, sondern eher die Fausts als des Bittenden aus dem „Vorentwurf".[75] Als Unternehmen rückt Mephistos Bittgang zu den Phorkyaden an die Stelle von Fausts Bittgang zu Proserpina. In die Lücke des nicht stattfindenden Faustischen Abstiegs in die Unterwelt stellt sich der Mephistophelische; an die Stelle der Bitte um die Herausgabe Helenas als der schönsten Form, das Verlangen nach dem Bildnis der Phorkyaden als dem der Formlosigkeit. Das Motiv des Medusenhaupts,[76] dem einst Faust auf seinem Gang in die Unterwelt begegnen sollte, ist wie das der Lamien[77] an Mephisto übergegangen.

Es geht also in dem Mephistophelischen Unternehmen um die Selbstschöpfung zu einem neuen – und wie wir sehen werden – modernen Medusenhaupt („auf kurze Zeit"):

> In solchem Fall hat es nicht viel zu sagen,
> Man kann sich selbst auch andern übertragen.
> Euch dreien gnügt *ein* Auge, gnügt *ein* Zahn;
> Da ging es wohl auch mythologisch an,
> In Zwei die Wesenheit der Drei zu fassen,
> Der Dritten Bildnis mir zu überlassen
> Auf kurze Zeit. (V. 8012–18)

Dazu erbittet Mephisto zunächst den Segen der Phorkyaden (V. 7984–85)
und versucht sich ihnen – als bisher „Unbekannter" (V. 7986) – durch
gemeinsame vorchristliche Verwandtschaft zu empfehlen, wodurch er
sich zugleich selber zu einer neuen Naturdeszendenz verhelfen möchte.
Er empfiehlt sich mit „weitläufiger Verwandtschaft" (V. 7987), die vermutlich auf die Schlange zurückgeht. Das Phorkys-Keto Geschlecht, als
das Elterngeschlecht der Phorkyaden, ist ein Schlangengeschlecht, dem
unter anderem Echidna, Tochter der Keto und des Phorkys, Hydra,
Tochter der Echidna und des Typhon, und die Hesperidenschlange
Ladon, Bruder der Echidna, entstammen und zu dem er sich mit seiner
Muhme, der Paradiesesschlange, zugehörig fühlen möchte. – Er beruft
sich ferner auf seine Verehrung für „Ops" und „Rhea", die Göttinnen
der Erde, die hier durch ihre römisch-griechische Doppelbenennung zu
einem uranfänglichen Prinzip des Elementaren-Formlosen und Fließend-
Zeitlichen werden: der Name Rhea leitet sich – nach Hederich – von ῥέω,
fließen, ab.[78] Er beruft sich schließlich auf vertrauten Umgang mit den
Parzen, die, hier vom Dichter im Verein mit den Phorkyaden zu Töchtern des formlosen Chaos gemacht,[79] auf das Zeitlich-Vergängliche hinweisen. „Altwürdige Götter" durchaus, in deren Gesellschaft sich
Mephisto gleichfalls als uranfänglich, und das heißt: als Prinzip, aus-
weisen möchte.

Und als Prinzip – als durchaus menschliches Verstandesprinzip –

> Er scheint Verstand zu haben, dieser Geist (V. 7994) –

als welches er sich auch eben schon Homunculus gegenüber formuliert
hat, tritt er nun den Phorkyaden gegenüber: gegen die Unbewußten
Mephisto als das reflektierende Bewußtsein.

Und als der Bewußte versucht er nun an das Ziel seiner Bitte zu kommen, indem er die Phorkyaden verführt; verführt zu etwas, was ihnen
nicht nur fehlt, wie das Leben in Licht und Schönheit der Natur; verführt zu etwas, das ihrem nächtigen, seiner selbst unbewußten Wesen
durchaus widerspricht.

Die Welt nämlich, in der Mephisto sich wundert die Phorkyaden nie
gesehen zu haben,

> Nur wundert's mich, daß euch kein Dichter preist (V. 7995)

oder

> Im Bilde hab' ich nie euch Würdigste gesehn (V. 7997) –

diese Welt ist die vom Menschen geschaffene Welt der Schönheit, die Kunst.

> Da müßtet ihr an solchen Orten wohnen,
> Wo Pracht und Kunst auf gleichem Sitze thronen,

Wo jeden Tag, behend, im Doppelschritt,
Ein Marmorblock als Held ins Leben tritt. (V. 8004–07)

Er versucht die Phorkyaden, als die Formlosen, also zu verführen zu einem ihnen wesensmäßig versagten „Gelüste" nach Form und Selbstdarstellung

... Schweige still und gib uns kein Gelüsten!
Was hülf' es uns, und wenn wir's besser wüßten? (V. 8008–09)

zu einem „Gelüste" also nach Bewußtsein von ihrer Schönheit im Abbild, wozu er ihnen alsbald durch seine eigene Verbildlichung zum neuen Gorgonenhaupt verhelfen wird:

Im neuen Drei der Schwestern welche Schöne! (V. 8030)

Denn die Verführung gelingt; Mephisto, als neuem Anwalt der Kunst, wird von den Prinzipien des Formlosen ihr Bild überlassen.

Was bedeutet dieser Akt? – Mephisto nennt ihn eine „Übertragung":

Man kann sich selbst auch andern übertragen (V. 8013).

Das meint: ein Überlassen des Phorkyadenbildes mit seiner ihm innewohnenden Wirkungsmacht an ihn. Und zwar „auf kurze Zeit" (V. 8018): auf die „Zeit" nämlich des Faustischen Unternehmens im dritten Akt, das mit Mephistos Abnehmen der Phorkyadenmaske endet. Statt sich wie bisher im Teufelsbild aus einer christlich-moralischen Welt zu verstehen, will er sich nun für die „kurze", geschichtliche Zeit einer neuen Geistesepoche aus Prinzipien der schönen griechischen Natur verstehen.

Denn was ereignet sich in dieser Übertragung? – Mephisto, als Repräsentant des Bewußtseins, zieht mit dem Phorkyadenbild etwas, was in der erscheinenden Natur sonst verborgen bleibt, ans Licht. Denn in ihr wirkt das formlos Ungestalte im Unterirdischen, ungesehen und unbewußt. Aber indem dieses Formlose nun in das menschliche Bewußtsein tritt, entsteht das Häßliche; erst auf dem Mephistophelischen Haupt, ergänzt durch sein Auge und seinen Zahn, wird das Phorkyadenbild, aus dem Naturbereich herausgenommen, zur Definition der Häßlichkeit, die es nur im menschlichen Bereich gibt.

Und noch ein zweites ereignet sich: erst indem dieses unbewußt wirkende Formlose mit seinem Bilde seine Macht an das menschliche Bewußtsein überträgt, wirkt Häßlichkeit versteinernd.

Das Resultat der Übertragung ist hermaphroditisch:

Man schilt mich nun, o Schmach, Hermaphroditen (V. 8029);

das heißt: zwei einander ausschließende, aber auf einander bezogene
Prinzipien sind zusammengespannt zu einer Einheit: das unbewußte
Formlose vereint mit dem reflektierenden Bewußtsein zum Bilde der
Häßlichkeit, wodurch sich Mephisto die neue Bezogenheit auf die Kunst
erworben hat, die ihn in der zukünftigen Epoche der wiederauflebenden
antiken Schönheit möglich macht.

Das Phorkyadenbild aber wird sich tatsächlich als ein modernes
Medusenhaupt erweisen, das – wie im antiken Mythos – Leben zu Kunst
erstarrt. Daß der Dichter an die Medusa gedacht hat, geht schon aus einem
Paralipomenon hervor:

> Ich eile nun und such im vollen Lauf
> Der neusten Tage kühnsten Meisel auf
> Mit Gott und Göttin laßt uns dann gefallen,
> Gesellt zu stehn, in heiligen Tempelhallen.[80]

Es ist der bekannte Typus der laufenden Gorgo, als welche sich Mephisto
in diesen Versen geriert, wie sie sich etwa als Emblem im Kultbild der
Athena Parthenos befindet.

Denn die neue Eigenschaft, die sich Mephisto mit dem Haupt erwirbt,
ist das „Erschrecken" (V. 8033), das Wort, mit dem die Szene voraus-
weisend schließt, ein Erschrecken, das in der Tat dann im dritten Akt bei
Helena und dem Chor ein Erstarren bewirken wird:

> *Helena und Chor stehen erstaunt und erschreckt, in bedeutender, wohl*
> *vorbereiteter Gruppe.*
> *Phorkyas:*
> Gespenster! – Gleich erstarrten Bildern steht ihr da (V. 8930).

Unterscheidend ist nur gegenüber dem antiken: daß Mephisto mit seinem modernen Medusenhaupt nicht mehr kraft seiner Häßlichkeit, sondern kraft des Bewußtseins von der Häßlichkeit wirkt. Nur dadurch, daß
die Häßlichkeit hier zur Waffe des Mephistophelischen Bewußtseins
wird, wirkt sie – anstatt gegenüber der Schönheit ästhetisches Ärgernis
zu sein – existenzbedrohend: als das moderne Bewußtsein spiegelt
Mephisto mit seiner Maske der antiken Schönheit ihre Maskenhaftigkeit
wider, die Maskenhaftigkeit des Gewesenen. Das Erschrecken beim
Anblick der Mephistophelischen Häßlichkeit wird also ein Erstarren bei
der antiken Schönheit bewirken durch das Bewußtsein, versteinertes
Leben, nämlich nur noch Kunst zu sein.

Mit der modernen Gorgonenmaske hat sich Mephisto indessen nicht
nur die Qualität erworben, um Helena in ihrem Kunstcharakter zu
treffen; es ist dieselbe Qualität, wodurch er sie auch in ihrer spezifischen

Wirklichkeit erreichen kann, in welcher sie selbst zum dichterischen Bild erstarrt fortexistiert und in die die Mephistophelische Phorkyas gleich als in die Hölle hinuntersteigen wird:

> Vor aller Augen muß ich mich verstecken,
> Im Höllenpfuhl die Teufel zu erschrecken. (V. 8032–33)

Mephisto – in der Phorkyadenmaske – ist das moderne Bewußtsein von Helena als einem gespenstischen Idol.

Faust – Naturgenese des Mythos

Fiel Mephisto die erste Begrüßung der Geister zu, so ist Faust, mit dem Ausruf

> Wo ist sie? (V. 7056),

das erste Wort auf griechischem Boden übertragen.

Von welcher Art das Griechenland ist, das dem Paralysierten das Leben wiedergibt, wird sofort deutlich, wenn Faust es durch „Scholle", „Welle" und „Luft" beschreibt:

> Wär's nicht die Scholle, die sie trug,
> Die Welle nicht, die ihr entgegenschlug,
> So ist's die Luft, die ihre Sprache sprach.
> Hier! durch ein Wunder, hier in Griechenland! (V. 7071–74)

Es ist die griechische Elementarnatur: das Leben kommt Faust wieder – dem Antäus des Mythos gleich – aus der Berührung mit der griechischen Erde.

> Ich fühlte gleich den Boden, wo ich stand;
> Wie mich, den Schläfer, frisch ein Geist durchglühte,
> So steh' ich, ein Antäus an Gemüte. (V. 7075–77)

Deutlich wird ebenfalls gleich anfangs, von welcher Art das Griechenland ist, in dem er Helena zu finden hofft: es ist das „Fabelreich":

> . . . setz' ihn nieder,
> Deinen Ritter, und sogleich
> Kehret ihm das Leben wieder,
> Denn er sucht's im Fabelreich. (V. 7052–55)

Das heißt: Faust sucht im Griechenland der Klassischen Walpurgisnacht die Heimat – wir werden besser sagen: das Geburtsland des griechischen Mythos.

Schließlich wird noch, vor aller Handlung, das Faustische Abenteuer
im ganzen gedeutet, wenn Homunculus es mit Fausts Gang zu den Müttern vergleicht:

> In Eile magst du, eh' es tagt,
> Von Flamm' zu Flamme spürend gehen:
> Wer zu den Müttern sich gewagt,
> Hat weiter nichts zu überstehen. (V. 7058–61)

Das will sagen: auch dieses Abenteuer Fausts ist wie das seines Dreifußraubes bei den Müttern – ein Abenteuer seines schöpferisch werdenden Geistes: um sich der antiken Schönheit zu bemächtigen, muß er
wiederum den Überschritt über eine dem menschlichen Geist gewöhnlich
gezogene Grenze wagen.

Was nun den Weg in die Walpurgisnacht betrifft, so gelangt Faust
dorthin mit Hilfe des Homunculus. Das ist nicht der Weg des geschichtlichen Erinnerns, auf dem Erichtho in das Altertum zurückführt, auf
dem es nur als ein Nachbild des Vergangenen wieder aufleben kann.
Denn Faust sucht in Helena nicht etwas Geschichtlich-Totes, sondern
etwas Ewig-Lebendiges; er sucht Helena als Gestalt des unvergänglichen griechischen Mythos; er sucht die lebendig wirkende, und das ist,
die mythische Helena.

Der Mythos aber wird verstanden nicht als ein Produkt der menschlichen Phantasie, sondern als ein Erzeugnis der griechischen Natur. Die
griechische Erde brachte ihn einst – so sagen es die Sphinxe (V. 7114 bis
7115) – als geistige Sinnbilder in Zwiesprache mit dem Menschen hervor,
so wie sie die Gebirge, Flüsse, Pflanzen und Tiere als natürliche schöne
Bildungen aus sich erzeugte.

> In einer Zeit, wo Sagen entstehen, wirken große Naturkräfte,
> und der frische menschliche Geist arbeitet sie gewaltig aus.[81]

Deshalb erzählt die Klassische Walpurgisnacht Fausts Suche nach
Helena als die Genese des griechischen Mythos, die eine Naturgenese ist:
von den Geistertönen, die die Erde in ihrer Urzeit dem Menschen
zuhauchte, und deren Verkörperung zu tierischen und halbtierischen
Wesen, über die Beseitigung dieser kosmogonischen Ungeheuer durch
Herkules, bis zu den eigentlich menschlichen Gestalten der Heroen, aus
denen Herkules und Helena als ihre höchsten Bildungen, die Prinzipien
ihres Bildens, hervorgehen. Die Naturgeschichte des Mythos wird damit
zur Entstehungsgeschichte der Helena.

Indem Faust nun, in diese Elementarnatur eingehend, dieselben Bilde-
kräfte wieder an sich erfährt, die einst zur Erzeugung der mythischen
Bilder führten, wird er in den schöpferischen Geist verwandelt, dem das

einst erzeugte schöne menschliche Gebilde – dem endlich Helena von
neuem lebendig wird: Er steigert sich – ein zweiter Herkules – zu dem
Halbgott, dem die sie bewahrende Unterwelt sich öffnet. Es ist der
Grund, warum sich das Faustische Abenteuer fast ausschließlich in
Situationen des Herkulesmythos ereignet: Überwinder der Ungeheuer
– Zögling des Chiron – Bezwinger des Hades. In welchem Sinne aber
diese Analogie zu verstehen ist, besagen folgende Sätze über Herkules
aus dem Aufsatz über Philostrats Gemälde:

> Sodann tritt uns ... Herkules kräftig entgegen, welcher ein
> besonderes Kapitel füllt. Die Alten behaupten ohnedies, daß
> die Poesie von diesem Helden ausgegangen sei. „Denn die
> Dichtkunst beschäftigte sich vorher nur mit Göttersprüchen
> und entstund erst mit Herkules, Alkmenens Sohn."[82]

Dieses Abenteuer Fausts ereignet sich – analog dem Mephistophelischen – auf zwei einander bedingenden und sich ergänzenden Stufen:
Faust beginnt seine Reise am oberen – und beendet sie am unteren
Peneios; wir werden auch bei Homunculus derselben Zweiteilung
begegnen. Das heißt: der Prozeß der Verwandlung, der sich in dem
Abenteuer ereignet, zerfällt durch den Szenenwechsel als Zäsur in zwei
Teile, die durch jeweils drei Schritte bezeichnet sind; er gliedert sich in
eine vorbereitende Szene und eine solche, in der sich die Metamorphose
vollzieht.

Die vorheroischen Sinnbilder

Warum begegnet auch Faust den tierischen und halbtierischen Fabel-
wesen und was erfährt er in ihnen?
V. 7181–90. – Gegenüber Faust sind sie ganz andere. Er begegnet in
ihnen nicht – wie Mephisto – urzeitlicher Natur, sondern urzeitlichem
Mythos. Was Wirklichkeit in der Walpurgisnacht ist, wird hier, wie
selten sonst, deutlich. Zwar erscheint alles darin als wirkende Natur,
auch der Mythos und die Naturphilosophie werden von daher verstanden;
aber jedem wird diese Natur als das ihm Zugehörige wirklich.
So erfährt Faust die Mephistophelischen urzeitlichen Kräfte als die
schon toten Bilder einer noch vormenschlichen mythischen Epoche,

> Im Widerwärtigen große, tüchtige Züge (V. 7182),

die also schon die sinnbildlichen Züge zeigen, die dem griechischen
Mythos überhaupt eigen sind, aber gegenwärtig nur werden, indem sie
auf den heroischen Mythos vorausweisen: die Sphinxe auf Ödipus; die
Sirenen auf Odysseus. Die Ameisen und Greife aber, aus deren Mitte

sich die Arimaspen Faust gegenüber bezeichnenderweise verloren haben, deuten sich nun – im Zusammenhang des Mythos – als die sammelnden Urkräfte, mit denen die griechische Erde ihre *geistigen* Schätze bewahrt:

> Von solchen ward der *höchste Schatz* gespart (V. 7187),
> Von diesen treu und ohne Fehl bewahrt (V. 7188).

Sie werden zu Sinnbildern des Sammelns und Tradierens der mythischen Bilder. Das Bewahren des Mythos wird damit zu einer Eigenschaft der griechischen Erde, die das einmal Erzeugte – wie wir später sehen werden – nicht wieder verliert und es im „hohlen Fuße des Olymps" (V. 7491) als in ihrem ewigen Gedächtnis aufbewahrt.

In den Sphinxen, Sirenen, Ameisen und Greifen begegnet Faust also frühestem Mythos als dem *Element*, in dem er Helena finden wird; und so wiederholt sich ihnen gegenüber die zum Leben erweckende Wirkung, die schon von der Berührung griechischen Bodens auf ihn ausgegangen war und die er fast gleichlautend hier wie anfangs ausspricht:

> Vom frischen Geiste fühl' ich mich durchdrungen (V. 7189)

und

> Wie mich, den Schläfer, frisch ein Geist durchglühte. (V. 7076)

Zugleich aber sind sie die Stufe, in der der Mythos Faust noch in der Distanz der Erinnerung bleibt,

> Gestalten groß, groß die Erinnerungen (V. 7190)

oder

> Vor solchen hat einst Ödipus gestanden (V. 7185).

Noch erfährt er ihn in der Entfernung des Anschauens,

> Wie wunderbar, das Anschaun tut mir Gnüge (V. 7181),

noch als die „Geistertöne", die die schon toten „Frauenbilder" ihm zuhauchen.

Die Sphinxe

V. 7195–7201. – Deshalb antworten die Sphinxe auf Fausts Frage nach Helena:

> Wir reichen nicht hinauf zu ihren Tagen (V. 7197),

denn sie entstammen als kosmogonischer Mythos einer „Vorwelt",[83] die der der Helena genetisch vorausliegt. Helena indessen gehört schon in das „gebildete Zeitalter" des Heroenmythos, da dieser das „allgemeinste Menschenschicksal" „individualisiert"[84] – das Zeitalter, das der Dichter mit Herkules und der Erschlagung der Sphinxe samt der anderen mythischen „Ungeheuer" beginnen läßt:

> Die letztesten hat Herkules erschlagen. (V. 7198)

Die Sphinxe begegnen also als notwendig zu durchschreitende, aber genetisch vorausliegende Stufe des Mythos; sie können Faust nicht zu Helena bringen, sondern ihn nur an Chiron weiterweisen.

Die Sirenen

V. 7202–08. – Von diesem Weg, sich des Mythos genetisch zu bemächtigen, versuchen die Sirenen Faust abzubringen. Mythische Bilder, die sie hier – im Zusammenhang mit Faust – sind, begegnen sie ihm, im Unterschied zu Mephisto, dank ihrer mythischen Qualität als Verführende und bieten ihm einen leichteren Weg an. Mit Hinweis auf Odysseus, der zum Mythenerzähler wurde, weil er den Sirenen zugehört hatte,

> Wie Ulyß bei uns verweilte,
> Schmähend nicht vorübereilte,
> Wußt' er vieles zu erzählen; (V. 7203–05)

versprechen sie auch Faust – als einem zweiten Ulyß – den Schatz ihrer mythischen Erzählungen, wenn er ihnen folge. Der von den Sirenen angebotene Weg wäre ein erzählendes Umgehn mit dem Mythos als geformtem Bilderstoff; der Weg aber, der Faust nötig ist, ist der: in der Genese des Mythos zugleich die Naturkräfte zu erfahren, die einst zu seiner Bildung führten; in den Gebilden zugleich ihr neues Bilden.

Im Abenteuer jedes der drei Reisenden gibt es diesen Augenblick der Versuchung, der der Augenblick Fausts vor den Sirenen ist, da sich zwei Wege öffnen. Er wiederholt sich in jedem Abenteuer an derselben Stelle unmittelbar vor dem Übertritt in die neue Szene. Bei Mephisto ist es der Augenblick gegenüber den Stymphalischen Vögeln und den Köpfen der Lernäischen Schlange, an denen ihm beispielhaft zwei Möglichkeiten der Fortexistenz innerhalb der fortschreitenden Naturgeschichte begegnen. Bei Homunculus ist es der Augenblick, da ihm Anaxagoras, entgegen dem Weg des allmählichen Werdens im Sinne des Thales, den raschen Aufstieg zum König der neu entstandenen Zwergvölker anbietet.

Faust folgt dem Rat der Sphinxe; wir treffen ihn wieder auf dem neuen Schauplatz flußabwärts, wo er am Peneios Chiron begegnen wird. Es ist das zentrale Ereignis der Walpurgisnacht, eingerahmt von einer vorbereitenden Szene, am Peneios, und einer erfüllenden, der Begegnung

mit der Sibylle Manto: ein Dreischritt also, der ihn stufenweise in den
Geist der mythenbildenden Natur einläßt, so daß sich ihm zuletzt die
Unterwelt öffnet.

Fausts Weg zu Helena

Peneios

V. 7249–7312. – In der Landschaft um den unteren Peneios wiederholt
sich in einer lebendigeren, als es die granitene Urlandschaft war, was die
Sphinxe über den Ursprung des Mythos sagten: die griechische Natur
haucht dem Menschen „Geistertöne" (V. 7114) zu. Aus dieser Landschaft,
die durch die Fülle und Bewegtheit ihrer Zweige und Büsche, durch das
„Schwätzen" und „Scherzergetzen" von Welle und Wind

> Hinter den verschränkten Lauben
> Dieser Zweige, dieser Stauden
> Tönt ein menschenähnlichs Lauten (V. 7258–60)

zu einer zum Menschen sprechenden Landschaft wird, kommt Faust die
Szene der Helenischen Zeugung körperhaft entgegen. Die Bilder, die
seinen Geist – als „Träume", als „Erinnerungen" – bewegen, spiegelt
ihm die Flußlandschaft zurück. Im Anblick des von Schwänen belebten
Peneios erfährt Faust an sich selbst die verkörpernde Kraft dieser bildlich redenden Natur.

Chiron

V. 7313–7445. – In Chiron,[85] dem Erzieher, und das heißt Bildner der
griechischen Heroen, begegnet nun dieser selbe Sinnbilder zeugende
Naturgeist auf der menschlichen Stufe.

Sein Eintreffen ist von besonderer Art. Faust glaubt ein Dröhnen der
Erde zu hören, das sich ihm alsbald zu der Gestalt eines eiligen Reiters
verkörpert. Durch „ein grauslich Wittern" hatte sich dieser auch schon
dem träumenden Peneios (V. 7254), durch „den Schall von Pferdeshufe"
(V. 7316) den Nymphen mitgeteilt. „Geistertöne", die vom Element
ausgehen und die die Sphinxe schon als den Ursprung des Mythos
bezeichnet hatten (V. 7114), gehen also auch seinem Erscheinen voraus.

Die Worte, mit denen die Nymphen ihn ankündigen:

> Wüßt' ich nur, wer dieser Nacht
> Schnelle Botschaft zugebracht (V. 7317–18)

werden seit Erich Schmidt[86] gewöhnlich so verstanden, daß die Nymphen nun fragen: wer demjenigen, von dessen Pferdeshufe sie den Schall hören, wohl die schnelle Botschaft von dieser Nacht zugebracht habe. Der Reiter, der herangetrabt kommt, wird also als der Empfänger der Botschaft von dieser Nacht interpoliert. Aber die Verse, mit denen Chiron dann im folgenden sein Eintreffen mit Faust bei Manto ankündigt

> ... Die verrufne Nacht
> Hat strudelnd ihn hierher gebracht (V. 7482–83)

unterscheiden nicht zwischen Reiter und Nacht. Nicht der Reiter (Chiron), sondern die verrufene Nacht und ihr Strudeln hat Faust hierher gebracht.

Das verändert auch die Aussage der Nymphenverse; auch hier ist nicht zwischen Reiter und Nacht zu unterscheiden. Der Reiter ist die schnelle Botschaft dieser Nacht. In ihm verkörpert sich, was diese Geisternacht Faust zuzusprechen hat. Chiron ist selber der dieser Natur innewohnende Geist des Mythos: die Gegenwärtigkeit des Mythos in der griechischen Landschaft, die Faust Botschaft bringt, und zwar – in Fortsetzung der Sphinxe, die nur von einer Urzeit der Erde zeugen konnten – Botschaft von den Heroen und ihrer Kulmination in Herakles und Helena.

Die Centaurengestalt – halb Pferd, halb Mensch – ist ihm daher nicht nur mitgegeben, sie deutet diesen Naturgeist und verweist auf Übergängliches in seinem vom Mythos zeugenden Wesen. Das Tierische mit dem Menschlichen in sich vereinigend, führt er einmal innerhalb des Mythos von den elementaren Anfängen bis hinauf zu den höchsten Menschenbildern. Er verbindet also zwischen den Sphinxen und Helena.

Als „Sohn" der „Philyra", einer Tochter des Okeanos, angeredet (V. 7329) und also dem Wasser als dem lebenzeugenden Naturelement entstammend, und zugleich von „blendend weißem" (V. 7327) und das heißt, von geisterhaftem Pferd getragen, deutet er sich zum anderen als ein Mittleres zwischen Natur und Kunst.

Und schließlich: indem er durch seine tierische Hälfte in die elementare Natur eingebunden ist, zugleich aber dank seines Menschenhaupts der Kräfte der Natur bewußt ist, als Erzieher mit ihnen formt, als Arzt mit ihnen heilt, ist er nach demselben Prinzip gebildet, nach dem er auch seine Zöglinge, die Heroen, gebildet hat: dem Prinzip der Steigerung, der Teilhabe am unteren Elementaren und am oberen Göttlichen. Als Centaur also offenbart Chiron an sich selbst das theomorphe Bildungsprinzip der heroischen Menschennatur.

In „Tischbeins Idyllen" ist diese Mischnatur Chirons in derselben Weise einer Steigerung in „Höheres, mehr als Menschliches"[87] verstan-

den, wenn er dort ausdrücklich von den Satyrn und anderen tierischen
Mischwesen unterschieden und von ihm gesagt wird:

> Mit der Centaurenbildung ist es ganz ein anderes. Wie der
> Mensch sich körperlich niemals freier ... fühlt als zu Pferde,
> wo er, ein verständiger Reiter ... über die Erde hin als höheres
> Wesen zu wallen vermag, ebenso erscheint der Centaur benei-
> denswert, dessen unmögliche Bildung uns nicht so ganz un-
> wahrscheinlich entgegentritt, weil ja der in einiger Ferne hin-
> jagende Reiter mit dem Pferde verschmolzen zu sein scheint.
> Denken wir uns dieses Geschlecht nun auch als gewaltige ...
> Berg- und Forstgeschöpfe, von Jagd lebend, zu allen Kraft-
> übungen sich stählend, ihre Halbfohlen zu gleich mächtigem
> Leben erziehend, finden wir sie erfahren in der Sternenkunde,
> die ihnen sichere Wegesrichtung verleiht, ferner einsichtig in
> die Kräfte von Kräutern und Wurzeln, die ihnen zur Nahrung,
> Erquickung und Heilung gegeben sind, so läßt sich gar wohl
> folgern, daß darunter vorzüglich sinnende, Erfahrung verbin-
> dende Männer sich hervortun, denen man wohl die Erziehung
> eines Fürsten, eines Helden anvertrauen möchte.[88]

Indem Chiron nun Faust „steht"[89] und ihn bei sich aufsitzen läßt, ist
Faust an den Ort der Walpurgisnacht gelangt, den er gleich anfangs
suchte und wohin ihn schon die Sphinxe wiesen: wo die griechische
Natur von Helena zu ihm spricht; denn auf diesem Rücken ist er vereint
mit demselben Naturgeist, der auch schon die Heroen bildete und Zeuge
war von Helenas Leben. Auf dem Rücken der Gegenwart – der sinnlichen Gegenwart des griechischen Mythos in der griechischen Landschaft – wird Faust „mitgenommen" (V. 7332) von der ewigen Wiederkehr antiker Wirklichkeit.
Als Zeuge den Sphinxen verwandt, kann er aber nun Faust Zeugnis
geben von dem, woran die Sphinxe „nicht reichten", von dem göttlich-
menschlichen Wesen dieser Helden. Dieses erklärt er Faust einmal an den
Argonauten und ihrer gemeinsamen Tüchtigkeit, die offenbar „Jugend-
fülle", Entschlußkraft, Selbstlosigkeit, Besonnenheit, Kunstfertigkeit
und Scharfsicht als Qualitäten des Einzelnen in sich schloß (V. 7365–78)
und die sich herausbildete in der ständigen Bedrohung durch die Elemente und im begrenzten Kreis der Schiffsmannschaft als einer in „Tat"
und „Lob" gleichermaßen bewiesenen Gemeinschaft:

> Gesellig nur läßt sich Gefahr erproben:
> Wenn einer wirkt, die andern alle loben. V. 7379–80)

Indem jeder die eigene Lebenskraft in sich entfachte und sich zu dem ausbildete, was in ihm angelegt war, wirkte er zu dem schönen Menschentum zusammen, das sie als Ganzes darstellten.

Und er erklärt Faust dieses theomorphe Wesen zum anderen an dem einzigen Herkules als dem Inbegriff des Heroischen, der Epiphanie des Göttlichen im Menschlichen, insofern seine ihm mitgegebene göttliche Natur sich darin erfüllte, daß sie sich einem Menschlichen: dem „ältern Bruder", „den allerliebsten Fraun",[90] dienend unterstellte. (V. 7383–90)

Mit Faust auf seinem Rücken reitet Chiron nun nicht in die vergangene Antike zurück, sondern in die lebendige Gegenwart der griechischen Natur hinein; er trägt ihn durch den Fluß und erweist ihm damit dieselbe Hilfe, die er einst Helena erwies. Und indem er Faust dabei aus der Unmittelbarkeit des eigenen Erlebens, aus der Nähe des Erinnerns von seinen heroischen Zöglingen erzählt, wird auch Faust zu seinem Zögling und wächst selbst zum Heros heran:

> Halbgötter treten heran. (V. 7473)

Denn noch nährt sich Fausts Sehnsucht aus dem, was ihm durch die Überlieferung überkommen ist; noch geht er mit den Heroen um wie mit marmornen Bildern: er kennt sie zwar alle schon vor der Begegnung mit Chiron

> Ich irre nicht, ich kenn' ihn schon,
> Der Philyra berühmter Sohn! (V. 7328–29)

oder

> Von Herkules willst nichts erwähnen? (V. 7381)

aber nur aus der Vermittlung durch die Bildungstradition, aus der Belehrung durch die poetische und bildende Kunst oder die Mythographen.

So wie ihm im ersten Glücksgefühl gelungener Begegnung seine Bewunderung für Chiron zu literarisch gerät

> Der große Mann, der edle Pädagog,
> Der, sich zum Ruhm, ein Heldenvolk erzog,
> Den schönen Kreis der edlen Argonauten
> Und alle, die des Dichters Welt erbauten (V. 7337–40),

so daß Chiron ihn belehren muß

> Das lassen wir an seinem Ort! (V. 7341)

– und der Ort ist die Dichtung –;[91] so wie Faust dann, schon aus der Erfahrung von Chirons heilender Nähe, die Anerkennung für ihn, als Arzt, wiederum zu überschwenglich ausfällt

> Den Arzt, der jede Pflanze nennt,
> Die Wurzeln bis ins tiefste kennt,
> Dem Kranken Heil, dem Wunden Lindrung schafft,
> Umarm' ich hier in Geist- und Körperkraft! (V. 7345–48)

so daß Chiron ihn ernüchternd auf den Verfall der Heilkunst im Laufe seines geschichtlichen nachantiken Lebens hinweisen muß (V. 7351–52): so spricht Faust selbst noch von dem einzigsten Wesen, dem all sein Sehnen gehört, von Helena, wie von etwas Begrifflichem:

> Vom schönsten Mann hast du gesprochen,
> Nun sprich auch von der schönsten Frau! (V. 7397–98)

Erst über die theoretische Unterscheidung zwischen Schönheit und Anmut – Vokabeln, die Goethe hier, auf Schiller und die Ästhetik der Aufklärung anspielend,[92] in eigener Bedeutung verwendet – nämlich erst über den Gegensatz des „Starren" zum „Quellenden", macht Chiron Faust klar, daß es in Helena als der „schönsten Frau" nicht um ein „starres Bild" geht, sondern um ein durch ihre anmutige Lebendigkeit bezwingendes Wesen.

> Was! Frauenschönheit will nichts heißen,
> Ist gar zu oft ein starres Bild;
> Nur solch ein Wesen kann ich preisen,
> Das froh und lebenslustig quillt.
> Die Schöne bleibt sich selber selig;
> Die Anmut macht unwiderstehlich,
> Wie Helena, . . .   (V. 7399–7405)

Aber trotzdem: noch im Augenblick verwirrendster Betroffenheit von ihrer fast körperlichen Nähe – Chiron erzählt gerade, daß Helena auf demselben Rücken sitzend, ihn in dieselbe Mähne faßte, an der Faust sich jetzt hält –, von Helenas lebendiger Wirklichkeit schon ganz ergriffen, gerät Faust seine Teilnahme wiederum gelehrt. Auf das zärtliche Erinnern Chirons an die Grazie ihres Dankens, an den Reiz ihrer Kindlichkeit im Augenblick des Absitzens, erwidert Faust wie aus der Kenntnis des Philologen:

> Erst zehen Jahr! . . . (V. 7426)

Da klärt ihn Chiron zum letztenmal darüber auf, was es mit dem Wesen der Helena als einer „mythologischen Frau" auf sich hat; von natürlichster Lebendigkeit ist sie zugleich ein geistiges Bild, das lebt im Bereich der Kunst. Deshalb haben die Philologen Unrecht, wenn sie Helena in ihrem Dasein durch die Daten eines biographischen Lebens einschrän-

ken. Als lebendiges geistiges Geschöpf ist sie durch die Zeit nicht gebunden. Die Dichter haben sie in ihren Werken zu immer neuem poetischem Leben heraufgeführt.

Dies ist der Augenblick, in dem Faust über Chiron hinauswächst. Mit
dem Ausruf:

> So sei auch sie durch keine Zeit gebunden! (V. 7434)

reißt er sich los, um es den Poeten gleichzutun. Die Analogie zum dichterischen Tun, zum schon einmal geglückten mythischen Geschehen
(V. 7435) ermutigt ihn in dem verwegenen Entschluß, Helena in ein
neues „Leben" zu „ziehn":

> Und sollt' *ich* nicht, sehnsüchtigster Gewalt,
> Ins Leben ziehn die einzigste Gestalt? (V. 7438-39)

Für Chiron muß Faust in diesem Vorhaben „verrückt" (V. 7447) erscheinen. Als mythischer Geist der lebendigen griechischen Natur lebt
er in der Dimension der Zeit und weiß, daß Helena einer Epoche angehört, die vergangen ist. „Sohn der Philyra" – und man darf ergänzen,
des Kronos, des Gottes der Zeit – der auf Fausts Anruf, zu halten, antwortet: „Ich raste nicht" (V. 7329-32): das deutet ohne Zweifel auf diese
Qualität. Und zwar ist die Zeit in ihm im Sinne der Natur gedacht, als
ständig in sich zurückkehrende Bewegung

> Streifst du noch immer unermüdet? (V. 7478)

als unaufhörlicher Kreislauf

> Indes zu kreisen mich erfreut (V. 7480)

und damit als ewig wiederkehrende Zeit, aus der sich das Gewesene nicht
verliert. So ist in ihm als gegenwärtigem mythischem Naturgeist das
Vergangene aufbewahrt; und wie er seine eigene Geschichte kennt,
weiß, daß er die Heilkunst „zuletzt", und das heißt, im Mittelalter als
seiner jüngsten Vergangenheit, „den Wurzelweibern und den Pfaffen"
überließ (V. 7351-52), so entsinnt er sich auch seiner frühsten Vergangenheit mit den Heroen und Helena. Insofern also Chiron diese in seiner
erinnernden Erzählung Faust gegenwärtig macht, ist er der zwischen
Faust und Helena zeitlich Überbrückende.[93]

Aber gegenwärtig wird Helena in Chiron nur als Erinnerte. „Du sahst
sie einst" (V. 7442) sagt Faust zu ihm. Er aber hat sie „heut' gesehn",
und dieses „heut'" ist kein Moment der Faustdichtung, weder die Beschwörung am Kaiserhof, noch der Traum in der Studierstube.[94] Durch
die Erzählung Chirons von ihr über das Wesen des Mythischen neu be-

lehrt, sieht Faust sie nun wie greifbar vor Augen; und was in Chirons Belehrung noch auseinanderzufallen schien: das Lebendig-Reizende ihrer
einmaligen antiken Erscheinung und das Bildhaft-Schöne ihrer ewigen
geistigen Gestalt – so wie es eine Lesart auch noch für die Dichtung
will:

> Dir schien sie reizend, mir erscheint sie schön[95] –

wird jetzt von Faust in einer ringförmig sich schließenden Prädikation
zusammengenommen:

> So schön wie reizend, wie ersehnt so schön! (V. 7443)

Fausts Vergegenwärtigungswille übersteigt Chirons Kraft der Erinnerung. Um ihn zu befriedigen, bedarf Faust eines neuen Helfers. Aber
nicht nur dies, er bedarf des außerordentlichen Zusammenwirkens verschiedener, gewöhnlich sich ausschließender Kräfte; er bedarf einer
außerordentlichen Konstellation in der griechischen Natur.

Die Walpurgisnacht – als das Treffen sonst getrennter Naturgeister –
ist diese Gelegenheit. Für Faust konkretisiert sie sich in dem seltensten
Eintreten Chirons bei Manto in dieser Nacht, das sich nur jährlich einmal
ereignet.

Manto

V. 7446–94. – Wer ist Manto,[96] was bedeutet ihre Begegnung mit
Chiron als glückliche Konstellation der griechischen Natur, und was
bedeutet diese Konstellation wiederum für die Verwirklichung des
Faustischen Verlangens?

Manto, als Sybille – und wie ihr Name sagt –, ist Seherin; ihr Tun ist:
Träumen („Manto inwendig träumend" V. 7471), das heißt: ein inneres
Schauen, abgeschlossen von der Dimension der Zeitlichkeit und Sinnlichkeit, ein Schauen zeitloser geistiger Bilder. Ihr Tempel, „ewig",
„bedeutend-nah" (V. 7469–70), ist der Ort, wo sich diese ewigen geistigen Bilder offenbaren. Im „Mondenschein" wird er sichtbar in dem
Licht, das das Geistige in der Natur sichtbar macht. Zwischen „Peneios"
und „Olymp" lokalisiert, steht er zwischen der zeitlich lebendigen Natur
und dem Göttersitz als dem Ort des Ewigen-Ideellen. Geschichtlich
durch die Schlacht von Pydna bestimmt

> Hier trotzten Rom und Griechenland im Streite,
> Peneios rechts, links den Olymp zur Seite,
> Das größte Reich, das sich im Sand verliert:
> Der König flieht, der Bürger triumphiert (V. 7465–68),

durch den Untergang des historischen Griechenlands[97] also, ist er gelegen an dem Punkt, wo die geschichtliche Epoche der Antike sich vollendet und eingeht in die Ewigkeit des Mythischen.

> Blick' auf! hier steht, bedeutend-nah,
> Im Mondenschein der ewige Tempel da. (V. 7469–70)

Manto ist die Kraft der seherischen Vergegenwärtigung dieser Natur.
Ihr Träumen bezieht sich auf die heroischen Sinnbilder.

Bei ihr tritt Chiron, der Zeitgeist der flüchtigen sinnlichen Gegenwart,
ein in die von den Heroen zeugende Natur, gesehen unter dem Aspekt
des Ewigen. Wie Manto Chiron damit begrüßt, daß er „nicht ausbleibt"
(V. 7476) und Chiron entgegnet, daß auch ihr „das Tempelhaus steht"
(V. 7477), bestimmt er Manto als das bewegungslose Beharren. Und indem Manto ihn fragt, ob er „noch immer unermüdet" streife (V. 7478) und
Chiron darauf erwidert, daß sie „doch immer still umfriedet" wohne
(V. 7479), ordnet er ihr die zeitlose Ruhe zu und zugleich damit ein
Getrenntsein von der Wirklichkeit der Walpurgisnacht, von der Natur
im Zustand des zeitlichen Werdens. Während Manto schließlich den
„kreisenden" Chiron (V. 7480) als „die Zeit" bestimmt (V. 7481), von
sich aber sagt, daß sie im Kreisen der Zeit verharre (V. 7481), bestimmt
sie selbst ihren Bereich als den des Sinnbildlich-Ewigen im zeitlichen
Geschehen dieser Landschaft.

Chiron und Manto sind streng aufeinander bezogen, zwei konträre
Zeitdimensionen, die nun plötzlich für diesen einzigen, aber rhythmisch
wiederholbar gedachten Augenblick zusammengehören. Denn indem
Chiron bei Manto eintritt und die Träumende weckt, und Manto erwachend den gleich wieder Wegseienden – „Chiron ist schon weit weg"
(nach V. 7488) – begrüßt, begegnen sich Zeit und Ewigkeit und bilden
den Augenblick: den Augenblick, der aus der nicht rastenden zeitlichen
Natur hinaustritt und das Ewige in sich hineinläßt, den Augenblick als
Ewigkeit.

Es ist ein glücklicher Augenblick im genauen Sinne, der sich in dieser
Begegnung ereignet, von Chiron als solcher bezeichnet, – dasselbe Stichwort des Glücks wird auch im Moment des Wiedersehens von Nereus
und Galatea fallen.

> Nun trifft sichs hier zu deinem Glücke;
> Denn alle Jahr, nur wenig Augenblicke,
> Pfleg' ich bei Manto vorzutreten (V. 7448–50).

Und dieser Augenblick ist konzipiert als eine außerordentliche Möglichkeit dieser Natur. In Mantos Erwachen akzentuiert sie sich als die zeit-

lose Wirklichkeit, in der diese Natur die heroischen Sinnbilder wieder
vergegenwärtigt; in Chirons Vorsprechen bei Manto als die seltene Möglichkeit, wo sie in der Zeit als Wiederkehr des Gleichen einem Schauenden offenbar werden. Denn zu beziehen ist der Augenblick auf Faust.
Die außerordentliche Möglichkeit dieser Natur ist auch die glückliche
Bedingung für sein Zeiten überspringendes Begehren. Zu seinem Ereignen wirken Chiron, Manto und Faust helfend zusammen.

Chiron tut das Seine, indem er den Paralysierten mit zu Manto nimmt,
daß sie ihn von seinem Wahnsinn heile. Schon über den Fluß auf diese
Weise zu gelangen, ist für Faust ein Glück; denn es ist ein Fluß, den
auch das „Märchen"[98] kennt, der zwei Wirklichkeiten voneinander
trennt: die zeitliche von dem ewigen Bezirk, in dem der sibyllinische
Tempel steht, sich der Olymp erhebt und der Gang „in des Olympus
hohlen Fuß" zu Persephone führt. Die Heilung vom Wahnsinn jedoch,
die Chiron sich von der Tochter Äskulaps verspricht, wird sich gleich
auf ganz andere Weise ereignen. Fausts Ablehnung

> Geheilt will ich nicht sein, mein Sinn ist mächtig (V. 7459)

deutet auf den heiligen Wahnsinn, mit dem seit Platon die Mania des
Künstlers bezeichnet wird[99] und der von Manto sogleich als ein höherer
Geisteszustand erkannt und mit der auszeichnenden Begrüßung ge-
würdigt wird

> Tritt ein, Verwegner, sollst dich freuen!
> Der dunkle Gang führt zu Persephoneien. (V. 7489–90)

Denn indem Faust nun bei Manto eintritt, hat er teil an der außerzeit-
lichen Wirklichkeit, die diese Begegnung Chirons mit ihr bedeutet; er
hat teil an der Simultaneität des ewigen Augenblicks, wo in dieser mythisch sprechenden Natur die heroischen Sinnbilder von neuem gegenwärtig sind; er hat teil an der mythischen Vergegenwärtigungskraft dieser Landschaft.

Von Faust aus ist es der Augenblick des schöpferisch gewordenen
Künstlers, der sich ganz auf das Vergegenwärtigen der geliebten heroischen Vergangenheit versammelt:

> Nun ist mein Sinn, mein Wesen streng umfangen;
> Ich lebe nicht, kann ich sie nicht erlangen. (V. 7444–45)

Denn dieser höchsten Sammlung aller Geisteskräfte gelingt es: einen
solchen führt Manto den dunklen Gang hinunter zu Persephone.

Persephone steht für den Bezirk des Vergangenseins der antiken Heroen.
Sie wird angetroffen in der Geste der Bezogenheit auf das Obere

In des Olympus hohlem Fuß
Lauscht sie geheim-verbotnem Gruß (V. 7491–92),

lauschend einem geheimen Gruß, der verboten ist – so verboten, wie
jeder Übertritt in eine die menschliche Bedingung überschreitende Wirklichkeit. Als Lauschende ist sie gegenüber dem Grüßenden in der Bezogenheit der Erwartung. Ihr Wohnsitz, in den „hohlen Fuß des Olymp"
verlegt, ist lokalisiert im verborgenen Inneren der ewigen Götterwoh-
nung, das heißt, als ein unteres Ewiges dem oberen Ewigen zugeordnet.

Waren bei den Müttern die Bilder aller Kreatur bewahrt, die Urbilder,
nach denen und mit denen die Natur bildet, so sind hier, im Persephone-
ischen Bereich, die menschlichen Sinnbilder aufgehoben, die die griechische Natur, einmal gezeugt, dauernd bewahrt; denn der Hades, in den
hohlen Fuß des Olymp verlegt, verwandelt den Ort des Todes in den
göttlichen Schoß der griechischen Erde, wo die heroischen Bilder nun
ihr ewiges, aber gegenwartsloses Schattendasein haben. Der Hades –
sein Name wird in der Dichtung sorglich vermieden – bezeichnet den
Ort des unvergänglichen mythischen Gedächtnisses dieser Erde.

Indem Faust nun – mit Mantos Hilfe – in diesen Hades hinabsteigt,
geht er in dieselbe Erde ein, die die Bilder einst zeugte und sie nun bewahrt. Er wird selber teilhaft dieses Elements. Das meint: er wird teilhaftig derselben schöpferischen Kräfte, die dieser Erde eigen sind; er
wird zum neuen Schöpfer der Helena.

Und das bedeutet zum anderen: dieses sinnbilder-zeugende Element
bildet ihn selber ins Sinnbildliche: er wird selber zu dem „Ritter", zu
dem ihn Homunculus schon zu Beginn der Walpurgisnacht gemacht
hatte (V. 7053). Sein Eingehen ins Element ist – wie das des Homunculus – ein Sterben zu neuer Verwandlung. Im Helena-Akt als mittelalterlicher Burgherr auf griechischem Boden wiedererscheinend, wirkt er
dort sinnbildlich für den schöpferischen abendländischen Geist überhaupt.

Die Walpurgisnacht erzählt Fausts Weg bis zu diesem Augenblick des
Eingehens in sein Element. Beginnend in der Studierstube führt sie ihn
aus dem Zustand des durch Helena Paralysierten zu dem des Geheilten,
in dem Sinne, in dem Manto die Heilerin ist – zur Tochter Äskulaps hat
der Dichter sie um dieser Beziehung willen gemacht.

Wie die Vergegenwärtigung des Sinnbilds menschlicher Schönheit die
Kraft des Künstlers ist, so ist das Verlangen, diese Schönheit in ein neues
Leben zu ziehen, ein Künstlerschicksal. Mantos Hinweis auf Orpheus[100]
deutet darauf (V. 7493). Aber über den Prozeß der Wiederbelebung
Helenas im Kunstwerk geht das hier gemeinte Vermögen und Verlangen

Fausts weit hinaus. Es handelt sich um eine höchste Produktivität, die
ihre Erfüllung nur in der Wirklichkeit der Geschichte finden wird.

Homunculus

Homunculus, als der Führer in die Walpurgisnacht, begegnet in ihr am
spätesten. Erst in der Szene „am oberen Peneios wie zuvor", in der die
griechische Erde geschichtslos als lebendiges *Element* erscheint – sie beht
(„Erdbeben" nach V. 7502) – taucht er zum ersten Mal wieder auf. Die
Erde ist hier polar auf das Wasser des Ägäischen Meeres bezogen. Dieselben Sirenen, die später „flötend und singend" das Meeresfest eröffnen,
beginnen auch diese Szene mit dem Heilsgesang auf das lebenzeugende
Element:

> Ohne Wasser ist kein Heil! (V. 7499)

Sie schließen die beiden letzten Szenen der Walpurgisnacht zu einer Einheit zusammen, die in der polaren Bezogenheit der beiden Elemente:
Erde und Wasser, besteht.

Daher ist die nun folgende Szenerie (V. 7495–7675) nicht poetisch,
sondern geologisch zu verstehen. Seismos steht sinnbildlich für die
vulkanischen Kräfte, die heute wie einst an der griechischen Erde bilden.
Er hat gewaltsam einen neuen Berg hervorgestemmt.

> Nun erhebt sich ein Gewölbe
> Wundersam. Es ist derselbe,
> Jener Alte, längst Ergraute,
> Der die Insel Delos baute (V. 7530–33).

Man vergleiche dazu:

> Über das erste Entstehen, über die primitive Bildung irgend
> einer Gebirgsart im großen sind keine Zeugnisse vorhanden.
> Das vulkanische Hervorsteigen von Inseln im Meere, von Ber-
> gen auf dem Lande dagegen geschieht noch immer vor unsern
> Augen.[101]

Daß es derselbe ist, der schon Delos hervortrieb, ist wiederum eine
naturwissenschaftliche Feststellung. Goethe vermerkt den vulkanischen
Ursprung der „Inseln im Ägäischen Meere" in einer geologischen
Notiz.[102]

Auch die Sphinxe – die polare Gegenkraft zum Seismos – sind geologisch richtig placiert, wenn sie als das Urgestein Seismos benachbart
werden.

> Welch ein widerwärtig Zittern,
> Häßlich grausenhaftes Wittern!
> Welch ein Schwanken, welches Beben,
> Schaukelnd Hin- und Wiederstreben!
> Welch unleidlicher Verdruß!
> Doch wir ändern nicht die Stelle
> Bräche los die ganze Hölle. (V. 7523–29)

Es entspricht daher ihrer Gesteinsqualität als Granit, daß sie dem weiteren „Emporgebürge" des Seismos hemmend entgegenwirken.

> Weiter aber soll's nicht kommen,
> Sphinxe haben Platz genommen. (V. 7548–49)

Man vergleiche dazu:

> Sodann ist der merkwürdigste Punkt zu berühren, . . . daß sich die vulkanischen Feuer . . . in Griechenland und auf dem größten Teile der Erde mitten durch primitive Gebirgsarten den Weg nach außen gebahnt haben.[103]

Mit den Ameisen und Greifen – denselben des Anfangs – wächst nun aus dem Geologischen das Soziologische heraus. Als die Urtriebe der Erde – ihre Besitz sammelnde und bewahrende Qualität – sind sie auch auf der neuen Erde wieder da. Sie haben es hier im Tellurischen mit dem emsigen Sammeln (daher „Imsen" V. 7634) und geizigen Hüten („legen . . . Klauen drauf", „sind Riegel" V. 7603) der Bodenschätze zu tun, zumal mit dem Gold, als dem wertvollsten Metall. Mit ihnen kommt das Moment von Besitz und Macht in die neue Schöpfung.

Mit den Pygmäen schließlich geht das Soziologische ins Politische über. Es gründet sich ein Gewaltstaat auf dem Berg mit Ältesten und Generalissimus, Sklaven und Empörern („Imsen" und „Daktyle"), Holz wird zu Kohle, Eisen zu Waffen, Begierde zu Mord, Rache zu Krieg. Es ist eine Schöpfung unter dem Aspekt der Gewalt: vom vulkanischen Drängen von unten bis zur gewaltsamen Herrschaft von unten. Sie ist nicht um Homunculus' willen da, aber sie wird auf ihn bezogen.

Beratung

Wenn Homunculus in diese Szene eintritt, ist das geologisch-politische Gebilde bereits etabliert. Er begegnet hier nicht mehr wirkenden Elementarkräften. Selber noch geistiges Prinzip, begegnet er hier im Elementaren der Erde ebenfalls nur Vertretern von Prinzipien: in Mephisto und den beiden Naturphilosophen erfährt er Bildprinzipien des Menschen und der Natur. Denn künstliche Lebenskraft, die er noch ist, muß er sich zunächst die Intention seines natürlichen Bildens erwerben. Der Dichter macht als bewußten Prozeß anschaulich, was als „dunkler Drang" in der natürlichen Monade immer schon unbewußt leitend vorhanden ist.[104] Die Intention des Bildens wird verstanden als Bildemöglichkeiten, zwischen denen sich Homunculus falsch oder richtig zu entscheiden hat.

So ereignet sich auch sein Abenteuer auf zwei sich ergänzenden Stufen. Sein „Glas entzweizuschlagen" (V. 7832), die künstliche Hülle durch eine natürliche zu ersetzen, ist sein Prozeß im Ganzen der Walpurgisnacht. Seine Verwandlung ins Körperliche vollendet sich unter der dreifachen Hilfe von Nereus, Proteus und Galatea im bildenden Meereselement („Felsbuchten des Ägäischen Meeres"); aber sie beginnt als dreifache theoretische Erfahrung. Worum es Homunculus zunächst geht, sagt er selbst: Er „möchte gern *im besten Sinn* entstehn" (V. 7831). Hier, im Tellurischen, am oberen Peneios, sucht er das richtige Bildeprinzip: zu werden. Er sucht den richtigen geistigen Ratgeber.

Mephisto

V. 7830–50. – Der erste, der ihm dabei begegnet, ist Mephisto. Als potentielle menschliche Individualität begegnet Homunculus in ihm dem Prinzip des Menschlich-Reflektierenden als dem Gegenprinzip zur göttlich-wirkenden Natur. Es ist gewissermaßen eine Begegnung auf der Stufe des Menschen.

Als der den rechten Weg in der Natur Suchende, trifft er auf Mephisto als den in der Natur Verirrten. Als der über die Natur Unerfahrene, begegnet er jenem, der sie soeben als Prinzip der Täuschung erfuhr (Lamien).

Der Rat, den ihm Mephisto für das Entstehen gibt, ist: auf den Rat der Philosophen zu verzichten.

> Willst du entstehn, entsteh auf eigne Hand! (V. 7848)

Die Maxime, die er ihm für seinen weiteren Weg empfiehlt, ist, zu irren.

> Wenn du nicht irrst, kommst du nicht zu Verstand. (V. 7847)

Beides, so menschlich es ist, erwiese sich vor der Natur als irrelevant. Die Philosophie versteht Mephisto so, wie der Faust des ersten Teils sie verstand, als er an ihr verzweifelte: als das Unterfangen des Menschen, anstelle der ihm versagten Einsichten in die Natur menschliche Hypothesen zu setzen; anstatt objektive Gesetze zu erkennen, subjektive „Gespenster" zu erfinden:

Denn wo Gespenster Platz genommen,
Ist auch der Philosoph willkommen.
Damit man seiner Kunst und Gunst sich freue,
Erschafft er gleich ein Dutzend neue. (V. 7843–46)

Die Naturphilosophen, denen sich Homunculus sogleich gesellen
wird, sind anderer Art; sie sind nicht Vertreter menschlicher Theorien,
aus ihnen spricht die Natur selbst theoretisch.

Indem Homunculus und Mephisto aneinander vorbeireden, trennen
sie sich voneinander.

Ein guter Rat ist auch nicht zu verschmähn. (V. 7849)

So fahre hin – wir wollen's weiter sehn. (V. 7850)

Es ist die endgültige Loslösung der zum Natürlichen strebenden Lebenskraft von dem christlich-nördlichen als einem Prinzip des menschlichen
Irrens.

Anaxagoras

V. 7851–7950. – Die Begegnung mit den Naturphilosophen ist die Stelle,
wo das vulkanische Wirken der Erde zu Beginn der Szene zu dem Geschick des Homunculus in Beziehung tritt. Das Treffen mit ihnen verläuft abenteuerlicher als das mit Mephisto; den richtigen Weg in das verkörperlichende Element findet Homunculus nur über die Versuchung
zum Irrweg.

Der neu entstandene Berg ist der Anlaß, daß in Thales und Anaxagoras die zwei polaren Bildeprinzipien der Erde zu Worte kommen, die
sich in der geologischen Diskussion der Zeit als Vulkanismus und Neptunismus polemisch gegenüberstanden. Die beiden Philosophen nur als
streitbare Verfechter dieser Richtungen zu verstehen, erklärt die ausgeführte Dichtung nicht ausreichend. Die Deutung des Anaxagoras als
Karikatur des Vulkanismus, wodurch der Dichter mit der ganzen Richtung des „Hebens und Drängens, Aufwälzens und Quetschens, Schleu-
derns und Schmeißens"[105] abrechnet, läßt wichtige seiner Züge – wie wir
sehen werden – unberücksichtigt.[106]

Die Dichtung konzipiert anders. Polemik ist aus dem II. Faust ge-
schwunden; die Walpurgisnacht ist kein Blocksberg mehr, auf dem gespenstische Theorien und politisches Gelichter ihr Scheindasein haben.
Daß die Sympathie Goethes auch im Alter einem gesetzmäßigen, allmählichen Bilden der Natur gehört, ist außer Zweifel.[107] Dem widerspricht nicht, daß der Dichter hier am oberen Peneios auch die gewalttätigen Phänomene im Geologischen, Soziologischen, Politischen, Cha-

rakterologischen aus Prinzipien herleitet, die sich in der Natur selbst
finden. Vulkanismus und Neptunismus – zunächst wissenschaftliche
Hypothesen über die Erdbildung – werden in der Dichtung zu Prinzipien
der Natur selbst, deren sie sich zur Bildung in allen Bereichen des Anorganischen und Menschlichen bedient. In der Polarität der Prinzipien
aber eröffnet sich dem Dichter die Möglichkeit, auch die Phänomene der
Gesetzlosigkeit: Gewalt, Katastrophe, Zerstörung, Revolution, Krieg,
Titanismus in einem Prinzip zu fassen und sie im Ganzen der Natur
einzuordnen. Die Naturphilosophen als denkender menschlicher Geist
werden dabei zu der Möglichkeit der Natur, sich ihrer polaren Bildeprinzipien *bewußt* zu werden: Anaxagoras wird zu der Stimme des vul-
kanischen-feurigen, Thales zu der des neptunischen-wäßrigen Bildeprinzips.

> Denn wenn auch die Natur gegen den Menschen im Vorteil
> steht und ihm manches zu verheimlichen scheint, so steht er
> wieder gegen sie im Vorteil, daß er, wenn auch nicht durch sie
> durch, doch über sie hinaus denken kann.[108]

Die Natur bildet sowohl mit Hilfe der „Gewalt" plötzlich und gesetzlos:

> Durch Feuerdunst ist dieser Fels zu Handen (V. 7855),

wie durch „innere Regelmäßigkeit und Konsequenz"[109] langsam und
gesetzmäßig:

> Im Feuchten ist Lebendiges erstanden. (V. 7856)

Anaxagoras ist die Stimme des Seismos und der auf seinem Berg entstandenen Schöpfung. In ihm kommt das folgelose, gewalttätige, feurige
Bilden der Erde zu Worte. Er wird zum Sprecher der eruptiven Kräfte,
die aus dem Erdinnern wie aus der Atmosphäre gestaltend auf die Erd-
oberfläche einwirken – von den glühenden Meteorsteinen, die die Mond-
vulkane ausstoßen

> Eröffne deiner Schatten grausen Schlund (V. 7908),
>
> Der Fels war aus dem Mond gefallen (V. 7939)

bis zu den feurigen Blitzen der Gewitter. Es ist der Grund, warum der
Donnerer Jupiter auf einem von Seismos gehobenen Berg seinen Sitz hat:

> Selbst Jupitern und seinen Donnerkeilen
> Hob ich den Sessel hoch empor. (V. 7568–69)

Als Fürsprecher des Seismos wird Anaxagoras damit aber auch zur
Stimme derselben Kraft, die die Berge zwar gewaltsam emporstemmte,
aber die Erde durch sie zugleich schön machte:

> Und hätt' ich nicht geschüttelt und gerüttelt,
> Wie wäre diese Welt so schön?
> Wie ständen eure Berge droben
> In prächtig-reinem Ätherblau,
> Hätt' ich sie nicht hervorgeschoben
> Zu malerisch-entzückter Schau? (V. 7552–57) –

die den Parnass zwar titanisch aufstülpte, aber auf seiner Doppelmütze dann Apoll und Dionysos ansiedelte:

> Wir tollten fort in jugendlicher Hitze,
> Bis, überdrüssig, noch zuletzt
> Wir dem Parnass, als eine Doppelmütze,
> Die beiden Berge frevelnd aufgesetzt –
> Apollen hält ein froh Verweilen
> Dort nun mit seliger Musen Chor. (V. 7562–67)

In ihm spricht sich also das Prinzip der Gewalt aus, aus dem sich auch die schöne Gestalt der Erde herleitet. Das Bildeprinzip der Gewalt ist, als das die Form gewaltsam schaffende, zugleich das der Kunst.

Schließlich ist Anaxagoras selber ein Stück des feurigen Elements, dessen Wirken er ausspricht. In einem Paralipomenon zu der „Geschichte der Farbenlehre", „Vier Elemente" überschrieben, finden sich unter dem Element „Feuer" die Bestimmungen: „Cholerisch, Phantasie, Imagination, Produktion".[110] Es sind dieselben Qualitäten, die Anaxagoras in seinem Vermögen und Unvermögen bestimmen. Denn dank seiner Affinität zu „Phantasie" und „Produktion" verfügt er selbst über die Formkraft des Künstlers. Wenn es darum geht, sich für das Schicksal seines Pygmäenvolkes einzusetzen

> Dich ruf' ich an, bei meines Volkes Weh (V. 7904),

wird er selbst zum ekstatischen Hymniker, der sich mit der „magischen" Kraft des Gesanges an die „dreigestaltete" Luna wendet (V. 7903). Mit Beschwörung im magischen Sinne hat das nichts zu tun; es sind die imaginativen Kräfte des Dichters, über die Anaxagoras hier verfügt:

> ... sei ohne Zauber kund! (V. 7909)

Aber diese selbe Kraft der „Imagination" ist es auch, die ihn in ein unreines Verhältnis zur Natur bringt und ihn zum Ratgeber einer ins Organische strebenden „Kreatur", wie Homunculus, ungeeignet macht. Er steht der Natur nicht vernünftig erkennend gegenüber, er macht sie nicht in ihrer Gesetzlichkeit bewußt; an den Kräften, deren Sprecher er ist, nimmt er sympathetisch teil; er *fühlt* sie mit. Das täuscht Anaxagoras

über sein Vermögen. Indem er die Natur wirkend in sich erfährt, meint
er ihr Geschehen selbst zu bewirken. Indem er den Sturz des Meteor-
steins mitempfindet, glaubt er selbst die Mondgöttin herabgesungen zu
haben:

> Verzeiht! Ich hab' es hergerufen.
> (Wirft sich aufs Angesicht) (V. 7929)

Dagegen setzt sich die nüchtern-vernünftige Erkenntnis des Thales,
mit der er Homunculus über die „schöpferischen" „Künste" (V. 7942
bis 7943) des Anaxagoras zu belehren weiß:

> Sei ruhig! Es war nur gedacht. (V. 7946)

Das will sagen: den Sturz des Meteors hat Anaxagoras nur denkend
mitgefühlt; er hat sich ihm nur wirkend mitgeteilt: Anaxagoras hat ihn
nicht bewirkt.

Anaxagoras ist nicht wirkende Naturkraft, sondern das Wirken der
Naturkräfte aussprechender menschlicher Geist. Er ist auch insofern von
der Gewaltnatur seines Prinzips, daß er sich anmaßt, mit der Gewalt
seines Gesanges die Ordnung der Natur stören zu können, sowie er sich
vermaß, durch das Angebot an Homunculus in die Ordnung der Kreatur
einzugreifen:

> So lass' ich dich als König krönen. (V. 7880)

Mit der Formkraft des Künstlers teilt er auch dessen Titanismus. Es ist
das unfromme Verhältnis gegenüber der Naturgesetzlichkeit, das ihn
von Thales unterscheidet. Er verkündet nicht das Schaffen der Natur,
sondern fühlt sich selbst als Schöpfer. Das frühere Motiv des Faust, der
mit der Gewalt seiner Rede die Ordnung der Natur stören und Helena
aus dem Hades erflehen wollte, kehrt anders gewendet hier wieder.

Thales

V. 7851–7950. – In Thales kommt die Natur zu Worte, sofern sie gesetzmäßig Leben bildet und in folgerechten Entwicklungen Leben vom
Kleinsten ins Höhere steigert. Ihr eigentliches Element ist das Wasser.

> Nie war Natur und ihr lebendiges Fließen
> Auf Tag und Nacht und Stunden angewiesen.
> Sie bildet regelnd jegliche Gestalt,
> Und selbst im Großen ist es nicht Gewalt (V. 7861–64)

oder

Gib nach dem löblichen Verlangen,
Von vorn die Schöpfung anzufangen!
Zu raschem Wirken sei bereit!
Da regst du dich nach ewigen Normen,
Durch tausend, abertausend Formen (V. 8321–25).

Es ist der Grund, warum Homunculus auf Thales' Proklamation

Im Feuchten ist Lebendiges erstanden (V. 7856)

sein Gelüste „zu entstehn" anmeldet. (V. 7858) Thales ist das erkennende
Bewußtsein der organisch bildenden Natur. In ihm hat sich die Summe
der Einsichten über das lebenbildende Prinzip, zu denen der Mensch im
Laufe der Zeiten kam, zu einem idealen Subjekt verkörpert. Er ist die
Chiffre für „die Folge von begabten Männern", deren es „durch Jahr-
hunderte durch bedurfte, um der Natur . . . etwas abzugewinnen".[111]

So einer wohl von deinem Schlag!
Das hält noch eine Weile nach;
Denn unter bleichen Geisterscharen
Seh' ich dich schon seit vielen hundert Jahren. (V. 8335–38)

Im Gegensatz zu Anaxagoras ist er seinem Temperament nach nüch-
tern, beobachtend (V. 7884–86), rational und auf das gesetzmäßige Erkennen gerichtet:

Mit Kleinen tut man kleine Taten,
Mit Großen wird der Kleine groß. (V. 7882–83)

Selbst das vulkanisch gesetzlos Hervorgebrachte, als das ihm Fremde,
nimmt er wahr und heißt es gut: der Berg des Seismos –

Was wird dadurch nun weiter fortgesetzt?
Er ist auch da, und das ist gut zuletzt (V. 7869–70),

und die Pygmäen –

Sie fahre hin, die garstige Brut!
Daß du nicht König warst, ist gut (V. 7947–48) –

sind für ihn Tatsachen.

Auch er ist damit ein Stück des Elements, dessen Wirken er vertritt.
Die Prädikationen, die in dem genannten Schema unter dem Element
„Wasser" zu finden sind: „phlegmatisch", „Verstand", „Kopf", „Witz",
„Kombination"[112] sind auch seine Qualitäten. Und so weiß er durch die
Ruhe seines „Phlegmas" („sei ruhig . . ." V. 7946), durch klaren „Ver-
stand" und „kluge" Kombination –

> Sieh hin! die schwarze Kranichwolke!
> Sie droht dem aufgeregten Volke
> Und würde so dem König drohn (V. 7884–86) –

Homunculus in das richtige Element zu leiten, später am Ägäischen
Meer durch „Kopf" und „Witz" zwischen ihm und dem wirkenden
Element zu vermitteln.[113]

> *Proteus:*
> Weltweise Kniffe sind dir noch bewußt. (V. 8243)

Schließlich – bei der Feier der Elemente – wenn die Natur sich zum
Liebeswunder der Lebenszeugung anschickt (V. 8339–58), wird Thales
zum frommen Exegeten der Naturerscheinungen. Angesichts des Mond-
hofs könnte seine rationale Denkweise in der mythischen Wundernacht
als eine fremde Stimme klingen. Tatsächlich spricht „Nereus, zu Thales
tretend", den Gegensatz der Anschauungsweisen aus:

> Nennte wohl ein nächtiger Wanderer
> Diesen Mondhof Lufterscheinung;
> Doch wir Geister sind ganz anderer
> Und der einzig richtigen Meinung.
> Tauben sind es, die begleiten
> Meiner Tochter Muschelfahrt,
> Wunderflugs besonderer Art,
> Angelernt vor alten Zeiten. (V. 8347–54)

Das will sagen: was nach der Geister „einzig richtigen Meinung"
mythisch lebendiges Wesen ist, wird von euereins, den rationalen Sterblichen, als Totes Physikalisches, als „Lufterscheinung" erklärt. Thales
aber, so von Nereus als rationaler Naturerklärer angesprochen, nimmt
die Gelegenheit wahr, die mythische Weltauslegung als das richtige
fromme Bedürfnis des „wackern Mannes" nach dem lebendig Wirkenden mit in seine vernünftige Denkweise hereinzunehmen:

> Auch ich halte das fürs Beste,
> Was dem wackern Mann gefällt,
> Wenn im stillen, warmen Neste
> Sich ein Heiliges lebend hält. (V. 8355–58)

Vernünftige Erkenntnis setzt sich nicht gegen Mythologie ab, sondern
erhebt sich, indem sie sie als Bildlichkeit naturphilosophischer Einsichten sich zu eigen macht, zu dem metaphorischen Umgehen mit dem
Mythos in der Weise der Meeresfeier.

In der Belehrung des Homunculus ist Anaxagoras zunächst im Vorteil. Der durch Seismos emporgeschobene Berg ist in der Tat „durch Feuerdunst zu Handen" (V. 7855). Mit dem Berg aber steht auf Anaxagoras Seite zugleich der ganze schnell und in gewaltsamer Unterdrückung erschaffene Pygmäenstaat, dem als Oberstes nur noch der König fehlt.[114] Wenn Anaxagoras nun die Herrschaft über diese „tätig kleinen Dinge" (V. 7876) dem Homunculus anträgt, der selbst ein tätig kleines Ding ist (V. 6888), so hat das Angebot das Verlockende des plötzlichen und schnellen Entstehens für sich, und des Entstehens an oberster Stelle.

Es wäre der umgekehrte Weg, den Homunculus schließlich im wäßrigen Element gehen muß: beim Kleinsten beginnen (V. 8261) und sich in „raschem Wirken" durch „tausend, abertausend Formen" (V. 8323 bis 8325) bilden. Anstelle der langsamen Bildung in sich steigernder Folge – das plötzliche Entstehen und Herrschen über seinesgleichen.

Thales rät ab, und sein Rat ist der richtige. Das gewalttätige Wirken der Natur, das alsbald anhebt und das Thales als das ihm Fremde gar nicht recht hört und sieht (V. 7930):

Gestehen wir: es sind verrückte Stunden (V. 7933),

entscheidet dennoch in seinem Sinne. Indem ein herabfallender Meteor den soeben gebildeten Berg sogleich wieder umbildet

Schaut hin nach der Pygmäen Sitz!
Der Berg war rund, jetzt ist er spitz (V. 7936–37),

erschlägt er unterschiedslos alles auf dem Berg im Streit Vereinte. Das Beginnen am obersten Ende – als König des Pygmäenstaates – wäre für Homunculus das Ende seines Beginnens gewesen. Das „Entstehen", nach dem Prinzip des Anaxagoras, wäre für ihn mehr als ein theoretischer Irrweg – der kreatürliche Tod.

Indem Thales sich nun des Homunculus annimmt und ihn zu dem Meeresfest bringt, steht er – als geistiger Ratgeber – von nun an an Stelle seiner natürlichen Bildeintention, die ihn in das verkörperlichende Element und zu den ihm helfenden Geistern leitet.

Die Meeresfeier

In der Meeresfeier gibt sich das Element selbst ein Fest,[115] zu dem Homunculus und Thales erst als Gäste hinzukommen. Das Wasser, als der Ursprung organischen Lebens, hat in dieser Nacht alles ihm Zugehörige versammelt, um den Augenblick des Wiedersehens zwischen dem Meergreis Nereus[116] und der schönsten seiner Töchter, Galatea,[117]

zu feiern. Es ist ein kosmischer Liebesaugenblick, der sich nur jährlich
einmal ereignet. Er wird in eine Küstenlandschaft gedacht, die die Liebesvereinigung der lebenzeugenden Elemente von Wasser und Erde in
sich wiederholt. Das Land greift mit schmalen Strandzungen weit in das
Meer hinaus, welches wiederum das Land in den Inseln umschließt, die
in die geistige Landschaft der Szene miteinbezogen sind – Samothrake,
Rhodos, Cypern. – Der Mond hat die Höhe seiner Bahn erreicht und
„verharrt im Zenith" (vor V. 8034): das heißt, es ist ein ewiger Augenblick in der Zeit angebrochen; das Göttliche ist im Wirken der Elemente
tätig gegenwärtig. Auf den Augenblick der gewaltsamen Erschütterung
der steinernen anorganischen Erde – „am oberen Peneios wie zuvor" –
folgt hier ein Liebesaugenblick des Lebendigen im wäßrigen Element.

Von diesem zu künden, haben sich als erste die Sirenen eingefunden.
Der Meereswelt verwandt, gehören sie dennoch nicht ihr an; sie „lagern
umher" „auf den Klippen" (vor V. 8034) über dem Wasser. „Flötend
und singend" sind sie diejenigen Geschöpfe, in denen es der Natur
gelang, Ton zu werden. Als Stimme der Kreatur sind sie hier diejenigen,
als die sie schon zu Beginn der Walpurgisnacht da waren. Sie sind die
von der kosmischen Harmonie Zeugenden, die Stimme des Wassers
(V. 7495–7518) wie der ganzen Meereswelt, die vom Wirken des Göttlichen im Element zu künden weiß.

Während die Sirenen die *Stimme* des lebenzeugenden Elements sind,
erscheint das Element selbst wirkend. In der Begegnung zwischen
Nereus und Galatea wiederholt sich der uranfängliche Liebesaugenblick
wo Nereus in Leidenschaft zu Doris[118] entflammte, und das heißt in dem
modernen Verständnis des Mythos als wissenschaftlicher Bildersprache
es wiederholt sich der Augenblick der Urzeugung im Wäßrigen, wo das
Element sich polar entzweite und erstes Leben daraus entstand:

> Da, wo das Wasser sich entzweit,
> Wird zuerst Lebendigs befreit.[119]

In der Begegnung dieser Nacht erneuert sich in der Schönheit der
Tochter Nereus' einstige Liebe zur Mutter:

> Bringet, zärtliche Doriden,
> Galateen, der Mutter Bild. (V. 8385–86)

Es erneuert sich dank der Schönheit des eigenen Dritten der Augenblick
in dem das polar gespaltene Element sich wiederum begegnet. Es entsteht ein neuer Liebesaugenblick, in dem neues Leben entstehen kann. Es

ist die Stelle, wo das Geschehen der Meeresfeier in die Geschichte des Homunculus übergeht.

In Vater und Tochter erscheint also das Eine als zweierlei; in Nereus: das Prinzip des Elements als Lebensstoff, in Galatea: die Schönheit des Elements, die Liebe und Vereinigung bewirkt als form- und lebenwirkende Kraft. Um diese beiden gruppiert sich das Gewimmel der Geister. Auf der einen Seite neben Nereus selber

1. die Nereiden[120] und Tritonen,[121]
2. die Kabiren[122] und
3. Proteus[123]

auf Galateas Seite

1. die Telchinen,[124]
2. die Psyllen und Marsen,[125] und
3. noch einmal die Nereiden im Verein mit den Doriden[126] und ihren Schifferknaben.

Galatea

In den Gruppen ihres Zuges faltet sich Galatea als die Schönheit des Elements in ihre Teilfunktionen auseinander. Bei Hederich las Goethe über Galatea:

> Ihr Namen soll die schöne Gestalt des ruhigen Meeres an heitern Tagen bedeuten.[127]

In ihrem Geleit ziehen daher einmal die Geister vorüber, die von der Wirkung der Schönheit des Elements (Telchinen), zum anderen die von der Wirkung der Liebe als einer Elementarkraft (Psyllen und Marsen und Doriden mit den Schifferknaben) zeugen: von den Qualitäten Galateas also (Schönheit), in der zugleich das Bild der Mutter (Liebe) erscheint.

Diese Geister sind nicht durch Mythos, sondern durch Naturvölker repräsentiert. Es ist eine der wenigen Stellen in dieser aus Wasser, Himmelslicht und Erde gebildeten Elementarwelt, an der der Mensch erscheint. Er ist auch hier durchaus aus dem Ganzen des Kosmos verstanden: als eine *Möglichkeit* der Natur, die einzige Kreatur, die auf ihre elementare Schönheit, auf ihre elementare Liebe zu antworten vermag. In den drei Gruppen (Telchinen; Psyllen und Marsen; Doriden mit Schifferknaben) begegnen wir daher Bildern, in denen sich, dank des Menschen, das unbewußte Wirken des Kosmos erfüllt und zugleich deutet: wir begegnen Sinnbildern der Schöpfung.

Telchinen

V. 8275–8302. – Die von der Wirkung der elementaren *Schönheit* Ergriffenen eröffnen den Zug. Telchinen von Rhodos bringen den Dreizack Neptuns. Der Gott selbst wäre zu gestalthaft in diesem Fest der bildenden Elemente gewesen. Wie alles hier in Galateas Geleit auf Schönheit bezogen ist, so sind auch die Wirkungen des Dreizacks in dieser Beziehung zu suchen. Er begütet die Wellen wie mit Liebesmacht. So ist er die Gewähr für den Frieden des Elements während des Festes. Er wird im Zug selber zu ihrem Symbol: das von Liebe gestimmte Element unter der Wirkung der Schönheit.

> Weshalb er uns heute den Scepter gereicht –
> Nun schweben wir festlich, beruhigt und leicht. (V. 8283–84)

Rhodos, das die Telchinen bewohnen, erscheint als die von Sol geliebte Erde

> Die Berge, die Städte, die Ufer, die Welle
> Gefallen dem Gotte, sind lieblich und helle (V. 8295–96),

auf die er mit „feurigem Strahlenblick" (V. 8294), ungestört durch eine wolkenlose Atmosphäre, herunterblicken kann:

> Kein Nebel umschwebt uns, und schleicht er sich ein,
> Ein Strahl und ein Lüftchen, die Insel ist rein! (V. 8297–98)

Unter der Wirkung des reinsten Sonnenlichts sind die Telchinen zu Bildnern geworden. Sie antworten auf die Schönheit des Himmelsfeuers durch einen Formtrieb von unten mit Bildern des Göttlichen in Menschengestalt. Sofern sie in Erzbildern (V. 8306–08) gestalten, was an sich elementare „Göttergewalt" ist, tun sie Vergleichbares dem, worauf die Sphinxe anfangs deuteten:

> Wir hauchen unsre Geistertöne,
> Und ihr verkörpert sie alsdann. (V. 7114–15)

In den Telchinen erscheint die Einsetzung des Menschen zum Künstler durch die Natur, das verkörpernde Bilden als menschliche Antwort auf die Schönheit der Elementarkraft.

> Wir ersten, wir warens, die Göttergewalt
> Aufstellten in würdiger Menschengestalt. (V. 8301–02)

Psyllen und Marsen

V. 8359–78. – Die Psyllen und Marsen, die zweite Gruppe, die teils auf den heiligen Tieren des Meergottes Poseidon – „Meerstiere" und „Meerkälber" –, teils auf dem Tier der Liebesgöttin Aphrodite – „Meerwidder" – vorbeireiten, zeugen von der Wirkung der elementaren *Liebe*. Cypern, auf dem diese Naturvölker den aphrodisischen Wagen als göttlichen Dauersitz bewahren (V. 8365) und nun mit der Göttin herbeiführen (V. 8366–69), erscheint als Bild der Natur, in der die kosmische Liebeskraft die willkürlichen als die zerstörenden Tendenzen der Elemente gezähmt hat. Die Natur verdankt hier ihr ungestörtes Gedeihen dem liebevollen Zusammenwirken von Erde („rauhen Höhlegrüften"), Wasser („Meergott"), Feuer („Seismos") und Luft („ewigen Lüften"):

> In Cyperns rauhen Höhlegrüften,
> Vom Meergott nicht verschüttet,
> Vom Seismos nicht zerrüttet,
> Umweht von ewigen Lüften . . . (V. 8359–62)

Am Gegenbild der vergänglichen cyprischen Geschichte, in der Weltreiche entstehen und vergehen – Rom („Adler"), Venedig („geflügelten Leuen"), Kreuzritter („Kreuz") und Mohammedaner („Mond") – und Streit herrscht, der Vernichtung bewirkt, artikuliert sich die cyprische Natur als eine Natur der Liebe, die dank deren erhaltender und gesetzlich bildender Kraft unvergänglich ist, die lebende Natur in ihrer Möglichkeit zur Dauer. Denn „die Liebe herrscht nicht, aber sie bildet, und das ist mehr".[128]

In sie ist der Mensch als Teil dieser Natur mit einbezogen. Auf dem Hintergrund des geschichtlichen Menschen, der „sich vertreibt und totschlägt" (V. 8375), erscheinen die Psyllen und Marsen, als rohe Naturvölker, hier von einer befriedeten, aller Gewalt abholden Natur gebildet, selber von dieser Liebesnatur. Es offenbart sich an ihnen: Liebe als Zähmung der wilden, zerstörerischen Triebe; Einklang der Natur mit sich selbst als eine Möglichkeit des Menschen.

Doriden und Schifferknaben

V. 8391–8423. – Die Letzten endlich im kreisenden Zug der Galatea, ehe sie selber kommt, sind die Doriden mit ihren Schifferknaben: von den Sirenen als die „Zärtlichen" (V. 8385) angekündigt, wofür die Nereiden nun die „Derben" (V. 8384) sein müssen, um der Polarität willen; denn nun geht es um Galateas persönlichste Wirkung – sie ist selber eine der

Doriden –: um ihre Liebeskraft, mit der sie, als Schönheit, das Polare
zusammenbringt; nicht nur das geschlechtlich Polare, sondern in dem
Weiblichen und dem Männlichen zugleich das Element und die Lebewesen.

Die Doriden, die schönen Meerestöchter, sind das Element in seiner
polaren Bezogenheit zu den schönen Individuen, den jungen Schifferknaben, die das Meer befahren; zärtlich ist das Element ihnen zugewandt:
rettend (V. 8395), helfend (V. 8397–98) und nährend (V. 8420), und also
in mütterlicher Liebe mit den Lebewesen verbunden. Zugleich aber
stellt sich diese Polarität dar als Liebesbeziehung zwischen Weiblichem
und Männlichem, in der Bitte der Töchter an den Vater um Ewigkeit
dieser Liebe:

> Lobst du, Vater, unser Walten,
> Gönnst uns wohlerworbene Lust;
> Laß uns fest, unsterblich halten
> Sie an ewiger Jugendbrust! (V. 8404–07)

Das will heißen: die Töchter bitten um unvergängliche Dauer der
schönen Lebewesen in der Weise, wie das Element selber unvergänglich
ist.

Demgegenüber spricht Nereus aus, was das Gesetz des Elementes ist:

> Allein ich könnte nicht verleihen,
> Was Zeus allein gewähren kann.
> Die Welle, die euch wogt und schaukelt,
> Läßt auch der Liebe nicht Bestand,
> Und hat die Neigung ausgegaukelt,
> So setzt gemächlich sie ans Land. (V. 8410–15)

Des Elementes Verhältnis zum individuellen Leben kann niemals das der
dauernden Verbindung sein, sondern immer nur das des Nährens,
Wachsenlassens, Bildens; das heißt: daß das Individuum gerade als ein
vom Element Geliebtes immer ein sich Wandelndes, Vergängliches,
Sterbliches sein muß.

> Ihr, holde Knaben, seid uns wert,
> Doch müssen wir traurig scheiden;
> Wir haben ewige Treue begehrt,
> Die Götter wollen's nicht leiden. (V. 8416–19)

Die Aussage, die in der Doriden-Schifferknaben-Szene gemacht wird,
präludiert ergänzend und im Gegensinn der Homunculus-Galatea-Szene.
Was unter dem Aspekt der schönen, und das heißt, körperlichen Erscheinung für die Individualität unmöglich ist, das wird für das Indivi-

duum unter dem Aspekt der unzerstörbaren geistigen Lebenseinheit Ereignis.

Nereiden und Tritonen

V. 8044-69. – Die um Nereus gruppierten Geister – Nereiden und Tritonen, Kabiren, Proteus – beziehen sich nun auf das Wasser als den Lebensstoff. Sie haben – als Funktionen des Elements – teil an einem Prozeß, den das Meer vollzieht: der Verwandlung vom Wasser zum Lebensstoff, in dem sich dann die Verkörperung der Lebenskraft – Homunculus – zur animalischen Form ereignet. Die Teilhabe daran ist verschieden; der Prozeß betrifft zunächst die Verwandlung des Wassers.

Am Anfang ist das Wasser. Die Nereiden und Tritonen sind das Wasser in seiner Lebendigkeit, im schicksallosen Behagen des Elementaren.

> Wissen's wohl, in Meeresfrische
> Glatt behagen sich die Fische,
> Schwanken Lebens ohne Leid. (V. 8058–60)

Zugleich aber sind sie schon von Anbeginn auf der Stufe des Übergangs – „Nereiden und Tritonen als Meerwunder" (vor V. 8044) –, das Wasser ist von Anbeginn zum „Wunder" der Verwandlung bereit.

> Ehe wir hieher gekommen,
> Haben wir's zu Sinn genommen;
> Schwestern, Brüder, jetzt geschwind!
> Heut' bedarf's der kleinsten Reise
> Zum vollgültigsten Beweise,
> Daß wir mehr als Fische sind. (V. 8064–69)

Denn es ist der Beginn der Feier, daß sich „das Getümmel" „aus den Wogen hebt" (V. 8040–41) und heraufgezogen durch den Sang der Sirenen (V. 8049), geschmückt mit den Ketten der Scheiternden (V. 8050 bis 8055), die Nereiden und Tritonen sich zum Beweis ihrer gesteigerten Lebendigkeit aufmachen, um die Kabiren zu holen.

> Doch, ihr festlich regen Scharen,
> Heute möchten wir erfahren,
> Daß ihr mehr als Fische seid (V. 8061–63).

Das singen andererseits die Sirenen, die von der kosmischen Harmonie kündende Stimme der lebendigen Natur, die sich damit noch vor diesen Anfang stellt und zum Wunderton des göttlichen Ursprungs wird: zum auslösenden Anfangston des ganzen sich hier anbahnenden Lebensprozesses.

Die Kabiren

V. 8160–8218. – Wer sind nun die Kabiren?
Um sie zu holen, bedarf es einer neuen wunderbaren Konstellation:
es bedarf des „heut" des Festes (V. 8067), damit die Reise zu ihnen die
„kleinste" (V. 8067) wird; es bedarf des „günstigen Windes" (V. 8072)
für das Gelingen der Fahrt; und es bedarf des Sehnens der Fische, „mehr"
(V. 8069) zu sein, Die wunderbare Konstellation, als das Zusammenwirken ungewöhnlicher Umstände, bezeichnet den Augenblick des Beginns
der Verwandlung.

> Heut' bedarf's der kleinsten Reise
> Zum vollgültigsten Beweise,
> Daß wir mehr als Fische sind. (V. 8067–69)

Auch die Kabiren sind Stufe auf dem Weg des Wassers zum Lebensstoff. –
Vergessen wir vorerst den Wissenschaftsstreit um ihre Bedeutung, ihre
Echtheit und ihr Alter. Goethe hat sie hier benutzt wie griechische und
christliche Mythologie: als poetische Zeichen. Er hat Hederich,[129]
Creuzer,[130] aber vor allem Schelling[131] entnommen, was ihm zur Aussage
bedeutend werden konnte; unkritisch, weil es ihm dabei um eine Symbolik für eigene Vorstellungen ging.
Die Kabiren werden von den Sirenen zunächst begrüßt als „Retter der
Scheiternden" (V. 8176), als „uralt verehrte Götter" (V. 8177), deren
heiliges „Walten" (V. 8180) ein „freundliches Schalten" (V. 8181)
des Meeres bewirkt. Darin sind sie als göttliche Prinzipien gefaßt, die
das Meer hilfreich gegen das Lebendige stimmen, scheiterndes Leben
errettend. Auch Homunculus wird am Ende des Festes ein solcher sein,
der zerschellend auf die Hilfe des Meeres angewiesen ist.
Sie kommen: auf der Hohlschale der Urschildkröte herbeigetragen
(V. 8170–71), und sind damit ausdrücklich auf Proteus bezogen, der dem
respondierend – nach ihrem Weggang – „in Gestalt einer Riesenschildkröte" (vor V. 8237) da ist. Das ist wichtig festzuhalten. Denn indem sie
andererseits von den Nereiden und Tritonen herbeigeholt sind, stellen
sie ein Verbindendes zwischen diesen und Proteus dar. Sie treten als
Stufe auf dem Weg zum Lebensstoff zwischen das Wasser, das sich zur
höchsten Lebendigkeit gesteigert hat – Nereiden und Tritonen – und die
Verwandlungskraft des wäßrigen Elements – Proteus. In ihnen und
durch sie wird das Element hungrig auf die Verkörperung zu Formen.
Es kommt ein Sehnen nach Gestaltung darüber. Die Kabiren bringen die
Sucht nach Form über das Meer:

Sehnsuchtsvolle Hungerleider
Nach dem Unerreichlichen. (V. 8204–05)

Goethe fand bei Schelling folgende Sätze:

Darstellung des unauflöslichen Lebens selbst, wie es in einer
Folge von Steigerungen vom Tiefsten ins Höchste fortschreitet,
Darstellung der allgemeinen Magie und der im ganzen Weltall
immerdauernden Theurgie, durch welche das Unsichtbare, ja
Überwirkliche unablässig zur Offenbarung und Wirklichkeit
gebracht wird, das war ihrem tiefsten Sinn nach die heilig
geachtete Lehre der Kabiren.[132]

Goethe hat diese Vorstellung schon bei Aristoteles vorgefunden, der in
dem Begriff der „Dynamis", der Potentialität des Stoffes sich zu gestalten,
dieselbe stoffliche Bereitschaft gefaßt hat.[133] Es heißt nicht, daß Goethe
sie von dort übernommen hat; sie kommt eigenen Gedanken, wie Element und individuelle Lebenskraft zueinander finden, entgegen. Er
spricht davon in dem Aufsatz „Bildungstrieb",[134] in dem er in dem schon
zitierten Schema, das Stoff und Form als Polarität gegenüberstellt und
beide zu dem Begriff „Leben" verbindet, auf die Seite des Stoffes das
„Vermögen" rückt, dem er die „Kraft" als Bewegendes hinzufügt. Das
Vermögen des Stoffes, Form zu werden, wird von Goethe – im Unterschied zu Aristoteles – zugleich dynamisch gedacht.

Klein von Gestalt,
Groß von Gewalt (V. 8174–75)

oder

Unwiderstehlbar an Kraft
Schützt ihr die Mannschaft. (V. 8184–85)

Derselbe Trieb nach Form also – in dem zitierten Aufsatz „nisus forma-
tivus"[135] genannt – der der individuellen Lebenskraft eigen ist und
Homunculus in die verkörperlichende Walpurgisnacht treibt, muß sich
auch des wäßrigen Elements bemächtigen. Auch das Meer bedarf eines
Sehnens nach Form, um seinerseits das individuelle Prinzip annehmen
zu können.

Um für diese Vorstellung des sich nach Formung sehnenden Elements
eine Bildersprache zu finden, hat Goethe sich der modernen Theorien
über die Kabiren als ihrer Qualitäten bedient.[136] Er benutzte als Bild vor
allem dreierlei:

1. die Vorstellung von uranfänglichen Gottheiten, deren Göttlichkeit
nicht durch ihre Gestalt ausgedrückt ist: die Kabiren wurden als kleine

Kruggottheiten nach Art der Penaten,[137] oder in Zwerggestalt auf Münzen,[138] vor allem thessalischen, dargestellt;

2. ihre Achtzahl und

3. ihre göttliche Wirkung, die durch die magische Verbundenheit ihrer aufsteigenden Zahlenreihe ausgedrückt ist.

Bei dem Meeresfest nun erscheinen von den acht Gottheiten nur drei; und auch diese vereint zu Einem Gebilde:

> Chelonens[139] Riesenschildc
> Entglänzt ein streng Gebilde (V. 8170–71),

dagegen

> Drei haben wir mitgenommen (V. 8186).

Diese Dreiheit, in eins gefaßt, bezeichnet ihre Göttlichkeit und ihre Gestaltlosigkeit zugleich. Sie sind drei, wie die Phorkyaden als ungestaltete Gottheiten drei sind. Daß der Vierte, ,,der für sie alle dächte'' (V. 8189), nicht mitkommen wollte, meint, daß ihnen, als im Stoff wirkender Gewalt, das Bewußtsein fehlt. Es ist eine göttliche, aber dumpfe, sich nicht wissende Kraft, die sich des Wassers bemächtigt.

Auch die nächste Götterdreiheit: fünf, sechs, sieben, ist abwesend (V. 8194–96). Sie gehört einem Stoff an, der nicht mehr der der Erde ist. Daher sind sie ,,im Olymp zu erfragen'' (V. 8197), der, als heiliger Ort, dem Himmelsraum zugeordnet wird wie Samothrake (V. 8071) der Erde; ja bis zum Achten, von dem man nur noch annimmt, daß er auch im Olymp ,,wes't'' (V. 8198), scheint sich eine zunehmende Abwesenheit und Unbekanntschaft in dem hiesigen elementaren Bereich einzustellen. Es wird auf Stufen der Potentialität hingewiesen, die auf Verwirklichung in höheren kosmischen Bereichen deuten.

> Dort wes't auch wohl der Achte,
> An den noch niemand dachte.
> In Gnaden uns gewärtig,
> Doch alle noch nicht fertig. (V. 8198–8201)

Die Sirenen, die als Liebesstimme der göttlich-gesetzlichen Natur teilhaben an dem ganzen Kosmos, sind erbötig, diesen höheren, vielleicht in ,,Sonn' und Mond thronenden'' Gottheiten ihre anbetende Verehrung zu erweisen:

> Wir sind gewohnt,
> Wo es auch thront,
> In Sonn' und Mond
> Hinzubeten; es lohnt! (V. 8206–09)

Diese drei anwesenden Gottheiten nun werden damit beschrieben, daß sie „niemals wissen, was sie sind" (V. 8077); das heißt: indem sie das Sehnen des Wassers nach Form sind, haben sie überhaupt kein Sein. Weil sie reine Potentialität des Elements sind, Form zu werden, haben sie keine Substanz. Sie „erzeugen" „sich immerfort selbst" (V. 8076), weil von ihnen aus die Verwirklichung in *einer* Form niemals als erreichtes Sein angesehen werden kann. Durch alles Erreichen hört das Vermögen nie auf, Vermögen zu sein. Als Verlangen des Elements nach Formung ist die Form niemals etwas Erreichtes, sondern immer nur neue Möglichkeit. Deshalb sind diese Götter „noch nicht fertig" und „wollen immer weiter":

> Doch alle noch nicht fertig.
> Diese Unvergleichlichen
> Wollen immer weiter. (V. 8201–03)

Da aber jede Verwirklichung des Elements in einer Form verstanden wird als die Potentialität des Elements zu einer höheren Form, so ist das Sehnen unendlich:

> Sehnsuchtsvolle Hungerleider
> Nach dem Unerreichlichen. (V. 8204–05)

In der Sucht des Stoffes nach Form ist zugleich das Verlangen nach immer höheren Formen miteingeschlossen. Die Kabiren enthalten das Prinzip der Steigerung vom Stoff her. Das will es auch bedeuten, daß der göttlichen Trinität im elementaren Bereich

> Drei haben wir mitgenommen (V. 8186)

eine entsprechende Dreiheit im Siderischen entspricht:

> Sind eigentlich ihrer Sieben. –
> Wo sind die Drei geblieben? (V. 8194–95)

Aller Lebensstoff befindet sich in einer ständigen Sucht nach Gestaltung in immer höheren Formen. So kommt eine sehnende Allverbundenheit in den ganzen stofflichen Kosmos, die ihr Bild in der magischen Verbundenheit der einander nachziehenden Götterreihe findet; es ist ein sehnendes Prinzip, das von der schweifenden und sich verlierenden Sehnsucht der Romantik wie der Mystik dadurch unterschieden ist, daß es als eine „strenge" (V. 8171), den Stoff determinierende Kraft verstanden wird, die auf Formung gerichtet ist.

> Denn Sehnsucht hält von Staub zu Thron
> Uns all in strengen Banden.[140]

Dieses Prinzip nun, als eine Eigenschaft des Wassers, wird in der Meeresfeier dargestellt als etwas zu dem Element in seiner Ruhe Hinzukom-
mendes. Die Kabiren erscheinen in Prozession bei der nächtlichen Feier.
Sie erst machen sie zu einem kultischen Akt:[141] zu dem Mysterium der
Verwandlung des Wassers in den von göttlichem Sehnen nach Form
ergriffenen Lebensstoff.

Was da als Kultbild vorbeizieht, wird beschrieben als ein Gebilde, das
dem Panzer der Urschildkröte „entglänzt". Das heißt: das Kultbild wird
offenbar sichtbar im Widerglanz der Hohlform,[142] zum Zeichen dessen,
daß diese Götter nicht Gestalt, sondern die Möglichkeit zur Gestalt sind;
dem entspricht der Ausdruck, den Homunculus dann für die Kabiren
findet: „Ungestalten" (V. 8219), was nicht mißgestaltet noch gestaltlos
heißen soll, sondern: die Hohlform zur Form, die Möglichkeit zur
Gestalt.[143]

Proteus

Nach der Anwesenheit der Göttertrias scheint nun das göttlich verwandelte Element selber zum verwandelnden Wirken bereit. Denn der
Staunen verursachende Proteus hat durch den Anblick der Kabiren selber etwas „Wunderliches", „Respektables" erfahren, was ihn „freut",
und so ist der nie Faßbare plötzlich da. Den Versen, die Proteus ankündigen:

> Und steht er euch, so sagt er nur zuletzt,
> Was staunen macht und in Verwirrung setzt (V. 8156–57),

respondieren die Verse, mit denen er sich selbst ankündigt.

> So etwas freut mich alten Fabler!
> Je wunderlicher, desto respektabler. (V. 8225–26)

Proteus ist das zum Lebensstoff verwandelte Wasser in seinem Vermögen,
Lebendiges in bestimmte Formen zu verwandeln. In ihm erscheint das
Element unter dem Aspekt der Metamorphose. Hier nun wird das Wer-
den des Homunculus zum Ereignis der Meeresfeier. Denn eben diese
Verwandlungskraft des Elements betätigt sich an der nach Verkörperung
begierigen Lebenskraft.

Homunculus' Weg ins Element

Was sich als Schicksal des Homunculus begibt, ist der Prozeß einer
solchen Verwandlung der individuellen Einheit ins Element; aber dieser

Prozeß ist nicht – abstrakt gesprochen – als Eingehen einer Form in den Stoff verstanden. Die individuelle Einheit ist ihrem Prinzip nach für Goethe hier nicht als Form definiert. Homunculus kommt nicht von den Müttern. Das Lebendige, das als Existierendes nur als Individuelles zu denken ist, wird hier als Kraft gedacht. Homunculus – in der Studierstube als Lebensenergie konzipiert – figuriert auch während des ganzen Meeresfestes als „Flamme" (V. 8234), „des Lichtes Menge" ergießend (V. 8235), als „leuchtend Zwerglein" (V. 8245), als „tönende Leuchte" (V. 7067, 8462–63), und das bedeutet, als geistige Energie, die sich erst im und durch das Element – wie wir schon im Kapitel „Struktur" zeigten – in eine bestimmte lebendige Form verwandelt.

Aber auch um diesen Prozeß richtig zu verstehen, ist noch eins zu beachten: Das Meeresfest endet nicht mit des Homunculus Verkörperung zu einem bestimmten kleinsten Meeresindividuum. Seine Verwandlung in einen kleinsten Fisch etwa,[144] der „sich freut" „Kleinste zu verschlingen" (V. 8262), ist von Proteus nur als zukünftige Aussicht konzipiert. Tatsächlich endet das Fest mit dem Sich-Aufgeben als künstliche Einheit, dem Zerschellen des Glases im Element. Das heißt: der Prozeß, den Homunculus im Meeresfest durchmacht, ist zunächst ein Lernprozeß; zu der Qualität, die er im Laboratorium erhalten hat, menschlich konzipierte Lebenseinheit zu sein, muß er sich die polare Einsicht erwerben, als unbewußte animalische Einheit im Element aufzugehen (Nereus). Und indem er sich dann der elementaren Verwandlungskraft anvertraut (Proteus) und, von der Schönheit des Elements verführt, sein Glas zerbricht (Galatea), ist er zu dem *wirkenden* Prinzip geworden: individuelle Einheit, die sich aufgibt – der Lebensfunktion der animalischen Monade.

> Im Grenzenlosen sich zu finden,
> Wird gern der einzelne verschwinden,
> . . .
> Sich aufzugeben ist Genuß.[145]

Hier ist also – wie im „Laboratorium" – nicht vom Werden von Leben die Rede, sondern vom Wesen, nicht von Urzeugung im Sinne der Entstehung eines Einzellers, sondern von den Prinzipien, die die Monade als Teil des Elements und Dasein im Element bestimmen.

> Grundeigenschaft der lebendigen Einheit: sich zu trennen, sich zu vereinen, sich ins Allgemeine zu ergehen, im Besonderen zu verharren, sich zu verwandeln, sich zu spezifizieren und, wie das Lebendige unter tausend Bedingungen sich dartun mag, hervorzutreten und zu verschwinden, . . .[146]

Dieser Weg des Homunculus führt wiederum – wie der der anderen Abenteuer – über drei Stationen: von Nereus über Proteus zu Galatea. Als ganzer Prozeß ist er aber in das größere Ereignis der Liebesfeier der Meeresgeister mithineingenommen. Denn diese Feier findet nicht um Homunculus' willen statt, sie ist vielmehr nur teilweise auf ihn bezogen. Sein Schicksal fügt sich jeweils in ihre einzelnen Momente ein, wird durch sie möglich und erfährt durch sie seine Deutung.

Nereus

V. 8082–8159. – Um Homunculus zum „Entstehen" (V. 7858) zu verhelfen, führt Thales ihn zunächst ans Meer und zu der „Höhle" (V. 8083) des Nereus. Aus der Einsicht, daß das Wasser das lebenbildende Element ist, vertraut er auf die Beratung durch den Meergreis (V. 8102). Aber dort erwartet die Ratsuchenden dann keineswegs der gastliche Empfang, den Thales dem Homunculus zuvor versprochen:

> Dort hofft und ehrt man Wundergäste. (V. 7950)

In Nereus, dem Alten, begegnet zwar das Wasser in seiner Weisheit (V. 8103); aber Homunculus und Thales gegenüber verhält es sich als das Feindliche und artikuliert diese Ablehnung auf doppelte Weise:

Erstens, der Mensch ist ihm zutiefst zuwider.

> Sind's Menschenstimmen, die mein Ohr vernimmt?
> Wie es mir gleich im tiefsten Herzen grimmt! (V. 8094–95)

Denn der Mensch ist die Gegenposition zum Element. Insofern er die am vollkommensten ausgebildete Individualität ist, ist er ein Wesen mit einem eigenen strebenden Willen, der ihm befiehlt, was er tun muß, und also dem Element gegenstrebig.

> Gebilde, strebsam, Götter zu erreichen,
> Und doch verdammt, sich immer selbst zu gleichen!
> (V. 8096–97)

Mit diesem hartnäckigen Wollen der Individualität nun hängt das Zweite, Andere zusammen, was Nereus mißfällt: daß der Mensch für den Rat des Elements taub ist.

> Was Rat! Hat Rat bei Menschen je gegolten?
> Ein kluges Wort erstarrt im harten Ohr. (V. 8106–07)

Denn als der „selbstwillig" (V. 8109) Handelnde hat er eine eigene Notwendigkeit, die ihn in Gegenwart, Vergangenheit und Zukunft zwingt, und er hat ein eigenes Schicksal. Das Element aber ist schicksallos:

> Seit alten Jahren konnt' ich göttlich ruhn . . . (V. 8098).

In ihm, der Lebenswelt des Animalischen, gibt es Tun nur im Rhythmus von Werden, Wachsen und Vergehen, und die Zeit nur als rhythmische Wiederkehr von Gleichem. In diesem Sinne ist Nereus die Zukunft entdeckt (V. 8088), während sie in der linearen Dimension des individuell Handelnden immer verstellt bleibt; nur beim Menschen, der sich aus dem elementaren Rhythmus herausstellt, gibt es Katastrophen und Reue:

> So oft auch Tat sich grimmig selbst gescholten,
> Bleibt doch das Volk selbstwillig wie zuvor. (V. 8108–09)

Vom Standpunkt des Elements aus wären diese als Konsequenz solchen Ausbrechens vorauszusehen. So wie Ilios' Fall für die Zukunft bevorstand, wenn Paris seinem eigenen leidenschaftlichen Wollen folgte und das „fremde Weib" entführte (V. 8110–8121), so waren Abenteuer und lange Irrfahrten im voraus erkennbar, wenn sich Odysseus bei seiner Heimkehr dem eigenen Zaudern wie dem Leichtsinn der Gefährten überließ (V. 8122–27).

Indem aber Nereus diesen Widerwillen gegen den Menschen angesichts Homunculus äußert, „entdeckt" (V. 8088) er ihn als denjenigen, als der er im Laboratorium gedacht war: als das Prinzip der *menschlichen* Individualität und damit als das ihm polare Fremde.

> *Thales:*
> Schau' diese Flamme, menschenähnlich zwar . . . (V. 8104).

Er lehnt Homunculus ab, weil er ihn in seiner möglichen menschlichen Zukunft entdeckt (V. 8088).

In der Tat hatte sich Homunculus in derselben Weise als individuelle Einheit verstanden, wenn er sich – vor seinem Eintritt bei Nereus – auf „Glas und Flamme" berief als auf das unveräußerliche Selbst, das er nicht bereit ist aufzugeben:

> Probieren wir's und klopfen an!
> Nicht gleich wird's Glas und Flamme kosten. (V. 8092–93)

Zwischen sie tritt Thales in vermittelnder Funktion und als einziger Gesprächspartner; denn zwischen dem menschenfeindlichen Element und dem sich menschlich verstehenden Homunculus gibt es keinen Dialog. Thales allein hat Zugang zu Nereus – er findet seine Höhle –: Thales als der Fürsprecher des Wassers und seiner lebenbildenden Qualität.

Aus dem Aspekt des Elements indessen – für Nereus – fällt auch
Thales unter die verhaßten „strebsamen Gebilde", als erkennendem
menschlichem Geist sieht Nereus in ihm das Individualitätsprinzip in
seiner höchsten Ausprägung; auch zu Thales gibt es für Nereus keine
Verbindung (V. 8094–8133).

Erst indem nun das Meer selber sich zu verwandeln beginnt – im Vorgefühl der „Vaterfreudenstunde" – kommt Nereus über sich selbst hinweg; gewinnt der „Griesgram" (V. 8087) wieder seinen „seltensten
Humor" (V. 8134).

> Hinweg! Es ziemt in Vaterfreudenstunde
> Nicht Haß dem Herzen, Scheltwort nicht dem Munde.
>   (V. 8150–51)

Erst in der Vorfreude auf das Wiedersehen mit den Doriden, seinen
schönen Töchtern („Grazien des Meeres"), die, im Gegensatz zum
Menschen, dem Element „aufs zarteste vereint" sind,

> Daß selbst der Schaum sie noch zu heben scheint (V. 8143),

stimmt das Element sich freundlich auch gegen das menschliche Prinzip;
gibt Nereus endlich den erbetenen Rat für das Entstehen des Homunculus, der heißt: „sich verwandlen", und verweist ihn an Proteus
(V. 8152–53).

Wenn nun die Kabiren in der Meeresfeier erscheinen, ist das „Behagen"
(V. 8169), das das Element durch sie ergreift, schon durch Nereus' Vorfreude auf die Schönheit des Elements (die Doriden) vorbereitet. Für
Homunculus indessen ist Nereus' Mißbehagen am Menschen das vorbereitende Moment, sich seiner menschlichen Möglichkeiten durchaus
zu entschlagen; denn er muß bereit sein, von vorn „die Schöpfung anzufangen" (V. 8322), und lernen sich zu „verwandeln".

> Hinweg zu Proteus! Fragt den Wundermann,
> Wie man entstehn und sich verwandlen kann. (V. 8152–53)

Proteus

V. 8219–8338. – Zu diesem Schritt verhilft ihm in der Tat Proteus, das
verwandelnde Prinzip des Elements, als der zweite Helfer auf dem Weg
zum Entstehen. Um seiner habhaft zu werden, bedarf es wiederum gün-
stiger Bedingungen.

Ihn herbeigelockt zu haben, ist nicht das Verdienst des Thales, sondern
die Wirkung der Kabiren, deren Zug anzuschauen sich der „alte Fabler"
(V. 8225) eingefunden hatte. Als Verwandlungsgeist selber das Wunder-

lichste (V. 8226) fabulierend, freut ihn die wunderliche Prozession. An
ihr nehmen auch Thales und Homunculus Anteil: gerade am Meeresufer ihres „Pfads" wandelnd (V. 8159), sind auch sie Zuschauer: die
„Gelegenheit"[147] also bringt sie Proteus nahe:

Thales (leise zu Homunculus): Er ist ganz nah. (V. 8231)

Aber daß dann der so durch die Prozession Herbeigelockte gestaltet
aufs Land kommt, ist Homunculus' und Thales' Werk. Des Homunculus
frisches Leuchten (V. 8231), Kundgabe seiner heftigen Lebendigkeit,
wirkt anziehend auf Proteus. Das verwandelnde Element wird „neugie-
rig" (V. 8232) auf die lebendige Kraft, als die Homunculus jetzt – Proteus gegenüber – figuriert im Unterschied zu seiner früheren Rolle als
starres Individualitätsprinzip Nereus gegenüber. Und Proteus formiert
sich. Als „Riesenschildkröte" erscheint er auf dem Ufer, zum Zeichen,
daß er sich aus dem Wasser auf die Erde, aus dem eigenen Element in das
des Homunculus verwandeln kann. Die Schildkröte ist das Tier, das sowohl im Wasser wie auf der Erde lebt.

Aber erst, indem Thales sich einschaltet: der das Verwandlungsprin-
zip der Natur durchschauende Menschengeist mit dem „Kniff" (V. 8243)
der Metamorphose spielt und, so wie sich Proteus verwandelnd versteckt, Homunculus vor Proteus versteckt, um ihn diesem noch anzie-
hender zu machen, zwingt er Proteus in die „edle" Gestaltung: „Proteus
edel gestaltet" (vor V. 8243), das heißt: er zwingt ihn, sich in seiner Göttlichkeit zu offenbaren. Erst indem Thales selber mit dem Proteischen
Prinzip wirkt, und ihn bei seinem Wesen benennt

Gestalt zu wechseln bleibt noch deine Lust (V. 8244),

ist Proteus in seiner Göttlichkeit, und das heißt, als wirkendes Prinzip da.
Indem aber zuvor auch Proteus seinerseits Thales in seiner philosophi-
schen Qualität zitiert hatte:

Weltweise Kniffe sind dir noch bewußt (V. 8243),

begegnen sie und erkennen einander auf gleicher, gleichsam metaphysi-
scher Stufe: der Naturweise und das Naturprinzip. Und indem sie sich
einander durchschauend gegenübertreten, tritt das eine Prinzip an die
Stelle des anderen, übernimmt Proteus die Rolle des Thales.

Proteus beginnt sein verwandelndes Tun an Homunculus mit der Verführung zum animalischen Leben. Selber „erstaunt", angesichts des
„leuchtenden Zwergleins" (V. 8245), über das Wunder des Individuums
als Prinzip des Lebendigen und beglückt über dessen hermaphroditi-
sche (V. 8256) als noch wandlungsfähige[148] Natur, versucht Proteus

18*

Homunculus zunächst einen Geschmack für das Unschuldig-Gefräßige der Kreatur beizubringen:

> Im weiten Meere mußt du anbeginnen!
> Da fängt man erst im Kleinen an
> Und freut sich, Kleinste zu verschlingen,
> Man wächst so nach und nach heran. (V. 8260–63)

Homunculus fühlt sich von dem Dunst der Meeresnähe sogleich angezogen, der „grunelnde"[149] Geruch des Meerschlamms behagt ihm. Er ist für die lebendige Wirkung, die vom Element ausgeht, sofort empfänglich (V. 8265–66).

Wenn in diesem Augenblick der Zug der Galatea heranschwebt (V. 8275–8302), beginnt das Element selbst von der Wirkung seiner Schönheit zu künden. Während in dem vorüberziehenden Bild der Telchinen die Entstehung der künstlerischen Form in höchster Menschengestalt erscheint, ereignet sich gleich darauf im elementaren Bereich das Entstehen der natürlichen Form in niedrigster animalischer Gestalt. Mit den Worten

> Schon ist's getan! (V. 8317)

die das Eintreten der Sonne in den Tag von Rhodos aufnehmen (V. 8293), tritt Proteus in den Ozean ein, indem er sich „verwandelt". Als Delphin – Chiffre des Vermittelnden zwischen Mensch und Fisch – als Delphin selber wieder dem Element angehörend, nimmt er Homunculus auf seinen Rücken und trägt ihn in das verwandelnde Element. Das Entstehen des Homunculus wird hier als Verkörperlichung zu einer bestimmten animalischen Form beschreibend vorweggenommen, um sich am Ende des Meeresfestes als Liebesvereinigung der Elemente von Feuer und Wasser zu ereignen.

Zu dieser Verwandlung in die Körperlichkeit raten Thales und Proteus dem Homunculus je auf ihre Weise: Proteus, der aus dem Aspekt des Elements spricht, verlockt zu ihr, weil sie für die geistige Lebenskraft bedeutet

1. Körperwerden – „Da lebst du gleich in Läng' und Breite" (V. 8328),
2. sich nach eigenem Willen regen – „Beliebig regest du dich hier" (V. 8329),
3. sich als lebendige Kreatur in der Weite des Elements bewegen – „feuchte Weite" (V. 8327).

Thales, der im Namen der strebenden Individualität spricht, stimmt der Verwandlung gleichfalls zu; denn sie bedeutet für die individuelle Lebenskraft

1. auf niedrigster Stufe Form werden – „Von vorn die Schöpfung anzufangen" (V. 8322),

2. in raschem Wirken sich als Form gesetzmäßig verwandeln – „nach ewigen Normen" (V. 8324),

3. dank der durch die Verwandlungen vermehrten Lebenskraft zu immer höheren Formen aufsteigen – „durch tausend, abertausend Formen, Und bis zum Menschen hast du Zeit" (V. 8325–26).

Indem Thales das individuelle Leben hier über die einzelne Verkörperung hinaus denkt und es als Verwandlung durch „tausend, abertausend Formen" hindurch entwirft, eröffnet er Homunculus' Verkörperungsmöglichkeiten innerhalb des ganzen animalischen Typus. Es ist ein Schema von Spezies und Arten als möglicher Verkörperungsformen, das offenbar beginnt bei der einfachsten animalischen Form als derjenigen, die es „freut, Kleinste zu verschlingen", beim kleinsten Fisch also – nicht unbedingt beim Infusor[150] – und dann weiter aufsteigend alle vollkommneren organischen Formen umfaßt, „worunter wir Fische, Amphibien, Vögel, Säugetiere und an der Spitze der letzten den Menschen" verstehen. Diese Formen fassen sich für Goethe zu der Einheit Einer großen Individualität – der des animalischen Typus – zusammen, weil sie „alle nach einem Urbilde geformt" sind.[151]

Die aufsteigende Richtung, die Thales hier innerhalb des Schemas andeutet, entspricht, von seiten der Lebenskraft, der Tendenz der Steigerung, die von seiten des Elements von den Kabiren repräsentiert wird. Der Mensch nimmt innerhalb dieses Schemas zwar den obersten Platz ein

Durch tausend, abertausend Formen,
Und bis zum Menschen hast du Zeit (V. 8325–26) –

er wird als letzte Möglichkeit der Metamorphosen mitgenannt – aber er ist keineswegs Ziel der Verwandlungen. Die Natur hat eine lange Entwicklung bis zu seiner Bildung gebraucht; aber der Mensch ist nicht der Sinn dieser Entwicklung; ja von Proteus, von dem Aspekt des verwandelnden Elements aus, ist von der Verkörperung zum Menschen durchaus abzuraten, weil der Mensch als Endform eine tote Form ist, die keine weitere Verwandlung mehr erlaubt:

Nur strebe nicht nach höhern Orden:
Denn bist du erst ein Mensch geworden,
Dann ist es völlig aus mit dir" (V. 8330–32).

Wenn schließlich doch noch von zwei des Strebens werten Möglichkeiten innerhalb des Menschlichen die Rede ist, so ist es die des „wackren

Mannes" – und sie nennt Thales – als desjenigen, der tüchtig „zu seiner Zeit" wirkt:

> Nachdem es kommt; 's ist auch wohl fein,
> Ein wackrer Mann zu seiner Zeit zu sein (V. 8333–34);

und es ist die des erkennenden Menschengeistes – und sie nennt Proteus – der durch die Jahrhunderte hin in der Folge einsichtiger Geister tätig ist, der Mensch als erkennender Geist in seiner unsterblichen Möglichkeit:

> So einer wohl von deinem Schlag!
> Das hält noch eine Weile nach;
> Denn unter bleichen Geisterscharen
> Seh ich dich schon seit vielen hundert Jahren. (V. 8335–38)

Galatea

V. 8339–8487. – Aber erst der Höhepunkt des Meeresfestes: die Liebesbegegnung zwischen Nereus und Galatea, ist endlich auch der Augenblick, in dem sich das Entstehen des Homunculus, die Vereinigung der Individualität mit dem Lebensstoff ereignet.

Denn, wenn sich das nächtliche Himmelslicht mit einem Liebeskranz umgibt und darin auch das Göttliche seine Teilnahme an der Liebesfeier der Elemente bekundet – Liebestauben aus Paphos[152] den Hof um den Mond bilden (V. 8339–46) – hat das Fest seine Vollendung erreicht, und Galatea selbst erscheint.

Wieder zeugen die Gruppen ihres Zuges von ihrem Wirken, das sich nun nicht mehr als ein Verkörperlichen in Formen, sondern als ein Liebeswirken darstellt: Während die Psyllen und Marsen von der Liebe als der den Kosmos bildenden und die Doriden mit den Schifferknaben von ihr als der das Dauernde mit dem Vergehenden vereinigenden Kraft künden, kommt Galatea selber voll göttlichen Ernstes und lockender menschlicher Anmut: das Unsterbliche mit dem Sinnlichen in sich vereinend; die Epiphanie des Göttlichen in der Feier der Elemente.

> Ernst, den Göttern gleich zu schauen,
> Würdiger Unsterblichkeit,
> Doch wie holde Menschenfrauen
> Lockender Anmutigkeit. (V. 8387–90)

In ihr erscheint das Element in seiner Schönheit. Durch sie wird die Liebe im Element zum Ereignis; denn in Nereus und Galatea feiert nun das Eine, aber getrennte Element sein seltenstes Wiedersehen. Einmal im Jahr begegnet der liebevolle Vater seiner zärtlichen Tochter, und dabei entzündet sich von neuem an Galateas Schönheit Nereus' Liebe zu ihr als dem Bild der Mutter. Indem sich nun der Blick des liebenden Vaters in dem Auge der schönen Tochter fängt, sind die sonst Getrennten in diesem Blick des Auges verbunden, ist ihre Vereinigung in diesem Augenblick geglückt.

> *Nereus:* Du bist es, mein Liebchen!
> *Galatea:*   O Vater! das Glück!
> Delphine, verweilet! Mich fesselt der Blick. (V. 8424–25)

Wie tief der Hiat ist, der die so Verbundenen sonst trennt, bezeugt das „verweilet", um das Galatea die Delphine bittet, bezeugt der Seufzer des Sehnens, der Nereus entfährt:

> Ach, nähmen sie mich mit hinüber! (V. 8429)

Hinüber: wohin? Nach Paphos, in die Dauer der Liebe, das Ganze der Vereinigung.

Denn es liegt dieser Begegnung die Liebesverbindung von geschlechtlich Polarem zugrunde. Aber es macht das Besondere dieses Symbols aus, daß die Erfüllung dieser Liebe natürlicherweise versagt ist; daß in der Begegnung zwischen Vater und Tochter die geschlechtliche Vereinigung nur als Erinnerung an die Urzeugung mitschwingt, als Spannung mitgefühlt wird. Dennoch hat diese Resignation keinerlei psychologische Valeurs. Mag sie eine noch so schmerzliche Goethische Lebenserfahrung sein, er hat sie hier als genaues Zeichen für eine kosmische Konstellation benutzt. Als offenbleibende Spannung schafft sie den Raum, in dem sich eine neue Liebesvereinigung, welche Zeugung von Leben bedeutet, ereignen kann. Die Geburt des Homunculus ist es, in der sich die Begegnung zwischen Nereus und Galatea aktualisiert.

Die Dichtung trägt diesem neuen Geschehen, das sich als Erfüllung des alten versteht, Rechnung, indem sie es geschehen läßt in der Wiederholung desselben Augenblicks (V. 8445–49); denn indem der Delphinenzug – schon weit weg gezogen – wieder zurückkehrt, ist Galatea zwar fern; aber als aus der Ferne herüberleuchtender Stern für Nereus wiederum nah.

> Aber Galateas Muschelthron
> Seh ich schon und aber schon:
> Er glänzt wie ein Stern
> Durch die Menge.
> Geliebtes leuchtet durchs Gedränge:
> Auch noch so fern

Schimmert's hell und klar,
Immer nah und wahr. (V. 8450–57)

Damit ist aus dem Augenblick der Erfahrung der Liebe der Augenblick
der Erinnerung daran geworden. Die Stichworte – als „Fernes" „nah" –,
die das Eintreten des Ideellen in die Erscheinung bezeichnen – schon bei
dem Erscheinen des Helenabildes am Kaiserhof gefallen (V. 6556) und
im Augenblick des Daseins der antiken Helena im Mittelalter wieder-
kehrend (V. 9411) – fallen auch hier[153] und bezeichnen die Liebe im
glücklichen Nachgefühl der Erinnerung als die ideelle Dimension desselben Augenblicks der flüchtigen Liebeserfahrung, in dem sich nun das
Entstehen des Homunculus als die ewige Liebeswirkung, die von der
Schönheit des Elements ausgeht, ereignet.

Dieser Prozeß begibt sich – schematisch gesprochen – als Liebesvereinigung der Polaritäten: von Individualität und Element. Was sich zu Beginn der Meeresfeier in Nereus und Homunculus als feindliche Prinzipien starr gegenüberstand, begegnet nun einander, um eins zu werden;
aber nach welcher Verwandlung!
Homunculus – anfangs um Bewahrung seiner selbst als eigenes Prinzip
besorgt (V. 8093) – ist nun bereits in die „Feuchte" (V. 8458) des Elements, in die fruchtbare Mischung von Erde und Wasser, eingegangen:

In dieser holden Feuchte,
Was ich auch hier beleuchte,
Ist alles reizend schön. (V. 8458–60)

Zunächst „Glas und Flamme" (V. 8093), ist er nun „Leuchte" (V. 8462)
geworden, die im Entzücken über die Schönheit des Elements (V. 8460)
ihre Lebenskraft vermehrt und zu „glänzen" und zu „tönen" begonnen
hat:

In dieser Lebensfeuchte
Erglänzt erst deine Leuchte
Mit herrlichem Getön. (V. 8461–63)

Das Element – anfangs in Nereus durch seine Weisheit repräsentiert –
begegnet nun wieder in Galatea in seiner Schönheit; und zwar der
Schönheit, wie sie sich in der Bilderreihe ihres Zuges auseinanderfaltet,
als wirkendes kosmisches Prinzip verstanden: die alle Elemente zum
liebevollen Zusammenwirken verführende; welche nun – in der Repräsentation der sich sehnenden Galatea – zu denken ist als der durch die
Schönheit hervorgerufene Liebesdrang, der sich aller Elemente bemächtigt und sie zum gemeinsamen Wirken als Lebensstoff verführt.

Wenn sich also nun der Zug der Galatea Homunculus naht, so trifft er auf ihn, die Individualität, die ganz von dem Sehnen beherrscht ist, mit dem Element eins zu werden, und dieses Sehnen erfüllt, indem sie angesichts Galateas, von der Liebe zur elementaren Schönheit ergriffen, sich an ihrem Muschelthron zerschellt.

„Ächzen" (V. 8471), Aufflammen (V. 8473) und Sich-Ergießen (V. 8473) bezeichnen – und das sagt Thales im Namen des erkennenden Menschengeistes – die einzelnen Schritte zu diesem Ende. „Ächzen" meint, wie jenes kosmogonische „Ach" in „Wiederfinden"[154]: das Auseinanderbrechen des Geistigen in die Polarität der Körperlichkeit. Flammen und Blitzen meint höchste geistige Aktivität der Energieeinheit: Sich Entzünden und Aufflammen im Augenblicke, da sie aus dem künstlichen Raum des Glases in die natürliche Atmosphäre übertritt und sich mit der Luft verbindet. Der einsetzende Lebensprozeß wird verstanden als beginnender Verbrennungsprozeß, wie er sich schon in der Wagnerschen Phiole ereignete (V. 6848), so daß Anfang des Homunculus im Laboratorium und Ende im Ägäischen Meer sich als derselbe Augenblick zusammenschließen. Homunculus bestimmt sich damit als sich verbrennende Energie – als feurige Einheit – die sich nun mit dem wäßrigen mischend ins Element ergießt.

> Heil dem Meere! Heil den Wogen,
> Von dem heiligen Feuer umzogen!
> Heil dem Wasser! Heil dem Feuer!
> Heil dem seltnen Abenteuer! (V. 8480–83)

Sein Geborenwerden ist ein Sterben. Die Vereinigung mit dem Lebenselement bedeutet von Homunculus aus: sich aufgeben als gläserne, und das heißt, künstlich-geistige Einheit.

Von Galatea, vom Element aus, bedeutet die Vereinigung: die Betätigung des in allen Elementen mächtigen Liebesdranges, der nun, außerhalb seiner, Erfüllung findet in der Entstehung des Individuums. Die Vereinigung mit Homunculus bedeutet also vom Element aus: Individuierung des Elements.

Deshalb gilt das letzte Wort allen vier Elementen, die zusammen den Lebensstoff ausmachen, aus dem die einzelne Individualität wie der Kosmos im ganzen gebildet ist:

> Heil den mildgewognen Lüften!
> Heil geheimnisreichen Grüften!
> Hochgefeiert seid allhier,
> Element' ihr alle vier! (V. 8484–87)

Was mit dem Gebet der Sirenen an Luna und ihrer Bitte um göttlichen Beistand bei dem Liebesfest der Elemente begann (V. 8034–43), endet mit ihrem Jubel über das gelungene Wirken der Liebe zum Abenteuer des Lebensanfangs. Die Sirenen aber antworten damit als Stimme der liebenden Natur auf die Menschenstimme des Thales, der dank der Teilnahme an der Entstehung von Leben in den Kreis der wirkenden Naturkräfte mit aufgenommen ist und als erkennender Menschengeist nun von der Schönheit des Lebendigen ergriffen, dichterisch von ihr zu zeugen weiß.

> Heil! Heil auf's neue!
> Wie ich mich blühend freue,
> Vom Schönen, Wahren durchdrungen:
> Alles ist aus dem Wasser entsprungen!
> Alles wird durch das Wasser erhalten![155]
> Ozean, gönn uns dein ewiges Walten! (V. 8432–37)

SCHÖNHEIT IN DER GESCHICHTE

Phänomen

Die Klassische Walpurgisnacht erzählte von dem verwegenen Unternehmen Fausts, in dem Zeitlosen der griechischen Natur die einstige antike Helena wiederzufinden. Es gab hilfreiche Elementargeister in dieser Landschaft, die ihn an den Ort brachten, wo sie einstmals gewesen war; es gab die Geisterkonstellation dieser Nacht, die Faust den Übertritt aus dem Zeitlichen ins Außerzeitliche eröffnete, und so findet er schließlich bei der träumenden Seherin den Eingang in die Unterwelt: „Sie steigen hinab" (nach V. 7494).

Aber ist die Helena, wie sie dann inmitten ihres Chors zu Beginn des dritten Akts angetroffen wird, wirklich die von Faust eben aus der Unterwelt heraufgeführte? Weshalb fehlt dann Faust in dem spartanischen Palast? Und ist der Faust des dritten Akts, der Burgherr in Griechenland, der in „ritterlicher Hofkleidung des Mittelalters" „oben an der Treppe" (vor V. 9182) vor Helena auftritt, wirklich derselbe, der die „einzigste Gestalt" gerade eben mit „sehnsüchtigster Gewalt" „ins Leben ziehn" (V. 7438–39) wollte? Weshalb erscheint dann Helena nicht gleich auf der mittelalterlichen Burg, weshalb muß sie Phorkyas erst aus ihrem heimatlichen Palast Faust zuführen?

Auch der dritte Akt ist mit dem zweiten nicht durch eine kausale Handlung verbunden, so wie es der zweite nicht mit dem ersten und der erste nicht mit dem vierten ist. Denn extrem gesagt: die Helena des dritten Aktes ist nicht die des zweiten, sowenig diese die Helena des Kaiserhofs war. Wie bei Faust und Mephisto, dem Kaiser des ersten und des vierten, dem Lynkeus des dritten und des fünften, den drei Gewaltigen des vierten und des fünften Akts, so ist auch bei Helena die Einheit der dramatischen Person ersetzt durch die des Wesens in Funktionen. Die Identität der Helena des ersten, zweiten und dritten Akts besteht in der Einheit der Gestalt, die in verschiedenen Funktionen wirkt: menschliche Schönheit als wirkendes Naturprinzip.[1] Sie ist das menschliche Urbild der Natur, wie es in der schönen Kunstgestalt zur Erscheinung kommt, dem es dazu eigen ist, sich einmal im griechischen Altertum verwirklicht zu haben. Sie ist also von urphänomenaler Art, Idealität und Realität zugleich, und dazu als geschichtlich Realisierte von der problematischen Wirklichkeit des Gewesenen. Als dieses komplexe Ideelle

faltet sie sich nun in den drei Akten in verschiedenen Funktionen auseinander, dem Weltbezirk des jeweiligen Aktes gemäß.

Ist sie im ersten Akt – im Weltbezirk der Gesellschaft – ungeschicht-
lich gefaßt, als Phantasiegebilde des Künstlers, geschaffen analog dem
organischen Bildegesetz der Natur und symbolisch Helena genannt, so
geht es im zweiten und dritten Akt jedesmal um die im antiken Griechentum wirklich gewordene Helena – aber auf verschiedene Weise.

In der Klassischen Walpurgisnacht ist sie vom Bilden der Natur her
verstanden: Gebilde des Mythos als der Sprache dieser Natur. In der
urphänomenalen griechischen Natur, wo das gesetzlich Wirkende als das
Schöne gestalthaft in die Erscheinung tritt, stellt sich in ihr – samt Herkules – das natürliche Bildeprinzip des Menschen dar, wie es im Heroischen als menschlichem Maximum mythische Gestalt geworden ist.

> Vom schönsten Mann hast du gesprochen,
> Nun sprich auch von der schönsten Frau. (V. 7397–98)

Im dritten Akt ist diese mythische Helena gefaßt als wirkendes Phänomen der abendländischen Geschichte. Sie ist die im griechischen Altertum einmal geglückte Idee schönen menschlichen Daseins, die nun als
bildendes Prinzip der neueren Kultur geschichtlich fortwirkt. Um diese
Helena ist der ganze dritte Akt geordnet. Alle drei Funktionen verhalten
sich zueinander wie die verschiedenen Erscheinungen einer wirkenden
ideellen Kraft. Ihr Nacheinander – obwohl nicht kausal verknüpft – ist
nicht vertauschbar. In ihrer Folge liegt zugleich eine Zunahme an
Aktualität.

Im dritten Akt tritt demgemäß Helena vor dem heimatlichen Palast auf,
umgeben von dem Chor, der ihr um ihrer Schönheit willen huldigt.
Schönheit offenbart sich an ihr als sinnliche Erscheinung, als ein heid-
nischer Zauber, der mit ihr unlöslich verbunden ist, menschliche Schönheit als bezaubernde Wirkung, als eine außermoralische, alles unter-
werfende Naturkraft, wie Goethe sie an anderer Stelle beschreibt.

> Sie entzückt, indem sie Verderben bringt ... vorher das Ziel
> eines verderblichen Krieges, erscheint sie nunmehr als der
> schönste Zweck des Sieges, und erst über Haufen von Toten und
> Gefangenen erhaben, thront sie auf dem Gipfel ihrer Wirkung.
> Alles ist vergeben und vergessen; denn sie ist wieder da.[2]

Als solche herrschaftliche Gewalt ist sie von dem Chor nicht nur begleitet, er ist ihr als ihre Gefangenen unterstellt. Schönheit, als Natur-
phänomen, ist damit gebildet nach dem Muster eines großen natürlichen

Organismus, der sich in die Königin als das regierende Zentrum und in Chorführerin und Chor als die ihm dienenden Kräfte gliedert: als ein Gesamt von Kräften also, das sich in den verschiedenen Situationen unterschiedlich verhält und sich in den einzelnen Szenen entsprechend wandelt. – Während Helena, als die Königin, das ideelle Moment dieser Schönheit vertritt, repräsentiert der Chor, als die äußeren und stofflichen Teile dieses Ganzen, ihr sinnliches Moment. Dazwischen steht die Chorführerin Panthalis, zwischen Königin und Dienerinnen vermittelnd.

In Sparta stellt sich diese urphänomenale griechische Schönheit als ein in der Geschichte wirkendes Phänomen dar, wenn Helenas Dienerinnen „gefangene Trojanerinnen" (vor V. 8488) sind. Denn damit präsentiert sie sich hier in einem bestimmten geschichtlichen Moment: als diejenige, deren Lebensgesetz es ist, durch Entzücken sich fremde Völker zu unterwerfen. Indem sie von dem Trojanischen Krieg heimkehrend auftritt, präsentiert sie sich als die griechische Schönheit, die ihren Siegeszug in der Geschichte schon angetreten hat und die, indem sie nun wiederum gattenlos zurückkommt, sich mit einem neuen Paris verbinden, aufs neue in der Geschichte wirken kann.

Gemäß dem Gesetz des Aktes tritt Mephisto dieser Helena nicht als das Böse entgegen, sondern erscheint als Phorkyas, in der Maske antiker Häßlichkeit; und das heißt, als das die antike Schönheit in jedem Sinne bedrohende Prinzip. So vertritt sie gegenüber dem antiken das moderne, gegenüber dem ideellen das geschichtliche Bewußtsein, gegenüber dem Dasein im Augenblick das Bewußtsein von der Zeit. Daß sich bei ihr mit diesen negativen Qualitäten noch eine andere, positive Eigenschaft verbindet, wird sich zeigen.

Erschien in Sparta Helena von dem Prinzip der Häßlichkeit bedroht, so tut sie im neuen Raum, auf der Faustburg, sogleich wieder ihre alte, sie bezeichnende Wirkung: „sie entzückt, indem sie Verderben bringt." Lynkeus, der im fünften Akt, in einer Welt des Alters, das greisenhaft erkennende Auge ist, in dem sich die Welt rein spiegelt, ist hier in der Welt antiker Schönheit das schönheitsempfängliche Organ des Nordländers, das von dem Anblick dieser Schönheit ganz geblendet wird. Das Formprinzip der dramatischen Person – wie es schon Helena auszeichnete – wird an ihm erneut erkennbar: daß die Person nicht die Qualität des Individuums hat, sondern Personifikation einer Kraft ist, die auf verschiedene Weise – dem jeweiligen Weltbezirk entsprechend – wirkt. Denn den Türmer des fünften mit dem Turmwärter des dritten Aktes zu der Einheit eines Charakters zusammenzufassen, fiele schwer; leicht läßt er sich indessen als das erkennende menschliche Auge verstehen, das in der Welt dieser Schönheit das Ideelle-Schöne, und das heißt, das ganz in die Erscheinung tretende Sinnliche, und in einer Welt des Alters das Ideelle-Gesetzliche, und das heißt, das sich aus dem Sinnlichen ganz zurückziehende Geistige der Erscheinungen wahrzunehmen vermag.

Während Lynkeus von dem Zauber Helenas überwältigt wird, bleibt Faust über ihre Wirkung stumm; auch dies das Formprinzip der Zerlegung der zusammengesetzten Subjektivität in Teilfunktionen verratend.[3] Faust schweigt hier, um als Fürst der mittelalterlichen Burg, Befehlshaber der gewaltigen mittelalterlichen Heeresmacht, der antiken Fürstin ebenbürtig gegenübertreten zu können – als Polarität dem Polaren – und eine Liebesverbindung einzugehen, die ein ganzes neues Zeitalter, eine neue, die antike Schönheit in sich wiederholende Kultur heraufführt.

Arkadien, die Landschaft der Schönheit, ist die Geburtslandschaft der Kunst. In ihr wird Euphorion geboren. Daß in dem Sohne Helenas und Fausts die Poesie Gestalt wurde, wie sie sich im ersten Akt im Knaben Lenker verkörperte, verriet Goethe selber,[4] hier ausdrücklich das Formprinzip der Zerlegung eines Phänomens in zwei verschiedene Funktionen bezeugend; ist die Poesie dort, im ersten Akt, entsprungen einem Augenblick erhöhten geselligen Lebens, so hier, im dritten Akt, erzeugt aus einer bestimmten geschichtlichen Konstellation. Euphorion versinnlicht die ungebundene Kraft der Poesie überhaupt wie eine bestimmte, aus der Verbindung mit der antiken Schönheit entsprungene, geschichtlich bedingte Poesie, die, als geschichtliche realisiert, ein Schicksal hat.

Prozeß

Alle Personen sind also auf ein gemeinsames Ganzes bezogen: die antike Schönheit und ihr Wiedererscheinen als das Phänomen, um das sich der Akt ordnet. Dennoch – wie in den beiden früheren, so ereignet sich auch etwas in diesem Akt. Das Phänomen expliziert sich nicht nur in den Personen, es gibt auch eine Art von Handlung. Diese faltet sich auf in drei Momente, die den drei Orten und Szenen entsprechen; in Sparta: Helenas Weg zu Faust; auf der Burg: Ergreifen und Ergriffenwerden in Fausts Liebe; in Arkadien: Zeugung und Trennung. Als Entstehen, Dasein und Vergehen sind die Stadien der Handlung nicht dramatisch verknüpft, sondern Phasen eines Lebensprozesses, der die Wiederkehr der Helena durch Fausts Liebe ist.

Dieser Prozeß erscheint jedoch durch Mephisto unter einem entgegengesetzten Aspekt. Mephistos Rolle scheint es zu sein, das neuzeitliche Bewußtsein von der Unwirklichkeit dieser Wiederkunft zu personifizieren, die Realität nur für Faust hätte und die Imaginationen seines sehnsüchtigen Herzens wären: der ganze Helenaakt also sich abspielend im

Innern Fausts. Phorkyas' Fehlen[5] während der Liebesbegegnung (V. 9135 bis 9418), ihr Sich-Zurückziehen während des Euphorionschicksals (nach V. 9686–9944) und die bedeutende pantomimische Geste, mit der sie nach Schluß des Aktes „im Proszenium" „von den Kothurnen" heruntertritt und sich als Mephisto demaskiert, „um, insofern es nötig wäre, im Epilog das Stück zu kommentieren" (nach V. 10038), scheinen dieser Deutung Recht zu geben. Max Kommerell hat denn auch den unausgesprochenen Epilog Mephistos im Sinne dieser Auffassung ergänzt:

> Das war das Ganze – es war Magie . . . Was war Magie anderes als ein Zauber des Herzens, das Jahrhunderte vertauscht und das Totenreich öffnet – aber nicht bemerkt, daß es bei allem mit sich selbst allein war . . . Ich aber stand dabei und niemand kannte mich: ich die bewiesene Unwirklichkeit dieses Spiels, ich die bewiesene Unwiederholbarkeit des Vergangenen, ich die bewiesene Unverrückbarkeit des christlichen Moments, dem mit dem Urbild der antiken Schönheit nur Schattenheirat und Schattenzeugung möglich ist.[6]

So eindrucksvoll diese Sätze sind, sie treffen nur die eine Seite. Kommerell hat einige Zeichen der Dichtung generalisiert, andere Passagen für die Deutung unberücksichtigt gelassen. Mephisto stand eben nicht nur dabei, während sich das Faustische Herz die Vereinigung mit Helena imaginierte, sondern ist in das Geschehen durchaus aktiv involviert; er bestreitet die Handlung der ganzen Spartaszene, die ein Drittel des Aktes ausmacht und ihre Wirklichkeit nicht der Kraft Fausts verdankt, sondern die umgekehrt ohne die antike Maske Mephistos nicht möglich ist, über die Faust nicht verfügt.

Zum anderen; wenn schon Schattenheirat und -zeugung dank der Faustischen Vorstellungskraft leben: Euphorions tragisches Schicksal wäre schwerlich von ihr ersonnen worden und gar die Gleichsetzung seines Todes nicht nur mit dem Tode Byrons, sondern mit dem Untergang der modernen griechischen Freiheitsidee[7] (V. 9933–34) als Faustische Imagination nicht mehr denkbar. Dasselbe gilt für die Ereignisse, die der Mephistophelischen Drohung vom erneuten Heranrücken des Menelas folgen;[8] auch sie wären aus der Seele Fausts kaum zu erklären, weshalb sie denn auch in der Kommerellschen Deutung fehlen.

Die Dichtung konzipiert anders. Indem Helena wiederkommt, wird sie nicht nur für Faust wieder lebendig; das Phänomen antiker Schönheit tritt zugleich damit wieder in die Geschichte ein. Helenas Wiederkehr ist das Ereignis des Wiederdaseins antiker Schönheit in der geschichtlichen Welt des Abendlandes.

Diesem Ereignis nun begegnen Faust und Mephisto als die beiden polaren Kräfte des abendländischen Geistes. Das heißt, die Wiederkunft Helenas ereignet sich unter zwei polaren Aspekten: unter dem Mephistophelischen als dem menschlichen Bewußtsein von der Zeitverfallenheit Helenas, und dem Faustischen als dem spontanen ungeschichtlichen Verhältnis der schöpferischen Geisteskraft zu ihr. Beide schließen einander nicht aus, sondern ergänzen einander.

Die Dichtung geht aus von der antiken Schönheit als einer nur noch ideell daseienden, der keine geschichtliche Gegenwart mehr entspricht. Sie geht aus von Helena als derjenigen, die im Unterschied zu der ihr zugehörigen toten antiken Zeit nur noch im Gedächtnis anwesend ist:

Bewundert viel und viel gescholten, Helena (V. 8488).

Dieses Gedächtnis nun ist realisiert in der griechischen Kunst. Die antike Dichtung wird hier als die unvergangene, aber erstarrte Weise verstanden, in der die Antike bis in die Gegenwart da ist. Das ist die Helena, wie sie zu Beginn des Aktes als theatralische Gestalt der antiken Tragödie auftritt.

Ihr tritt Mephisto in der Phorkyadenmaske als das menschliche Zeitbewußtsein entgegen und spiegelt mit der eigenen Maske der Häßlichkeit der Schönheit ihr Vergangensein zurück; Mephisto sich auch hier wieder als das menschliche Spezifikum betätigend, das menschliche Bewußtsein in seiner doppelten Funktion: das Vergangene zu wissen, aber es nur als Vergangenes zu wissen.

Indem er Helena nun ihr Vergangensein aufdeckt, schrickt er sie aus ihrem vermeintlichen antiken Dasein auf und treibt sie – um eines neuen Daseins willen – Faust zu; das heißt: er treibt die Ideelle in das vergängliche Element der Zeit und damit erneut in die Geschichte.

Deshalb spielt sich alles, was sich nun zwischen Faust und Helena ereignet, zugleich im geistigen Raum der abendländischen Geschichte ab. Ihre Liebesbegegnung auf der Faustburg ist nicht nur ein Augenblick im Innern Fausts, in dem die Antike für den modernen Geist wieder da ist; sie meint zugleich eine geschichtliche Realität. Schon in der Rolle Fausts als dem Herrn der mittelalterlichen Burg und Befehlshaber einer Heeresmacht ist die Dimension des Inneren überstiegen; der Liebesverbindung zwischen der antiken Fürstin und dem mittelalterlichen Ritter entspricht ein geschichtlicher Vorgang, in welchem sich das Ergreifen antiker Formkraft durch den abendländischen Geist ereignet und zur Bildung der neuzeitlichen europäischen Kultur führt. Deshalb haben alle einzelnen Momente der Faustfabel – vom Willkommen bis zur Trennung – zugleich ihre Entsprechung in Phänomenen der Geschichte.

Als schöpferisches Verhalten des neuzeitlichen Geistes zum Altertum ist diese Wiederkehr ein idéelles Ereignis und als solches von der zeitlosen Qualität des Augenblicks. Als geschichtlicher Prozeß indessen umgreift sie die neuzeitliche Geschichte mitsamt ihrer mittelalterlichen Vorgeschichte und schließt diese im modernen Bewußtsein zusammen zur Einheit der abendländischen Kultur.

Die geschichtliche Perspektive erweitert sich noch von Helena aus gesehen. Denn unbeschadet des modernen Bewußtseinsmomentes, den Phorkyas gegen sie zur Geltung bringt, beginnt das Spiel mit ihrer Heimkehr von Troja: von dort gesehen, erzählt es den Prozeß der antiken Schönheit durch die Geschichte und ist im eigentlichen Sinne die Wirkungsgeschichte der Helena, so daß Goethe, mit Bezug auf die besondere Einheit der Zeit, die im Helena-Akt gilt, schreiben durfte:

> Aber abgerundet konnte das Stück nicht werden, als in der Fülle der Zeiten, da es denn jetzt seine volle dreitausend Jahre spielt, vom Untergange Troja's bis auf die Zerstörung Missolonghi's (sic).[9]

Goethe nennt diese Zeiteinheit hier noch „phantasmagorisch",[10] wie auch der Untertitel der Ostern 1827 erschienenen „Helena" „Klassischromantische Phantasmagorie – Zwischenspiel zu Faust" lautete. Aber gleich zu Beginn des nächsten Jahres schreibt er an Zelter:

> Ich fahre fort an dieser Arbeit, denn ich möchte gar zu gern die zwey ersten Acte fertig bringen, damit Helena als dritter Act sich ganz ungezwungen anschlösse und, genugsam vorbereitet, nicht mehr phantasmagorisch und eingeschoben, sondern in aesthetisch-vernunftgemäßer Folge sich erweisen könnte.[11]

Der Verzicht auf den Untertitel zeigt an, daß der Helenaakt kein Spiel im Spiel mehr ist und seine Wirklichkeit nicht Illusion, sondern von vergleichbarer Art wie die übrigen Akte. – Es ist dieselbe Kultureinheit, die für Goethe die Zeitspanne des modernen Bildungsbewußtseins darstellte:

> Wer nicht von dreitausend Jahren
> Sich weiß Rechenschaft zu geben,
> Bleib im Dunkeln unerfahren,
> Mag von Tag zu Tage leben.[12]

Insofern diese Vereinigung also eine Erfahrung Fausts und das schöpferische Verhalten des Abendlandes zum Altertum ist, ist es ein idéeller Prozeß und als solcher das Ereignis eines Augenblicks. Insofern aber

diese Vereinigung zugleich ein geschichtlicher Prozeß ist und in „Burghof" und „Arkadien" als in Mittelalter und Neuzeit abläuft, erscheint sie
unter dem Mephistophelischen Aspekt in ihrer bloßen Zeitlichkeit. Das
geschichtliche Bewußtsein – als Aufhebung der schöpferischen Gegenwart des Vergangenen – vertritt in diesem Akt überall Phorkyas. Sie ist
das Bewußtsein von der Zeit. Während Faust als der schöpferisch Wirkende bewußt- und zeitlos ist, ist Phorkyas als die Wissende auch die
Zeitlich-Bewußte. So wie sie in Sparta Helena gegenüber das Bewußtsein von ihrem Vergangensein durchsetzt, und im Burghof dem ideellen
Augenblick der beiden Liebenden das Bewußtsein von seiner geschichtlichen Vergänglichkeit entgegenstellt, so hat sie auch in Arkadien das
Bewußtsein von der Unzeitgemäßheit des antiken Mythos und wird zum
Anwalt der modernen Kunstform des Gefühls: der Oper (V. 9679–86).

Dieses Bewußtsein ist es denn auch, was Phorkyas in dem Augenblick
von Helenas Abschied zu der erstaunlichen Ermahnung befähigt, die sie
an den erstarrenden Faust richtet – ein Erstarren, das einem Sterben
gleichkommt. Nirgends wie hier – noch allenfalls in Mephistos Auskunft
vom Reich der Mütter – wird deutlich, in welche anthropologische Dimension sich der Teufel des ersten Teils verwandelt hat:

> Halte fest, was dir von allem übrig blieb!
> Das Kleid, laß es nicht los! Da zupfen schon
> Dämonen an den Zipfeln, möchten gern
> Zur Unterwelt es reißen. Halte fest!
> Die Göttin ist's nicht mehr, die du verlorst,
> Doch göttlich ist's! Bediene dich der hohen,
> Unschätzbarn Gunst und hebe dich empor:
> Es trägt dich über alles Gemeine rasch
> Am Äther hin, so lange du dauern kannst. (V. 9945–53)

Das ist kein „Aus der Rolle fallen"[13]: dem unbewußten Faust, dem mit
der Gegenwart der Liebe alles verloren scheint, weist sie die Kraft des
„Behaltens" vor, das die Reduktion des Erlebten auf seinen Sinn bedeutet; des Behaltens der Schönheit als leitender Idee für die Dauer des
Lebens (V. 9953). Auch hier zieht sie das Geschehene ins Bewußtsein
der Zeitlichkeit. Aber ihre Distanzierung von den „Dämonen" der Vernichtung (V. 9947) zeigt sie in diesem Augenblick im höchsten Grade als
Fausts Helfer und Begleiter der großen Entelechie: als die Kraft des
bewahrenden Bewußtseins, welches das Spezifikum des Menschen ist.

In diesem Sinne kann Mephisto denn auch am Ende seine Rolle in
dieser Tragödie demaskieren – damit direkt auf die Maskierungsszene
bei den Phorkyaden zurückverweisend. Denn ermöglicht wurde diese
Wiederkehr nur kraft des Mephistophelischen Bewußtseins und seines

Vermögens, ein Vergangenes zu denken – und war doch nur möglich durch die Faustische Kraft der Liebe, die das Bewußtsein des Vergangenseins aufhob; das zeitliche Bewußtsein Mephistos aber setzt sich am Ende wieder durch.

So darf man den unausgesprochenen Kommentar vielleicht in der Weise ergänzen: Das war das Ganze, es war Geschichte – und auch der ideelle Moment, in dem antike Schönheit wieder wirklich wurde, war Geschichte und als solche der Vergänglichkeit unterworfen – und ich habe es von Anfang an gewußt: ich, das Bewußtsein von der Zeitlichkeit dieses Ereignisses, ich, das Bewußtsein der Modernität, ich, das Bewußtsein von dem Bewahren eines Dauernden nur im menschlichen Gedächtnis.

Die Wiederkehr der Helena

Das Medium der Dichtung

Die Walpurgisnacht schließt in dem Moment, wo Faust zu Helena in die Unterwelt, Mephisto, um die Teufel zu erschrecken, in die Hölle steigt. Wenn Helena dann zu Beginn des dritten Aktes inmitten ihres Chores „ohne Weiteres"[14] da ist, *wo* ist sie da?

Der frühe Entwurf von 1816 sagt, daß „ein magischer Ring" ihr das neue Leben wiedergibt, so daß sie Faust auf einem „Schloß", das „mit einer Zaubergränze umzogen ist", begegnen kann, „innerhalb welcher allein diese Halbwirklichkeiten gedeihen können".[15] In der ausgeführten Dichtung sind die magischen Bedingungen getilgt – wodurch lebt sie nun?

Im Bewußtsein eines antiken Augenblicks tritt sie auf. Von Troja zurückgekehrt, fühlt sie sich der Heimat wiedergegeben. Die „gefangenen Trojanerinnen", die sie als „Chor" (vor V. 8488) begleiten, teilen dieses Bewußtsein. Ein realer Augenblick des Altertums scheint angebrochen, sie selbst noch immer im Besitz ihres antiken Lebens zu sein.

Allerdings überrascht es, wenn sie sich als die Vielbewunderte und Vielgescholtene (V. 8488) vorstellt, ein Vers, der erst für die ausgeführte Dichtung erfunden wurde;[16] es überrascht, wenn sie von ihrer „Sage" weiß, die „wachsend sich zum Märchen spann" (V. 8515).

Denn damit geht ihr Bewußtsein über ein einfaches Selbstgefühl hinaus; es ist vergrößert um die Kenntnis ihres Nachruhms. Beladen mit ihrer poetischen Fortexistenz, erscheint sie nicht nur als sie selbst, sondern zugleich als ihr dichterisches Bild. Helena, wie sie hier auftritt, ist die im Gedächtnis aufbewahrte mythische Gestalt, wie sie von den Dichtern bezeugt und in der Dichtung tradiert ist.

Daher ist die Dichtung das ihr zugehörige Element. Aber Dichtung
bedeutet mehr. Helena erscheint hier nicht nur auf die ihr zugehörige
Weise; wenn der Dichter sie eingangs in jambischen Trimetern vorstellt (V. 8488–8515) und den Chor in Anapästen antworten läßt
(V. 8516–23), wenn er durch Personenzahl, Szenarium, Metrum, Chor,
Stichomythie, Wortbildung und Redeweise in Sentenzen und Vergleichen eine antike Tragödie aufs genaueste nachbildet, so dichtet er nicht
nur klassizistisch, sondern gebraucht die Form reflektiert; er verfertigt
in der Tragödie die Bedingung, unter der Helena immer noch da ist.

Damit ist an die Stelle der Magie, an die ihr Scheinleben in den frühen
Entwürfen[17] gebunden war, es ist an die Stelle des Bodens von Sparta,
an den ihr Wieder-Dasein in den späteren Plänen geknüpft wurde,[18] die
Darstellung des Mediums getreten, in dem sie fortexistiert und das ihre
Art von Wirklichkeit ausmacht. Denn noch der heimatliche Boden war
eine Motivation, die ihren Platz nur hatte in einem Entwurf, der den
Gang Fausts in den Hades vorsah; nur zu einer Losbittung der Helena
aus der Unterwelt gehören Bedingungen ihres Lebens auf der Erde,
gehört in Analogie zu ihrem eingeschränkten Leben auf der Insel Leuke
ihre bedingte Lebensmöglichkeit im heimatlichen Sparta. – Die Dichtung verfährt aufgeklärter, die poetischen Motivationen werden im
Laufe der Arbeit geistiger. So wie die Losbittung im Hades abgelöst
wird durch den zeitenaufhebenden Augenblick der Walpurgisnacht, die
ewige griechische Natur diejenige ist, die dort zwischen Faust und Helena
vermittelt, wird hier im Helena-Akt Sparta, als der wirkliche Mutter-
boden, nun durch die zeitenüberdauernde antike Dichtung als den
geistigen Raum ersetzt, in dem Helena fortlebt und in dem sie für das
moderne Bewußtsein wieder erreichbar ist.

Damit erweisen sich Mephistos letzte Worte in der Walpurgisnacht:

> Vor aller Augen muß ich mich verstecken,
> Im Höllenpfuhl die Teufel zu erschrecken (V. 8032–33)

in der Tat als Hinweis auf den Ort von Helenas Dasein: denn in die Hölle,
heißt – in Mephistos Sprache – zu Helena in den Hades des Gedächtnisses
steigen – den Hades des Gedächtnisses der Menschen, als welcher die
Dichtung fungiert, wo Helena als erstarrtes Bild aufbewahrt ist; nicht
Faust, sondern Mephisto sucht sie dort auf.

Die Euripideischen Motive

Wenn Helena also – nach der Ankündigung in „Kunst und Alterthum"[19] –
„auf antik-tragischem Kothurn" auftreten soll, so bezeichnet ihr thea-
tralischer Aufzug zugleich ihr Wesen.

Als tragische Heroine kehrt sie wieder; deshalb ist sie begleitet von dem Chor als dem unerläßlichen Merkmal antiker Tragödie, deshalb umgeben mit der ihr zugehörigen tragischen Kulisse, dem Palast des Menelas; und deshalb erscheint sie in einer Situation, die schon der Euripideische „Orestes" kennt:

1. Nach langer Irrfahrt aus Troja im Hafen gelandet, kommt sie ohne den Gatten in dem Palast an:

Orestes:

Menelaos ist aus Troja heimgekehrt
... Helena sein Unglücksweib
Hat er bei Nacht
In unser Haus vorausgesandt![20]

Faust:

Genug! mit meinem Gatten bin ich hergeschifft
Und nun von ihm zu seiner Stadt vorausgesandt. (V. 8524–25)

Es ist nicht die einzige Situation, auch die folgenden drei Momente der Spartaszene sind in der Euripideischen Tragödie vorgebildet.

2. Denn auch die Bedrohung der Helena durch Phorkyas im väterlichen Palast hat ihre Entsprechung im „Orestes", wo Orest und Pylades sie im eigenen Palast zu töten versuchen:

Orestes:

Die Helena töten wir ...
Durch's Schwert, in deinem Haus versteckt sie sich.[21]

Faust:

So haben heute grauenvoll die Stygischen
Ins Haus den Eintritt mir bezeichnet, daß ich gern
Von oft betretner, langersehnter Schwelle mich,
Entlassnem Gaste gleich, entfernend scheiden mag.

(V. 8653–56)

3. Die Opferdrohung durch den Gatten findet sich in den „Troerinnen" wieder, wo Menelaos Helenas Hinrichtung nach ihrer Rückkehr nach Sparta anordnet:

Troerinnen:

Beschloß ich, nicht in Troja sie zu töten,
In meinem Schiffe bring ich sie nach Hellas
Und überlasse dort den Todesspruch
Den Anverwandten der im Krieg Gefallnen.[22]

Faust:

... Königin, du bist gemeint!

...

... Fallen wirst du durch das Beil. (V. 8924–25)

4. Schließlich die Überführung der Helena in die mittelalterliche Burg entspricht im „Orestes" der Entrückung, durch die Apoll sie vor den Nachstellungen ihrer Mörder schützt:

Orestes:

Die Helena ...
Die seht ihr jetzt hier in des Äthers Höh'n,
Heil und gesund, du hast sie nicht getötet.
Ich stand ihr bei, ich hab sie deinem Schwert
Entrückt ...[23]

Faust:

... verblieb vielleicht
Im Nebel dort, aus dessen Busen wir hieher,
Ich weiß nicht wie, gekommen, schnell und sonder Schritt.

(V. 9142–44)

Die Vollständigkeit der Entsprechungen aber kann kein Zufall sein, sondern zeigt eine Absicht an; indem das Leben der wiederkehrenden Helena sich ausschließlich wiederholt in tragischen Situationen ihres dichterischen Daseins, verrät es sich in der Art seiner Gültigkeit. Wiederkommen konnte Helena nur im Gehege tragischer Dichtung, wirklich wurde sie zu Beginn der Spartaszene nur auf die Weise, wie die antike Dichtung für das neuzeitliche Bewußtsein wirklich ist.

Der verlassene Palast

Indessen so antik mythisch sich die einzelnen Situationen geben, antik sind sie nur als isolierte Motive. Zu einer Fabel aneinandergerückt, verraten sie ihren modernen Sinn. Denn unmerklich tritt Helenas Wiederkehr aus Troja in geheime Bedeutungsrelation zur Faustfabel. Helenas trojanische Abwesenheit wird zu einer anderen Abwesenheit. Die jahrelange Irrfahrt, die vorgibt, die zu sein, von der die Odyssee erzählt, wird zu einem anderen Irren von schwer ermeßlicher Dauer. Die Ankunft ohne Menelas, bei Euripides ein technisch-dramatisches Arrangement, und der heimatliche Palast, in den zurückzukehren ihr verwehrt ist, bekommt eine eigene gefährliche Bedeutung, ganz zu schweigen von der Bedrohung durch den Opfertod und die Rettung durch Entrückung.

Denn der „Palast zu Sparta" (vor V. 8488), den sie, im Sinne ihres Mythos, zuerst als „hohes Haus" (V. 8496) begrüßt, „vor allen Häusern Spartas herrlich ausgeschmückt" (V. 8501), der ihr als „lang' entbehrt und viel ersehnt" (V. 8606) nun zu betreten wieder zugedacht ist, derselbe Palast erweist sich als verlassen.

> Erstaunt' ich ob der öden Gänge Schweigsamkeit.
> Nicht Schall der emsig Wandelnden begegnete
> Dem Ohr, nicht raschgeschäftiges Eiligtun dem Blick,
> Und keine Magd erschien mir, keine Schaffnerin,
> Die jeden Fremden freundlich sonst begrüßenden. (V. 8669–73)

Und die einzige, die als „verhülltes großes Weib" (V. 8676) sinnend (V. 8677) und unbeweglich (V. 8681) im „Schoße des Herdes" (V. 8674), „bei verglommner Asche lauem Rest" (V. 8675) sitzt, ist Phorkyas. Als „Schaffnerin" (V. 8679) zwar den Palast hütend, aber von der Macht, daß sie der Wiederkehrenden „gebietrisch" „den Weg vertreten" (V. 8688) und sie „von Herd und Halle" (V. 8683) weisen kann.

Die Gewalt dazu scheint ihr zunächst die Häßlichkeit zu geben, die, als Gegengewalt der Schönheit, die Königin erschreckt und vertreibt. Aber in dieser Häßlichkeit scheint sich bald noch eine andere, urtümlichere Macht zu verbergen, die „dem Schoß der alten Nacht von Urbeginn" (V. 8649–50) entstiegen und mit den „Stygischen" (V. 8653) im Bunde ist; tatsächlich fragt sich der Chor sogleich, „welche von Phorkys' Töchtern" (V. 8728–29) sie nun sei, und verweist gerade mit der Vermutung: „Vielleicht der . . . Graien eine" (V. 8735) auf die andere Möglichkeit, die unausgesprochen bleibt: Medusa,[24] die durch Erstarren Tötende. Und wirklich, die Scheltrede, in die sich der Chor dann mit Phorkyas einläßt, zeigt die Häßlichkeit von der Art, daß sie noch einmal enträtselt werden muß.

Denn die Stichomythie (V. 8810–8825), dieses weitere Kernstück antiker Tragödientechnik und in der alten Dichtung schon als Form der Streitrede verwendet, benutzt der Dichter auch hier in der Art, daß die Streitenden einander in ihrer Maske bestreiten.

> *Chorf.:* Das deine stopf' ich, wenn ich sage, wer du seist!
> *Phorkyas:* So nenne dich zuerst; das Rätsel hebt sich auf.
> (V. 8824–25)

In der Form einer biographischen Demaskierung deckt ein jeder den anderen auf, indem er dessen Eltern, Stammbaum, Wohnung und Nahrung aufdeckt. Der Chor nennt die Phorkyas mit „Erebus und Nacht" (V. 8812) bei ihren Eltern[25] und decouvriert sie damit als Enkelin des Chaos. Er bringt sie in eine Genealogie zu den „Ungeheuern" (V. 8814) und damit in Verwandtschaft zu den Mächten der Zerstörung, wie sie der Mythos als Nachkommenschaft der „Nacht" aufzählt.[26] Er schimpft sie Urahnin der Amme des Orion (V. 8818) – das rätselhafteste Indiz in diesem Steckbrief – und spielt damit wohl auf die Geburtsgeschichte Orions, wie sie Ovid berichtet[27] an, die ihn aus dem Urin der drei Götter entstehen läßt, dem Urin, der damit dem „Unflat" der „Harpyen"[28] als Nährfutter der Choretiden entspricht. Und er erklärt schließlich die Leichen zu ihrer Speise (V. 8822), und das heißt: die Verwesung zu dem, wovon sie ihre „gepflegte Magerkeit" (V. 8820) ernährt.

Und wenn er sie dabei mehrfach auf ihr Uralter anspricht, („Ur Urenkelin" V. 8818, Sohn des „Erebus" und der „Nacht" V. 8812), ja sie schließlich viel älter als die Schatten des Orkus schimpft („die dorten wohnen, sind dir alle viel zu jung" V. 8816), so demaskiert er sie damit als ein uranfängliches Wesen, das, vor allem Toten, Prinzip des Todes selber ist.

Und so stellt sich in Phorkyas, die „auf der Schwelle zwischen den Türpfosten" (nach V. 8696) des Palastes erscheint, zwischen Helena und ihr Vaterhaus dieser Todesgeist und sagt ihr: hier hinein kannst du nicht mehr. Dein antikes Vaterhaus, in das du zurückzukommen meinst, ist tot.

Dadurch rückt sie zu Menelas in ein antithetisches Verhältnis. Der dichterischen Fabel nach ist sie seine Dienerin. So wie Helena den Chor als ihre Dienerschaft gefangen aus Troja brachte, so brachte Menelas sie gefangen aus Kreta mit (V. 8864–65) und setzte sie zur Schaffnerin über „Burg und kühn erworbnen Schatz" (V. 8867). Daß nun Phorkyas im Tor des Palastes steht, in dem einst Menelas der Braut „entgegenleuchtete" (V. 8505), heißt zunächst nur, daß die Dienerin den abwesenden Herrn vertritt.

Zugleich aber schiebt sich vor den fabulösen ein neuer Sinn. In derselben Geste verrät sich zugleich die Veränderung, die inzwischen vor sich ging. Denn indem der Diener an den Platz des Herren trat, rückte zugleich an die Stelle des „gastlich Ladenden" (V. 8503) der den Eintritt in den Palast Verwehrende. Derselbe Platz hält nur dem Anschein nach zusammen, was die Zeit in Wahrheit trennt. Zwischen dem Wechsel von Herr zu Diener liegt der Hiat der Jahrhunderte, in denen der Herr wegblieb und das Vaterhaus ausstarb. Denn das bedeutet es, wenn der Chor nun – im Anblick der Phorkyas – an die Todesgeister erinnert, die beim Untergang von Troja „riesengroß, durch düstern feuerumleuchteten Qualm" (V. 8717–18) hinschritten. Phorkyas an der Stelle des Menelas stehend, das heißt also auch: Menelas ist nicht hier, weil er hier nicht mehr sein kann. Er ist in die Abwesenheit der antiken Zeit, in ihr Vergangensein, verwiesen.

Damit wird der Palast, auf dessen symbolische Bedeutung der Dichter auch durch eine mythologische Korrektur hinweist – er macht das Haus des Gatten zugleich zum väterlichen Haus (V. 8496–98) – damit wird der Palast zum Zeichen für das verlassene Vaterhaus in einem weiteren Sinne: für das tote historische Altertum überhaupt. Indem sein verödetes Inneres nur noch „der Schätze reiche Sammlung" (V. 8552) bewahrt, auch sie schon vom Vater Tyndareos dem Menelas hinterlassen, so bekommen auch diese einen umfassenderen Sinn. Sie werden zum Zeichen für alles in Kunst und Geist Geschaffene, was sich aus dem Altertum durch die Zeiten hin aufhob, zum Inbegriff der künstlerischen und geistigen Kultur Griechenlands.

Menelas endlich, der vom Dichter um seiner überindividuellen Bedeutung willen eigens Patroklus kontrastiert wird (V. 8854–57), um als der vom Vater erwählte, und nicht der von Helena zufällig begünstigte Gatte zu erscheinen, auch Menelas erweitert sich zur Chiffre für ein Allgemeines. Dieselben polaren Attribute „kühner Seedurchstreicher" und „Hausbewahrer", in denen zunächst das Gesetz seiner eigenen Biographie gefaßt ist

> Doch Vaterwille traute dich an Menelas,
> Den kühnen Seedurchstreicher, Hausbewahrer auch
>
> (V. 8856–57),

vermögen im folgenden auch die politische Geschichte Griechenlands in ihrer Gesetzlichkeit zu erfassen.

Denn so wie das „Seedurchstreichen" Grund ist, daß Menelas sich Reichtümer erwarb und sein Haus kostbar ausbaute

> Die zeige dir der Schätze reiche Sammlung vor,
> Wie sie dein Vater hinterließ und die ich selbst
> In Krieg und Frieden, stets vermehrend, aufgehäuft
>
> (V. 8552–54),

so ist es auch der Reichtum, erworben auf den Raubzügen durch die Meere, mit dem sich das griechische Volk im Laufe seiner Geschichte aus seinem Land eine „hohe Wohnung" (V. 8975) errichtete:

> Raubschiffend ruderte Menelas von Bucht zu Bucht,
> Gestad' und Inseln, alles streift' er feindlich an,
> Mit Beute wiederkehrend, wie sie drinnen starrt. (V. 8985–87)

Auf dem gleichmäßigen Wechsel des „Seedurchstreichens" und „Hausbewahrens" – geübt wie Aus- und Einatmen – beruht das glückliche Gelingen im Leben des Menelas wie in der Geschichte des griechischen Volkes; aber aus dem ungleichen Wechsel dieser polaren Bestrebungen resultiert

auch beider Unglück. Denn so wie das allzulange Ausbleiben im fernen
Kreta Menelas den Raub der Helena eintrug:

> Doch als er fern sich Kretas Erbe kühn erstritt,
> Dir Einsamen da erschien ein allzu schöner Gast (V. 8860–61),

so ist auch die häufige und allzulange Abwesenheit der griechischen
Herrscher der Grund, daß das herrenlose Land verwaiste und endlich
zerstört wurde:

> Wer aber seiner Schwelle heilige Richte leicht
> Mit flüchtigen Sohlen überschreitet freventlich,
> Der findet wiederkehrend wohl den alten Platz,
> Doch umgeändert alles, wo nicht gar zerstört. (V. 8978–81)[29]

Das Vernachlässigen der einen Tätigkeit zugunsten der anderen bezeichnet die geschichtliche Konstellation, die zum Untergang der Antike
führte. Sie ist es auch, die das Schicksal Griechenlands im Mittelalter
bedingte. Denn indem die Griechen und ihre legalen Nachfolger, die
Byzantiner, es unterließen, „Hausbewahrer" zu sein, das heißt, ihr zerstörtes Land wieder in Besitz zu nehmen, kamen neue Herren aus dem
Norden und siedelten sich in dem verlassenen Lande an.

> So viele Jahre stand verlassen das Talgebirg,
> Das hinter Sparta nordwärts in die Höhe steigt,
> . . .
> Dort hinten still im Gebirgtal hat ein kühn Geschlecht
> Sich angesiedelt, dringend aus cimmerischer Nacht,
> . . .
> Sie hatten Zeit, vielleicht an zwanzig Jahre sind's.
> (V. 8994–9004)

Die Griechen, um ihr „Hausbewahrer"-Recht gebracht, wurden aufs
Meer verwiesen, wo sie nur noch raubend „irren" und „lauern" konnten.
Indem ihnen das Regulativ durch die polare Tätigkeit des „Hausbewah-
rens" verlorenging, wurde ihnen ihre einseitige „Neigung" zum
„Geschick":

> Drängt ungesäumt von diesen Mauern
> Jetzt Menelas dem Meer zurück;
> Dort irren mag er, rauben, lauern,
> Ihm war es Neigung und Geschick. (V. 9458–61)

Wenn der Dichter von diesem Schicksal des historischen Griechenlands im Mittelalter, von den Versuchen der Byzantiner, vom Meer aus

die Frankenherrschaft über Griechenland zu anullieren, wieder unter
dem Namen des Menelas spricht

> Menelas mit Volkeswogen
> Kommt auf euch herangezogen;
> Rüstet euch zu herbem Streit! (V. 9426–28)

so wie er zuvor Verfall und Ende des antiken Griechenlands in den Lebens-
daten des Menelas beschreibt (V. 8988–91), so wird deutlich, daß er mit
Menelas nun etwas bezeichnet, das mehr als den Gatten der Helena meint.
Die dramatische Person sprengt den Umfang des Individuums. Menelas
wird ihm zum Namen für den griechischen Volkscharakter, der sich als
Subjekt der Geschichte in immer neuen Metamorphosen als der selbige
und in derselbigen Polarität erweist. Menelas bezeichnet im Helenaakt
das historische Griechentum überhaupt.

Die Angriffe auf Helenas Selbstbewußtsein

Damit erscheint hinter der Fabel von der nach Sparta heimkehrenden
Helena, die ihren väterlichen Palast verödet findet und dort erfahren
muß, daß das Opfer, das sie ausrichten soll, sie selbst ist, ein zweiter
moderner Sinn.

In dem wenn sie in ihr Vaterhaus nicht mehr als in das tote historische
Altertum zurückkehren kann, so wird aus Troja, aus dem sie meint
zurückzukommen, der Hades des poetischen Gedächtnisses, aus dem
sie für das neuzeitliche Bewußtsein wiederkommt;[30] und aus dem Irren
ihrer trojanischen Irrfahrt wird ihr modernes Existential, das in Seß-
haftigkeit zu verwandeln die Bedingung ihres neuen geschichtlichen
Daseins ist.

In dem mythischen Motiv des Opfers findet der Dichter das poetische
Bild, in dem er sagen kann: Helena, so wie sie hier auftritt, in dem
Bewußtsein ihres antiken Lebens, ist des Todes. Aber wenn sie versteht,
daß sie sich in diesem Bewußtsein opfern muß, hat sie die Möglichkeit
wiederzukommen gefunden. Auch die Schlange im „Märchen" beschließt: „sich aufzuopfern", „ehe" sie „aufgeopfert" wird.[31] Deshalb
ist die Bedrohung ihres Lebens durch den rachegierigen antiken Gatten
zugleich der Beginn ihrer neuen Wiederkunftsgeschichte. Denn indem
sich Helena nun unter der Todesdrohung entschließt, auf die Burg des
neuen Herrn zu gehen, setzt sie zwar zunächst nur ihre Irrfahrt fort
– auch die Fahrt von Sparta zur mittelalterlichen Burg wird von ihr eine
„Irrfahrt" genannt – aber sie führt sie doch an das ersehnte Ziel, an dem
sie „ruhen" kann.

Beschluß der Irrfahrt wünsch' ich, Ruhe wünsch' ich nur.
(V. 9140)

Denn die mittelalterliche Burg bietet der fremden Irrenden das, was ihr
das eigene griechische Vaterhaus nicht mehr geben kann, Ruhe, und das
heißt: Dasein; Wohnung, und das heißt: neues Wirken. Die Fabel der
Spartaszene erzählt also die Geschichte von Helenas Wiederkunft in die
Moderne, die eine Geschichte der geistigen Bedingungen ihres geschichtlichen Wiederkommens ist.

Damit tritt die Spartaszene in polare Beziehung zu Fausts Fahrt zum
Hades in der Walpurgisnacht. Helenas Wiederkunft zerfällt in zwei sich
ergänzende Teile: in die Geschichte der geistigen Bedingungen ihres
Wiederkommens von Faust aus und in die der geistigen Bedingungen von
Helena aus. Die Polarität der beiden Szenen ersetzt die Losbittungsszene
im Hades, an die der Dichter noch bis in die letzte Arbeitsphase an der
Walpurgisnacht dachte und die ursprünglich ihr Ende bilden, zuletzt
aber als Prolog dem dritten Akt vorangestellt werden sollte.[32] Diese
gehörte einem Plane an, nach dem das Wiederkommen noch als Fabel
erzählt werden sollte. Das Fabulöse ist in der Dichtung der Darstellung
geistiger Prozesse gewichen: an die Stelle der Losbittung durch die
ergreifende Rede Mantos oder Fausts[33] tritt der Prozeß der Verwandlung
der Schöpferkraft Fausts; an die Stelle der Entlassung Helenas durch
Proserpina und die drei Hadesrichter:[34] der Prozeß von Helenas Verwandlung.

Wer aber verursacht nun diese Verwandlung? Der Hiat, der die sparta-
nische Szene in zwei Teile, in ein Vorher und ein Nachher teilt, ist Helenas Ohnmacht. Ohnmacht aber bedeutet hier wie am Ende des ersten
Aktes Verwandlung. Die Ereignisse der Spartaszene beschreiben eine
Folge von Schritten, die Helena tun muß, um das Bewußtsein ihres
nachtrojanischen Daseins zu verwandeln in die Einsicht, Idee zu sein,
Urphänomen der griechischen Schönheit, deren Gesetz es ist, zu leben,
indem sie fremde Verbindungen in der Geschichte eingeht, neue Liebe
entfachend in neues wirkendes Dasein einzutreten.

Die den Wandel Bewirkende ist Phorkyas: sie wirkt hier nicht nur in
der Qualität ihrer Maske, sondern zugleich dank der Eigenschaft, die ihr
Mephisto als Träger der Maske verleiht: nicht nur als Prinzip der Vergänglichkeit, sondern als das Bewußtsein von der vergänglichen Zeit.
Das Mittel, das sie durchgängig Helena gegenüber anwendet, ist „Erschrecken", wie es Mephisto ja mit seinem Abstieg in die „Hölle"
bezweckte (V. 8032–33). Denn es ist dasselbe Mittel, mit dem sie Helena
zuerst in die Ohnmacht und dann zum Verlassen Spartas treibt. Das

Gesetz, nach dem sie dabei wirkt, ist das ihr innewohnende Mephistophelische: daß sie das Böse will und das Gute schafft.

In der ersten Phase bis zur Ohnmacht sind es Schrecknisse innerer Art,
die sich auf die Sicherheit von Helenas Lebensgefühl, die Eindeutigkeit
ihres antiken Selbstverständnisses beziehen. Schrittweise von außen in die
Mitte vordringend, greift Phorkyas sie dreimal an, und zwar Helena, die
sich – nach dem Muster eines großen natürlichen Organismus – in die
Königin als die regierende Mitte und in Panthalis und den Chor als die
ihr dienenden Kräfte gliedert.

1. Der erste Angriff (V. 8754–8809) gilt Helenas Schönheit, sofern diese
urphänomenal: Idee und sinnliche Erscheinung zugleich ist, und die
Phorkyas nun in dem Chor als dem sinnlichen Element attackiert. Dazu
begibt sie sich in die der sinnlichen Schönheit feindliche Rolle der
Scham und denunziert den Chor in seinem „lauten", übermütigen und
seiner Vergänglichkeit nicht gedenkenden Gebaren:

> Alt ist das Wort, doch bleibet hoch und wahr der Sinn:
> Daß Scham und Schönheit nie zusammen, Hand in Hand,
> Den Weg verfolgen über der Erde grünen Pfad.
> Tief eingewurzelt wohnt in beiden alter Haß. (V. 8754–57)

Aber damit nicht genug, sie bedient sich der Scham als moralischer
Kategorie, um die Schönen in ihrer amoralischen Sinnlichkeit zu entlarven:

> Verzehrerinnen fremden Fleißes! Naschende
> Vernichterinnen aufgekeimten Wohlstands ihr! (V. 8781–82)

Selber Ausgeburten des flüchtigsten Lustmoments

> Du kriegerzeugte, schlachterzogene junge Brut,
> Mannlustige du, so wie verführt, verführende,

dienen sie jedem, den die Lust ihnen zuführt:

> Entnervend beide, Kriegers auch und Bürgers Kraft
> (V. 8776–78).

Ohne Bindung an Einen Herrn, sind sie nichts als Liebesware, die vertauschbar von Markt zu Markt wandert (V. 8783).

Indem Phorkyas in den Mädchen einen Zug aufdeckt, der Helena und
ihr Lebensgesetz im Ganzen betrifft: immer wieder einem anderen
„Unbekannten treu" zu sein (V. 9416), wird deutlich, daß Phorkyas es
hier auf diesen Schönheitsorganismus im ganzen abgesehen hat, dessen
Zusammenhalt sie zu zerstören trachtet.

Aber noch ist Helena als Herrscherin unbeirrt, noch verfügt sie über die Gewalt der Herrin und weist die Vorwürfe gegen die ihr Untergebenen überlegen ab, noch gedenkt sie zufrieden des Dienstes, den sie ihr

> Geleistet, als die hohe Kraft von Ilios
> Umlagert stand . . . nicht weniger,
> Als wir der Irrfahrt kummervolle Wechselnot
> Ertrugen, wo sonst jeder sich der Nächste bleibt. (V. 8789–92)

2. Auch der zweite Angriff (V. 8810–8842) – in der stichomythischen Wechselrede – richtet sich in dem Chor zugleich gegen Helena. Aber nun nicht mehr gegen die Schönheit, sondern gegen ihre antike Wirklichkeit.

In derselben Weise wie der Chor Phorkyas, rückt diese den Chor, in einer Art von biographischem Steckbrief, zusammen mit Scylla und deren Mutter Hekate als seiner „Sippschaft", und das heißt, verwandtschaftlich zusammen mit der Herrin des Totenreiches und ihrer Tochter, dem männerverschlingenden Ungeheuer. Sie verweist ihn in den „Orkus" als die Wohung seiner „Sippschaft". Sie bezichtigt ihn der Buhlschaft mit Tiresias, vor dessen siebenfach verlängertem Alter seine Liebesgier nicht Halt macht,[35] sie nennt in den Harpyen seine „Ernährer", die ihn im Unflat aufziehn, und in dem Blut der Lebendigen seine Nahrung, nach dem er „allzulüstern" ist; und indem sie die Mädchen schließlich auf ihre „Vampyrenzähne" anspricht, entlarvt sie sie selbst als Tote, deren sinnliche Lebensgier sie zu Vampyren macht.

Es ist das antike als sein wiedergängerisches Wesen, das Phorkyas hier dem Chor bewußt macht, um auch Helena zu sagen: Sofern du meinst, noch die antike zu sein, bist du nur ein nach Leben lüsternes Totengespenst. Wenn Helena sich durch dieses Gezänk nicht etwa verwirrt, sondern „verirrt" fühlt, wenn sie sich der „vaterländischen Flur zum Trutz" dadurch zum „Orkus gerissen fühlt", so heißt das, daß sie nun den festen Boden in ihrer antiken Gegenwart zu verlieren beginnt. Ihr Bewußtsein fängt an, sich zu spalten. Das Gefühl: antik-lebendig und gespenstisch-tot zugleich zu sein, überkommt sie und raubt ihr fast das Bewußtsein der Gegenwärtigkeit.

3. Aber zur Selbstaufgabe bringt sie erst der dritte Angriff (V. 8843 bis 8881), der sich gegen die Königin als Mitte richtet und die Entlarvung ihrer selbst als Idol, als gegenwartsloses mythisches Bild zum Ziel hat. Dieser gelingt Phorkyas, indem sie Helenas Leben auf sein Gesetz bringt:

> Du aber hochbegünstigt, sonder Maß und Ziel,
> In Lebensreihe sahst nur Liebesbrünstige. (V. 8845–46)

Die Gelegenheit dazu hatte ihr Helena selbst gegeben durch die Bitte, sie von dem „Schreckbild" (V. 8840) zu befreien, das ihr das Gezänk der Dienerschaft eingebracht hatte; denn durch das Nennen von „Orkus" und Orkus-Gestalten fühlte sie sich von „unsel'gen Bildern" umdrängt. Ein Vorgefühl ihrer Hadesexistenz als „jener Städteverwüstenden" (V. 8840) kommt sie an. Noch kann sie es nicht anders denn als „Schreckbild" ihrer unseligen Vergangenheit verstehen, das die Alte ihr als bösen Traum verscheuchen soll.

Die Antwort der Phorkyas (V. 8843 ff.) gibt sich zwar zunächst als Hilfe, erweist sich aber bald als die eigentliche „Tücke" (V. 8893) des „Bösartigen" (V. 8887) unter „schafwolligem Vlies" (V. 8888), wie der Chor kommentiert. Denn an das Wort vom „Traum-" und nicht vom „Schreckbild" (V. 8840) anknüpfend, zeigt ihr Phorkyas zwar zunächst, statt der „Städteverwüstenden", die allenthalben Liebe Entzündende. Indem sie, bei der Zehnjährigen beginnend, ihr die Reihe ihrer Liebesabenteuer ins Gedächtnis ruft, worunter nun auch das nicht fehlt, aus welchem „gräßliches" „Verderben" (V. 8863) erwuchs, zeigt sie ihr ihr Leben als eine ständige Wiederholung derselben Situation, welche ihre Schönheit hervorrief. Sie deutet es ihr als „höchste Göttergunst" (V. 8844), die sie gerade nicht geträumt, sondern als Wirklichkeit ständig erfahren habe.

Freudig baut Helena an diesem Lebensentwurf mit (V. 8850 ff.): noch begreift sie nicht, daß schon in der Form, in der Phorkyas erzählt, eine List liegt. Denn sie impliziert von Anbeginn die Form des Epitaphs:

Wer langer Jahre mannigfaltigen Glücks *gedenkt* . . . (V. 8843)

Und sie begreift nicht die „Tücke", die sich hinter dem reihenhaften Aufzählen ihrer Liebesverbindungen verbirgt. Denn die Reihung ein und derselben Lebenssituation

In Lebensreihe sahst nur Liebesbrünstige (V. 8846)

enthüllt sich unversehens als ihre Mythologie: als dasjenige also, woraus sie nicht als lebendiges Ich, sondern als mythisches Bild besteht. Ziel und Wesen dieser Beschreibung wird unbarmherzig deutlich, wenn Phorkyas als letztes das Liebesabenteuer nach ihrem Tode, das Abenteuer mit Achill, anreiht. Da muß Helena, in ihrem Wirklichkeitsbewußtsein aufs äußerste erschüttert, selber das enthüllende Stichwort sagen:

Ich als Idol ihm dem Idol verband ich mich.
Es war ein Traum, so sagen ja die Worte selbst. (V. 8879–80)

Indem sie sich selbst auf die Worte ihrer Sage beruft, erkennt sie sich als dichterisch-mythisches Schemen; und im Bewußtsein ihres personalen

Lebensverlustes sinkt sie dem Halbchor ohnmächtig in die Arme und wird zum bloßen Bild ihrer eigenen Sage:[36]

> Ich schwinde hin und werde selbst mir ein Idol. (V. 8881)

Helenas Ohnmacht

V. 8882–8918. – Die Ohnmacht ist Zeichen ihres personalen Selbstverlustes; indem sie dahinschwindet, gibt sie sich in ihrem Bewußtsein, die antike Helena zu sein, auf. Aber die Ohnmacht bedeutet mehr. Von jeher war in Helena ein Doppeltes: ihre geschichtliche Verwirklichung im Griechentum und ihre zeitlose Idealität als menschliches Urbild der Natur. Mit der Ohnmacht tritt sie in die Wirklichkeit ein, die ihr, sofern sie ideelle Gestalt ist, zukommt, und aus der erwachend sie sich in ihrer neuen ideellen Rolle: als Urphänomen griechischer Schönheit, in Besitz nimmt. Diese Verwandlung ereignet sich auf zwei Stufen: als bewußtloser und als bewußter Zustand, und gleicht darin genau der Wiedergeburt Fausts zu Beginn des zweiten Teils (V. 4613–78 und 4679–4727). Zu ihrem Gelingen wirken Chor, Phorkyas und Helena zusammen.

1. Der Halbchor kommentiert Helenas bewußtlosen Zustand, während der andere Teil des Chores die Ohnmächtige hält.

> Nun denn, statt freundlich mit Trost reich begabten,
> Letheschenkenden, holdmildesten Worts
> Regest du auf aller *Vergangenheit*
> Bösestes mehr denn Gutes
> Und verdüsterst allzugleich
> Mit dem Glanz der *Gegenwart*
> Auch der *Zukunft*
> Mild aufschimmerndes Hoffnungslicht. (V. 8895–8902)

Er nennt die Dimensionen der sich verändernden geschichtlichen Zeit – Vergangenheit, Gegenwart, Zukunft –, die durch Phorkyas tödlich in das Gegenwartsbewußtsein der Helena eingebrochen sind, und zugleich damit das Mittel zu ihrer Genesung: das Vergessen *dieser* Zeit; und er bewirkt, indem er sie „Gestalt aller Gestalten" (V. 8907), also zeitlose Idee nennt, ihre Wiederbelebung:

> Helena hat sich erholt und steht wieder in der Mitte
> (nach V. 8908).

2. Die Verwandlung aktualisiert sich in einer Art von Umtaufe, welche Phorkyas, als Bild der Häßlichkeit, aus der Umkehr ihres eigenen Wesens vornimmt:

Schelten sie mich auch für häßlich, kenn' ich doch das Schöne
wohl. (V. 8912)

Sie verdankt dieses Wissen dem in der Phorkyadenmaske wirkenden
Mephistophelischen Bewußtsein, für welches, im Unterschied zu der
Faustischen Betroffenheit von der antiken Schönheit, diese zum modernen Begriff und Ideal des Schönen schlechthin wird. Es liegt darin die
ganze klassizistische Rückwendung der neuzeitlichen Epoche zum
Griechentum. Auch in dieser Distanz schaffenden – Helena sich selber
gleichsam entfremdenden – „Idealisierung" bekundet sich Mephisto in
seiner geschichtlichen Qualität eines modernen Bewußtseins.

Tritt hervor aus flüchtigen Wolken, hohe Sonne dieses Tags,
Die verschleiert schon entzückte, blendend nun im Glanze
herrscht.
Wie die Welt sich dir entfaltet, schaust du selbst mit holdem
Blick. (V. 8909–11)

In diesen Versen nämlich setzt Phorkyas mit den Vokabeln „flüchtige
Wolken" und „hohe Sonne", „verschleiert" und „Glanz", „entzücken",
„blenden" und „herrschen" Helena gewissermaßen neu zusammen und
redet sie alsbald mit ihrem neuen Namen: „deine Großheit", „deine
Schöne" (V. 8917) an, was der neuen Idealität („Großheit") der Schönheit („Schöne") aufs genaueste entspricht.

Es sind die Vokabeln, die auch sonst in Goethischer Dichtung die
Schönheit als Idee in der Erscheinung definieren.[37] Während Sonne,
Glanz, blenden, herrschen hier den ideellen Anteil der Schönheit aus-
drücken, deuten „Wolken" und „verschleiert"[38] auf ihre verhüllende
Geschichtlichkeit, in der die Idee als Schönheit Erscheinung wurde und
Entzücken hervorrief. Diejenige also, die „verschleiert schon entzückte",
war Helena als mythisches Bild in ihrer einstmaligen griechischen Erscheinung, die sie jetzt hinter sich läßt. So erklären sich die „flüchtigen
Wolken", aus denen die „hohe Sonne dieses Tags" nun hervortritt, als
die vergänglichen Bedingungen ihrer geschichtlichen antiken Verwirklichung, aus denen sie nun in ihrer neuen Idealität „blendend im Glanze"
hervorgeht.

Die Wirkung aber, die von ihr als dem neu erscheinenden Urphänomen griechischer Schönheit ausgehen wird, beschreibt der letzte Vers:

Wie die Welt sich dir entfaltet, schaust du selbst mit holdem
Blick. (V. 8911)

Diese Wirkung wird gefaßt als eine Korresponsion zwischen Schönheit
und Welt: „holder Blick" ist Metapher für Schönheit, sofern sich mit

ihrem neuen Erscheinen in der Welt das ideelle Blenden der Idee zum
„holden Blick" mildert. Wie also die neu erschienene Schönheit die Welt
nun mit „holdem Blick" anschaut, so „entfaltet" sich entsprechend unter
diesem „holden Blick" die Welt als eine schöne, nämlich durch Formen
und Gesetze gestaltete.

3. Der entscheidende dritte, die Verwandlung erst vollendende
Schritt aber ist der, zu dem sich Helena selbst entschließt: der Ruhe zu
entsagen.

> Tret' ich schwankend aus der Öde, die im Schwindel mich
> umgab,
> Pflegt' ich gern der Ruhe wieder, denn so müd ist mein Gebein:
> Doch es ziemet Königinnen, allen Menschen ziemt es wohl,
> Sich zu fassen, zu ermannen, was auch drohend überrascht.
> (V. 8913–16)

Es ist die Bereitschaft zur Metamorphose, mit der sie sich aus der Ohnmacht ihres antiken Scheindaseins nun „ermannt" und von ihrem neuen
Selbst Besitz nimmt: ihrem neuen ideellen Selbstverständnis, wodurch
sie dann von neuem befehlen kann.

> Stehst du nun in deiner Großheit, deiner Schöne vor uns da,
> Sagt dein Blick, daß du befiehlest, was befiehlst du? sprich es
> aus. (V. 8917–18)

Die Verführung in die Geschichte

Nach der Verwandlung geht es in der zweiten Hälfte der Spartaszene um
den Ort, an dem dieses neue Ideelle ins Dasein treten kann: es geht um die
Möglichkeit von Helenas neuem Wirken. Wieder ist Phorkyas die Trei-
bende in diesem Prozeß. Wieder ist das Erschrecken ihr Mittel, das sich
aber nun nicht mehr gegen Helena als antike Person, sondern gegen die
Möglichkeit ihres Daseins am alten antiken Ort richtet. In genauer
Symmetrie zum Vorhergehenden ist es ein dreifaches Erschrecken, durch
das Phorkyas das Geschehen vorwärts, die Ideelle in die Geschichte und
damit in das Element der vergehenden Zeit treibt. Wieder ist das Gesetz
ihres Handelns, daß sie das Böse will und das Gute schafft.

1. Bedrohung (V. 8917–46):
Auf ihren Opferbefehl muß Helena erfahren, daß das Opfer, das sie anordnet, sie selbst ist. Das heißt, wenn sie glaubt, noch dort leben zu
können, wo es gilt, den Auftrag ihres Gatten Menelas auszuführen, ist sie
des Todes.

> Unvermeidlich scheint es mir (V. 8926),

sagt Phorkyas. „Unvermeidlich", das Wort deutet auf ein objektives Gesetz, das Gesetz alles Zeitlichen:

> ... vom Tag zu scheiden, der euch nicht gehört. (V. 8931)

Welcher Art dieser Tod wäre, zeigt die Bühnenanweisung, mit der der Dichter die Geste ihres Sterbens vorschreibt:

> *Helena und Chor stehen erstaunt und erschreckt, in bedeutender, wohlvorbereiteter Gruppe.* (nach V. 8929)

Es zeigen die Ausdrücke „Gespenster" und „erstarrte Bilder".

> Gespenster! – Gleich erstarrten Bildern steht ihr da,
> Geschreckt, vom Tag zu scheiden, der euch nicht gehört.
> (V. 8930–31)

Denn darin spricht Phorkyas aus, was Helena und dem Chor bleibt, wenn ihnen ihre antike Gegenwart bestritten wird: das erstarrte Dasein als Kunst. Es ist dieser Moment, wo Phorkyas in ihrer eigentlichen Gorgonenrolle wirkt. Die Kunst wird zu der der griechischen Schönheit allein übrigbleibenden Wirklichkeit, wenn ihr kein neues geschichtliches Dasein zuerteilt wird.

Auf den Kunstcharakter der Opferung deuten mehrere Momente: die dem Kunstbereich entstammenden Attribute, durch die das Opfergerät beschrieben wird: „goldgehörnt" der „Tragaltar" (V. 8939), „silbern" die Opferschale, „blinkend" „das Beil" (V. 8940); und es deutet darauf das Einwickeln des Opfers zu „anständig-würdiger" (V. 8946) Bestattung in einen „köstlichen Teppich" (V. 8943), das Bewahren der Toten also in einer schönen Hülle; das poetische Bild erinnert an den Teppich, „die prächtige Decke", unter der der vierte zusammengesunkene König im „Märchen" verhüllt wird.[39]

2. Bedrohung (V. 8947–9048):

Unter der Wirkung dieses pantomimisch vorweggenommenen Opfertodes gerät die ideelle Organisation Helena nun in Bewegung, und zwar in allen ihren Teilen. Der Chor, als der sinnliche Anteil, will leben um jeden Preis. Davon scheidet sich Helena als die königliche Mitte. Statt Todesfurcht empfindet sie „Schmerz":

> Laß diese bangen! Schmerz empfind ich, keine Furcht (V. 8962),

Schmerz der Trennung von dem ihr zugehörigen antiken Leben. Panthalis aber, als Führerin des Chors zwischen der Königin und den Mädchen stehend, übernimmt zum ersten Mal die Rolle der Mittlerin und bittet Phorkyas um das „Mögliche" „von Rettung" (V. 8953), wie sie sagt. Und was tut nun Phorkyas? Sie beginnt – überraschenderweise –

„mancherlei Geschichten" (V. 8972) zu erzählen und offenbart sich darin
erst eigentlich in ihrer Rolle, die ihr im Helenaakt zuerteilt ist und die ihr
mit Recht die hohen Anreden „Ur-Urälteste" (V. 8950) und „Rhea, aller
Götter hohe Mutter" (V. 8969–70) von Panthalis und dem Chor einbringt. Sie zeigt sich und wirkt als Bewußtsein von der fließenden Zeit,
von der geschichtlichen Veränderung. Als solche erzählt sie von der Veränderung, die zwischen dem Gegenwartsbewußtsein der Helena und der
neuzeitlichen geschichtlichen Gegenwart, der Gegenwart Fausts vorgegangen ist. Tatsächlich bezieht sich ihres „Vortrags langgedehnter
Zug" (V. 8971) weniger auf die Länge des Vortrags als auf seinen „lang-
gedehnten" Inhalt, für dessen Sinn sie selber das Stichwort gibt: „Geschichtlich ist es" (V. 8984).

Indem Phorkyas also hier „mancherlei Geschichten" vor Helena und
dem Chor ausbreitet, läßt sie die Geschichte selber von Troja bis zum
Mittelalter ablaufen. In den Versen:

> [Hausbewahren]
> Dem, der zu Hause verharrend edlen Schatz bewahrt
> Und hoher Wohnung Mauern auszukitten weiß,
> Wie auch das Dach zu sichern vor des Regens Drang,
> Dem wird es wohlgehn lange Lebenstage durch;
>
> [Seedurchstreichen]
> Wer aber seiner Schwelle heilige Richte leicht
> Mit flüchtigen Sohlen überschreitet freventlich,
> Der findet wiederkehrend wohl den alten Platz,
> Doch umgeändert alles, wo nicht gar zerstört. (V. 8974–81)

faßt sie die griechische Geschichte bis zum Untergang der Antike in
Bildern der Helenabiographie zusammen und läßt dann im folgenden:

> [Seedurchstreichen]
> Raubschiffend ruderte Menelas von Bucht zu Bucht;
> Gestad und Inseln, alles streift er feindlich an,
> Mit Beute wiederkehrend, wie sie drinnen starrt.
> Vor Ilios verbracht er langer Jahre zehn;
> Zur Heimfahrt aber weiß ich nicht, wie viel es war.
>
> [Hausbewahren]
> Allein wie steht es hier am Platz um Tyndareos'
> Erhabnes Haus? Wie stehet es mit dem Reich umher?
> . . .
> Soviele Jahre stand verlassen das Talgebirg,
> Das hinter Sparta nordwärts in die Höhe steigt,

Taygetos im Rücken, wo als muntrer Bach
Herab Eurotas rollt und dann, durch unser Tal
An Rohren breit hinfließend, eure Schwäne nährt.
Dorthinten still im Gebirgtal hat ein kühn Geschlecht
Sich angesiedelt, dringend aus cimmerischer Nacht,
Und unersteiglich feste Burg sich aufgetürmt,
Von da sie Land und Leute placken, wie's behagt.

(V. 8985–9002)

die Geschichte Griechenlands, wie sie sich im Mittelalter fortsetzt, in Bildern der Menelasbiographie folgen. Und die Erzählung steht bereits für das Geschehen. „Zuhörend", wie der Chor sagt, „leben wir indes" (V. 8973); das heißt: „zuhörend" leben Helena und die Mädchen die erzählte Zeit mit.

Das Verfahren, dessen sich Phorkyas dabei bedient, ist nicht magisch zu nennen, sondern bringt die griechische Geschichte auf ihren Begriff. Phorkyas ergreift das Geschehen in seinen zwei polaren Bewegungen, der zentrifugalen und der zentripetalen – dem „Seedurchstreichen" und dem „Hausbewahren" – als den polaren Funktionen, die schon des Menelas' Biographie bestimmten (V. 8857), und faßt darin nun auch den Übergang von der Antike zum Mittelalter zusammen; sie faßt auch diesen, in den Versen 8985–89, als ein feindliches „Seedurchstreichen", wodurch sich ihr die vor Ilios verbrachten zehn „langen Jahre" und die folgende Heimfahrt von unbestimmter Dauer zu einer Epoche zusammenschließen, während der die Griechen ihrem Amt als Hausbewahrer untreu wurden und die nordischen Herren – das „Geschlecht aus cimmerischer Nacht" – sich dieses Recht in Griechenland aneigneten. Damit schrumpfen die zwanzig Jahrhunderte vom Untergang Trojas bis zur Faustburg des Mittelalters zu zwanzig Jahren trojanischen Kriegs und Heimfahrt zusammen:

Sie hatten Zeit; vielleicht an zwanzig Jahre sind's (V. 9004)

und Helena tritt, aus Troja zurückkehrend, in die Faustische Gegenwart.

Indem hier der Ablauf der Geschichte von Phorkyas auf seine Begriffe gebracht wird, wird er zur verstandenen Geschichte, zur „Historie", und Phorkyas bewährt sich Geschichten erzählend in der Tat als das neuzeitliche Bewußtsein von der geschichtlichen Zeit: das Bewußtsein als die raffende Kraft, durch die der geschichtliche Ablauf zusammengerückt wird und Antike und Mittelalter nebeneinander gegenwärtig werden.

Und nachdem die Geschichte einmal erzählend abgelaufen ist, die Distanz zwischen Antike und Mittelalter im Bewußtsein überwunden, beginnt der Prozeß des Überschreitens des zeitlichen Hiats von Helena

aus: es beginnt der Prozeß des Übertritts der ideellen griechischen Schönheit in die abendländische Neuzeit, die mit dem Mittelalter beginnt. Gemäß ihrem natur-phänomenalen Wesen ist es ein Naturprozeß, und das
heißt wiederum: der Prozeß einer Verwandlung. Er ereignet sich zunächst als Vermittlung zwischen Antike und Mittelalter als zwischen
Polarem. Die Vermittelnde zwischen den Polen ist Phorkyas. Sie vermittelt durch Verführung ins polare Andere und spielt damit ihre alte
Rolle als Kupplerin zwischen Faust und Helena, in der sie schon nach
dem frühesten Paralipomenon auf der rheinischen Burg[40] wirken sollte,
nun im aufgeklärten Sinne weiter. Sie macht sich zum unbedingten Fürsprecher der mittelalterlichen Gegenwart und typisiert alles ins Gegensätzliche: um des Gegensatzes zum antiken „raubschiffenden" Menelas
(V. 8985) willen sind die neuen cimmerischen Herren „Nicht Räuber"
(V. 9006); gegen die „menschenfresserische" „Grausamkeit" (V. 9014
bis 9015) manches Griechenhelden stellt sie die humane „Großheit"
(V. 9016) des neuen Herrn; und vollends seine Burg, in der „alles senk-
und waagerecht und regelhaft" sei (V. 9022), rühmt sie gegen das
„plumpe Mauerwerk"

> Das eure Väter mir nichts dir nichts aufgewälzt,
> Cyklopisch wie Cyklopen, rohen Stein sogleich
> Auf rohe Steine stürzend (V. 9019-21).

Man würde vergeblich nach Gründen suchen, warum der Dichter die
mykenische Bauweise beispielhaft für die griechische ausgibt, wenn nicht
um der Polarität willen.[41] – Und nachdem Phorkyas so in Gesittung und
Bauweise das Überlegene des Mittelalters hervorgehoben hat, nennt sie
in den Wappen etwas Antike und Mittelalter Gemeinsames, was vom
einen ins andere hinüberführt:

> Dergleichen hängt in Sälen Reih' an Reihe fort,
> In Sälen, grenzenlosen, wie die Welt so weit (V. 9042-43),

und sie nennt endlich dem Chor in den „goldgelockten" (V. 9045) Tän-
zern dasjenige, was in ihm, dem verführbarsten Teil der Schönheit, den
Drang zum Fremden auslöst, und damit den Beginn der Verwandlung.
In diesem Moment ist auch Helena schon soweit ins Mittelalter hinüber-
gezogen, daß sie Phorkyas' Erinnerung an Paris als höchst unpassendes
„Aus der Rolle fallen" zurückweist (V. 9048).

3. Bedrohung (V. 9049-9126):

Aber Phorkyas kann nur verführen; um Helena, die Königin, wirklich
ins Mittelalter hinüberzubringen, dazu bedarf es ihrer eigenen Entschlos-
senheit. Wie die ganze Wiederbelebung der Antike in dieser Spartaszene

nicht von Faust aus gesehen ist und seiner „ins Leben ziehenden" Liebes-
gewalt, sondern von Helena aus: als ihre selbsttätige Metamorphose,[42]
so muß sie auch diesen Schritt selbständig tun: es bedarf dazu des eigenen
„Ja" der Königin.

> Du sprichst das letzte, sagst mit Ernst vernehmlich Ja!
> Sogleich umgeb' ich dich mit jener Burg. (V. 9049–50)

Erst unter der letzten, der dritten Bedrohung, dem scharfen Schmet-
tern der Trompeten, die die unmittelbare Ankunft des rächenden Gatten
melden, trennt sie sich von diesem, um in die Burg zu folgen.

> Ich sann mir aus das Nächste, was ich wagen darf.
> Ein Widerdämon bist du, das empfind' ich wohl
> Und fürchte, Gutes wendest du zum Bösen um.
> Vor allem aber folgen will ich dir zur Burg;
> Das andre weiß ich; was die Königin dabei
> Im tiefen Busen geheimnisvoll verbergen mag,
> Sei jedem unzugänglich. Alte, geh voran! (V. 9071–77)

Sie willigt ein – wie sie sagt – in das „Nächste" und meint damit die Faustburg, die, nördlich von Sparta gelegen, zu dem nachbarlich Nächsten
wird. Denn indem der Gang dorthin für sie eine Verwandlung ist; sie ins
Fremde eintretend dieselbe bleibt, wird Zeit zum Raum, rückt das zeit-
lich-Ferne in örtliche Nähe. – Sie entschließt sich zu dem Gang im
Bewußtsein eines Wagnisses; worin dieses besteht, benennt Faust, wenn
es in Arkadien „gelungen" ist:

> So ist es mir, so ist es dir gelungen;
> Vergangenheit sei hinter uns getan! (V. 9562–63) –

in dem Hinter-sich-lassen ihrer antiken Vergangenheit. Bei diesem Entschluß vollzieht sie eine eigentümliche Seelenteilung. Sie scheidet sich in
ein Ich, das zur Burg folgt – in ein sich ins Fremde wandelndes – und
in ein anderes Ich, „die Königin", die dabei etwas „geheimnisvoll" verbirgt. Dieses Geheimnis verbergende königliche Ich ist die geheime
Identität ihres unwandelbaren griechischen Kerns. – So ist ihr Gang in
die Neuzeit als Verwandlung ein Opfer: ein Stirb und Werde. Indem sie
als die antike stirbt, wird sie von neuem lebendig; in die neuzeitliche
Geschichte wirkend eingehend, erhält sie sich in ihrem ideellen griechischen Selbst.

Während sich die Königin – als der Wille dieses Schönheitsorganismus – bewußt zu diesem Übergang entschließt (V. 9077), erleidet der
Chor als der sinnliche Anteil dieses Ganzen ihn als Furcht vor dem Sterben, das die Metamorphose auch ist.

Was geschieht? gehen wir?
Schweben wir nur
Trippelnden Schrittes am Boden hin?
Siehst du nichts? Schwebt nicht etwa gar
Hermes voran? Blinkt nicht der goldne Stab
Heischend, gebietend uns wieder zurück
Zu dem unerfreulichen, grautagenden,
Ungreifbarer Gebilde vollen,
Überfüllten, ewig leeren Hades? (V. 9113-21)

Phorkyas ist die Hinüberleitende, die ins Mittelalter als in die der Antike benachbarte *Zeit* führt. Sie wirkt hier als „Dämon" der Veränderung,
der Helena damit zwar in neues Leben, aber zugleich in neue Vergänglichkeit treibt. Dieses antipodische Verhältnis von Zeit und Schönheit
spricht Helena aus, wenn sie sie den „Widerdämon" nennt, der „Gutes
zum Bösen" wendet.

Es ist der Wandlungsprozeß von der nur noch im Gedächtnis auf-
gehobenen mythologischen Gestalt zu der von neuem geschichtlich
wirksamen Idee griechischen menschlichen Daseins, den Helena durch-
machte und zu dem Phorkyas – das moderne geschichtliche Bewußtsein – ihr verhalf, um auf der Faustburg plötzlich verschwunden zu
sein.

Vergebens blickst du, Königin, allseits um dich her;
Verschwunden ist das leidige Bild, verblieb vielleicht
Im Nebel dort, aus dessen Busen wir hieher,
Ich weiß nicht wie, gekommen, schnell und sonder Schritt.

(V. 9141-44)

Denn mit dem Eintritt in diese neue Welt scheint die Bestreitung von
Helenas Wirklichkeit aufzuhören, und so kann sich zunächst dieses neue
Dasein entfalten. Von nun an geht es um einen Prozeß, den nicht das
Mephistophelische Zeitbewußtsein, sondern seine polare Gegenkraft
leistet: die zeitverneinende Faustische Liebeskraft, die die Ideelle in Leben und Wirken zieht. Die polare Bezogenheit von Faust und Mephisto
ist unübersehbar.[43]

Das neue Dasein

Der Ort, der die fremde Irrende „in großmütiger Protektorschaft"[44] aufnimmt, ist eine mittelalterliche Burg in Griechenland.
Im Fragment um 1800 sollte diese Burg noch im Rheintal liegen.[45]

Auch das Rheintal bezeichnete dem Dichter einen Ort, wo sich Antike (hier römische) und Mittelalter (germanisches) geschichtlich durchdrangen, wofür es in der „Reise an Rhein, Main und Neckar" mehrfache Äußerungen gibt.[46] Als poetisches Bild war also die rheinische nichts anderes als die griechische Faustburg: ein geschichtliches Symbol für die Adaption der Antike durch den mittelalterlichen Norden. Wenn der Dichter sich schließlich doch für die griechische Burg entscheidet, so ist ihm wichtig an diesem Bilde: das Eine Griechenland als derselbe Raum, in dem Helena einst lebte und nun wieder ins Leben tritt. Wie unrealistisch auch die Zeit ist, in der sich das Geschehen in den drei Aktszenen abspielt, Griechenland bezeichnet Realität und Einheit des Ortes, an dem es abläuft. Helenas Wiederkunft auf der rheinischen Burg wäre immer Magie geblieben. Derselbe Boden bezeichnet die geschichtliche Kontinuität ihrer geistigen Wirklichkeit.

Von Sparta aus nordwärts muß Helena ziehen, um die Faustburg zu erreichen (V. 8995). Man hat sich vergeblich Gedanken um die topographische Richtigkeit dieser Angabe gemacht. Da Mistra westlich von Sparta liegt, hat man die historische Frankenburg als Vorbild für die Faustburg entweder verworfen[47] oder ihre poetische Lage allein der Freiheit des Dichters zugeschrieben.[48] Beides geht an dem genauen Verhältnis dieses Aktes zur Geschichte vorbei. In ihm wird die Bildung der neuzeitlichen europäischen Kultur expliziert. Der Akt arbeitet daher mit der Geschichte als seinen poetischen Gegebenheiten, anstelle erfundener Bilder treten historische Fakten. Deshalb ist die Faustburg ohne das geschichtliche Faktum Mistra in Griechenland, ja in der Nachbarschaft zu Sparta, nicht denkbar. Aber die Frankenburg wird verstanden als symbolischer Ort, an dem die Vereinigung der diese Kultur bildenden Kräfte geschichtliche Realität wurde. Weil es in der Faustburg also um ein der Geschichte entnommenes, aber zum Symbol erhobenes Faktum für die Verbindung des mittelalterlichen Nordens mit dem antiken Süden geht, deshalb liegt sie nördlich des antiken Palastes.[49]

Dieses geistig-deutende Verhältnis zur geschichtlichen Realität bestimmt die ganze mittelalterliche Welt, wie sie sich in der Burghofszene auftut: die Burg und ihr Aussehen im Äußern wie im Innern, Faust selbst und sein Gefolge: Lynkeus und die Heerführer.

Die Burg

Prüft man die verschiedenen Aussagen über das Äußere der Burg, die der Phorkyas (V. 9017–25), die des Chors (V. 9122–26), die der Helena (V. 9136), so wird deutlich, ein Abbild von Mistra ergibt keine von ihnen. Ja wenn man die verschiedenen Äußerungen zusammenrückt, so scheinen sie sich überhaupt nicht leicht zu Einem Bilde zu vereinen.

Phorkyas spricht von dem „himmelan empor strebenden" Bau der Burg, hebt die „senk- und waagerecht und regelhafte" Fügung ihrer Mauern hervor und scheint darin eine gotische Burg zu beschreiben, ja, ihre Bauweise zu rühmen.[50] Aber wenn diese Burg dann zugleich „starr" und „spiegelglatt wie Stahl" genannt wird, wenn es von ihren Mauern heißt, daß selbst der Gedanke, dort emporzuklettern, an ihnen abgleitet, so scheint diese Bauweise wiederum von einem ganz bestimmten Geist zeugen zu sollen: dem Geist der Künstlichkeit, wie er nach Goethischem Urteil der gotischen Kunst eigen war.

Die Starre und Regelhaftigkeit der Mauern, ihre Stahlglätte und Un-ersteigbarkeit scheinen nur von dem Kalkül des menschlichen Verstandes geschaffen, die Architektur diktiert vor allem von der Zweckhaftigkeit. Es fehlt ihr noch ganz die organische Natürlichkeit, die die antike Kunst auszeichnet und die dazuzugewinnen erst Helenas Wirkung auf das Mittelalter sein wird.

Wenn sich dann dem Chor von diesem Burgbau nichts anderes als das „dunkelgräuliche" und „mauerbräunliche" (V. 9123) ihrer Wände ein-drückt, die sich „dem freien Blicke" „starr entgegen" stellen (V. 9123 bis 9124), und wenn auch Helena, schon ins Innere vorgedrungen, noch von der „düstern Burg" (V. 9136) spricht, so stellt sich das dem von Phorkyas Gesagten nicht widersprüchlich, sondern ergänzend zur Seite. Dem von der Antike Kommenden, dem in diesem Burggemäuer zum ersten Mal der Geist des Mittelalters entgegentritt, erscheint es düster und beengend. Goethe selbst hat die „Mittelzeit" vor seiner erneuten Beschäftigung mit ihrer Architektur, vor 1810 also,[51] nicht anders ge-sehen; es gibt künstlerische Äußerungen dieses Zeitalters, wie die epische Literatur, denen gegenüber er von dem Urteil der Düsternis und Un-natur niemals losgekommen ist.[52]

In dem Burginnern, als poetischem Bild, erscheint das Mittelalter dann unter einem etwas anderen Aspekt:

> Innerer Burghof – umgeben von reichen, phantastischen Ge-bäuden des Mittelalters (vor V. 9127).

Der Dichter hat schon in den Vorentwürfen zwischen Burgäußerem und Burginnerem unterschieden.[53] Er erhält dadurch die Möglich-keit, von dem „Innern" dieser Welt zu sprechen: von ihrer reichen und phantastischen Erfindungskraft, ihrer Zierlichkeit und Künstlich-keit, die aufs stärkste mit der Einfachheit des Griechischen kon-trastiert und die sich erst unter Helenas Wirkung zur Naturform wan-deln wird.

Und innen großer Höfe Raumgelasse, rings
Mit Baulichkeit umgeben aller Art und Zweck.
Da seht ihr Säulen, Säulchen, Bogen, Bögelchen,
Altane, Galerien, zu schauen aus und ein. (V. 9026–29)

Faust

Faust selbst erscheint als Herr dieser Burg. Während seine „ritterliche Hofkleidung" ihn in ein Herrschaftsgefüge einreiht, das sich nach oben – zum Kaiser hin – in der Weise der Unterordnung unter ein Höheres fortsetzt, bestimmt ihn sein Auftreten von Anbeginn zu absoluter herrscherlicher Größe.

> Faust . . . oben an der Treppe in ritterlicher Hofkleidung des Mittelalters . . . kommt langsam würdig herunter (vor V. 9182).
> . . . einen Gefesselten zur Seite (vor 9192)

Daß er aber Maß und Unfang eines Einzelnen übersteigen soll, das klingt erst in den Worten der Panthalis an, die in seiner „wundernswürdigen Gestalt" und seinem „erhabenen Anstand" eine Art von göttlicher Erhöhung vermutet (V. 9182–91).

Als Herr der mittelalterlichen Burg ist Faust der, zu dem er in der Walpurgisnacht – in der Nachfolge des Herkules, als Schüler Chirons und Bezwinger der Unterwelt – geworden ist: moderner Halbgott, Repräsentant seines ganzen Zeitalters, der schöpferische Geist der abendländischen Epoche, der, in der Liebe zu Helena, mit ihr die moderne europäische Kultur schafft. Erst durch diese Verwandlung ins Repräsentative und Musterhafte ist er Helena als der Repräsentantin des antiken schönen Daseins gewachsen. Als solcher Herr des Abendlandes ist er mit reichem Gefolge – „Knaben und Knappen in langem Zuge" – ausgestattet, und als solcher verfügt er über den Turmwärter und die Heerführer als seine Untertanen. Daraus erklärt sich die Wirklichkeit dieser Burgwelt, die die Wirklichkeit des Mittelalters als ideeller Gestalt ist. Daraus erklärt sich die Wirklichkeit der Faust unterstellten Personen, in denen geistige Prozesse, die sich über Jahrhunderte dieses Zeitalters vollziehen, zu Figurationen wurden, welche sich Fausts Wirken ergänzend zur Seite stellen.

Dieses Ganze, als Symbol, gründet wiederum in dem signifikanten geschichtlichen Moment der fränkischen Herrschaft über Griechenland, wie er sich im Anschluß an den vierten Kreuzzug – 1204 – unter Wilhelm von Champlitte und Gottfried von Villehardouin ereignete und mit wechselndem Geschick ungefähr 130 Jahre andauerte.

Lynkeus

V. 9218–9355. – Der „gefesselte" Lynkeus,[54] der schuld an Fausts ver-
säumtem Willkommensgruß für Helena ist, steht an Stelle dieses. In ihm
erhielt eine Erfahrung Stimme, die in Faust stumm blieb und in Ergänzung zu dessen Verhalten zu verstehen ist: das „Gefesselt"-werden des
Nordländers durch den Anblick der antiken Schönheit.

Auf „hohen Turm" bestellt und „mit seltnem Augenblitz" begabt
(V. 9199), ist er, wie der Lynkeus des fünften Aktes, nur schauendes
Organ, das der Wirkung dieser im „Süden" aufgehenden „Sonne" ganz
ausgesetzt ist. Seine Antwort ist: ihrer Blendung erliegen:

> Zog den Blick nach jener Seite,
> Statt der Schluchten, statt der Höhn,
> Statt der Erd- und Himmelsweite
> Sie, die Einzige, zu spähn (V. 9226–29)
> . . .
> Aug und Brust ihr zugewendet,
> Sog ich an den milden Glanz;
> Diese Schönheit, wie sie blendet,
> Blendete mich Armen ganz (V. 9238–41) –

aus dem bisherigen Leben erwachen wie aus einem „tiefen düsteren
Traum":

> Wüßt ich irgend mich zu finden?
> Zinne? Turm? geschlossnes Tor?
> Nebel schwanken, Nebel schwinden,
> Solche Göttin tritt hervor! (V. 9234–37) –

alles sonst Verpflichtende versäumen:

> Ich vergaß des Wächters Pflichten,
> Völlig das beschworne Horn. (V. 9242–43)

Es ist die Erfahrung der südlichen Schönheit, wie sie Goethe selbst in
Italien traf, als einer zauberischen, ins Fremde hinüberziehenden Gewalt, die in dem „gefesselten" Lynkeus zur Stimme wurde: Überwältigung als des Vermittelnden zwischen Polarem, weshalb auch Lynkeus,
der Nordländische, seinen antiken Namen trägt.

Wenn dann gleich darauf der „befreite" Lynkeus mit „einer Kiste"
wiederkommt, gefolgt von Männern, „die ihm andere nachtragen"
(V. 9273–9332), und seine Schätze Helena zu Füßen legt (V. 9313–16),

so scheint er zunächst ein anderer. Zwar verdankt auch er diesen Reichtum seinen „scharfen Blicken" (V. 9302 ff.), für die „Taschen" und „Schreine" „durchsichtig" wurden, als Schauender ist er ein Bruder des Turmwächters aus dem dritten und fünften Akt. Aber seinen exponierten Platz auf der Höhe hat er nun aufgegeben zugunsten einer Qualität, die ihn in anderer Weise über seine Umwelt hinaushebt. Sein Augenmerk richtet sich auf das „Seltenste":

> Ich aber liebte, zu erspähn
> Das Seltenste, was man gesehn (V. 9297–98),

wodurch ihm das, was zugleich ein anderer besitzt, wertlos wird.[55]

> Und was ein andrer *auch* besaß,
> Das war für mich gedörrtes Gras. (V. 9299–9300)

Während die Anderen „Frauen", „Stiere", und „Pferde" raubten, war sein Sinn auf „Gold" und „Edelsteine" gerichtet, die er nun Helena als Schmuck für Busen (grüner Smaragd), Ohr (weiße Perle) und Schulter (roter Rubin) zueignet (V. 9307–12).

Aber „Gold" und „Edelsteine" allein füllen nicht seine Kisten. Das, was seinen wertvollsten Besitz ausmacht und was er in Dauer-verbürgenden „Eisenkisten" verwahrt hält, sind die aus dem Altertum stammenden Kostbarkeiten, die er – als „Ernte mancher blutgen Schlacht" – zusammengetragen hat. Diese Antiquitäten – dieses aus der Antike stammende wertvolle Material[56] – in Verfolg von Helenas „Bahn", das heißt, überall dort, wo sich einst antike Kunstfertigkeit betätigte und wo die antike Schönheit nun ihren neuen Siegeszug im Mittelalter antritt, weiter sammeln und vermehren zu dürfen, ist zunächst Lynkeus' Bitte:

> Erlaube mich auf deiner Bahn,
> Und Schatzgewölbe füll ich an. (V. 9319–20)

Mit diesem Organ für das „Seltenste", ja mit diesem Sinn ausgestattet für das von der Antike einst kunstvoll Gefertigte, ist der „befreite" nun doch derselbe Lynkeus, der zuvor „auf hohem Turm" von Helena „gefesselt" wurde. Aber er erhält noch eine andere Dimension und vermittelt damit noch in anderer Weise zwischen Helena und Faust.

Mit Kisten voller Schätze beladen, ist er zugleich beladen mit der Dimension des Geschichtlichen; denn er hebt sich aus „dem lang und breiten Volksgewicht" heraus (V. 9283), mit dem der Dichter die rohen germanischen Horden der Völkerwanderung bezeichnet. Während diese sich in einem nicht endenden Ost-Westzug (V. 9281–82) sterbend und siegend über die Länder des Altertums ergossen (V. 9281–96) und sich plündernd am Beutemachen Genüge taten, war er auf den Erwerb

des „Seltensten" aus. Dieser auf Schönheit und Reichtum gerichtete
Geist der frühen mittelalterlichen Jahrhunderte, in denen sonst „gute
Anstalten jeder Art und also auch die Kunstfertigkeit von der Erde"
„verschwunden waren",[57] ist es, der in Lynkeus zum idealen Subjekt
wurde.

Deshalb ist er es, der von Helenas Erscheinen zuerst Überwältigte, der
sich nun auch als erster vor der neu Inthronisierten beugt; und mit ihm
beugen sich „Verstand und Reichtum und Gewalt" (V. 9323) – eine
Dreiheit, die Goethe ebenso auch in der Geschichte vom Parisurteil der
Schönheit gegenübergestellt sah, als der „idäische Schäfer ... Macht
und Gold und Weisheit neben der Schönheit gering achtete":[58] womit
sich der neuzeitliche Vorgang als Wiederholung des mythisch-antiken
darstellt; überdies eine Trias, die sich durch die Parallelität zu den drei
Königen des „Märchens" als die drei Mächte deutet, die „auf Erden"
herrschen:

> Drei sind, die da herrschen auf Erden, die Weisheit, der Schein
> und die Gewalt. Bei dem ersten Worte stand der goldne König
> auf, bei dem zweiten der silberne, und bei dem dritten hatte
> sich der eherne langsam emporgehoben ...[59]

Im Unterschied zu den Königen des Märchens – „Weisheit, Schein und
Gewalt" – sind sie hier allerdings noch rein anthropologisch, auf der
Stufe einer triebhaften Menschennatur gefaßt, „Verstand und Reichtum
und Gewalt" als die wirkenden Mächte, die das Handeln dieses barbari-
schen, wenn auch noch so begabten Volkstums des frühen Mittelalters
bestimmen.

Wenn diese Mächte sich also nun gemeinsam mit Lynkeus vor Helena
„neigen", so heißt das: sie beginnen sich zu wandeln und hören – dank
der neuen Orientierung nach der antiken Schönheit und ihrer naturali-
sierenden Wirkung – auf, barbarisch zu sein. Dementsprechend werden
auch Lynkeus die antiken Kostbarkeiten, an denen sein primitiver Be-
sitztrieb bisher seine naive Freude hatte, plötzlich zum toten zusammen-
geraubten Zeug:

> Das alles hielt ich fest und mein,
> Nun aber lose wird es dein.
> Ich glaubt' es würdig, hoch und bar,
> Nun seh ich, daß es nichtig war.
> Verschwunden ist, was ich besaß,
> Ein abgemähtes, welkes Gras. (V. 9325–30)

Und indem er sie nun Helena als der wahren Herrin zurückgibt, bittet er
um neue Sinnerfüllung für sie durch einen „heitern Blick":

O gib mit einem heitern Blick
Ihm seinen ganzen Wert zurück! (V. 9331–32)

Das heißt, er bittet Helena, demjenigen, was er sich um des Reichtums
willen angeeignet hatte, seinen „ganzen Wert" zurückzugeben; er bittet
also um eine neue Wirkung von Schönheit, die von der wiedergefunde-
nen antiken Kunst ausgehen soll, ihre Wiederbelebung, wie sie am Ende
des Mittelalters stattfand und die Renaissance einleitete.

Was als Lynkeus' Bitte an Helena gerichtet ist, kommt als Fausts Befehl
an Lynkeus zurück. Was als Bitte um Wiederbelebung der antiken
Kunst ausgesprochen wird, wandelt sich in Fausts Befehl zur Anordnung
einer neuen – mittelalterlichen – Kunst. Der Befehl wird von Faust erteilt als Ausschmückung der Burggewölbe, als Auslegen ihres Bodens
mit Teppichen, als Erstrahlenlassen ihrer Räume in höchstem Glanz, der
„nur Göttliche" nicht blendet.

> . . . Laß die Gewölbe
> Wie frische Himmel blinken!
>
> . . .
>
> Voreilend ihren Tritten, laß beblümt
> An Teppich Teppiche sich wälzen; ihrem Tritt
> Begegne sanfter Boden, ihrem Blick,
> Nur Göttliche nicht blendend, höchster Glanz! (V. 9339–45)

Auf den Kunstbereich deuten weiterhin die Vokabeln: „ordnen" („Geh
und häufe Schatz auf Schatz geordnet an"), „ungesehne Pracht", „er-
habnes Bild", „lebloses Leben". Der Befehl bezieht sich auf die frühe
mittelalterliche Kunst – das, was Goethe byzantinisch[60] nennt – als eine
Kunst, die sich in Innenräumen entfaltet, getrennt von der Natur („Laß
die Gewölbe wie frische Himmel blinken"), und „Himmel" und „Para-
diese", kurzum das Transzendente, zur Darstellung bringt.[61]
    Wenn dann aber Lynkeus – schon ganz von Helena und deren „Über-
mut"[62] beherrscht – den Faustischen Befehl in Helenas Auftrag und als
„Spiel" ausführt – so benutzt der Dichter das Nacheinander von Befehl
(Faust) und Antwort (Lynkeus), von Anweisen durch Faust und Voll-
bringen im Namen Helenas als poetische Möglichkeit, um eine historische Entwicklung innerhalb der mittelalterlichen bildenden Kunst zu
beschreiben. Die Vokabeln „Spiel" und „Übermut" weisen wiederum
auf den Kunstbereich: die Verwandlung der bisherigen starren „byzantinischen" Malerei durch die neu erfahrene antike Schönheit ins Natür-
lich-Organische, das Verlegen des Unsinnlich-Transzendenten in die
sinnliche Natur.

Und so entwirft Lynkeus denn eine Kunst, wir dürfen getrost sagen:
die mittelalterliche gotische Malerei auf der Höhe ihrer Entwicklung,
wo sie, wie Goethe sagt, „alles Gestempelte so wie den Goldgrund
völlig wegwirft"[63] und „an dessen Stelle ein freies Leben, ein frohes
Naturgefühl setzt".[64] Ja er benennt schließlich darüber hinaus die neue
Schönheit, die sich durch Helenas erneute Gegenwart in der Kunst bildet, als die Schönheit der menschlichen Gestalt, der gegenüber „die
Sonne matt und kalt" wird, und die in der Erfassung des menschlichen
Antlitzes die Natur an Wahrheit weit übertrifft:

> Vor der herrlichen Gestalt
> Selbst die Sonne matt und kalt,
> Vor dem Reichtum des Gesichts
> Alles leer und alles nichts. (V. 9352–55)

Goethe läßt diese Entwicklung – in der „Reise an Rhein, Main und
Neckar" – nicht vor Beginn des 13. Jahrhunderts einsetzen und sich bis
ins 15. Jahrhundert hinein vollziehen.[65]

Wenn Lynkeus an dieser Stelle abtritt und das Gespräch Faust überläßt, so ist alles für den Moment reif, wo sich in der Vereinigung von
Helena mit Faust noch ein ganz anderer Ton in die Kunst einschleicht,
den die Sprache des Herzens findet. Es ist der Ton der Liebe, der Helena
verführerisch neu als Reim ins Ohr klingt und den lernend sie „da ist".

Helena

Von Helena aus gesehen, wie Phorkyas sie der mittelalterlichen Burg
zugeführt hat, ereignet sich nun im Burghof ihr neues Gegenwärtigwerden dank der Liebe Fausts: der Wandel aus dem Gedanklichen ins Ge-
stalthafte; das lebendige Wirken der antiken Schönheit im Mittelalter.

Es begibt sich im Ganzen als Liebesverbindung mit Faust, naturphilo-
sophisch ausgedrückt: als Vereinigung zwischen Polaritäten, und ereignet sich in mehreren Schritten: als Helenas Eintreten in die fremde Welt
(V. 9127–81), als erneutes Erfahren der alten überwältigenden Wirkung
(V. 9182–9355), als Angezogenwerden vom Unbekannten (V. 9356–76)
und liebendes Verschmelzen mit ihm (V. 9377–9418); als erneutes Be-
drohtwerden (V. 9419–41), siegreich verteidigt (V. 9442–81) und als
Königin anerkannt werden (V. 9482–9505) und schließlich als gemeinsamer Aufbruch in das neue Naturreich (V. 9506–73).

Es ist als Liebes- ein Wiedergeburtsprozeß, der – wie in der Spartaszene – wiederum von Helena als von einem großen lebendigen Organismus vollzogen wird, sich in Chor, Chorführerin und Königin mehrstim-

mig ereignet und sich desto vielfältiger begibt, je stärker der Organismus bedroht ist.

Chorführerin (V. 9127–91). – Weil der Beginn in der Fremde unsicher ist, erhält die Chorführerin zunächst eine eigene Stimme. Es ist ihr einziger Auftritt im Burghof. Ordnend tritt sie zwischen Dienerinnen und Königin und ermahnt die Wechselhaften, von jeder Schicksalswendung zu Störenden, zur Unterstellung unter die unerschütterte Herrin. Im Gegensatz zu dem übrigen Chor öffnet sie sich von Anfang an der fremden Welt. Ihr Blick ist nicht – wie der der Mädchen – auf die erste reizvolle Wirkung des Neuen beschränkt, sie durchschaut sogleich Fausts Überlegenheit und unterstellt sich ihm als künftigem Sieger.

> Er ist fürwahr gar vielen andern vorzuziehn,
> Die ich doch auch als hochgeschätzt mit Augen sah.
> Mit langsam-ernstem, ehrfurchtsvoll gehaltnem Schritt
> Seh' ich den Fürsten . . . (V. 9188–91).

Chor. – Der Chor, der in der antiken Umgebung am schnellsten zum Wechsel Bereite, ist in der neuen Welt der am wenigsten Wandlungsfähige. Im Vereinigungsprozeß bleibt er das wandlungslose antike Element.

So wie ihn schon beim ersten Schritt in die Fremde Todesfurcht befiel

> Schwebt nicht etwa gar
> Hermes voran? (V. 9116–17)

so schlägt sein erstes Entzücken über die fremde Welt

> Aufgeht mir das Herz . . . (V. 9152 ff.)

sogleich in Zweifel an ihr um.

> Gern biss' ich hinein, doch ich schaudre davor;
> Denn in ähnlichem Fall, da erfüllte der Mund
> Sich, gräßlich zu sagen! mit Asche. (V. 9162–64).

Er zeigt sich unfähig, sie als Wirklichkeit zu ergreifen. Zwar begründet er sein Zurückschrecken nicht mehr mit einem antiken Exempel, sondern mit der Zitierung Miltons: die Dichtung adaptiert hier mit dem „ähnlichen Fall" bewußt eine Szene aus dem „Verlorenen Paradies",[66] das heißt, indem der Chor seinen Schauder in Bildern des neuzeitlichen Dichters ausspricht, bekundet er, welche Stunde in Wirklichkeit geschlagen hat.[67] Dennoch bleibt er während der ganzen Burgszene – im Gegensatz zu Helena – seiner antiken „Sprechart" treu; er spricht ausschließlich in

Anapästen, Trochäen und chorlyrischen Versen; ja er erinnert noch
angesichts der Helenisch-Faustischen Liebesumarmung an den „Untergang Ilios'" und weiß erst gegen Szenenschluß Faust als „unsern Fürsten"
anzuerkennen (V. 9491), weil seine mit „Weisheit" gepaarte „Gewalt"
der antiken *Schönheit*[68] ein dauerhaftes Dasein in seinem Reich zu sichern
verspricht.

Helena. – Helena, die Mitte, die keinen Zweifel an der Wirklichkeit der
neuen Welt kennt, ist doch zunächst zweifelhaft, ob sie in ihr neue Wirkung tun wird. Ihre Unsicherheit, auch hier wieder die „hohe Würde"
als „Richterin", als „Herrscherin" übernehmen zu können, drückt sich
in Wortwahl und Modus ihrer Rede aus:

> So hohe Würde, wie du sie vergönnst,
> Als Richterin, als Herrscherin, und wär's
> Versuchend nur, wie ich vermuten darf – (V. 9213–15).

Deshalb hilft ihr die Erfahrung ihrer alten, „Entzücken" und „Verderben" bringenden Wirkung zur Wiedergewinnung ihres Selbst.

> Verführend, fechtend, hin und her entrückend,
> Halbgötter, Helden, Götter, ja Dämonen,
> Sie führten mich im Irren her und hin.
> Einfach die Welt verwirrt ich, doppelt mehr;
> Nun dreifach, vierfach bring ich Not auf Not.[69] (V. 9251–55)

Indem auch in der Fremde sie ihr „streng Geschick verfolgt", erfährt sie
sich in der alten Wirkung der antiken Schönheit; den von ihr überwältig-
ten Lynkeus nennt sie einen „Gottbetörten" und löst ihn von der
Schuld (V. 9256–57).

Erst aus der erneuten Erfahrung ihres unvergänglichen Selbst wächst
ihr die Sehnsucht nach neuem Wirken. Und indem sie nun Faust auf den
„leeren Platz" neben sich beruft, beginnt der Akt ihres Eingehens ins
neue Leben.

> Ich wünsche dich zu sprechen, doch herauf
> An meine Seite komm! der leere Platz
> Beruft den Herrn und sichert mir den meinen. (V. 9356–58)

Denn als ideell-zeitlose griechische Schönheit ist sie umgeben von der
„Leere" der Wirkungslosigkeit, aus der sie sich in die Geselligkeit mit
Faust als dem Geschichtlich-Wirkenden wünscht. Schon das Paralipo-
menon 166 sprach von dieser „Leere":

> Aus der großen Leere Bedürfnis des Eingreifens.[70]

Was Helena jedoch erst eigentlich in das neue Da-sein hineinlockt, ist
die „Sprechart" dieser Welt, der Reim, der sie zum ersten Mal an Lynkeus
entzückte, demselben, der zuvor dem Entzücken durch sie erlegen war.
An der neuen *Form* entzündet sich verwandterweise der griechischen
Schönheit Gefallen an der fremden Welt.

> Ein Ton scheint sich dem andern zu bequemen,
> Und hat ein Wort zum Ohre sich gesellt,
> Ein andres kommt, dem ersten liebzukosen. (V. 9369–71)

Aber das, was sie dann dazu verführt, sich in der fremden Sprache selbst
zu versuchen, kommt ihr von Faust zu: daß zu der Form sich der Klang
steigernd hinzugesellen muß. Und diesen Klang kann bilden nur das
liebende Herz. Indem Helena als Widerhall auf Faust das ergänzende
Reimwort findet, ist die Liebe in ihr erweckt. Indem sein liebendes Herz
sich auch in ihr zu regen beginnt, ist Helena wieder da.

Der Liebesaugenblick

Weshalb aber tritt Helena beim Lernen des Reims von neuem ins Leben?
Die mittelalterliche Reimdichtung erfüllte sich bisher in der Anwendung
einer Norm. Es gab eine Übereinkunft von poetischen Regeln, es gab
eine Konvention von vorgeformten Gefühlen. Um ein solches erlern-
bares Reimen handelt es sich noch bei Lynkeus; in einer solchen Konvention des Fühlens ist Faust noch, vor Helena kniend, befangen, durchaus in Erfüllung des Ritus des mittelalterlichen Minnedienstes. Zwei
Faustschemata vermerken dieses Motiv ausdrücklich.[71] Nirgendwo ist
bis dahin von Fausts Liebe die Rede:

> Zu deinen Füßen laß mich . . .
> Dich Herrin anerkennen (V. 9270–71)

oder

> Bestärke mich als Mitregenten . . . (V. 9362)

oder

> . . . gewinne dir
> Verehrer, Diener, Wächter all in Einem. (V. 9363–64)

Im Augenblick aber, in dem Faust Helena das neuzeitliche Reimen – das
„Schönsprechen" „unsrer Völker" – als ein Sprechen des Herzens
erklärt

> Das ist gar leicht, es muß von Herzen gehn (V. 9378),

und indem er ihr als Anstoß für das Finden des Reimworts das Ergriffenwerden durch die Sehnsucht nennt:

> Und wenn die Brust von Sehnsucht überfließt (V. 9379),

das sein eigenes Ergriffenwerden, seine eigene Sehnsucht nach ihr ist,
und Helena das Reimwort findet, hat sie die neue Sprache der Liebe von
Faust gelernt, ist selber als moderne Fühlende von neuem Leben erfüllt.
Was mit dem beschwörenden Ausruf Fausts bei Chiron begann

> Und sollt' ich nicht, schnsüchtigster Gewalt,
> Ins Leben ziehn die einzigste Gestalt? (V. 7438–39)

das ist nun, da Fausts „Brust von Sehnsucht überfließt" und Helena das
reimende „Wer mitgenießt" spricht, „gelungen". Denn Dichten hat sich
damit aus der Konvention gelöst und ist spontan geworden. Die Sehnsucht nach der antiken Schönheit ist das, was das Gefühl aufbrechen ließ.
Statt eines erlernbaren Reimens befreit es sich zu einem eigenen Gesang.
Faust, als der Neuzeitliche, ist der Fühlende, Helena, als Bild antiker
Schönheit, war leer gewordene Kunstgestalt; im Augenblick von Fausts
überströmendem Gefühl durchdringt sich beides: wird Helena, von
Fausts Gefühl aufs neue belebt, moderne beseelte Gestalt; wird Fausts
überströmendes, unanschauliches Gefühl in Helena zum anschaulichen
Bild gebunden. Es ist das neue Schöpferisch-werden mit Hilfe der mythi-
schen Bilderformen, das sich hier ereignet.

Dabei tauscht Faust das moderne Sehnen nach der fernen antiken Geliebten ein gegen das antike Sich-Erfüllen in der Gegenwart mit der Geliebten;
schöpferisch geworden, wird er zugleich durch Helena antik verwandelt.

> Nun schaut der Geist nicht vorwärts, nicht zurück;
> Die Gegenwart allein –
>   ist unser Glück.
> Schatz ist sie, Hochgewinn, Besitz und Pfand;
> Bestätigung, wer gibt sie?
>   Meine Hand! (V. 9381–84)

Diese neue Gegenwärtigkeit der Antike im Mittelalter – als Liebesvereinigung zwischen Helena und Faust – feiert sich dreimal.

1. Das Gegenwärtig-*werden* der Antike ereignet sich als Akt innerhalb
der Kunst: In den eben besprochenen Versen über Helenas Reimen-
lernen (V. 9377–84)

> So sage denn, wie sprech ich auch so schön?
> . . .
> Bestätigung, wer gibt sie? Meine Hand!

zieht der sehnsüchtige neuzeitliche Geist die Antike in ein neues Leben, indem er ihre schönen mythischen Gestalten mit seinem Gefühl belebt. Das Wieder-gegenwärtig-werden der Antike ereignet sich zunächst als moderne Beseelung. Die leeren antiken Gestalten erlernen die neuzeitliche Seelensprache.

2. In den folgenden Chorstrophen (V. 9385–9410)

> Wer verdächt es unsrer Fürstin,
>
> . . .
>
> Übermütiges Offenbarsein

wird diese Liebesvereinigung besungen als vollkommene Erfüllung menschlichen Lebens im sinnlichen Dasein. Dem Gegenwärtigwerden der Antike innerhalb des Kunstbereichs folgt ihr Gegenwärtigsein im Bereich des Lebens: als Wiederholung eines antiken Augenblicks im neuzeitlichen Dasein.

3. Und die antike Gegenwärtigkeit wird zum drittenmal erfahren in dem Wechselgesang der beiden Liebenden (V. 9411–18)

> Ich fühle mich so fern und doch so nah,
>
> . . .
>
> Dasein ist Pflicht, und wärs ein Augenblick

als das Innewerden ihres Liebesaugenblicks als ewigen Augenblicks. Dieser letzte Wechselgesang ist als gelingendes Reimgedicht zugleich die Verwirklichung des im ersten Gesang Gelehrten und Gelernten. Und so sehr diese drei Erfahrungen die verschiedenen Momente eines Zugleich sind, so folgen sie sich doch in dem steigernden Nacheinander von Werden – Sein – Bewußtsein als einer für Goethe typischen Stufung.

V. 9385–9410. – Das Chorlied (2) ist die zwischen den Reimgesängen der Liebenden ausgesparte Mitte, in der Faust und Helena selber stumm bleiben. Denn hier wird die neue antike Gegenwart erfahren im Glück sinnlichen Daseins. Es ist Faust in der Rolle des neuen Paris, der, als der Burgherr, die Liebe der Schutzsuchenden zu erringen vermochte.

> Wer verdächt' es unsrer Fürstin,
> Gönnet sie dem Herrn der Burg
> Freundliches Erzeigen? (V. 9385–87)

Es ist Helena in der bezeichnenden Situation der siegesgewohnten antiken Schönheit

> Fraun, gewöhnt an Männerliebe (V. 9393),

die sich dem hingibt, der sie durch den Reiz der Körperlichkeit überwältigt.

> Und wie goldlockigen Hirten,
> Vielleicht schwarzborstigen Faunen,
> Wie es bringt die Gelegenheit,
> Über die schwellenden Glieder
> Vollerteilen sie gleiches Recht. (V. 9396–9400)

Liebe kommt hier nicht als Wahl des Einzigen,

> Wählerinnen sind sie nicht (V. 9394),

sondern als vitale Lust zur Sprache:

> Aber Kennerinnen (V. 9395),

nicht als seelisches Gefühl, sondern als sinnlicher Genuß:

> Nah und näher sitzen sie schon,
> Aneinander gelehnet
> Schulter an Schulter, Knie an Knie;
> Hand in Hand wiegen sie sich (V. 9401–9404),

nicht als eine Qualität der Innerlichkeit, sondern als das „offenbare Geheimnis" der ganzen kosmischen Natur: in der geschlechtlichen Vereinigung, als dem Urphänomen des Lebens:

> Heimlicher Freuden
> Vor den Augen des Volkes
> Übermütiges Offenbarsein. (V. 9408–10)

V. 9411–9418. – Wenn sich schließlich (3) Faust und Helena – nach dem
Chorgesang – das Wechsellied ihrer Liebe zusprechen, ist „Dasein" sein
einziges Thema, von Helenas anfänglichem seligem „Da bin ich! da!"
bis zu Fausts strenger Schlußmahnung: „Dasein ist Pflicht."

Dieses „Dasein" im Augenblick – als das Innewerden seiner Wirklichkeit – offenbart jeder dem anderen als sein Geheimnis. Helena benennt
das ihrige: als Dasein des Ideellen in der Gegenwart, wenn sie sagt:

> Ich fühle mich so fern und doch so nah,
> Und sage nur zu gern: Da bin ich! da! (V. 9411–12)

Sich als Idee antiker Schönheit fern und als Erschienene im Mittelalter
zugleich „nah" zu fühlen, ist das erste Geständnis über ihr Dasein. –
Faust benennt das seinige: als ein Anhalten des Lebensatems

> Ich atme kaum, mir zittert, stockt das Wort (V. 9413),

als ein Transzendieren der Tageswirklichkeit in eine Gegenwart jenseits
von Raum und Zeit:

Es ist ein Traum, verschwunden Tag und Ort. (V. 9414)

Wenn Helena nun Faust noch einmal die Möglichkeit ihres Daseins ge-
steht

Ich scheine mir verlebt und doch so neu,
In dich verwebt, dem Unbekannten treu (V. 9415–16),

so haben sich die Rollen der Liebenden inzwischen vertauscht, ein jeder
ist der andere geworden. Denn Helena redet nun als die reflektierende
moderne: im Bewußtsein ihres antiken Vergangenseins und zugleich im
Besitz ihrer neuen Gegenwärtigkeit ist sie da, indem sie sich Faust als
einem geschichtlichen Geist „verwebt", ihm als einem „Unbekannten"
treu ist. Das heißt: sie ist da in geschichtlichen Liebesverbindungen, in
denen sie, als Idee menschlicher Schönheit, „verlebend" sich immer
wieder erneuert. Und auch Faust, andrerseits, spricht als der antike,
wenn er vor dem Durchgrübeln des „einzigsten Geschicks" ihrer Vereinigung warnt, das sich der Kraft der erzeugenden Liebe verdankt und
zum Dasein im Augenblick mahnt als der einzigen Möglichkeit für die
sinnliche Anwesenheit des Ideellen, die geschichtliche Gegenwart des
Ewigen: mahnt zum Dasein im Augenblick, der Ewigkeit ist. Der die
Zeiten aufhebende Augenblick, der die Bedingung ihres gemeinsamen
Daseins ist, ist zugleich das, dessen sie sich innewerden. Das Lied ihrer
Liebe, die nur ist im Augenblick, ist zugleich ein Lied über den Augenblick.

Struktur

Die Szene im Burghof ist, wie die Spartaszene, in genauer Symmetrie
gebaut, wobei die Zäsur, die dort Helenas Ohnmacht bildete, hier durch
das Eindringen der Phorkyas bezeichnet ist. In der ersten Szenenhälfte
geht es um Helenas neue geschichtliche Wirkung auf die künstlerische
Bildung des Mittelalters. Es geht um den Prozeß, der zur Entfaltung der
mittelalterlichen bildenden Kunst führt: und zwar in Steigerung der bisherigen, zu einer Kunst, die um die Qualität organischer Natürlichkeit
bereichert ist. – Im zweiten Teil geht es um Helenas neue geschichtliche
Wirkung auf die politische Formung des Mittelalters; es geht um den
Prozeß, der zur Begründung einer neuen Herrschaftsordnung führt,
welche sich der Idee antiker Menschlichkeit unterstellt.
Die Zäsur zwischen beiden Prozessen bewirkt Phorkyas, die, dem ent-
stehenden Zeitalter der Renaissance angemessen, humanistisch Pytho-

nissa (V. 9135) (Zauberin) genannt wird und den idealen Prozeß der
Vereinigung zwischen Faust und Helena, Mittelalter und Antike, unter-
bricht, indem sie ihn geschichtlich fixiert und damit ins zeitlich Vorüber-
gehende verweist. Beide Prozesse nämlich führen in Szenen-Mitte und
-Ende je zu einem die geschichtliche Epoche übersteigenden Höhepunkt
der Liebesverbindung; denn so wie sich die Szene in der Mitte zu einem
Augenblick der entbrennenden Liebe zwischen ihnen aufschwingt, in
dem Helena von Faust das moderne „Schönsprechen" lernt und sie
zusammen das Glück des Augenblicks besingen, so erreicht die Szene
an ihrem Ende einen zweiten Höhepunkt in Fausts und Helenas Über
wechseln in die reine Natur, wo Göttliches und Menschliches sich miteinander vermählen.

Beide Hälften also kulminieren jeweils in einem schöpferischen Akt,
der Geburt der Neuzeit – der Renaissance –, der einmal die Schaffung
eines neuen Lebensgefühls, das andere Mal die Schaffung eines neuen
Weltbildes bedeutet.

Die geschichtliche Gründung

Die Heerführer

V. 9419–9505. – Mit der Störung des Faustischen Liebesaugenblicks
durch Phorkyas, zugleich mit ihrer Meldung vom feindlichen Anrücken
des Menelas (V. 9419–34), ist Faust unversehens in eine kriegerische
Umwelt gestellt, die dennoch eine gewisse Ähnlichkeit zu der Welt auf-
weist, in die Lynkeus gehörte.

> Von Osten kamen wir heran (V. 9281)

> Ihr, Ostens blumenreiche Kraft. (V. 9449)

Aber es gibt keine Identität zwischen beiden.[72] Der Parallelismus des
Ausdrucks, in dem Lynkeus von seiner Truppe und Faust zu der seinen
redet, deutet auf eine Parallelität anderer Art, von der gleich noch die
Rede sein wird.

Denn während Lynkeus sich einem „lang und breiten Volksgewicht"
zurechnete, bei dem „der erste" nicht „vom letzten" „wußte", „sondern"
sich nun die Heerführer „von den Kolonnen" ab. Dem Kämpfenden,
dem „die Lanze zur Hand" war, von dem Lynkeus sprach, steht nun die
„Schar" gegenüber, die „in Stahl gehüllt" ist und „vom Strahl umwit-
tert". Diejenigen, die „drängten fort" und „stürmten fort" und „waren
Herrn von Ort zu Ort", sind nun zu solchen geworden, die „treten auf,
die Erde schüttert, sie schreiten fort, es donnert nach". – Hält man dazu

noch die Regieanweisung, daß „Explosionen von den Türmen" „den Durchmarsch gewaltiger Heereskraft" begleiten, so wird deutlich, daß die geschichtliche Zeit zwischen Lynkeus und den Heerführern fortgeschritten und nun das Zeitalter der Kanonen angebrochen ist, in dem das Heer Stahlrüstungen trägt („in Stahl gehüllt"), mit Pulver schießt und in fester Truppeneinteilung marschiert („die sich von den Kolonnen absondern").

In den Heerführern personifiziert sich das Mittelalter in dem gewaltigen Eroberungsdrang seiner germanischen Völkerschaften:

Die Schar, die Reich um Reich zerbrach (V. 9451).

Wie in Lynkeus der Drang dieser nördlichen Barbaren nach dem „Seltensten" – und somit auch nach den Kostbarkeiten der Antike – so ist in ihnen der Expansionsdrang des Nordens nach dem antiken Boden zum idealen Subjekt geworden und hier dem waffentechnisch vollkommeneren Hochmittelalter zugeordnet. Mörser und feste Heeresordnung sind keine poetischen Anachronismen,[73] sondern vom Dichter bewußt verwendete Signale, um nun von dem Wandel mittelalterlicher Herrschaftsgewalt unter der Wirkung antiker Schönheit zu sprechen.

Damit tritt die Kreuzzugsbewegung in Analogie zu der der Völkerwanderung,[74] und es tritt zu der frühen die späte Zeit; indem sich die Epoche der Heerführer aber der des Lynkeus zeitlich anschließt, erscheint das Mittelalter somit in seiner ganzen geschichtlichen Ausdehnung und zugleich in seiner ideellen Gestalt.

Auf die Meldung der Phorkyas hin vom feindlichen Anrücken des Menelas ruft Faust nun seine Heerführer zur Verteidigung Helenas auf und redet sie an:

Ihr, Nordens jugendliche Blüten,
Ihr, Ostens blumenreiche Kraft. (V. 9448–49).

Er wendet sich mit dieser doppelten Anrede nicht an verschiedene dem Norden und dem Osten entstammende Truppenteile des Heeres, sondern an dieselben Kämpfer, die in jugendlichem Alter vom „Norden" in den Orient aufbrachen und bald darauf als siegreiche Männer aus dem Orient, „dem Osten", nach Griechenland kamen und es in Besitz nahmen. Im Bild des Wechsels von Blüte zu Blume – „jugendliche Blüten", „blumenreiche Kraft" – wird die kurze Zeitspanne ihrer kriegerischen Unternehmung zusammengefaßt.

Faust erinnert sie an ihre damalige Landung in Pylos, das ihnen leicht in die Hand fiel, weil eine angestammte Herrschaft im Lande längst fehlte

> An Pylos traten wir zu Lande,
> Der alte Nestor ist nicht mehr (V. 9454–55)

und die wenigen machtlosen griechischen Grundherren, die noch dort
lebten, ohne weiteres zu überwältigen waren

> Und alle kleinen Königsbande
> Zersprengt das ungebundne Heer. (V. 9456–57)

Es ist kein Zweifel, daß er sich in den Heerführern an die fränkischen
Ritter des Vierten Kreuzzugs (1202–1204) wendet, die aus dem Norden
stammend, in jungen Jahren an der Eroberung von Byzanz (1204) teil-
nahmen und auf dem Rückweg in Methoni, südlich von Pylos, südlich
der Besitzung Nestors also, landeten und die Peloponnes eroberten: Faust
als der Oberbefehlshaber dieser Heerführer und Burgherr von „Mistra".
Dieser geschichtliche Augenblick ist dem Dichter deshalb so bedeutend, und er übernimmt ihn als symbolische Situation für Faust, weil mit
diesem selben Kreuzzug, der die fränkische Eroberung des griechischen
Mutterlandes brachte, auch Byzanz erobert wurde, das ja in unmittelbarer
Folge zum antiken Ostrom stand: also zugleich mit dem nordländischen
Sieg über das Mutterland, Griechenland in Byzanz seinen politischen
Untergang im Mittelalter fand. Diesen Augenblick ergreift die Dichtung
in der Weise eines Urphänomens, das heißt, als einen Moment, in dem
ein in der Geschichte ideal Wirkendes Realität wird: die geistige Adaption
der Antike durch das germanische Mittelalter geschichtliche Wirklichkeit.

Wenn Faust also in diesem Augenblick der eben erworbene ideelle
Liebesbesitz der Helena durch Menelas wieder streitig gemacht wird, so
sind das keine magischen Drohungen der Phorkyas – wie Beutler u. a.[75]
die Meldung vom Heranrücken der Menelaischen Schiffe („Volkeswo-
gen") deuten –; vielmehr sind damit die geschichtlichen Versuche der
entthronten byzantinischen Herrscher – der Paläologen – gemeint, die
Peloponnes wieder von den Franken, vom Meer aus, zurückzuerobern.
Menelas ist, wie schon zuvor gezeigt, der symbolische Name für sie. –
Faust, der darauf überlegen

> Hier ist nicht Gefahr (V. 9440)

und siegesgewiß

> Und selbst Gefahr erschiene nur als eitles Dräun (V. 9441)

Phorkyas mit den Worten abwehrt:

> Doch diesmal soll dir's nicht geraten; leeren Hauchs
> Erschüttere du die Lüfte! ... (V. 9439–40)

hat das Recht dazu; denn er ist in diesem Augenblick auch die die Geschichte bestimmende Kraft. Phorkyas, die als das geschichtliche Bewußtsein stört, wird vom weiteren Verlauf der Geschichte widerlegt. Faust ist in diesem idealen Augenblick der geglückten Vereinigung mit Helena zugleich der geschichtliche Sieger über Menelas.

Das Spiel mit der Wirklichkeit, das der Dichter hier spielt, ist also gerade in anderer Weise, als Beutler oder Kommerell meinen, zu verstehen; nicht ein magischer Mephistophelischer Zauber stört den Augenblick der „seelischen Einswerdung" zwischen Faust und Helena – so Beutler;[76] nicht als Täuschung wird der Faustische „Zauber des Herzens" durch die „Unverrückbarkeit des christlichen Moments" decouvriert – so Kommerell;[77] sondern der ideale Moment der Liebeseroberung Helenas durch Faust wird durch Phorkyas zu einem geschichtlichen gemacht, dem die Verwandlung in die geschichtlich-politische Szenerie der Heerführer entspricht.

Als urphänomenaler enthält dieser Augenblick beide Momente: das ideale und das geschichtlich-reale. Indem Phorkyas den ewigen Faustischen Augenblick nun geschichtlich fixiert, realisiert sie ihn und stört ihn zugleich, indem sie ihn ins zeitliche Element und damit in die Vergänglichkeit reißt. – Entsprechend heißt dann auch das letzte Wort des Faustischen Liebesduetts: „Augenblick":

> Dasein ist Pflicht, und wär's ein *Augenblick* (V. 9418),

und Phorkyas störende Antwort darauf:

> Doch dazu ist keine *Zeit*. (V. 9422)

Deshalb ist das, was sich von nun an ereignet, Geschichte, und Phorkyas – als modernes geschichtliches Bewußtsein – wieder ständig auf der Bühne anwesend

Die humane Ordnung – Europa

Ohne einen Einhalt zwingt die Dichtung nun die Erhebung der siegreichen Heerführer in den Herzogstand (V. 9462–63) und ihre Belehnung mit den peloponnesischen Ländern (V. 9464–73) in dieselbe Rede, in der das Heer an die frühere geglückte Landnahme der Peloponnes erinnert wurde (V. 9454–57) und nun zu ihrer erneuten Verteidigung aufgerufen wird (V. 9458–61), die, ausgesprochen, auch schon gelungen ist.

Denn es ist dieselbe, in den Heerführern Subjekt gewordene „ungebundene" germanische Herrschaftskraft, die hier durchgängig am Wirken ist und nun den Wandel in eine Form erfährt. Dasselbe „ungebundene Heer", das eben noch mit „angehaltnem stillen Wüten" und „in Stahl gehüllt", und das heißt, mit dumpfer Kampfeswut und die eigene Schlagkraft potenzierender Waffengewalt, sich „den Sieg" über das Land der Helena „verschaffte" (V. 9446–53), übt gleich darauf seine Herrschaft über das um ihretwillen verteidigte Land in einer Weise aus, zu der die Vokabeln „häuslich wohnen" und seine Vollkommenheit „genießen" gehören: sie sind hier in dem umfassenden Sinne des Kultivierens und glücklichen Besitzens des Landes zu verstehen.

Diejenige also, der dieser Wandel im Gebrauch der ungebundenen Gewalt gelingt, ist Helena, um deren Verteidigung der Kampf geführt wird und die nun – durch die Faustische schöpferische Geisteskraft wirkend – die neue, Dauer verbürgende Herrschaftsordnung stiftet. Denn, wie Faust sagt, ist es „Spartas Königin", in deren Namen er die Heerführer zu Herzogen ernennt und als die Eroberer mit den eroberten peloponnesischen Ländern belehnt:

> Herzoge soll ich euch begrüßen,
> Gebietet Spartas Königin;
> Nun legt ihr Berg und Tal zu Füßen,
> Und euer sei des Reichs Gewinn. (V. 9462–65)

Diese Verteilung antiken Bodens an die germanischen Stämme im einzelnen zu entschlüsseln, ist nicht ganz einfach. Daß der Dichter auch hier wieder historische Fakten aufgreift – die sich allerdings nicht streng auf die hundertdreißig Jahre fränkischer Herrschaft in der Peloponnes zu beschränken brauchen – ist anzunehmen. Die poetische Belehnung der Franken mit Elis

> Nach Elis ziehn der Franken Heere (V. 9470)

legt es nahe; denn auch die geschichtlichen Eroberer der Peloponnes, die fränkischen Villehardouins, errichteten ihre Residenz, nach der Besiegung Griechenlands, zunächst in Andravida in Elis.

So könnte der dritte Kreuzzug[78] und Richard Löwenherz', des angelsächsischen Königs, Zwischenlandung in Messenien, der Grund für die Belehnung der Sachsen mit Messenien sein:

> Messene sei der Sachsen Los. (V. 9471)

Den geschichtlichen Hintergrund für die Verleihung Achaias an die in Spanien ansässigen Goten könnte die Unternehmung der „Katalanischen Kompagnie" bilden, einer aus Katalonien stammenden Söldnertruppe, die Andronikos III. Paläologos zu Beginn des 14. Jahrhunderts zur Hilfe gegen die kleinasiatischen Türken nach Griechenland rief, und die dann in die Peloponnes eindrang und, unter anderem, Achaia in Besitz nahm.

Achaia dann mit hundert Schluchten
Empfehl ich, Gote, deinem Trutz. (V. 9468-69)

Schließlich, die Griechenlandzüge der in Sizilien sitzenden Normannen
unter ihrem König Roger II. und ihre Plünderung von Argolis (Plünderung von Korinth 1146) könnten sich in der Vergebung von Argolis an
die Normannen widerspiegeln; zumal diese als Seefahrervolk für die
Reinigung der Meere besonders geeignet waren.

Normanne reinige die Meere
Und Argolis erschaff' er groß. (V. 9472-73)

Bleibt noch die Belehnung der Germanen mit Korinth offen,[79] der
Germanen, die hier nicht mehr die Gesamtheit aller germanischen Stämme, sondern *einen* Stamm bezeichnen, der sich als der germanische neben
die vier anderen stellt; woraus erhellt, daß der Dichter unter diesen fünf
eine neue Einheit versteht, wovon noch zu sprechen sein wird.

Daß diese Belehnungsszene der Geschichte nachgebildet worden ist,
ist sicher zu Recht bemerkt worden.[80] Auch Guillaume de Champlitte
gab 1208 die eroberte Peloponnes denjenigen Rittern zu Lehen, die an
ihrer Eroberung teilgenommen hatten, und erhob sie in den Baronsstand.
Aber indem hier Helena die Lehnsherrin ist und Faust in ihrem Auftrag
in den Heerführern nicht einzelne Ritter, sondern die Stellvertreter ihrer
Völker belehnt, wird aus der Übergabe ein symbolischer Akt.

In der Fünfheit der Stämme nämlich benennt er diejenigen, die mit der
Völkerwanderung und den nachfolgenden Bewegungen von dem alten
römischen Reichsboden Besitz ergriffen haben und die in dieser Eigenschaft nun repräsentativ werden für die neuen Nationen, die das Erbe
der Antike antreten und die geistige Einheit Europas ausmachen. In den
fünf Stämmen benennt er die fünf europäischen Kulturnationen: in den
Germanen die Deutschen, in den Goten die Spanier, in den Franken die
Franzosen, in den Sachsen die Engländer, in den Normannen die Italie-
ner. Damit wird aus der Übergabe antiken Bodens der symbolische Akt
der Belehnung der mittelalterlichen Völker mit dem antiken als gemeinsamem Erbe, das sie zu einer neuen Einheit zusammenschließt: dem in
der Idee antiker Humanität geeinten Europa.

Diese neue politische Konzeption unterscheidet sich von der bisherigen
in doppelter Hinsicht.
Das bisherige Herrschaftsprinzip des Mittelalters – wie es sich in der
Burghofszene darstellt – beruhte auf der bloßen Unterordnung unter
einen Einzelnen, auf der in keiner Idee von „schönem" menschlichem
Dasein sich erfüllenden Herrschaftsgewalt: Ritter und Pagen, die in

„geregeltem Zug" wie von dessen „Befehl" gelenkt erscheinen; Burg-
herr und Knecht, der in hart geschlossenen Ketten gehalten wird;
Befehlshaber und Heerführer, die dessen Kommando stumm folgen; das
Heer, das „ungebunden" und „mit angehaltnem Wüten" kämpft.

Diese „ungebundene" Gewalt verwandelt sich nun in eine Form, in
der der einzelne Fürst einer unter gleichen ist und jeder, indem er dem
Gemeinsamen dient, sich selber nutzt (V. 9496–99). Zum Zeichen dessen
„steigt" Faust nach der Belehnung von seinem Thron „herab", „die
Fürsten schließen einen Kreis um ihn, Befehl und Anordnung näher zu
vernehmen", wie die Regieanweisung heißt.

Denn sie alle unterstellen sich nun – als Gleichberechtigte und in Freiheit – Helena als ihrer Königin, die sie „überthronen" soll und von der
sie „Bestätigung und Recht und Licht" erhalten (V. 9481). Das will
besagen: sie unterstellen sich der Idee eines humanen menschlichen
Daseins, wie es in der Antike geschichtliche Realität geworden ist, als
dem gemeinsamen Prinzip. Was dahinter steht, ist das Phänomen des
Heiligen Römischen Reiches Deutscher Nation, das nun – wie es sonst
seine Legitimation von Gottes Gnaden bezog – als das Europa der Neuzeit seine neue Sanktionierung („Bestätigung", „Recht") und Sinngebung („Licht") von der Humanität der Antike her erhält.

Wenn der Chor daraufhin ein Preislied auf „unsern Fürsten" an-
stimmt, so gilt es Faust als dem schöpferischen Geist dieser Herrschaftsordnung, in der sich „Gewalt" mit „Weisheit" verbunden hat, um der
antiken „Schönheit" ein neues geschichtliches Dasein zu sichern, das
heißt: um ein neuzeitliches Reich schönen humanen Lebens zu gründen,
wie es in der Antike einmal gelungen war. Damit treten die Mächte, die
in Lynkeus sich der Schönheit beugten,[81] in Faust ihre neue Herrschaft
zum Schutze der Schönheit an.

Die arkadische Vision

Auch von Faust aus gesehen bedeutet die Liebesvereinigung mit Helena,
als die Handlung der Burghofszene: Verwandlung.

Anfangs reine Repräsentation des Mittelalters als herrscherlicher
Gewalt Faust steht an der Spitze des Knappenzuges, sein Schritt ist
„langsam-ernst" und „ehrfurchtsvoll gehalten" (V. 9190), er hat „einen
Gefesselten zur Seite" – begegnet er Helena ebenfalls zunächst mit der
Geste des Herrscherlichen. Auf die Wirkung, die sie ausübt, antwortet
er nicht mit Überwältigtsein, das die Reaktion des Untertanen Lynkeus
ist, sie trifft ihn als Wirkung auf seine Untergebenen, die er beantwortet
mit der freiwilligen Anerkennung dieser Wirkung für sich, als Herrn
dieser Untergebenen:

Zu deinen Füßen laß mich, frei und treu,
Dich Herrin anerkennen, die sogleich
Auftretend sich Besitz und Thron erwarb. (V. 9270–72)

Noch seine Berufung an Helenas Seite (V. 9356–58) erwidert er in der
Weise des Ritters mit dem Zeremoniell seines Zeitalters: mit dem Minne-
dienst gegenüber der Frouwe.

Erst knieend laß die treue Widmung dir
Gefallen, hohe Frau; die Hand, die mich
An deine Seite hebt, laß mich sie küssen. (V. 9359–61)

Erst die Liebe, die im Finden des Reims aufbricht, und die im gemeinsamen Bilden eines modernen Reimgedichts Leben – und Gegenwart –
zeugend wird, verwandelt ihn: sie macht ihn künstlerisch-schöpferisch,
und sie macht ihn antik. Durch die Liebe wird Faust, bereichert um
Helenas glückliche Qualitäten: Gegenwärtigkeit[82] und maßvolle Gelas-
senheit,[83] zugleich zu dem politisch-Schöpferischen, der – in ihrem
Namen – einen Wandel des mittelalterlichen Herrschaftssystems herbeiführt.

Aus der Glorie des dank Helenas Besitz regierenden Faust geht nun
die Feier des Augenblicks hervor, in dem sich aus der erneuten Eroberung Helenas, der politischen Aneignung der Antike durch das Mittelalter, ein neues, das antike in sich wiederholendes Zeitalter begründet.
Auch dieser Augenblick vollzieht sich wiederum in drei Phasen, deren
Nacheinander einem Zugleich entspricht. Er versteht sich zunächst als
Vorbereitung des Gründungsaugenblicks, ereignet sich dann als Vision
von einer sich erneuernden antiken Naturwelt und endet mit dem Aufbruch in diese „erste Welt".

V. 9506–9525. – Nach dem Preislied des Chors entläßt Faust in einer Art
von Diastole die Fürsten; und wenn er dann beschließt, sich mit Helena,
systoleartig, in die „Mitte" zurückzuziehen, um dort „Stand" zu „halten",
ist plötzlich alles Politische aus dem Vorgang gewichen. Mit dem Zu-
rückziehen auf Arkadien als den engeren Bereich, der zugleich ein
höherer ist, wandelt sich der politische in einen geistigen Vorgang. Indem Faust noch einmal von der Aufteilung Griechenlands, aber nun als
einem vollzogenen Akt spricht, und dabei die zu Lehen gegebenen Pro-
vinzen „große" und „herrliche" Länder nennt

Die Gaben, diesen hier verliehen –
An jeglichen ein reiches Land –
Sind groß und herrlich; laß sie ziehen!
Wir halten in der Mitte Stand (V. 9506–09)

ist unversehens aus der politischen Belehnung die geistige Integration Griechenlands in Europa geworden. Aus den eben für Helenas Verteidigung aufgerufenen Nationen wurden diejenigen, die nun für den Bestand Griechenlands als ihres gemeinsamen geistigen Besitzes einstehen.

> Und sie beschützen um die Wette,
> Ringsum von Wellen angehüpft,
> Nichtinsel dich, mit leichter Hügelkette
> Europens letztem Bergast angeknüpft. (V. 9510–13)

Es ist die Einigung Europas in Anerkennung der exemplarischen *geistigen* Bedeutung Griechenlands, es ist die Geburtsstunde der europäischen Kultur aus antikem Geiste, die sich nun in Fausts Worten ereignet.

> Das Land, vor aller Länder Sonnen,
> Sei ewig jedem Stamm beglückt (V. 9514–15).

Diese griechische Natur, in der Helena schon ihre erste Geburt im Mythos erfuhr

> Als mit Eurotas' Schilfgeflüster
> Sie leuchtend aus der Schale brach,
> Der hohen Mutter, dem Geschwister
> Das Licht der Augen überstach (V. 9518–21),

die die Schönheit sich schon einmal aussuchte, um Erscheinung zu werden: Faust bittet jetzt, daß Helena sie von neuem zu ihrem Wohnort mache. Er bittet sie, Arkadien, als das Land, in dem sich diese Natur am reinsten manifestiert und das sich schon einmal nach ihr orientiert hat,

> Das früh an ihr hinaufgeblickt (V. 9517),

und nun zum zweitenmal sich ihr zuwendet,

> Dies Land, allein zu dir gekehrt,
> Entbietet seinen höchsten Flor (V. 9522–23),

ihrem bisherigen Aufenthalt, dem Europa, in dem sie im Mittelalter nur Wirkung tat

> Dem Erdkreis, der dir angehöret (V. 9524),

als neuen Wohnsitz vorzuziehen:

> Dein Vaterland, o zieh es vor! (V. 9525)

V. 9526–9561. – Wenn darauf das Versmaß wechselt, die Vierheber in den feierlichen fünffüßigen Langvers übergehen, dann bereitet sich dieser gemeinsame Übergang nach Arkadien vor, die Verwandlung des geschichtlichen Mittelalters in eine neue Helenische Wirklichkeit. Es ist Faust, der im Besitz der Helena schöpferisch gewordene Geist, dem es, in einer Art von Vision, gelingt, den neuen Wohnort der Helena zu schauen. Indem so Arkadien vor seinem geistigen Auge ersteht, erscheint es in seiner göttlich-gesetzlichen Natürlichkeit, erscheint zugleich in Arkadien die schöne griechische Natur als Urphänomen. Deshalb ist es eine durchaus ideale Landschaft, die sich nun auftut. Alles ist typisch in ihr. Alles trägt seinen Charakter offen zur Schau.

> Altwälder sind's! Die Eiche starret mächtig,
> Und eigensinnig zackt sich Ast an Ast.
> Der Ahorn mild, von süßem Safte trächtig,
> Steigt rein empor und spielt mit seiner Last. (V. 9542–45)

„Mächtig", „eigensinnig", „zackig" sind Attribute, in denen Goethe Eckermann gegenüber die Eiche in ihrem „vollkommen ausgeprägten Charakter", und das heißt, in ihrer gesetzlichen Erscheinung, in ihrer Schönheit beschreibt.[84]

Alles ist zweckmäßig in dieser Landschaft. Dem Bedürfnis der Ziege nach karger Nahrung genügt der spärlich bewachsene Fels; den zahlreichen Schafherden gewähren die zahlreichen Matten der tausend Hügel das angemessene Auskommen. Auch die „Zweckmäßigkeit" ist für Goethe eine Prädikation des Schönen als des Gesetzlich-Erscheinenden, weil es für ihn zum vollkommen ausgeprägten Charakter eines Geschöpfes gehört, „daß der Bau der verschiedenen Glieder dessen Naturbestimmung angemessen und also zweckmäßig" ist.[85]

Darum ist alles hier fruchtbar:

> Und mütterlich im stillen Schattenkreise
> Quillt laue Milch bereit für Kind und Lamm;
> Obst ist nicht weit, der Ebnen reife Speise,
> Und Honig trieft vom ausgehöhlten Stamm. (V. 9546–49)

Denn Fruchtbarkeit ist eine Prädikation des Schönen als des Gesetzlichen in der Erscheinung, sofern das Schöne nicht nur als ein Angeschautes, sondern zugleich als ein Tätiges, in Funktion gedacht wird. An „Myrons Kuh" hebt Goethe hervor, daß es eine säugende Kuh war; „denn nur sofern sie säugt, ist es eine Kuh".[86]

„Rein" ist das Attribut, in dem alle diese Eigenschaften zusammengefaßt sind. Es ist die prägnanteste Vokabel der arkadischen Vision. Der Ahorn steigt „rein" empor, am „reinen Tage" „entwickelt sich ... das holde Kind", Natur waltet im „reinen Kreise". Denn „rein" ist diese

Landschaft, weil ihr alles fehlt, was sonst „aus innerer Schwäche oder aus
äußerm Hindernis nur Intention geblieben ist".[87] Rein ist sie, weil die
Natur hier, von feindlichen Bedingungen nicht gehindert, in ihrer Gesetzlichkeit durchaus in die Erscheinung treten und also schön sein kann.
Dieser Zug aber kennzeichnet sie zugleich als griechische Landschaft:
Wie alles hier eine Steigerung ins Typische erfährt, so ist auch das
griechische Bestreben auf das Maximale der Erscheinung aus. Es ist dasselbe Bestreben, das Natürliche unter dem Aspekt des Göttlich-Gesetzlichen zu sehen, das Goethe an anderer Stelle[88] als den Theomorphismus
der Griechen bezeichnet.

> So war Apoll den Hirten zugestaltet,
> Daß ihm der schönsten einer glich (V. 9558-59).

Denn indem das Einzelne sich zum Vollkommenen erhebt, nimmt es am
Ewigen teil.

> Ein jeder ist an seinem Platz unsterblich (V. 9552).

Was Helena als Gestalt ist, ist Arkadien als Landschaft: die urphänomenale Natur, in der sich der göttliche Bildungsgedanke vollkommen
und sichtbar verwirklicht.

V. 9562–9573. – Natur in ihrer reinen Idealität, in die der Mensch ganz
mit hineingenommen ist, das ist Arkadien. Es ist der Ort der Erfüllung
eines beiderseitigen Bestrebens: von Fausts Seite, die „einzigste Gestalt"
griechischer menschlicher Schönheit ins Leben zu ziehn; von seiten
Helenas, das Vergangensein von sich zu tun.

> So ist es mir, so ist es dir gelungen;
> Vergangenheit sei hinter uns getan!
> O fühle dich vom höchsten Gott entsprungen,
> Der ersten Welt gehörst du einzig an. (V. 9562-65)

„Gelingen" ist die Goethische Vokabel für den Akt, in dem ein Ideelles
in die Erscheinung tritt.[89] Es bezeichnet hier Zeitpunkt und Sphäre einer
bestimmten Verwirklichung, die sich als der Moment der Renaissance
benennen läßt: als am Ende des Mittelalters die Welt an der wiederge-
wonnenen Antike neu erfahren wurde. Als Vision, ist es zugleich ein
Dasein in einer geistigen Wirklichkeit: aus der festen Burg, die Helenas
geschichtlich-politischen Aufenthalt bezeichnete –

> Zur Laube wandeln sich die Thronen –

treten beide in ein Dasein über, das „frei" (V. 9573), der geschichtlichen
Wirklichkeit entrückt ist und eine geistige Erfahrung bedeutet: die Welt

als reine, gesetzlich wirkende, das heißt, göttliche Natur gesehen. In diesem Sinne, als unmittelbar von „Gott entsprungen", heißt Arkadien die „erste Welt".

Arkadien

Das Arkadien aber, in das wir eintreten, nachdem sich der „Schauplatz" durchaus „verwandelt" hat, ist überraschend anders. In der Erwartung, derselben urbildlich-vollkommenen griechischen Natur wiederzubegegnen, in die Faust und Helena soeben aufbrachen, sehen wir uns getäuscht. Der Charakter des Bedeutenden hat sich daraus verloren und ist einer Idylle[90] gewichen. Zwar findet sich Einzelnes wieder, doch zu einem Ganzen neuen Stils vereinigt.

Statt der „Eiche", die „mächtig starret", statt des „Ahorn", der „rein" emporsteigt, ein „schattiger Hain". Statt der „hundert Höhlen", die dem „gehörnten Rind" ein natürliches „Obdach bereiten", „eine Reihe von Felsenhöhlen", an die sich „geschlossene Lauben lehnen". Anstelle der götter- und menschenumgreifenden Natur, ein Naturausschnitt von bewußter Künstlichkeit. Ja die Verdoppelung der Höhlen durch „geschlossene Lauben" fällt auf. Eine zweite Natur, die der Mensch der ursprünglichen künstlich nachgebildet hat, scheint sich in das Bild miteinzufügen. Einen Wink zur Erklärung gibt Phorkyas, wenn sie von hier aus die „Bärtigen" im Parterre anredet. Wir befinden uns in dem neuen Arkadien auf einer antikisierenden Bühne, die sich der arkadischen Szene als ihrer Kulisse bedient. Künstlichkeit und Anmut der Landschaft weisen gleichermaßen auf ihren Kunstcharakter. Die Landschaft antiker Schönheit verwandelte sich in die Geburtslandschaft einer neuen klassizistischen Kunst.

Man denke an die Schäferdichtung und ihre arkadische Naturszenerie – an Giacopo Sannazaros „Arcadia",[91] Torquato Tassos „Aminta"[92] oder Battista Guarinis „Pastor fido"[93] etwa – wie sie seit dem Ende des 15. Jahrhunderts in Italien aufkam und im gesamten Europa literarische Mode wurde, zu Beginn des 17. Jahrhunderts auch auf Deutschland übergriff – Opitz: die Schäfferey der Nimfen Hercynia 1630; Zesen: Adriatische Rosemund 1645; Gryphius: Gelibte Dornrose 1660 – und dort im Rokoko und der Anakreontik des frühen 18. Jahrhunderts aufs neue aufblühte – Gessner, Klopstock, Gellert und der junge Goethe.

Phorkyas ist zunächst die einzig Agierende. Sie wendet sich in antiken Trimetern an den Chor, der zwar anwesend ist, aber „schlafend umherliegt". Das Wort, mit dem sie sich einführt, ist „Zeit":

Wie lange Zeit die Mädchen schlafen, weiß ich nicht (V. 9574).

Das stimmt mit ihrer bisherigen Rolle – im antiken Sparta und im mittelalterlichen Burghof – überein. Indem sie dort jedes Mal das Bewußtsein von der geschichtlichen Zeit personifizierte, ist sie nun auch hier die Zeitbewußte, die einzige, die miterlebt hat, was inzwischen passiert ist und davon erzählen kann; die einzige aber auch, die zu wissen scheint, daß mit der langen Zwischenzeit, die vom Chor verschlafen wurde, ein Zeitenwandel eingetreten ist. – Es ist nicht das einzige Mal bei Goethe, daß ein Schlaf einen langen Zeitraum zusammenfaßt. Epimenides verschläft einen ganzen Krieg;[94] und die Dienerinnen der schönen Lilie im „Märchen"[95] verschlafen eine ganze Zeitwende. Der Schlaf bedeutet auch hier – wie überall im II. Faust – Verwandlung; von der Renaissance in die Neuzeit, von der Idealität eines visionären Augenblicks in die Geschichtlichkeit einer neuen poetischen Epoche.

Wieviel Zeit also zwischen den früheren und den jetzigen Ereignissen liegt, wird bewußt im Ungewissen gelassen; ungewiß läßt Phorkyas auch, von welcher Art das ist, was sich inzwischen ereignet hat. Die Mädchen könnten es sich vielleicht haben „träumen lassen", meint sie hintergründig und verspricht ihnen – indem sie sie weckt – die Erzählung von der „Lösung" „glaubhafter Wunder", das heißt: sie verspricht die Erzählung von der Auflösung eines Wunders, das zugleich glaubhaft ist:

> ... Erstaunen soll das junge Volk,
> Ihr Bärtigen auch, die ihr da drunten sitzend harrt,
> Glaubhafter Wunder Lösung endlich anzuschaun. (V. 9577–79)

Der erwachende Chor, der weiterhin in antiken Trimetern spricht, verleugnet auch darin seine unveränderte antike Natur nicht, daß er darauf brennt, von diesem „Wunder" zu hören, und zwar am liebsten von einem solchen, das er gar nicht glauben kann:

> Rede nur, erzähl', erzähle, was sich Wunderlichs begeben!
> Hören möchten wir am liebsten, was wir gar nicht glauben
>   können;
> Denn wir haben lange Weile, diese Felsen anzusehn.
>   (V. 9582–84)

Denn ganz sinnlich, oder, anders ausgedrückt, ganz ohne Innerlichkeit, wie er seinem antiken Wesen nach ist, ist er immer gelangweilt und also begierig auf Unterhaltung durch möglichst lügenreiche Erzählungen. Noch weiß er nicht, daß er in Kürze an dem „Wunderlichen" dieser Erzählung – nicht etwa nur an ihrem „wunderlichen" Inhalt, sondern zugleich an der „wunderlichen" Art, in der Phorkyas davon berichtet –

Anstoß nehmen wird. Denn das „glaubhafte" Wunder-Rätsel, dessen „Lösung" sie mitteilt, ist die Geburt des Euphorion als die Geburt eines neuen Wundergeistes, der, aus der Verbindung des geschichtlichen Faust mit der wiedererschienenen Helena geboren, selber geschichtlich ist und als solcher ein Schicksal hat.

Goethe hat gegen Eckermann geäußert,[96] daß in Euphorion eine Allegorie der Poesie zu erkennen sei, was die Dichtung übrigens auch selber in der Apostrophe des Chores

> Heilige Poesie! (V. 9863)

verrät, und hat damit wenigstens einen Hinweis auf den Bereich gegeben, in den dieser neue Wundergeist gehört. Sein Name leitet sich von seinem antiken „Stief-Stiefbruder"[97] her, dem Sohne Helenas und Achilles, der gleichfalls, nach Helenas Tode geboren, Euphorion benannt ist nach der „Fruchtbarkeit des Landes".[98] Auch der Faustische Euphorion geht als Geist – wie wir sehen werden – aus dem fruchtbaren Boden dieses Landes hervor.

Wichtig ist in dem Bericht der Phorkyas also nicht nur, was sie erzählt, sondern auch wie sie es schildert. Denn in dem Stil der Erzählung wird sie mit der Geburt zugleich den Anteil mitteilen, den die Zeit an dieser Poesie hat, der ihr eigener stiller Anteil ist, und damit nicht nur auf die Geschichtlichkeit dieses neuen poetischen Geistes und also auf seine Zeitverfallenheit hinweisen: sie wird – in ihrer bewährten Rolle als Kupplerin zwischen Polarem – den antiken Chor zu einem modernen Kunstgeschmack verführen und damit zu einem Liebesspiel mit der modernen Poesie, das ihn in die Geschichtlichkeit dieses poetischen Geistes mithineinziehen wird.

Euphorion

Die Geburt Euphorions fand in „diesen Höhlen" (V. 9586) statt, beginnt sie ihren Ammenbericht,[99] und will damit gewiß auf das Geheimnisvolle dieser Zeugung der Poesie hinweisen.

> So vernehmt: in diesen Höhlen, diesen Grotten, diesen
> Lauben
> Schutz und Schirmung war verliehen, wie idyllischem Liebes-
> paare,
> Unserm Herrn und unsrer Frauen. (V. 9586–88)

Aber zusammengerückt mit dem Geheimnisvollen, was sie sonst noch über diese Höhlen zu sagen weiß – sie nennt sie „unerforschte Tiefen", der Chor spricht von „Weltenräumen" – bezeichnen sie innere Räume in einem prägnanten Sinne; sie meinen die tiefen Räume des menschlichen Innern, aus denen diese neuzeitliche Poesie hervorging.

Chor:
Tust du doch, als ob da drinnen ganze Weltenräume wären,
Wald und Wiese, Bäche, Seen; welche Märchen spinnst du ab!
(V. 9594–95)

Phorkyas:
Allerdings, ihr Unerfahrnen! das sind unerforschte Tiefen:
Saal an Sälen, Hof an Höfen, diese spürt' ich sinnend aus.
(V. 9596–97)

Indem es Phorkyas nämlich unternimmt, die Räume „sinnend auszuspüren" und dabei teils „Wald und Wiese, Bäche, Seen", teils „Saal an Sälen, Hof an Höfen" zu entdecken, so belehrt sie den Chor damit, daß diese inneren Räume nicht leer, sondern schon mit Welt ausgestattet, geschichtlich sind; in den beiden Bereichen benennt Phorkyas das geistige Erbteil, das dieser Poesie in ihren Eltern mitgegeben ist und das sie bestimmt. Es ist das Element der Natur („Wald und Wiese, Bäche, Seen"), die in der Renaissance wiederzuerfahren die Wirkung der Antike auf das Mittelalter war, es macht den mütterlichen, Helenischen Anteil aus; es ist das höfische Element der mittelalterlichen Gefühlskultur („Saal an Sälen, Hof an Höfen"), das den väterlichen Anteil an dem Geist bezeichnet, der Euphorion ist.

Daß aber Phorkyas es nun ist, die diese Räume dem „unerfahrnen" Chor zu beschreiben weiß, hängt eben mit der ihr im Helenaakt eigenen Rolle zusammen. Als „Ausspürende", „Sinnende" ist sie wiederum das moderne geschichtliche Bewußtsein, das sich in dieser inneren Welt der Neuzeit nach ihren geschichtlichen Anteilen auskennt. – Diesmal nicht „störend" – wie im Burghof (V. 9435) – darf sie als „Hochgeehrte" (V. 9590) und „Vertraute" (V. 9590) zugegen sein, nur im zeugenden Moment der Geburt als die Bewußte sich diskret beiseite wendend. Als Interpretin begleitet sie Euphorions Auftritt und – stumm im Hintergrund anwesend (nach V. 9686) – das ganze weitere arkadische Geschehen: damit anzeigend, daß die Ereignisse nun – anders als die des Faustisch-Helenischen Augenblicks – unter dem Gesetz der geschichtlichen Zeit stehen.

„Abgesondert von der Welt", so berichtet sie weiter, ereignete sich diese Geburt. Das bedeutet zweierlei: Euphorion wurde in einem Bezirk außerhalb der realen Welt geboren. Er gehört in die Wirklichkeit der Phantasie. Und zum anderen: der neue poetische Geist entsprang – abgesondert von der äußeren Welt – im menschlichen Innern. Indem die

arkadische Natur Helena von neuem in sich aufnahm und also Faust
visionär in ihrer „Göttlichkeit" erschien, entsprang daraus in Euphorion
ein poetischer Geist, in dem sich das „Entzücken" *über* die Göttlichkeit
dieser Natur artikulierte.

> Liebe, menschlich zu beglücken,
> Nähert sie ein edles Zwei,
> Doch zu göttlichem *Entzücken*
> Bildet sie ein köstlich Drei. (V. 9699–9702)

Euphorion bezeichnet in der wunderbaren Art seines Entstehens – daß
er, gezeugt, auch schon geboren – zunächst ganz allgemein die Poesie in
der Göttlichkeit ihres Ursprungs.

> Schau' ich hin, da springt ein Knabe von der Frauen Schoß
> zum Manne,
> Von dem Vater zu der Mutter! (V. 9599–9600)

Auch daß er, geboren, schon vollendet ist, steht noch für das genialisch-
vollkommene Wesen der Poesie überhaupt.

Schließlich enthält sein anfängliches Gebaren als „nackter" „Knabe"
eine ganze allgemeine Poetik. Poesie ist „Entzücken", ist entzückter
Widerhall:

> Doch auf einmal ein Gelächter echo't in den Höhlenräumen
> (V. 9598);

Poesie ist ungebundene Phantasie:

> Springt er auf den festen Boden ... (V. 9604)
> Und so hüpft er auf die Masse dieses Felsens ... (V. 9612);

Poesie ist Spiel:

> Und so hüpft er auf die Masse dieses Felsens, von der Kante
> Zu dem andern und umher, so wie ein Ball geschlagen springt
> (V. 9612–13);

Poesie ist ein Zwitter, sie hat teil am Göttlichen und am Triebhaften:

> Nackt, ein Genius ohne Flügel, faunenartig ohne Tierheit
> (V. 9603).

Aber gerade diese Zwitternatur verrät in der Art, wie sie beschrieben ist,
daß Euphorion zugleich für eine bestimmte geschichtliche Poesie stehen
soll; denn jedes Mal ist er von seinem Mangel her bezeichnet. Daß ihm,
um Genius zu sein, die Flügel fehlen, um Faun zu sein, die Tierheit, verweist ihn als ein Mittleres in die göttliche und die triebhafte Sphäre, ohne

in einer ganz beheimatet zu sein. Das Ideelle fühlend, fehlt ihm mit den „Flügeln" der Gottheit die Unabhängigkeit vom Zeitlich-Erscheinenden; von der Begierde getrieben, fehlt ihm mit der „Tierheit" die Befriedigung im Geschlechtlichen. Und so verbindet sich bei ihm Ideelles und Sinnliches zu einem sich in keinem Endlichen erfüllenden Drang nach dem Ideellen; der poetische Geist also, wie er sich in Euphorion verkörpert, verstanden als Einheit eines „unbedingten Wollens".

In „Shakespeare und kein Ende"[100] nennt Goethe in bezug auf die Tragödie „das Wollen" den „Gott der neueren Zeit" und skizziert dabei die Umrisse einer Theorie zur Unterscheidung antiker und moderner Dichtung. Die dort entwickelte Tragödientheorie gibt auch die Form für Euphorions Tragödie her:

> ... ein Wollen, das über die Kräfte eines Individuums hinausgeht, ist modern ... Alle Helden des dichterischen Altertums wollen nur das, was Menschen möglich ist ...[101]

mit dem Unterschied allerdings, daß in Euphorion nicht die Tragödie eines beschränkten Charakters beschrieben ist, sondern die der Modernität selber. Euphorion ist der Geist der neuzeitlichen Poesie.

Diese neuzeitliche Poesie wurde geboren aus der Erfahrung der wiederentdeckten antiken Natur als das *empfundene* Glück der Möglichkeit vollkommenen Daseins, wie es in Fausts arkadischer Vision vor Augen getreten ist. Sie ist nicht selber Dasein, sondern Gefühl des Daseins. War im Altertum Kunst die Steigerung des sich selber formenden Lebens, das in den Kunstgestalten in seine vollkommene Erscheinung hineinwächst, Kunst insofern Natur noch einmal, so ist sie in der Neuzeit Wissen und Widerklang der im Innern vorgestellten idealen Natur. Das hier gemeinte Wesen der neueren Poesie ist also dasselbe, was Goethe mit Schiller in dem Gegensatz „naiv-sentimental" gefaßt hat.

> Dessen ungeachtet aber ist er [Shakespeare] ... ein entschieden moderner Dichter, von den Alten durch eine ungeheure Kluft getrennt, nicht etwa der äußern Form nach, ... sondern dem innersten tiefsten Sinne nach ... Diese Gegensätze sind: antik-modern; naiv-sentimental ... Sollen-Wollen.[102]

> Sie [die Alten] ... empfanden natürlich, wir empfinden das Natürliche.[103]

Entzündet an der Natur, ist diese Poesie also selber etwas Anderes, Höheres als Natur: Empfindung, Ausdruck und Stimme ihrer Göttlichkeit, ihrer Idealität. Als solche – aus Gefühl und Vorstellung des Vollkommenen entsprungene – ist sie Dichten aus Ideen; ihr wohnt ein idealischer Geist inne, ein Drang nach dem Unbedingten, der sich in nichts Endlichem befriedigt und immer in Gefahr ist, sich autonom zu setzen.

In dieser Eigenart ist Euphorion angelegt, und so gehen auch schon seine ersten Schritte *innerhalb* der Höhle in die gefährliche Richtung dieser Anlage:

> ... doch der Boden, gegenwirkend,
> Schnellt ihn zu der luftgen Höhe, und im zweiten, dritten
> Sprunge
> Rührt er an das Hochgewölb. (V. 9604–06)

Die Eltern, die in ihren Gefühlen die „rührende" Wirkung widerspiegeln, die von der modernen sentimentalischen Poesie ausgeht[104]

> Und die Eltern vor Entzücken ... (V. 9622)

> Mutter jammert, Vater tröstet ... (V. 9615)

raten zur Mäßigung. Ihre Mahnungen enthalten die Bedingungen, in die sich dieser moderne poetische Geist – um seines Lebens willen – fügen muß. Daß er sich entfalte, aber sich nicht als idealische Kraft frei fühle und fliege, ist der mütterliche Rat:

> Ängstlich ruft die Mutter: Springe wiederholt und nach Belieben,
> Aber hüte dich, zu fliegen, freier Flug ist dir versagt.
> (V. 9607–08)

Daß er die Verbindung mit der Natur als dem Boden, aus dem seine Kraft herkommt, nicht verliere, ist die väterliche ergänzende Mahnung:

> Und so mahnt der treue Vater: In der Erde liegt die Schnell-
> kraft,
> Die dich aufwärts treibt; berühre mit der Zehe nur den Boden,
> Wie der Erdensohn Antäus bist du alsobald gestärkt.
> (V. 9609–11)

Erhellend für das Verständnis dieser Bedingungen sind Passagen aus den Aufsätzen „Einwirkung der neueren Philosophie"[105] und „Glückliches Ereignis".[106] Gelegentlich der kritischen Darstellung naiver und sentimentalischer Dichtung rückt Goethe dort auf die Seite der sentimentalischen Dichtung die Begriffe von „Freiheit" und „Selbstbestimmung", welche sich dort auf die Einwirkung Kants auf Schiller beziehen, zugleich aber etwas aussagen über den sentimentalischen Dichter überhaupt.

Die Kantische Philosophie, welche das Subjekt so hoch erhebt,
indem sie es einzuengen scheint, hatte er [Schiller] mit Freuden
in sich aufgenommen, sie entwickelte das Außerordentliche
was die Natur in sein Wesen gelegt, und er, im höchsten Gefühl
der Freiheit und Selbstbestimmung war undankbar gegen die
große Mutter, die ihn gewiß nicht stiefmütterlich behandelte.[107]

Die „große Mutter" aber ist nichts anderes als die Natur, die der sentimentalische Dichter „verkürzt"[108], indem er sie „von der Seite einiger
empirischen menschlichen Natürlichkeiten" nimmt, „anstatt sie selbständig, lebendig vom Tiefsten bis zum Höchsten gesetzlich hervor-
bringend zu betrachten".[109] Die Ideen von „Freiheit" und „Selbstbestimmung" nämlich orientieren sich nicht mehr an der Natur und den in
ihr wirkenden Gesetzen, sondern sind Ideale von eigentlich moralischer
Natur, die aus dem *Innern* des Menschen, aus dem spezifisch Menschlichen kommen und die ihrem Wesen nach absolute und unendliche
Ziele sind. – Das aber, wovon Euphorion sich nicht trennen soll: der
Boden, der ihm die Stärkung gibt, ist der Boden der arkadischen Natur,
deren Fruchtbarkeit er als Geist entspringt und deren Gesetzlichkeit er
auszusprechen angehalten wird.

Erschien Euphorion – in Phorkyas' Erzählung – zunächst nackt und also
ohne alle Bedingtheit, gleichsam als reiner Geist der Poesie, wie er der
menschlichen Natur entspringt, so bringt ihm erst sein Verschwinden in
der Erdspalte und sein würdiges Wiedererscheinen in „blumenstreifigen
Gewanden" sein Eingehen in die Zeit. Mit den Gewanden wird diese
Poesie auch geschichtlich; als „Phöbus", „in der Hand die goldne
Leier", tritt er auf als die wiedererschienene Klassik der Neuzeit.

> . . . doch nun wieder welch Erscheinen!
> Liegen Schätze dort verborgen? Blumenstreifige Gewande
> Hat er würdig angetan.
> Quasten schwanken von den Armen, Binden flattern um den
>   Busen;
> In der Hand die goldne Leier, völlig wie ein kleiner Phöbus,
> Tritt er wohlgemut zur Kante, zu dem Überhang; wir staunen.
> Und die Eltern vor Entzücken werfen wechselnd sich ans Herz.
>   (V. 9616–22)

Zwar hatte schon in der Erfindung der Geburtsszene die ganze neuere
Poesie Pate gestanden. Die Idylle, in der sich das fürstliche Paar – nach
Art der Schäfer – zum Genuß ihrer Liebe in die Natur zurückzog, erhielt
ihre Farben aus der Analogie zu entsprechenden arkadisierenden Shake-

speare-Szenen.[110] Der Schauplatz, die „Höhlen", die gesellschaftlich zu „Grotten" und „Lauben" abgewandelt wurden und die dem hohen Paar „Schutz" gegen die Unbill der Natur, aber vielleicht auch „Schirmung" gegen die Neugier der Welt gaben, läßt an die Art denken, wie sich die höfische Gesellschaft in der Kunst des 17. und 18. Jahrhunderts die Natur anverwandelte.[111] Auch die Rolle der Amme, in die sich Phorkyas kleidete, ihre Schicklichkeit und ihr Takt trugen ganz die Züge der galanten Kunst des frühen Klassizismus. In dem Stil der Geburtsszene steckte also bereits die Geschichte der neueren, auf der „griechischen Dichtungsart" „gegründeten" und „von dort herkömmlichen Poesie".[112]

Aber erst Euphorion, der „Genius" und „künftige Meister alles Schönen" – erglänzend im Goldschmuck des modernen Klassizismus – begrüßt von dem Entzücken der Eltern, macht sie in ihrer Geschichtlichkeit offenbar. Und wenn nun der Chor sein „Nein" gegen diese moderne Apperzeption der antiken Kunst setzt und sagt

> Nicht vergleicht sich dein Erzählen
> Dem, was liebliche Lüge,
> Glaubhaftiger als Wahrheit,
> Von dem Sohne sang der Maja (V. 9641–44),

dann meint er dieses Veto im richtigen Augenblick anzumelden; denn er, das unverwandelt antike Element im Gesamt der Helena, der die Geburt der neuen Poesie aus antikem Geist verschlafen hat, glaubt noch auf die Überlegenheit seines antiken Mythos, der antiken Kunst überhaupt, pochen zu können. Indem er an das „glaubhafte Wunder" anknüpft, von dem Phorkyas ihm soeben erzählt hat und es mit den Worten abtut

> Nennst du ein Wunder dies,
> Kretas Erzeugte? (V. 9629–30)

stellt er dem Phorkyadischen Wunder-Erzählen sein eigenes antikes entgegen, das sich nicht durch Glaub-, sondern Lügenhaftigkeit auszeichnet. „Wunder" sind ihm seine antiken Fabeln nicht, weil ihr *Sinn* sie „glaubhaft" macht, nicht weil sie Bilder, das heißt Rätsel sind, die ihre „Lösung" in sich tragen – wie die der Phorkyas – sondern weil sie durch lügenhafte Fabulosität, gepaart mit sinnlicher Wahrscheinlichkeit, faszinieren. „Liebliche Lüge, glaubhaftiger als Wahrheit" sind sie also gerade wegen ihrer Scheinwirklichkeit. Diese sinnliche Wahrscheinlichkeit, die Anschauungskraft, von der noch die moderne Poesie ihre Bildersprache leiht, ist es aber gerade, wodurch der Chor die Überlegenheit seiner antiken Kunst über die moderne glaubt anmelden zu können.

Alles, was je geschieht
Heutigen Tages,
Trauriger Nachklang ist's
Herrlicher Ahnherrntage. (V. 9637–40)

Indem er nun auf dem Hintergrund der Euphoriongeburt die Geburtsgeschichte des Hermes erzählt, erzählt er auch eine Geburtsgeschichte der Kunst, und zwar seiner, der griechischen (V. 9645–78).
Hermes wird ihm zum Gott der Kunst als der Gott der „Diebe und
Schälke" (V. 9663). „Listig" erweist er sich schon in den Windeln,
denen er „gleich dem fertigen Schmetterling" zum Äther hin entschlüpft:
als die von Anbeginn vollkommene antike Kunst. Seine nun folgende
Mythologie ist aber eine einzige Reihe von Diebstählen: dem Meeresgott,
dem Ares, Phöbus Apollon und Hephästos, fast sogar dem Göttervater,
aber jedenfalls Eros und Aphrodite, allen stiehlt er ihre spezifischen
göttlichen Attribute „durch gewandteste Künste". Das heißt: von allen
Bereichen und Erscheinungen der Welt eignet sich die Poesie die Wahr-
zeichen an, sie ist alles auf einmal und noch einmal, sie ist von allem der
Schein: „liebliche Lüge", die bezaubert, weil sie der Wahrheit so
täuschend ähnlich ist; und weil sie mit der erfinderischen Fülle ihrer
Geschichten die Sinne unendlich unterhält.[113]
    Aber gerade an dieser ganz „äußerlichen" Kunst artikuliert sich erst
die moderne; erst auf dem Hintergrund des Hermesmythos erscheint Euphorion als die Poesie der Innerlichkeit. Und wenn in diesem Moment
die Musik einsetzt:

> Ein reizendes, reinmelodisches Saitenspiel erklingt aus der
> Höhle. Alle merken auf und scheinen bald innig gerührt. Von
> hier an bis zur bemerkten Pause durchaus mit vollstimmiger
> Musik (vor V. 9679)

wird der Chor im Hören selber in diese neue innerliche Kunst, für die die
Oper steht, mit hineingerissen, wie Helena in den Reim. Monteverdis
Orfeo wurde 1606 aufgeführt; Glucks Orpheus und Eurydike 1762, um
nur an einiges zu erinnern.

Die Oper

V. 9695–9938. – In dieser Oper ist der Held die moderne Poesie und die
Handlung ihr Schicksal. Daß Euphorion diese Poesie personifizierte, hat
Goethe zwar gesagt, doch ohne zu verraten, in welcher Weise. Wie es
häufig im II. Faust geschieht: das Phänomen wird als etwas Komplexes
verstanden; die moderne Poesie verkörpert sich hier nicht in Einem

Subjekt – nicht in Euphorion allein – sondern zerlegt sich in Personen und Handlung der Oper als in die verschiedenen Momente ihres geschichtlichen Wesens und Werdens.

Dabei bleibt das Personal dieses Spieles dasselbe wie das der früheren Aktszenen: außer Euphorion: Faust, Helena, der Chor und Phorkyas als die stumme Zeugin dieses Spiels. Indem sich aber die einzelnen Personen jeweils zu verschiedenen Gruppen verbinden, Euphorion mit Faust und Helena anfangs ein Terzett bilden, Euphorion ohne Eltern und der Chor ohne Helena sich zu einem Duett zusammenfügen, verändert sich mit den Konfigurationen jeweils die Aussage der einzelnen Person. Euphorion vertritt in diesem Ganzen den Geist der modernen innerlichen Kunst, der als Gefühl gefaßt, sich hier zunächst als Musik artikuliert. Das „reizende reinmelodische Saitenspiel", das aus der Höhle erklingt, mit dem die Oper beginnt, auf das „alle merken" und bald „innig gerührt scheinen", das ist Euphorion, versinnlicht zunächst als einzelne Melodie. – Als solch ein „Schmeichelton" „rührt" er – in Art einer musikalischen Ouvertüre, die der dramatischen Opernhandlung vorausgeht – den antiken Chor, der alsbald „erweicht" und „frisch genesen" in den Liedton einstimmt, das heißt: modern verwandelt zu der die Melodie versinnlichenden und die Gefühlsstimme ergänzenden Harmonie, der „vollstimmigen Musik", in der die Oper dann abläuft.

> Laß der Sonne Glanz verschwinden,
> Wenn es in der Seele tagt,
> Wir im eignen Herzen finden,
> Was die ganze Welt versagt. (V. 9691–94)

Welche Funktion übernimmt der Chor damit in dem Ganzen der modernen Poesie? – Er erscheint hier ohne Helena; das heißt: er übernimmt die Funktion der antiken Schönheit, die sie hat, wenn man von Helena absieht. Ist das Gesamt der griechischen Schönheit – Helena und der Chor – in den früheren Aktszenen als urphänomenale Schönheit verstanden, als geistige Bildform in der sinnlichen Erscheinung, und vertritt dabei Helena das geistige Formmoment, so fällt darin dem Chor die Seite der Sinnlichkeit und Erscheinung zu. Als der Sinnliche, der immer unterhalten sein will, führte er sich ja auch zu Beginn der Arkadienszene ein. In dem neuen Verband, in den er nun – gelöst von Helena – als Widerpart von Euphorion eintritt, bleibt ihm diese selbe Seite: das Erscheinungshafte der neuen Kunst, ihr sinnliches Element; bezogen jetzt aber nicht mehr auf ein Formprinzip (Helena), sondern auf einen Gefühlsdrang (Euphorion), der „Kraft und Willen" kundtut.

Helena und Faust endlich – als die Eltern Euphorions – vertreten in dem Gesamt die Kräfte, aus deren glücklicher Verbindung die moderne

innerliche Kunst entstand. Denn zwar in der Kraft des Gefühls, der Gewalt des Sehnens gleichen Faust und Euphorion einander; aber während
Euphorions Drang ins Unendliche geht, findet Faust Ziel und Erfüllung
in der Formung seines Gefühls zur Gestalt. In dem Ensemble der neuzeitlichen Kunst vertritt er daher zusammen mit Helena die Prinzipien
der Bändigung des Gefühls zur künstlerischen Form.

V. 9695–9710. – Die Handlung beginnt mit einem vollkommenen Einklang, mit dem Trio des Dreivereins (Helena, Faust, Euphorion), den
die neuzeitliche Poesie zunächst bildet. Die ersten drei Strophen
(V. 9695–9706) gefallen sich in der Bestätigung des Kindes in den
Eltern

> Hört ihr Kindeslieder singen,
> Gleich ist's euer eigner Scherz (V. 9695–96)

und des Sich-Wiederfindens der Eltern im Kinde:

> Doch zu göttlichem Entzücken
> Bildet sie ein köstlich Drei (V. 9701–9702),

in der geglückten Vereinigung von abendländischer Gefühlskraft und
antikem Formvermögen

> Alles ist sodann gefunden:
> Ich bin dein, und du bist mein (V. 9703–04),

in der sich die moderne Poesie noch zwei Jahrhunderte nach der Renaissance gehalten hat. Und in einer rückblickenden Zusammenfassung –
einer Reflexion über diese Harmonie – erhebt sich dann der Chor in
einem letzten Vierzeiler zu einer Feier dieser frühen klassizistischen
Epoche. Ausdrücklich wird das geschichtliche Moment mit dem Hinweis auf die Dauer der Epoche hervorgehoben:

> Wohlgefallen *vieler Jahre*
> In des Knaben mildem Schein
> Sammelt sich auf diesem Paare.
> O wie rührt mich der Verein! (V. 9707–10)

Die Vokabel „Schein" deutet auf die Kunst als den Bereich, in dem die
Ereignisse zu denken sind. Es sei an Shakespeare, geboren 1564, Lope
de Vega, geboren 1567, Calderón, geboren 1600, Corneille, geboren
1606, Molière, geboren 1622, Racine, geboren 1639, erinnert.

V. 9711–9736. – Aus diesem anfänglichen Zustand der Harmonie löst
sich nun der dramatische Konflikt, der gemäß der modernen Dramen-

theorie aus dem „Charakter" des modernen Helden, dem „unbedingten Wollen" Euphorions entspringt und der als eine Art Biographie in den einzelnen Epochen von Jünglingsdrang, Liebe, Mannhaftigkeit, Kriegertum, Tod vor uns abrollt. Denn mit den Worten

> Nun laßt mich hüpfen,
> Nun laßt mich springen! (V. 9711–12)

die noch die natürliche Gangart der Poesie bezeichnen, reißt sich Euphorion dann aus seiner Kindheit, dem glücklichen Geborgensein in den Eltern, los und meldet als Jüngling seinen Anspruch auf Freiheit an.

> Zu allen Lüften
> Hinaufzudringen,
> Ist mir Begierde,
> Sie faßt mich schon. (V. 9713–16)

Freiheit: das meint das Sich-Losmachen des poetischen Geistes aus dem Übergewicht der Form; es meint das Sich-Freisetzen des Gefühls; es meint den Anspruch des ungebändigten Gefühlstriebs auf eigene Artikulation.

> Laßt meine Hände,
> Laßt meine Locken,
> Laßt meine Kleider!
> Sie sind ja mein. (V. 9725–28)

Demgegenüber raten die Eltern zur Bändigung; denn im Streben nach Maß (V. 9717–22), im Willen zur Form (V. 9729–34) sind sie sich beide, die antike und die eigene geschichtliche Vergangenheit, einig.

V. 9737–9766. – Deshalb versuchen sie gemeinsam – in einer dritten Phase – Euphorions „überlebendige Triebe" von neuem zu binden, den von ihnen gelösten poetischen Geist von neuem zu einer Formung zu bewegen: im Einsam-Idyllischen:

> Ländlich im Stillen
> Ziere den Plan (V. 9741–42),

im Tänzerisch-Geselligen:

> Führe die Schönen an
> Künstlichem Reihn. (V. 9750–51)

Und in dieser Bindung scheint sich der Unbändige für einen Augenblick zu gefallen. Die im Bühnentext vermerkte „Pause" (nach V. 9766) deutet auf einen Ausgleich von Wille und Form.

Was hier als Kunst entsteht, kommt aus dem Zusammenwirken von
Euphorion und Chor zustande, in dem „künstlichen Reihn", den der
moderne poetische Geist mit den schönen Griechenmädchen aufführt.
Es wiederholt sich darin – in spielerisch distanzierter Weise – etwas von
der Verbindung, die Faust mit Helena einging, von der Verbindung des
abendländischen Geistes mit der antiken Schönheit; nur daß es sich hier
bei Euphorion und dem Chor nicht um die Verbindung zwischen Geisteskraft und Form, sondern um die von Gefühl und sinnlicher Erscheinung handelt; ein Verhältnis, das erst durch die Mahnung der Eltern zur
Form sich bindet.

Was den Charakter dieser Kunst anbetrifft, so ist er durch Tanz und
Gesang beschrieben:

> Euphorion und Chor, tanzend und singend, bewegen sich in
> verschlungenem Reihen (nach V. 9754),

ferner durch die Vokabeln „Melodie" (V. 9747) und „Bewegung"
(V. 9748), durch Harmonie (V. 9765–66) und Symmetrie, in der sich die
Körper erst „dort" und dann „da wieder hin" neigen. Es ist eine Ge-
fühlskunst, die ganz Erscheinung geworden ist, eine Innerlichkeit, die
sich ganz sinnlich artikuliert hat:

> Wenn du der Arme Paar
> Lieblich bewegest,
> Im Glanz dein lockig Haar
> Schüttelnd erregest,
> Wenn dir der Fuß so leicht
> Über die Erde schleicht,
> Dort und da wieder hin
> Glieder um Glied sich ziehn,
> Hast du dein Ziel erreicht,
> Liebliches Kind;
> All' unsre Herzen sind
> All' dir geneigt. (V. 9755–66)

Die letzten Verse deuten darauf, daß es sich hier um einen Moment der
Erfüllung handelt (V. 9763), die „Pause" unterstreicht dieses Verständnis. Es ist der klassische Augenblick des vollkommnen Gleichgewichts
von Innen und Außen, der Koinzidenz von Gefühl und Erscheinung,
wo die von innen wirkende Kraft und die sinnliche Erscheinung zur
Deckung kommen, wo Erscheinung reiner Ausdruck des Innern ist.
Fragt man sich, an welchen geschichtlichen Moment dabei wohl gedacht wurde, so darf man die mit Winckelmann und Klopstock ein-
geleitete Kunstepoche nennen – wobei die Dichtung hier das übergrei-

fendere Phänomen des Klassischen und seine mögliche Erfüllung in der
Goethischen Gegenwart meint und das Medium, in dem es sich darstellt,
weniger das sprachliche als das musikalische ist (Gluck, Haydn, Mozart).

V. 9767–9810. – Aber in einer vierten Phase verstrickt sich der moderne
poetische Geist – soeben noch in der Kunst harmonisch gebunden – in
seinem unbedingten Drang von neuem. Schon während Euphorions
Reigen mit den „Schönen" war Faust mißtrauisch. Und während Helena
in diesem Tanz das Gelingen des Kunstspiels sah (V. 9749–51), ergriff
Faust bereits ein Mißbehagen, als ob hier mit etwas gespielt werde, das
die Kunst gefährdet:

> Wäre das doch vorbei!
> Mich kann die Gaukelei
> Gar nicht erfreun. (V. 9752–54)

Die „Pause" bezeichnet daher zugleich den gefährlichen Umbruch aus
dem Reinen-Poetischen ins Außerpoetisch-Elementare. Aus dem spiele-
risch-geselligen Umgang mit den „Schönen", in dem sich die klassische
Kunstepoche spiegelt, entwickelt sich plötzlich ein „neues Spiel"
(V. 9769), in dessen erotischen Zügen die latente Spannung zwischen
der Faunnatur dieses poetischen Genius und dem auf die Sinne wirkenden Element des Schönen zum Ausdruck kommt.

Vergebens appelliert der Chor an Euphorions Rolle als „schönes
Bild" (V. 9773–78), an die Verwirklichung dieses Geistes innerhalb des
Poetischen. – Kunst, die bisher Zierde und Schmuck des Lebens war,
greift plötzlich selber gefährlich über:

> Das leicht Errungene,
> Das widert mir,
> Nur das Erzwungene
> Ergetzt mich schier. (V. 9781–84)

Der dichterische Geist zeigt sich von seiner triebhaften Seite als reine
Subjektivität, als „Kraft und Wille" (V. 9799), der von den schönen
sinnlichen Erscheinungen, in denen er sich als Kunst artikuliert, allzu
sinnlich Besitz ergreifen will.

> Schlepp' ich her die derbe Kleine
> Zu erzwungenem Genusse;
> Mir zur Wonne, mir zur Lust
> Drück' ich widerspenstige Brust,
> Küss' ich widerwärtigen Mund,
> Tue Kraft und Willen kund. (V. 9794–99)

In der reinen Selbstäußerung, die Poesie jetzt ist, wird selbst das Sinn-
lich-Bildliche verschlungen und dient nur noch dem Gefühl der eigenen
Kraft.

Hier aber offenbart sich, daß in diesem schönen Schein, in der sinnlichen „Hülle" (V. 9800) der Kunst, sich gleichfalls eine „Kraft" (V. 9801)
verbirgt, die „Kraft" der objektiven Elementarnatur:

> Laß mich los! In dieser Hülle
> Ist auch Geistes Mut und Kraft;
> Deinem gleich, ist unser Wille
> Nicht so leicht hinweggerafft. (V. 9800–9803)

In der Triebhaftigkeit dem Drang des Individuums gleich, ist diese
Natur als Kraft dem flüchtigen Wollen des dichterischen Geistes überlegen; ja das „leicht hinweggerafft" enthält bereits eine Anspielung auf
seine Geschichtlichkeit und Vordeutung auf die kommende Katastrophe.
Und indem das Mädchen in der Gewalt Euphorions in ihre Elementnatur
aufflammt, löst sich der schöne Naturschein, worin der dichterische
Geist sich bisher in der Kunst versinnlichte, auf; die Responsion in
einer sinnlichen Bildersprache verschwindet. Von den beiden Momenten, die den antiken Schönheitsbegriff ausmachten, Gestalt und Erscheinung, und die nur in ihrer Einheit die Wiederkunft des Klassischen in
der neueren Kunst ermöglichten, ist es allein die sinnliche Seite des
Schönen, der Schein der Wirklichkeit, die der leidenschaftliche Geist
der Dichtung ergreift: ein Ergreifen von solcher Unmittelbarkeit des
Gefühls, daß sich darin der Erscheinungscharakter des Sinnlichen auflöst.

Im Entschwinden aber zieht das schöne Scheinmädchen den poetischen Geist in die formlose Elementarnatur sich nach:

> Folge mir in leichte Lüfte,
> Folge mir in starre Grüfte. (V. 9808–09)

Von der Möglichkeit einer solchen Poesie, die sich nicht mehr in
Metaphern und Bildern ausspricht, ist in folgenden Maximen die
Rede:

> Sobald man der subjektiven oder sogenannten sentimentalen
> Poesie mit der objektiven, darstellenden gleiche Rechte verlieh,
> wie es denn wohl auch nicht anders sein konnte, weil man sonst
> die moderne Poesie ganz hätte ablehnen müssen, so war voraus
> zu sehen, daß, wenn auch wahrhafte poetische Genies geboren
> werden sollten, sie doch immer mehr das Gemütliche des inne-
> ren Lebens als das Allgemeine des großen Weltlebens darstel-

len würden. Dieses ist nun in dem Grade eingetroffen, daß es eine *Poesie ohne Tropen* gibt, der man doch keineswegs allen Beifall versagen kann.[114] –

oder

Der Dichter ist angewiesen auf Darstellung. ... Auf ihrem höchsten Gipfel scheint die Poesie ganz äußerlich; je mehr sie sich ins Innere zurückzieht, ist sie auf dem Wege zu sinken. – Diejenige, die nur das Innere darstellt, ohne es durch ein Äußeres zu verkörpern, oder ohne das Äußere durch das Innere durchfühlen zu lassen, sind beides die letzten Stufen, von welchen aus sie ins gemeine Leben hineintritt.[115]

V. 9811–9876. – Und von nun an – und das ist die fünfte Phase – sind die Naturelemente das Ziel seiner Leidenschaft. In den Winden hört Euphorion das Sausen, in den Wellen das Brausen (V. 9815–16). Sein Begehren, das Wirkende als das Wirkliche zu fassen, ist nun entbunden. Der Gefühlsdrang des dichterischen Geistes, der sich bisher mit dem sinnlichen Schein zur Poesie band, ist nun zu einem reinen elementaren Drang geworden, zum bloßen ziellosen Sehnen.

> Winde, sie sausen ja,
> Wellen, sie brausen da;
> Hör' ich doch beides fern,
> Nah wär' ich gern. (V. 9815–18)

Man wird nicht fehlgehen, wenn man bei diesen Versen an den „Sturm und Drang" und die daraus hervorgegangene Romantik als die in jenem klassischen Augenblick mitenthaltene Möglichkeit denkt. Die Sehnsucht nach dem Fernen als unbändiges Verlangen nach Nähe bezeichnet den leidenschaftlichen Drang dieses dichterischen Geistes nach Wirklichkeit – dieses neuerwachte Verlangen nach Wirklichkeit, das gerade die Jahrzehnte vor der Wende zum 19. Jahrhundert auszeichnet. – Mit dem Ausruf nämlich:

> Weiß ich nun, wo ich bin!
> Mitten der Insel drin,
> Mitten in Pelops' Land,
> Erde- wie seeverwandt (V. 9823–26)

wird der moderne Genius plötzlich gewahr, daß er sich nicht in einem abgezirkten Bereich des poetischen schönen Spiels befindet, sondern hier und jetzt in einer geschichtlichen Realität. Genauer, das poetische Arkadien erkennt er lokalisiert im geschichtlichen modernen Griechenland, aus dem ihm jetzt die Wirklichkeit des politischen Freiheitskampfes fordernd entgegenschlägt.

> Träumt ihr den Friedenstag?
> Träume, wer träumen mag.
> Krieg! ist das Losungswort.
> Sieg! und so klingt es fort. (V. 9835–38)

In seiner Anrede an die Landgeborenen, die griechischen Autochthonen

> Welche dies Land gebar
> Aus Gefahr in Gefahr,
> Frei, unbegrenzten Muts,
> Verschwendrisch eignen Bluts –
> Den nicht zu Dämpfenden
> Heiligen Sinn,
> Alle den Kämpfenden
> Bring' es Gewinn! (V. 9843–50)[116]

spricht er in den modernen griechischen Freiheitskämpfern des Jahres 1825 zugleich die antiken Heroen an und nähert deren Idealismus dem unbegrenzten Freiheitsdrang („frei, unbegrenzten Muts"), dem sich selbst verschwendenden Todesmut („verschwendrisch eignen Bluts") der modernen Helden an.

Dem respondierend, erfährt sich Euphorion selbst als die durch keine Bedingungen gebundene, „nur sich selbst bewußte" Kraft des autonomen Geistes

> Keine Wälle, keine Mauern,
> Jeder nur sich selbst bewußt!
> Feste Burg, um auszudauern,
> Ist des Mannes ehrne Brust (V. 9855–58)

und den Krieg als die echte Wirklichkeit. Es ist ein idealischer Geist, der nicht den ideellen Gesetzlichkeiten der Natur folgt, sondern am menschlichen Ideal und seiner gewaltsamen Forderung orientiert ist. Seine Sprache ist die des modernen Idealismus: Freiheit, Selbstbewußtsein, unendliches Streben, Selbstverschwendung sind das Vokabular, in dem er sich aussagt.

Der Chor dagegen – wie er schon vorher Euphorion als „schönes Bild" beschworen hatte – sucht ihn auch jetzt immer weiter bei seinem Kunstcharakter festzuhalten. In seinem Wechselgesang mit Euphorion (V. 9827–76) wird das Auseinanderfallen von Kunst und geschichtlicher Realität, das schließlich das Ende dieser Welt herbeiführt, offenbar.

Dem Griechenland Euphorions als einer geschichtlichen Landschaft
(V. 9821–26) hält er sein poetisches Griechenland als reine geschichtslose Natur in ihrer sinnlichen Schönheit entgegen:

> Magst nicht in Berg und Wald
> Friedlich verweilen?
> Suchen wir alsobald
> Reben in Zeilen,
> Reben am Hügelrand,
> Feigen und Apfelgold.
> Ach in dem holden Land
> Bleibe du hold! (V. 9827–34)

Den idealistischen Anruf des dichterischen Geistes an die Heroen beantwortet er mit seiner Anrede an Euphorion als Bild heroischen Lebens
(„*Wie* im Harnisch, *wie* zum Siegen"):

> Seht hinauf, wie hoch gestiegen!
> Und erscheint uns doch nicht klein.
> Wie im Harnisch, wie zum Siegen,
> Wie von Erz und Stahl der Schein. (V. 9851–54)

Und gerade im Augenblick von Euphorions gefährlichem Übergang in
die geschichtliche Realität apostrophiert der Chor ihn und seinen Idealismus im Sinne der reinen Idealität der Kunst:

> Heilige Poesie,
> Himmelan steige sie!
> Glänze, der schönste Stern,
> Fern und so weiter fern!
> Und sie erreicht uns doch
> Immer, man hört sie noch,
> Vernimmt sie gern. (V. 9863–69)

Glanz, Stern, das Oxymoron von Ferne und Nähe sind die bekannten
Metaphern für Kunst als Erscheinung des Ideellen im sinnlichen
Schein.

Für Euphorion stellt sich die Vereinigung von Idealem und Realem –
wie sie der Chor vollzieht, indem er die Kunst als Realisierung des
Ideellen versteht – ganz anders dar; für ihn ist das, was der Chor ihm in
der Poesie nahelegt, nichts als Traum, als Abgeschnittensein von der
Realität, als bloßer Schein (V. 9835–38). Die Auslegung des Chores,
seine Festlegung auf Poesie wehrt er als kindisch ab:

> Nein, nicht ein Kind bin ich erschienen (V. 9870)

und ist im Vorgefühl der Gemeinsamkeit mit den Helden

Gesellt zu Starken, Freien, Kühnen (V. 9872)

über alle Poesie hinaus und hat „im Geiste schon getan" (V. 9873).
Es wiederholt sich nun derselbe Gegensatz von Kunst und Leben wie
in dem vorhergehenden Spiel mit dem Chormädchen, nur in einer viel
kritischeren Zuspitzung: als Geist und Tat, als Frieden und Krieg, als
Spiel und Tod. Euphorions Schritt in die politische Tat ist das Ausbre-
chen des dichterischen Geistes aus Arkadien als der Wirklichkeit der
Poesie.

V. 9877–9902. – Trotz der elterlichen Warnung vor dem Schritt in den
„schmerzenvollen Raum" (V. 9877–83), wo es nur „Gefahr" und „Tod"
(V. 9895–96) gibt, und das heißt: trotz der Warnung, die von den mäßi-
genden und formenden Kräften auf den poetischen Geist ausgeht, reißt
ihn das „Donnern" der Kanonen „auf dem Meere" (V. 9884–85) in die
erstrebte Realität; er hält die Gewande für die Flügel, die ihn von allem
Bedingenden los in die Realisierung des Unbedingten tragen. Sein Flug
und Sturz sind der mißlingende Überschritt der idealischen Kraft des
poetischen Geistes in die politische Wirklichkeit.

Der Tod Euphorions

V. 9903–9906. – Im Tode trennt sich dreierlei, dessen Vereinigung das
Dasein Euphorions war:

> 1. Ein schöner Jüngling stürzt zu der Eltern Füßen, man glaubt
> in dem Toten eine bekannte Gestalt zu erblicken; doch das
> Körperliche verschwindet sogleich,
> 2. die Aureole steigt wie ein Komet zum Himmel auf,
> 3. Kleid, Mantel und Lyra bleiben liegen.

(2) Es trennt sich die Aureole als das reine Geistige, zeitlos Göttliche
der dichterischen Inspiration, das, was ihn als „Flamme übermächtiger
Geisteskraft" auszeichnete.

(3) Gewand samt Lyra bleiben zurück als Amt und Kunst des Dichters, Stil und Bilderwelt der sich aus der Antike herleitenden Dichtung.

(1) Was aber aus der Tiefe heraufruft, ist das Persönlichste und Mensch-
lichste, sein Herz und sein spezifisches Dasein in der Zeit, dasjenige, was
ein geschichtliches Schicksal gehabt hat und was unsere eigentliche Teilnahme fordert. Darum können sich in diesem Vergehenden für einen
Augenblick die Züge einer „bekannten Gestalt" zeigen. Die Allegorie
Euphorions bedeutet nicht Lord Byron, sondern umgekehrt: der Hin-

weis auf Byron deutet auf die Allegorie zurück, er ist Schlüssel, die Gestalt zu deuten. Dabei darf man, um vorschnellen Kategorisierungen zu entgehen, daran erinnern, daß Goethe ausdrücklich gesagt hat, „Byron ist nicht antik und ist nicht romantisch, sondern er ist wie der gegenwärtige Tag selbst".[117] Mit dem Tod Euphorions will der Dichter nicht das literarhistorische Schicksal der Romantik beurteilen. Byron wird ihm zum „Repräsentanten der neuesten poetischen Zeit" als „das größte Talent des Jahrhunderts"[118] – eben des Jahrhunderts, das zwischen Euphorions Auftritt und Missolunghi sich rundet und das auch das Jahrhundert Goethes war. So ist Euphorion zugleich auch sein eigenes Dichtertum, sein Schicksal, eine Grenze und Möglichkeit seines eigenen Lebens.

Wenn es richtig ist, jenen Hades, aus dem Helena heraufkommt, und in den sie wieder zurückkehrt, die Sphäre des poetischen Gedächtnisses zu nennen, dann entsinkt das Persönliche Euphorions – „das Körperliche" – in diesen Hades des Gedächtnisses. Dem entspricht es, daß seinem Ruf

> Laß mich im düstern Reich,
> Mutter, mich nicht allein! (V. 9905–06)

der Chor mit dem Epitaph des Gedenkens antwortet.

Der Trauergesang

V. 9907–9938. – Das Geschichtliche des Euphorionschicksals tritt darin am unverhülltesten hervor; Byrons biographische Daten werden Euphorions Leben unterlegt, Byrons Sterben im Kampf um die griechische Freiheitsidee[119] deutet das des Euphorion durch ein Ereignis der neuzeitlichen Geschichte.

> Das Allgemeine und Besondere fallen zusammen: das Besondere ist das Allgemeine unter verschiedenen Bedingungen erscheinend.[120]

„Hohe Ahnen", „große Kraft", ein „scharfer Blick, die Welt zu schauen", und ein „Mitsinn jedem Herzensdrang" sind die außerordentliche Mitgift, die in Byron zu dem idealischen Geist geführt haben, der sich zur Dichtung formt, aber darin nicht erfüllt. Daher im Trauergesang die Doppelung:

> Lied *und* Mut war schön und groß. (V. 9914)

Auch die „übermächtige Geisteskraft" Euphorions, der von seiner Mutter mit dem Erbteil eines höchsten Schönen und von seinem Vater

mit dem leidenschaftlichsten Verwirklichungsdrang begabt ist, ist von
derselben Art, daß sie, ganz von der Realisierung eines Ideellen beherrscht,
sich in keiner einzelnen Realisierung befriedigt, deren Drang unendlich
ist.

Und dieser selbe Drang ist es offenbar, der Byron mit sich verstrickt –
die Freiheit seiner Leidenschaft („Wille") wird ihm zum „Netz" des
Schicksals, worin sie sich fängt:

> Doch du ranntest unaufhaltsam
> Frei ins willenlose Netz (V. 9923–24),

sie entzweit ihn mit Gesellschaft („Sitte") und Recht („Gesetz") und
treibt ihn schließlich in das Nichtgelingen seines Lebens, in den die
Jugendblüte abbrechenden heroischen Tod.[121]

> Doch zuletzt das höchste Sinnen
> Gab dem reinen Mut Gewicht,
> Wolltest Herrliches gewinnen,
> Aber es gelang dir nicht. (V. 9927–30)

„Wem gelingt es?" – Das Mißlingen ist der Versuch der Verwirklichung
eines Unendlich-Idealen in der geschichtlichen Wirklichkeit. Im Versuch
wiederholt sich etwas von dem „ins Leben Ziehen" der „einzigsten Gestalt" durch Faust: auch dies als ein „Begehren" des „Unmöglichen"
bezeichnet (V. 7488) und ausdrücklich in dem arkadischen Höhepunkt
Helenischer Gegenwart als ein *Gelingen* benannt. Unterscheidend ist die
Beschränkung, die mit dem „Fliegen" ausgesprochen ist: eine Realisierung des Idealen im Bereich der Kunst, der Kultur, in der endlichen begrenzten Form. Euphorions Verwirklichungsdrang ist maßlos unbegrenzt, er ist als Trieb unendlich.

Der Untergang Euphorions aber verglichen mit dem Byrons, ja mit
dem des neuzeitlichen Griechenland in Missolunghi, ist mehr als die
Realisierung des Allgemeinen durch ein Geschichtlich-Besonderes. Er
fixiert die dreitausendjährige Geschichte des abendländischen Daseins
der Helena in ihrem jüngsten Zeitereignis und spannt damit den zeitlichen Bogen des Aktes von Troja bis in die aktuelle Gegenwart des
Dichters. (Die Schlacht von Missolunghi fand 1825 statt, die endgültige
Arbeit am Helenaakt von 1825 bis 1826.) Es wird darin noch einmal die
geschichtliche Dimension offenbar, in der für den Dichter Fausts Verbindung mit Helena sich ereignet: nicht als das distanzierende Element
der Historie, sondern als die morphologische Anschauungsform, in der
die antike Schönheit als ein Ewiges in seinen geschichtlichen Metamorphosen sich realisiert. Nirgends wird es deutlicher als hier, wie die
besondere Wirklichkeit des Helena-Aktes von der Goethischen Denk-

form der Simultaneität des Sukzessiven geprägt ist: *Ein* Faustischer
Augenblick, der zugleich dreitausend Jahre Geschichte in sich begreift.
In diesem Sinne ist es derselbe Krieg, den Menelaos in der Antike vor
Troja um Helena führte und in welchem der mittelalterliche Faust für
Helena kämpfte, um sie von neuem in Spartas „verjährtem Sitz" als
Königin einzusetzen, und dem sich schließlich, jetzt in der Neuzeit,
Euphorion mit den griechischen Freiheitshelden weiht, um das ewige
Hellas in „Pelops' Land" wiederzubegründen.

Darum ist auch der Schluß des Chorliedes nicht ernst genug zu nehmen:

> Doch erfrischet neue Lieder,
> Steht nicht länger tief gebeugt:
> Denn der Boden zeugt sie wieder,
> Wie von je er sie gezeugt. (V. 9935–38)

Wieviel auch an eigener schmerzlicher Lebenserfahrung sich für Goethe
mit dem tragischen Ausgang des Helena-Aktes verband: Euphorions Tod
ist nicht als ein resignierendes Verdikt über die mißlungene Wiederbelebung des Altertums gemeint, nicht als Urteil über ein verfehltes
Bemühen. Er bedeutet das Ende einer Epoche. Doch aus der Produktivität des Bodens „erfrischt" sich die Dichtung, erfrischt sich lebendige
Formkraft immer wieder von neuem, und „der Boden zeugt sie wieder,
wie von je er sie gezeugt".

Helenas Tod

V. 9939–9944. – Helenas Abschied folgt dem Tode Euphorions als eine
unmittelbare Konsequenz. Denn im Schicksal des Sohnes nehmen Faust
und Helena selber an der tragischen Zuspitzung teil und erfahren damit
selber die Unvereinbarkeit von Idee und Wirklichkeit in der Dauer der
Geschichte. Es fällt Helena zu, diese Wahrheit mit dem „alten Wort"
auszusprechen – es ist die, nach zehn verworfenen, elfte Fassung ihrer
Rede:

> Ein altes Wort bewährt sich leider auch an mir:
> Daß Glück und Schönheit dauerhaft sich nicht vereint.
> Zerrissen ist des Lebens wie der Liebe Band;
> Bejammernd beide, sag' ich schmerzlich Lebewohl
> Und werfe mich noch einmal in die Arme dir.
> Persephoneia, nimm den Knaben auf und mich! (V. 9939–44)

Indem der Dichter hier mit dem „alten" ein Wort Calderóns zitiert

> Daß Glück und Schönheit sich vertragen nimmer,[122]

scheint noch einmal daran erinnert werden zu sollen, daß das geglückte
Dasein antiker Schönheit in der Neuzeit die Epoche moderner klassi-
zistischer Dichtung ist, die mit der Renaissance eingeleitet worden ist,
und der sich die deutsche Klassik zugehörig weiß. Das „Band" ihrer
„Liebe", die die Liebe zwischen ihr und Faust ist, ist Euphorion. Es ist
mit Euphorions Tod zerrissen und damit auch das Band ihres „Lebens",
das die Liebe des abendländischen Geistes, bildlich gesprochen: die
Liebe Fausts zu ihr, war, wie auch umgekehrt die ewige Tendenz Helenas
– als des Urphänomens antiker Schönheit – zu geschichtlicher Verwirklichung.

Weshalb ist das so? Weshalb ist der Tod der Mutter die notwendige
Konsequenz aus dem Sterben des Sohnes? Weil Euphorion Helenas
geschichtliches Schicksal ist. Ihr Dasein in der Neuzeit besteht in seinem
Leben; das moderne In-Erscheinung-Treten antiker Schönheit ist aktualisiert in dem Dasein dieses poetischen Geistes. Helenas neuzeitliche
Gegenwart und ihre Realisierung in Euphorion sind identisch. Der Text
weist immer wieder auf diese Identität hin (V. 9717–22 oder V. 9729–34).
Deshalb ist sein Verschwinden auch das ihre. Es bezeichnet das Ende
einer Kulturepoche, die ihren Anstoß in der liebenden Begegnung mit
der antiken Schönheit erfuhr, als der einzig gelungenen geschichtlichen
Verwirklichung natürlicher Bildegesetzlichkeit.

Mit dem Ende der Liebe tritt die Helenische Gegenwart aus der geschichtlichen Wirklichkeit zurück in Persephoneiens Reich, in dem das
Gedächtnis der Menschen sie – wieder zur Kunstgestalt erstarrt – aufhebt.

Die Auflösung des Chors

V. 9962–10038. – Von der allgemeinen Auflösung, die Euphorions Tod
einleitet, wird der Chor am letzten betroffen. Erst nachdem Phorkyas
sich ins Proszenium zurückgezogen, Panthalis sich von dem „wüsten
Geisteszwang" befreit fühlt, den diese über sie und den Chor ausübte,
und das heißt, von der Modernität befreit, die sie ihnen aufgezwungen
hatte, hat auch der Chor an der Auflösung teil. Diese creignet sich auf
verschiedenen Stufen. Während die Chorführerin ihrer Königin in die
Unterwelt folgt, „wirft" der Chor „auf der heitern Oberfläche der Erde
sich den Elementen zu".[123] Panthalis nämlich vertritt das Klassische entschiedener noch als Helena. Sie ist reine Verehrung der „Person", ihr
letztes Wort war die Bewunderung für die Gestalt und den Adel Fausts
(V. 9183); in Arkadien hat sie geschwiegen. Sie ist das Moment im Verband antiker Schönheit, das dem Prinzip der Gestalt verpflichtet ist und
aus „Treue" zu dieser sterbenden Idee des Altertums ihren Tod mit-

stirbt, sich durch Treue die personale Dauerhaftigkeit der Königin erwirbt.

> Wer keinen Namen sich erwarb noch Edles will,
> Gehört den Elementen an; so fahret hin!
> Mit meiner Königin zu sein, verlangt mich heiß;
> Nicht nur Verdienst, auch Treue wahrt uns die Person.
>
> (V. 9981–84)

Das Unterscheidende des Chores ist seine Unpersönlichkeit; im Gegensatz zu Panthalis blieb er immer Pluralität. Zum „Hades" zu kehren,
ist die Auszeichnung derer, die einen „Namen sich erwarben"; der
Name ist das Siegel der Personalität und damit der Dauer im Gedächtnis.
Die Choretiden bestehen die Treueprobe nicht. In der Entscheidung
zwischen Gestalt und Leben fallen sie dem „Anspruch" der „ewig lebendigen Natur" zu.

Und zwar als ihre „Geister". Sie verteilen sich auf die vier Elementar-
bereiche: Lüfte, Gestein, Gewässer, Wärme. Aber sie sind nicht die
Elemente; ihr Wesen ist eher mit den mythischen Geisterwesen der
griechischen Natur bezeichnet: Dryaden, Echo, Nymphen und Mäna-
den.

Als solche repräsentieren sie in allen vier Bereichen griechische Natur
als Leben, und das heißt: als die Elementarnatur in ihrer Tendenz zur
Steigerung des Lebendigen. Dieser Zug zur Steigerung findet sich in
allen vier Metamorphosen der Mädchen in die Elemente wieder.

So wie sich die einen (V. 9992–98) in die „Lüfte" begeben und als
„Säuselschweben" der Äste des „Lebens Quellen" „wurzelauf" „locken"
und Blätter und Blüten in die „überschwengliche" Zier treiben; so
schmiegen sich die andern (V 9999–10004) dem Fels an und machen ihn
im Echo zum Widerhall des Lebendigen; und die dritten (V. 10005–10)
schließlich eilen mit dem Wasser weiter und befruchten, indem sie sie
„wässern", „Wiese", „Garten" und „Zypressen, . . . nach dem Äther stei-
gende".

Den Vorrang aber hat der vierte Chorteil (V. 10011–38), nach Umfang
und weil ihm das Schlußwort zufällt. Er folgt dem Weg des Weines
vom „bepflanzten Hügel", den der Winzer bearbeitet, zur Reife unter
„Helios" und „allen Göttern", die „lüftend, feuchtend, wärmend, glu-
tend" ihn in die Beerenfülle versammeln, bis zur Kelter und Epiphanie
des Weingotts.

An dieser Stelle rührt die Feier des vegetabilen Lebens an den Punkt,
wo aus dem Elementaren die Kunst der Tragödie entsprungen ist. Der
Exodus wird selber zum dionysischen Schwarmzug. Die Beziehung
seines Schlußverses

> Denn um neuen Most zu bergen, leert man rasch den alten
> Schlauch (V. 10038)

auf den Schlußvers des Trauergesangs auf Euphorion

> Denn der Boden zeugt sie wieder,
> Wie von je er sie gezeugt (V. 9937–38)

ist offenbar. Der Boden nämlich, der die Dichtung wiederzeugt, ist eben jene zur Dichtung strebende Lebenskraft des Elementaren. Es ist eine gerade in der griechischen Natur sich offenbarende Kraft des Vegetabilen, die als Lust Tendenz zur Heiterkeit, zum Geist-werden, zum Kunst-werden ist. Der Chor offenbart sich hier zuletzt als derjenige Anteil an der griechischen Schönheit, der nicht Form, sondern reine Lebenslust der griechischen Natur ist, die so, wie sie einst zur Form drängte, immer wieder zur Form führen wird. Am Ende ist man wieder am Ursprung.

Anhang

Anmerkungen

Eine Erklärung sei den Anmerkungen vorausgeschickt. Es war unmöglich, die Auseinandersetzung mit der ausgedehnten Faustliteratur hier durchgängig und detailliert auszubreiten. Im besonderen hätte die Symbolinterpretation des II. Faust von W. Emrich einer fortlaufenden Diskussion bedurft, die jedoch den Umfang dieser Veröffentlichung überschreiten würde. Für die Orientierung in der älteren Literatur sei auf Ada M. Klett, Der Streit um Faust II seit 1900, Jena 1939, in der neueren auf den Kommentar und die Literaturangaben der Hamburger Ausgabe hingewiesen. – Mit Rücksicht auf Lesbarkeit und Durchsichtigkeit des Textes sind die Beleg-Zitate nicht gehäuft worden, die angeführten indessen meist im Wortlaut gebracht und um der Stringenz willen so weit wie möglich dem theoretischen Werk Goethes entnommen. Die Anmerkungen sind für jedes Kapitel gesondert numeriert. Zitiert wird das literarische Werk nach der Jubiläumsausgabe (JA) – Ausnahmen bei der Interpunktion und im Falle von Textänderungen durch den Herausgeber –, das naturwissenschaftliche Werk nach der Ausgabe der Leopoldina (LA). Briefe Goethes, ohne Literaturangabe, finden sich nach den Daten in der Abteilung IV der Weimarer Ausgabe. Die Paralipomena für Faust II folgen der Zählung der WA I, 15; sofern sie dort fehlen, der IA.

Folgende Abkürzungen werden verwendet:

WA	Goethes Werke, Sophienausgabe, Weimar 1887 ff.
JA	Goethes sämtliche Werke, Jubiläumsausgabe, Stuttgart 1902 ff.
LA	Goethes Schriften zur Naturwissenschaft, her. i. A. der Leopoldina, Weimar 1947 ff., Abt. I Texte, Abt. II Ergänzungen und Erläuterungen
IA	Goethes Werke, Großherzog Wilhelm Ernst Ausgabe (Insel), Leipzig 1909
HA	Goethes Werke, Hamburger Ausgabe, her. v. E. Trunz, 8. Aufl. Hamburg 1967
Biedermann	Goethes Gespräche, her. v. W. Frh. v. Biedermann, Leipzig 1889–90
MR	Maximen und Reflexionen, her. v. M. Hecker, Schriften der Goethe-Ges. Band 21
JbGG	Jahrbuch der Goethe-Gesellschaft
VjsGG	Vierteljahresschrift der Goethe-Gesellschaft

GJb   Goethe-Jahrbuch
NF   Neue Folge
Hederich   M. B. Hederichs Gründl. Lexicon mythol., Leipzig 1724,
             2. Aufl. 1770

Allgemeiner Teil

1 Allegorie ist hier ein Arbeitsbegriff, er stellt sich in keine historische Diskussion und will nicht aus dem Gegensatz zum Symbol verstanden werden.

2 Siehe auch P. Stöcklein, Wie beginnt und wie endet Goethes Faust, Litwiss. Jb. (NF) 3, 1962: „Und schließlich wäre bei Werken des alten Goethe . . . zu bedenken, daß sie weitgehend in einer Terminologie geschrieben sind; viele Wörter bedeuten nicht das Gewöhnliche; aus einer Privatmythologie ist ihnen ‚terminologisch' eine besondere Bedeutung zugefallen."

3 M. Kommerell, Die letzte Szene der Faustdichtung, Zschr. f. dtsch. Altertum u. dtsch. Lit. 77, Berlin 1940, S. 176; wiederholt in: Geist und Buchstabe der Dichtung, Frankfurt a. M. 1942, ohne das betreffende Zitat.

4 Motto zu den Beiträgen zur Optik, LA I 3, S. 2.

5 Vgl. Der Verfasser teilt die Geschichte seiner botanischen Studien mit, LA I 10, S. 320–22.

6 Principes de philosophie zoologiques, discutés en mars 1830 au sein de l'académie royale de sciences par Mr. Geoffroy de Saint Hilaire, Paris 1830, LA I 10, S. 373 ff., vgl. D. Kuhn, Anm. zu Goethes Aufsatz Principes de philosophie zoologique, HA 13, S. 589; und dieselbe, Empirische und ideelle Wirklichkeit, Weimar 1967.

7 MR 1105: „Kunst: eine andere Natur, auch geheimnisvoll, aber verständlicher."

8 Goethe an K. F. von Reinhard, 7. 9. 1831; ferner Goethe an J. H. Meyer, 20. 7. 1831.

9 Goethe an W. von Humboldt, 17. 3. 1832: „Der Tag aber ist wirklich zu absurd und confus, daß ich mich überzeuge meine redlichen, lange verfolgten Bemühungen um dieses seltsame Gebäu würden schlecht belohnt und an den Strand getrieben, wie ein Wrack in Trümmern daliegen und von dem Dünenschutt der Stunden zunächst überschüttet werden." Ferner Goethe an S. Boisserée, 24. 11. 1831.

10 Goethe zu Eckermann, 6. 12. 1829, Biedermann 7, S. 162.

11 Goethe zu S. Boisserée, 2. 8. 1815, Biedermann 3, S. 187.

12 Goethe an Schiller, 17. 8. 1797.

13 Siehe auch Goethe an S. Boisserée, 3. 11. 1826: „Als ethisch-aesthetischer Mathematiker muß ich in meinen hohen Jahren immer auf die letzten Formeln eindringen, durch welche ganz allein die Welt mir noch faßlich und erträglich wird."

14 Wenige Bemerkungen, LA I 9, S. 78: „Wie vortrefflich diese Methode auch sei, durch die er [Caspar Friedrich Wolff] so viel geleistet hat; so dachte der treffliche Mann doch nicht, daß es ein Unterschied sei zwischen Sehen und Sehen, daß die Geistesaugen mit den Augen des Leibes in stetem lebendigen Bunde zu wirken haben, weil man sonst in Gefahr gerät zu sehen und doch vorbei zu sehen." Vgl. auch MR 120; ferner LA I 9, S. 178.

15 MR 103: „Das Zufällig-Wirkliche, an dem wir weder ein Gesetz der Natur noch der Freiheit für den Augenblick entdecken, nennen wir das Gemeine."

16 Geschichte der botanischen Studien, LA I 10, S. 334.

17 Italienische Reise, 17. 4. 1787, JA 27, S. 82.

18 Goethe zu Eckermann, 1. 2. 1827, Biedermann 6, S. 57.

19 Die Metamorphose der Pflanzen, LA I 9, S. 60: „So wie wir nun die verschieden scheinenden Organe der sprossenden und blühenden Pflanze alle aus einem einzigen, nämlich dem Blatte, welches sich gewöhnlich an jedem Knoten entwickelt, zu erklären gesucht haben; so haben wir auch diejenigen Früchte, welche ihre Samen fest in sich zu verschließen pflegen, aus der Blattgestalt herzuleiten gewagt. – Es versteht sich hier von selbst, daß wir ein allgemeines Wort haben müßten, wodurch wir dieses in so verschiedene Gestalten metamorphosierte Organ bezeichnen, und alle Erscheinungen seiner Gestalt damit vergleichen könnten."

20 Bedeutende Fördernis durch ein einziges geistreiches Wort, LA I 9, S. 309: „Ebenso war es mit dem Begriff, daß der Schädel aus Wirbelknochen bestehe. Die drei hintersten erkannt' ich bald, aber erst im Jahr 1791 als ich, aus dem Sande des dünenhaften Judenkirchhofs von Venedig einen zerschlagenen Schöpsenkopf aufhob, gewahrt' ich augenblicklich, daß die Gesichtsknochen gleichfalls aus Wirbeln abzuleiten seien, indem ich den Übergang vom ersten Flügelbeine zum Siebbeine und den Muscheln ganz deutlich vor Augen sah; da hatt' ich denn das Ganze im allgemeinsten beisammen."

21 Den Menschen wie den Tieren ist ein Zwischenknochen der obern Kinnlade zuzuschreiben, LA I 9, S. 181–82: „Es entsteht nämlich, da so viel von Gestaltung und Umgestaltung gesprochen worden, die Frage: ob man denn wirklich die Schädelknochen aus Wirbelknochen ableiten und ihre anfängliche Gestalt, ohngeachtet so großer und entschiedener Veränderungen, noch anerkennen solle und dürfe? Und da bekenne ich denn gerne, daß ich seit dreißig Jahren von dieser geheimen Verwandtschaft überzeugt bin."

Oder Aus dem Nachlaß. Versuche zur Methode der Zoologie, LA I 10, S. 86: „Wir dürfen behaupten, daß der Knochenbau aller Säugetiere, um vorerst nicht weiter zu gehen, nicht allein im ganzen nach einerlei Muster und Begriff gebildet ist, sondern daß auch die einzelnen Teile in einem jeden Geschöpfe sich befinden; und nur oft durch Gestalt, Maß, Richtung, genauere Verbindung mit andern Teilen unserem Auge entrückt und nur unserm Verstande sichtbar bleiben. Alle Teile, ich wiederhole es, sind bei einem jeden Tiere gegenwärtig, nur unsre Bemühung, unser Scharfsinn muß sie aufsuchen und entdecken; aber jener Begriff ist der Ariadneische Faden. Geben und Entziehen, Allgemeines Gesetz der Bildung."

22 Morphologie, LA I 10, S. 128: „Ruht auf der Überzeugung, daß alles, was sei, sich auch andeuten und zeigen müsse. Von den ersten physischen und chemischen Elementen an, bis zur geistigsten Äußerung des Menschen lassen wir diesen Grundsatz gelten . . . Die Gestalt ist ein bewegliches, ein werdendes, ein vergehendes. Gestaltenlehre ist Verwandlungslehre. Die Lehre der Metamorphose ist der Schlüssel zu allen Zeichen der Natur."

23 Dualität der Erscheinung als Gegensatz, LA I 3, S. 416:
„Wir und die Gegenstände,
Licht und Finsternis,
Leib und Seele,
Zwei Seelen,

24 Lohmeyer, Faust

> Geist und Materie,
> Gott und die Welt,
> Gedanke und Ausdehnung,
> Ideales und Reales,
> Sinnlichkeit und Vernunft,
> Phantasie und Verstand,
> Sein und Sehnsucht."

24 Goethe an Eckermann, undatiert, zwischen 12. 10. 1830 und 6. 11. 1830, Gespräche mit Goethe, her. v. H. H. Houben, Wiesbaden 1959, S. 329.

25 Beiträge zur Optik, Entwürfe in der Ordnung des Schemas, LA I 3, S. 387: „Was in die Erscheinung tritt, muß sich trennen, um nur zu erscheinen. Das Getrennte sucht sich wieder, und es kann sich wieder finden und vereinigen; im niedern Sinne, indem es sich nur mit seinem Entgegengestellten vermischt, mit demselben zusammentrifft, wobei die Erscheinung Null oder wenigstens gleichgültig wird." Ferner, Zur Farbenlehre § 739, LA I 4, S. 216–17.

26 MR 1254: „Man gedenke der leichten Erregbarkeit aller Wesen, wie der mindeste Wechsel einer Bedingung, jeder Hauch gleich in den Körpern Polarität manifestiert, die eigentlich in ihnen allen schlummert." Oder MR 1255.

27 Zur Farbenlehre § 739, LA I 4, S. 217: „Das Geeinte zu entzweien, das Entzweite zu einigen, ist das Leben der Natur; dies ist die ewige Systole und Diastole, die ewige Synkrisis und Diakrisis, das Ein- und Ausatmen der Welt, in der wir leben, weben und sind."

28 Entwürfe. Symbolische Annäherung zum Magneten, LA I 3, S. 387: „Die Vereinigung kann aber auch im höhern Sinne geschehen, indem das Getrennte sich zuerst steigert und durch die Verbindung der gesteigerten Seiten ein Drittes, Neues, Höheres, Unerwartetes hervorbringt."

29 Goethe zu Eckermann, 13. 2. 1829, Biedermann 7, S. 14: „Die Pflanze geht von Knoten zu Knoten und schließt zuletzt ab mit der Blüte und dem Samen. In der Tierwelt ist es nicht anders. Die Raupe, der Bandwurm geht von Knoten zu Knoten und bildet zuletzt einen Kopf; bei den höher stehenden Tieren und Menschen sind es die Wirbelknochen, die sich anfügen und anfügen und mit dem Kopf abschließen, in welchem sich die Kräfte konzentrieren."

30 MR 183.

31 Aphoristisch, LA I 9, S. 233: „Das Höchste, was wir von Gott und der Natur erhalten haben, ist das Leben, die rotierende Bewegung der Monas um sich selbst, welche weder Rast noch Ruhe kennt; der Trieb das Leben zu hegen und zu pflegen ist einem jeden unverwüstlich eingeboren, die Eigenthümlichkeit desselben jedoch bleibt uns und andern ein Geheimnis."

32 Goethe zu J. D. Falk, 25. 1. 1813, Biedermann 3, S. 64.

33 Goethe zu J. D. Falk, 25. 1. 1813, Biedermann 3, S. 64f.

34 Dieselben Kategorien des „Bildens" und „Schaffens" finden sich im Paralip. 178, WA 15², S. 236: „Beneidenswerth sind ihm die Anwohner des Meeresufers, das sie der Fluth abgewinnen wollen. Zu diesen will er sich gesellen. Erst bilden und schaffen. Vorzüge der menschlichen Gesellschaft in ihren Anfängen." Sie stehen dort im Zusammenhang mit der menschlichen Gesellschaft, verstanden als ein wirkendes Gesamtindividuum, das sich in seinen Anfängen zugleich in seinen gesetzlichen Funktionen betätigt.

35 Goethe zu J. D. Falk, 25. 1. 1813, Biedermann 3, S. 64: „Sie [die Monaden] setzen dies so lange fort, bis die kleine oder große Welt, deren Intention geistig in ihnen liegt auch nach Außen leiblich zum Vorschein kommt. Nur die letzten möchte ich eigentlich Seelen nennen. Es folgt hieraus, daß es Weltmonaden, Weltseelen, wie Ameisenmonaden, Ameisenseelen gibt, und daß beide in ihrem Ursprunge, wo nicht völlig eins, doch im Urwesen verwandt sind."

36 Goethe zu Eckermann, 18. 4. 1827, Biedermann 6, S. 104–05: „Im behaglichen Schutz vor Wind und Wetter herangewachsen, wird aus ihr [der Eiche] nichts; aber ein hundertjähriger Kampf mit den Elementen macht sie stark und mächtig, sodaß nach vollendetem Wuchs ihre Gegenwart uns Erstaunen und Bewunderung einflößt."

37 Goethe zu J. D. Falk, 25. 1. 1813, Biedermann 3, S. 62: „Es ist etwas um ein achtzig Jahre hindurch so würdig und ehrenvoll geführtes Leben; es ist etwas um die Erlangung so geistig zarter Gesinnungen . . . es ist etwas um diesen Fleiß, um diese eiserne Beharrlichkeit und Ausdauer."

38 Goethe zu J. D. Falk, 25. 1. 1813, Biedermann 3, S. 64: „Andere [Monaden] . . . sind gar stark und gewaltig. Die letzten pflegen daher alles was sich ihnen naht, in ihren Kreis zu reißen und in ein ihnen Angehöriges, das heißt in einen Leib, in eine Pflanze, in ein Thier, oder noch höher herauf, in einen Stern zu verwandeln."

39 Goethe zu J. D. Falk, 25. 1. 1813, Biedermann 3, S. 66: „Der Moment des Todes, der darum auch sehr gut eine Auflösung heißt, ist eben der, wo die regierende Haupt-monas alle ihre bisherigen Untergebenen ihres treuen Dienstes entläßt. Wie das Ent-stehen, so betrachte ich auch das Vergehen als einen selbstständigen Act dieser nach ihrem eigentlichen Wesen uns völlig unbekannten Hauptmonas."

40 Goethe zu J. D. Falk, 25. 1. 1813, Biedermann 3, S. 62.

41 Goethe zu J. D. Falk, 25. 1. 1813, Biedermann 3, S. 63–64.

42 Goethe zu J. D. Falk, 25. 1. 1813, Biedermann 3, S. 66: „Alle Monaden aber sind von Natur so unverwüstlich, daß sie ihre Thätigkeit im Moment der Auflösung selbst nicht einstellen oder verlieren, sondern noch in demselben Augenblicke wieder fortsetzen."

43 Goethe zu J. D. Falk, 25. 1. 1813, Biedermann 3, S. 66: „So scheiden sie [die Monaden] nur aus den alten Vorhältnissen, um auf der Stelle wieder neue einzugehen."

44 Das Märchen in den Unterhaltungen deutscher Ausgewanderten, JA 16, S. 292: „Und wirklich war Mitternacht herbeigekommen, man wußte nicht wie. Der Alte sah nach den Sternen und fing darauf zu reden an: Wir sind zur glücklichen Stunde bei-sammen; jeder verrichte sein Amt, jeder tue seine Pflicht und ein allgemeines Glück wird die allgemeinen Schmerzen in sich auflösen, wie allgemeines Unglück einzelne Freuden verzehrt."

45 Italienische Reise, JA 26, S. 314: „Heute früh ging ich mit dem festen, ruhigen Vorsatz meine dichterischen Träume fortzusetzen nach dem öffentlichen Garten; allein eh ich mich's versah, erhaschte mich ein anderes Gespenst, das mir schon diese Tage nachgeschlichen."

46 Siehe Schicksal der Druckschrift, LA I 9, S. 67: „Freundinnen, welche mich schon früher . . . der Betrachtung starrer Felsen gern entzogen hätten, waren auch mit meiner abstrakten Gärtnerei keineswegs zufrieden. Pflanzen und Blumen sollten sich durch Gestalt, Farbe, Geruch auszeichnen, nun verschwanden sie aber zu einem gespensterhaften Schemen."

47 MR 1136.

48 MR 575: „Das Höchste wäre: zu begreifen, daß alles Faktische schon Theorie ist. Die Bläue des Himmels offenbart uns das Grundgesetz der Chromatik. Man suche nur nichts hinter den Phänomenen: sie selbst sind die Lehre."

49 Vgl. S. 20 und Anm. 14.

50 Ähnlich auch W. Schadewaldt, Goethes Begriff der Realität, JbGG (NF) 18, S. 70 ff.

51 Goethe zu Riemer, 4. 4. 1814, Biedermann 3, S. 126: „... daß nur die Jugend die Varietät und Specification, das Alter aber die genera, ja die familias habe."

52 MR 1347: „Alter: Stufenweises Zurücktreten aus der Erscheinung."

53 MR 1345: „In den Blüten tritt das vegetabilische Gesetz in seine höchste Erscheinung und die Rose wäre nun wieder der Gipfel dieser Erscheinung. Perikarpien können noch schön sein. Die Frucht kann nie schön sein; denn da tritt das vegetabilische Gesetz in sich (ins bloße Gesetz) zurück." Ferner Noten und Abhandlungen zum West-östlichen Divan, JA 5, S. 195: „Der Geist gehört vorzüglich dem Alter oder einer alternden Weltepoche."

54 Anschauende Urteilskraft, LA I 9, S. 95.

55 Einwirkung der neueren Philosophie, LA I 9, S. 90.

56 Einwirkung der neueren Philosophie, LA I 9, S. 90.

57 Einwirkung der neueren Philosophie, LA I 9, S. 90.

58 Dem Menschen wie den Tieren ist ein Zwischenknochen der obern Kinnlade zuzuschreiben, LA I 9, S. 184.

59 Abhandlung über den Zwischenknochen, LA I 9, S. 184.

60 Abhandlung über den Zwischenknochen, LA I 9, S. 184.

61 Abhandlung über den Zwischenknochen, LA I 9, S. 184.

62 Abhandlung über den Zwischenknochen, LA I 9, S. 184.

63 Abhandlung über den Zwischenknochen, LA I 9, S. 184.

64 Abhandlung über den Zwischenknochen, LA I 9, S. 181.

65 Dichtung und Wahrheit, JA 25, S. 20–21.

66 Abhandlung über den Zwischenknochen, LA I 9, S. 184: „Jedoch ein dergleichen Aperçu, ein solches Gewahrwerden, Auffassen, Vorstellen, Begriff, Idee, wie man es nennen mag, behält immer fort, man gebärde sich wie man will, eine esotherische Eigenschaft; im ganzen läßt sich's aussprechen, aber nicht beweisen, im einzelnen läßt sich's wohl vorzeigen, doch bringt man es nicht rund und fertig."

67 „Offenbarung", „sich offenbaren", „offenbares Geheimnis" sind das ganze theoretische Werk Goethes durchziehende Termini für das gewöhnlich verborgen wirkende Gesetzliche, das sich dem Erkennenden plötzlich zeigt. Die folgenden Beispiele stehen daher nur exemplarisch für eine Reihe anderer Stellen. – Zur Farbenlehre, LA I 4, S. 71: „Das, was wir in der Erfahrung gewahr werden, sind meistens nur Fälle ... Diese subordinieren sich abermals unter wissenschaftliche Rubriken ... Von nun an fügt sich alles nach und nach unter höhere ... Gesetze, die sich aber nicht durch Worte und Hypothesen dem Verstande sondern gleichfalls durch Phänomene dem Anschauen *offenbaren*. Wir nennen sie Urphänomene." – Oder Abhandlung über den Zwischenknochen, LA I 9, S. 184: „... wie sehr muß die Schwierigkeit sich steigern, wenn wir der Natur etwas abzugewinnen gedenken, welche ewig beweglich, das Leben, das sie verleiht, nicht erkannt wissen will. Bald zieht sie in Abbreviaturen

zusammen, was in klarer Entwicklung wohl gar faßlich gewesen wäre, bald macht sie durch reihenhafte Aufzählung weitläufiger Kurrentschrift unerträgliche lange Weile; sie offenbart, was sie verbarg und verbirgt, was sie eben jetzt offenbarte." – Aber auch im dichterischen Werk kehrt „offenbares Geheimnis" nicht selten wieder; vgl. u. a. West-östlicher Divan, JA 5, S. 22. Oder Das Märchen, JA 16, S. 274: „Wie viele Geheimnisse weißt du? Drei, versetzte der Alte. Welches ist das wichtigste? fragte der silberne König. Das offenbare, versetzte der Alte."

68 Vgl. Fausts Gang zu den Müttern, S. 121 ff.

69 Goethe zu J. D. Falk, 25. 1. 1813, Biedermann 3, S. 63: „Sie wissen längst, . . . daß Ideen, die eines festen Fundaments in der Sinnenwelt entbehren, bei all ihrem übrigen Werthe für mich keine Überzeugung mit sich führen, weil ich der Natur gegenüber wissen, nicht aber bloß vermuthen und glauben will. Was nun die persönliche Fortdauer unserer Seele nach dem Tode betrifft, so ist es damit auf meinem Wege also beschaffen. Sie steht keineswegs mit den vieljährigen Beobachtungen, die ich über die Beschaffenheit unserer und aller Wesen in der Natur angestellt, im Widerspruch; im Gegentheil, sie geht sogar aus denselben mit neuer Beweiskraft hervor."

70 Vgl. Beiträge zur Optik. Reine Begriffe, LA I 3, S. 62/63: „Denn da die einfacheren Kräfte der Natur sich oft unsern Sinnen verbergen, so müssen wir sie freilich durch die Kräfte unseres Geistes zu erreichen suchen und ihre Natur in uns darstellen, da wir sie außer uns nicht erblicken können. Und wenn wir dabei recht rein zu Werke gehen, so können wir zuletzt wohl sagen, daß, so wie unser Auge mit den sichtbaren Gegenständen, unsre Ohren mit den schwingenden Bewegungen erschütterter Körper völlig harmonisch gebaut sind, daß auch unser Geist mit den tiefer liegenden einfachern Kräften der Natur in Harmonie steht und sich solche ebenso rein vorstellen kann, als in einem klaren Auge sich die Gegenstände der sichtbaren Welt abbilden."

71 Vgl. Über den Regenbogen, Goethe an S. Boisserée, 25. 2. 1832, LA I 11, S. 334: „Wir müssen einsehen lernen, daß wir dasjenige was wir im Einfachsten geschaut und erkannt, im Zusammengesetzten supponieren und glauben müssen. Denn das Einfache verbirgt sich im Mannigfaltigen und da ists wo bei mir der Glaube eintritt, der nicht der Anfang sondern das Ende alles Wissens ist." – „Ende" bedeutet hier Ziel, Telos: der Glaube also hier verstanden als dasjenige, worin das Wissen sein Ziel erreicht.

72 Ernst Stiedenroths Psychologie zur Erklärung der Seelenerscheinungen, LA I 9, S. 354.

73 Poetische Metamorphosen, LA I 10, S. 251.

74 Zu dem Form(morphé)verständnis Goethes, das ihn sowohl von Kant und Schiller wie von Platon unterscheidet: das Ideelle zugleich formend in den sinnlichen Erscheinungen anwesend, vgl. auch C. F. v. Weizsäcker, HA 13, S. 545: „Was die Logik als das Allgemeine versteht, nämlich das Wesen oder die Idee, steht [für Goethe] in jedem einzelnen Fall sinnenfällig vor uns. Sehe ich eine Pflanze als Pflanze, so sehe ich damit die Pflanze."

75 Vgl. Einwirkung der neueren Philosophie, LA I 9, S. 92: „Nun aber kam die Kritik der Urteilskraft mir zu Handen und dieser bin ich eine höchst frohe Lebensepoche schuldig. Hier sah ich meine disparatesten Beschäftigungen neben einander gestellt, Kunst- und Naturerzeugnisse eins behandelt wie das andere, aesthetische und teleologische Urteilskraft erleuchteten sich wechselsweise . . . Das innere Leben der

Kunst so wie der Natur, ihr beiderseitiges Wirken von innen heraus war im Buche deutlich ausgesprochen. Die Erzeugnisse dieser zwei unendlichen Welten sollten um ihrer selbst willen da sein, und was neben einander stand wohl für einander, aber nicht absichtlich wegen einander."

76 Vgl. Zur Morphologie. Die Absicht eingeleitet, LA I 9, S. 7: „Es hat sich daher auch in dem wissenschaftlichen Menschen zu allen Zeiten ein Trieb hervorgetan, die lebendigen Bildungen als solche zu erkennen, ihre äußern sichtbaren, greiflichen Teile im Zusammenhange zu erfassen, sie als Andeutungen des Innern aufzunehmen und so das Ganze in der Anschauung gewissermaßen zu beherrschen. Wie nah dieses wissenschaftliche Verlangen mit dem Kunst- und Nachahmungstriebe zusammenhänge, braucht wohl nicht umständlich ausgeführt zu werden."

77 Einwirkung der neueren Philosophie, LA I 9, S. 92.

78 MR 1105.

79 Siehe u. a. MR 156: „Ein Phänomen, ein Versuch kann nichts beweisen, es ist das Glied einer großen Kette, das erst im Zusammenhange gilt." Ferner MR 1230: „Kein Phänomen erklärt sich an und aus sich selbst; nur viele, zusammen überschaut, methodisch geordnet, geben zuletzt etwas, das für Theorie gelten könnte." Vgl. auch Der Versuch als Vermittler von Objekt und Subjekt, LA I 8, S. 309.

80 Vgl. MR 1247: „Mitteilung durch Analogien halt' ich für so nützlich als angenehm; der analoge Fall will sich nicht aufdringen, nichts beweisen; er stellt sich einem andern entgegen, ohne sich mit ihm zu verbinden. Mehrere analoge Fälle vereinigen sich nicht zu geschlossenen Reihen, sie sind wie gute Gesellschaft, die immer mehr anregt als gibt." Oder MR 532: „Nach Analogien denken ist nicht zu schelten: die Analogie hat den Vorteil, daß sie nicht abschließt und eigentlich nichts Letztes will; dagegen die Induktion verderblich ist, die einen vorgesetzten Zweck im Auge trägt und auf denselben los arbeitend, Falsches und Wahres mit sich fortreißt." Ferner Besprechung des Akademiestreits, LA I 10, S. 393: „. . . der Genius der Analogie." Ferner F. Schnabel, Deutsche Geschichte im 19. Jh., Freiburg 1950, III, S. 174.

81 Siehe Goethe an K. J. L. Iken, 23. 9. 1827: „Auch wegen anderer dunkler Stellen in frühern und spätern Gedichten möchte ich folgendes zu bedenken geben. Da sich manches unserer Erfahrungen nicht rund aussprechen und direkt mitteilen läßt, so habe ich seit langem das Mittel gewählt, durch einander gegenübergestellte und sich gleichsam ineinander abspiegelnde Gebilde den geheimeren Sinn dem Aufmerkenden zu offenbaren." – Spiegelung als Kompositionsmittel der Wanderjahre, wie der Goethischen Altersdichtung überhaupt, vgl. E. Trunz HA 8, S. 581f., ders.: Alterslyrik und Altersstil Goethes, Goethe-Handbuch, Stuttgart 1955, S. 187–88.

82 Wiederholte Spiegelungen, JA 25, S. 222–23; siehe auch die Erläuterungen zu dem Gesetz von R. Wankmüller, HA 13, S. 621.

83 Goethe zu J. D. Falk, 25. 1. 1813, Biedermann 3, S. 65: „Übrigens gehorchen die niedern Monaden einer höhern, weil sie eben gehorchen müssen." Oder Zur Morphologie. Die Absicht eingeleitet, LA I 9, S. 8: „Jedes Lebendige ist kein Einzelnes, sondern eine Mehrheit."

84 Zum Begriff des Haushalts vgl. Principes de philosophie zoologique, LA I 10, S. 397; siehe auch Anm. 118 (S. 377).

85 Zum Oxymoron siehe auch E. Boucke, Goethes Weltanschauung auf historischer Grundlage, Stuttgart 1907, S. 61 und C. Lucerna, Das Märchen, Leipzig 1910, S. 133–34.

86 Weissagungen des Bakis, JA 1, S. 231.

87 Zuletzt noch W. Schadewaldt, Goethes Begriff der Realität JbGG (NF) 18, S. 77 ff., der zwar zwischen Goethe und Platon unterscheidet: „Das Regenbogenbild ist zuversichtlicher als Platons Höhlengleichnis . . . allein es ist auch wieder resignierender", aber daraufhin für Goethe zu dem Schluß kommt: „Goethe bleibt . . . doch ungefähr an der Stelle stehen, wo bei Platon der Losgebundene die Abbilder und Spiegelungen der Dinge und der Menschen im Wasser sieht." Die Resignation indessen bezieht sich bei Goethe auf den Faust, der sich dem Licht sehnsuchtsvoll nähern will und seiner unmittelbaren Offenbarung als ungeheurer Kraft nicht gewachsen ist (V. 4709–14); nicht aber auf Faust den Erkennenden, der das Göttliche als das gesetzliche Wirken der farbig erscheinenden Welt wahrnimmt. Denn als Schauender ist Faust den Farben gewachsen. Weiteres siehe S. 65–67.

88 Vorwort zur Farbenlehre, LA I 4, S. 3.

89 Zur Goethischen Theorie von der Entstehung des Regenbogens vgl. W. Nauhaus, „Des bunten Bogens Wechseldauer", Goethe, JbGG (NF) 28, S. 110 ff.

90 Zur Qualität des Lichts als farbloser Energie vgl. Zur Farbenlehre § 150, LA I 4, S. 64: „Das höchst energische Licht wie das der Sonne . . . ist blendend und farblos." Oder Allgemeine Ansichten, LA I 3, S. 379: „Die erste Ableitung der Farbe muß man von Licht und Nichtlicht, von + Licht und — Licht hernehmen. Das + Licht sei das energischste, das wir kennen, das — Licht sei eine Verringerung des ersten, ohne gänzliche Aufhebung desselben."

91 Die Einheit von Wechsel und Dauer in diesem Symbol verkennt W. Schultz, Das Problem der historischen Zeit bei Wilhelm von Humboldt, DtVjs. 1928, S. 293, wenn er das Dauernde für ein hinter dem Wechsel der Erscheinungen Ruhendes, Unveränderliches hält und in der Zeit die bloße Vergänglichkeit sieht. Das Dauernde ist nur im Wechsel; die Zeit ist die Weise der Manifestation der Idee. „Daß der klassische Mensch der Zeit einen rein positiven Wert nicht zuzuerkennen vermag", ist eine für Goethe nicht zutreffende These; vielmehr wird durch den Metamorphosegedanken der Zeit ihr Negatives gerade genommen.

92 Zwar scheint Goethe auch hier noch einmal mit der Vokabel „Abglanz" auf das Platonische Eidolon hinzudeuten, doch benutzt er den tradierten Begriff zeichenhaft, um darin sein eigenes Verhältnis von ideeller und erscheinender Welt auszudrükken.

93 Paralip. 123, WA 15^2, S. 199.

94 Goethe zu Eckermann, 17. 2. 1831, Biedermann 8, S. 22.

95 Vgl. auch H. Hermann, Faust, der Tragödie zweiter Teil, Ztschr. f. Aesth. u. allg. Kunstw. 12, S. 114, über den Unterschied von Faust I und Faust II als den zwischen subjektiv und objektiv.

96 Goethe zu Eckermann, 13. 2. 1831, Biedermann 8, S. 9–10.

97 Siehe auch M. Kommerell, Geist und Buchstabe der Dichtung, Frankfurt 1939, S. 40: „Die einzelnen Akte sind in einer Idee zusammengefaßt."

98 Siehe auch M. Kommerell, Geist und Buchstabe der Dichtung, S. 40: „Fast in jedem Akt wird die Idee seines Daseinskreises polarisiert." Ähnlich P. Stöcklein, Wie

beginnt und wie endet Goethes Faust, S. 32, der das Phänomen der Symmetrie zwar nicht auf den einzelnen Akt, aber auf die beiden Teile der Dichtung bezieht: „Goethe hatte ursprünglich . . . symmetrische Riesenklammern um das unförmliche Stück zu legen versucht . . . Wenn Goethe schließlich ‚Abschied' und ‚Abkündigung' fallenließ . . ., der aufschlußreichen Korrespondenzen bleiben noch übergenug." Dagegen E. Staiger, Goethe. Zürich 1959 III, S. 267–71: „Es sind . . . durchaus wesentliche Momente der Handlung, die Goethe darzustellen versäumt, dagegen führt er andre, die man für entbehrlich halten sollte . . . mit sichtlichem Behagen aus . . . Bereits den ersten Teil kennzeichnet die Neigung zu Episoden und eine gewisse Scheu, den Angelpunkt der Fabel ins Auge zu fassen . . . Das Recht sich gehen zu lassen, das Goethe sich auf der Höhe des Lebens nimmt, läßt sich der Greis erst recht nicht rauben . . . Wo aber Lücken klaffen und Widersprüche stehen geblieben sind . . ."

99 Denn auch die Spartaszene und der Burghof zeigen dieselbe symmetrische Struktur einer Mittelzäsur, die die Szenen jeweils in zwei Teile zerlegt, mit einer Steigerung in der Mitte, der eine Steigerung am Ende entspricht.

100 Goethe zu Eckermann, 17. 2. 1831, Biedermann 8, S. 21: „Der erste Teil ist fast ganz subjektiv."

101 Siehe WA 15², S. 165, Lesart: Vor V. 11954 „Chor der Engel (Faustens Entelechie heranbringend)."

102 Siehe W. Binder, Goethes klassische Faustkonzeption, DtVjs. 1968, I, S. 76: „Das Erste Paralipomenon ist ein Erzeugnis der Schillerzeit."

103 Paralip. 1, WA 14, S. 287.

104 Vgl. D. Lohmeyer, Faust und die Welt, Potsdam 1940, S. 17; M. Kommerell, Geist und Buchstabe der Dichtung, S. 23; ferner B. v. Wiese, Die Deutsche Tragödie von Lessing bis Hebbel, Hamburg 1964, S. 148; ferner W. Schadewaldt, Faust und Helena, Goethestudien, Zürich 1963, S. 200.

105 Siehe auch M. Kommerell, Geist und Buchstabe der Dichtung, S. 179: „Wo ist nun diese Konzentration dargestellt? In den Katastrophen, besser gesagt: den Verwandlungen Fausts."

106 Paralip. 123, WA 15², S. 199.

107 Geschichte der Farbenlehre, LA I 6, S. 132.

108 Geschichte der Farbenlehre, LA I 6, S. 133.

109 Nachdem die Rickertsche These von der Einheit der beiden Teile, sofern auch „der zweite Teil von den Versuchungen handelt", H. Rickert, Goethes Faust, Tübingen 1932, S. 281, fast durchgängig aufgegeben ist, hat sich nun die Auffassung von der Unabhängigkeit des II. vom I. Teil weitgehend durchgesetzt, vgl. W. Emrich, Die Symbolik von Faust II, Bonn 1957, S. 64–67. Ferner E. Staiger, Goethe III, S. 266: „Wir dürfen den zweiten Teil nicht ohne weiteres auf den ersten beziehen"; B. v. Wiese, Die Deutsche Tragödie, S. 148; H. Mayer, Faust II ohne Faust I, Theaterheft des Schillertheaters, Berlin 1966: „Nicht nur die äußere Struktur der beiden Teile ist grundverschieden; auch die formale Anlage verbietet es, die beiden Teile zu einer Einheit zu binden."

110 Goethe zu S. Boisserée, 3. 8. 1815, Biedermann 3, S. 191: „Dann kommt er [Goethe] auf den Faust; der erste Teil ist geschlossen mit Gretchens Tod, nun muß es par ricochet noch einmal anfangen."

111 MR 1138.

112 Siehe V. 11958–61:

"Wenn starke Geiteskraft
Die Elemente
An sich herangerafft"

113 Siehe V. 4893–96

"In Bergesadern, Mauergründen
Ist Gold gemünzt und ungemünzt zu finden,
Und fragt ihr mich, wer es zutage schafft:
Begabten Manns Natur- und Geisteskraft."

114 Siehe auch Paralip. 180, WA 15², S. 241:

"Mit diesem Ungeheuer möcht ich kämpfen,
Mit Menschengeist die Elemente dämpfen."

115 Vgl. M. Kommerell, Geist und Buchstabe der Dichtung, S. 24: "Ist Faust die Person, so ist Mephisto das Nein zu diesem Prinzip."

116 V. 1343–44.

117 Geschichte der Farbenlehre, LA I 6, S. 132–33.

118 Erster Entwurf einer allgemeinen Einleitung in die vergleichende Anatomie, LA I 9, S. 124f.; ferner Principes de philosophie zoologique, LA I 10 S. 397: "Von einer andern Hauptwahrheit … ist er gleichfalls durchdrungen: daß nämlich die haushältische Natur sich einen Etat, ein Budget vorgeschrieben, in dessen einzelne Kapiteln sie sich die vollkommenste Willkür vorbehält, in der Hauptsumme jedoch sich völlig treu bleibt, indem, wenn an der einen Seite zu viel ausgegeben worden, sie es der andern abzieht und auf die verschiedenste Weise sich ins Gleiche stellt."

119 Siehe S. 113, S. 194, S. 209 f., S. 312.

120 Eins und Alles, JA 2, S. 244.

"Und umzuschaffen das Geschaffne,
Damit sich's nicht zum Starren waffne,
Wirkt ewiges lebend'ges Tun."

121 Charakteristische polare Begriffe, die sich auf Faust und Mephisto verteilen, sind daher folgende:

zu Faust:	zu Mephisto:
Idealität	Realität
Augenblick	Zeit
Wesen	Schein
Mythisch	Historisch
Kunst	Wissenschaft
Glaube	Erfahrung
Lebendig	Künstlich
Gegenwart	Gedächtnis
Wahnsinn	Bewußtsein
Intuition	Verstand
Gesetz	Zufall
Ordnung	Gewalt
Natürlich	Moralisch

122 Paralip. 91–96, WA 15², S. 185–88. Zur Chronologie vgl. E. Staiger, Goethe

III, S. 421–26; W. Emrich, Die Symbolik von Faust II, S. 438–39; A. R. Hohlfeld Euph. 49 (1955) S. 283–304.

123 Siehe M. Kommerell, Geist und Buchstabe der Dichtung, S. 24–25.

124 Siehe M. Kommerell, Geist und Buchstabe der Dichtung, S. 24: „Die Natur ist Lebensgewalt und Todesgewalt. Allem Schaffen wirkt Vernichtendes entgegen, woran das Schaffende in Unterscheidung sich erkennt, in Gefahr belebt, in Teilvernichtung wieder herstellt . . . Er [Mephisto] ist . . . der Geist der Verneinung, der das Sein überhaupt vernichten will, es für vernichtenswert hält, aber einen Zweifel nicht los wird, ob es auch wirklich vernichtbar sei."

125 Paralip. 123, WA 15² S. 201: „. . . bedient sich seines früheren probaten Mittels, seinen Gebieter nach allen Seiten hin und her zu sprengen . . . und zuletzt noch die wachsende Ungeduld des Herrn zu beschwichtigen beredet er ihn, gleichsam im Vorbeygehen auf dem Weg zum Ziele den academisch-angestellten Doctor und Professor Wagner zu besuchen."

126 Goethe an Riemer, 29. 12. 1827, mit Übersendung des I. Aktes bis V. 6036.

127 Nach diesem Schema eines psychologischen Reifeprozesses wird die Aktfolge fast durchgängig in der älteren Faustforschung verstanden; so bei H. A. Korff, Geist der Goethezeit, Leipzig 1930, II, S. 415: die einzelnen Akte als „Enttäuschung" und „Ansporn" zum Höheren. Oder bei H. Gerlandt, Faust, Logos 16, 1927, S. 263: „Stufenleiter, auf der Faust langsam aber sicher emporsteigt". Oder bei H. Rickert, Goethes Faust, Tübingen 1932: stufenweise sittliche Läuterung. Dagegen nun E. Staiger, Goethe III S. 287: „Es geht mit ihm [Faust] ja ohnehin nicht eindeutig immer aufwärts, im zweiten so wenig wie im ersten Teil."

128 MR 1365: „Die Griechen nannten Entelecheia ein Wesen, das immer in Funktion ist."

129 Vgl. Paralip. 178, WA 15², S. 236 (siehe ob. Anm. 34).

130 Zur Gewinnung neuen Landes vgl. Bändigen und Entlassen der Elemente, LA I 11, S. 263: „Insofern sich nun der Mensch den Besitz der Erde ergriffen und ihn zu erhalten die Pflicht hat, muß er sich zum Widerstand bereiten und wachsam erhalten . . . Die Elemente aber sind als kolossale Gegner zu betrachten, mit denen wir ewig zu kämpfen haben, und die wir nur durch die höchste Kraft des Geistes, durch Mut und List, im einzelnen Fall bewältigen."

131 Vgl. Zur Morphologie. Die Absicht eingeleitet, LA I 9, S. 8: „Je vollkommner das Geschöpf wird, desto unähnlicher werden die Teile einander. . . . Je ähnlicher die Teile einander sind, desto weniger sind sie einander subordiniert. Die Subordination der Teile deutet auf ein vollkommneres Geschöpf."

132 Vgl. G. Lukács, Fauststudien, Neuwied 1965, Werke 6, S. 580f.

133 Siehe H. Mayer, Faust II ohne Faust I, Theaterheft des Schillertheaters, Berlin Mai 1966: „Darum hat Faust eigentlich bis zum Schluß nichts gelernt. Daran hat ihn immer wieder die Magie gehindert, das Teufelstreiben. Seine einzige, aufdämmernde Erkenntnis, die ihn erlösungswürdig macht, geht dahin, dieser Magie nun endlich entraten zu können. Wodurch erst die volle menschliche Verantwortung – und damit die Möglichkeit einer menschlichen Tragödie – begründet würde . . . Es kann nicht gelingen. Der Teufelspakt gilt weiter. . . . Funde in Goethes Nachlaß machen evident, daß Goethe diese Auslegung angestrebt hat."

134 Über den kosmischen Charakter des II. Faust, seine Entfernung vom „Klassizi-

stischen oder realistischen Drama" und dessen „innermenschliche oder zwischen-
menschliche Konflikte" siehe R. Alewyn, Goethe und das Barock, in Goethe und die
Tradition, her. v. H. Reiss, Frankfurt 1972, S. 136.

135 Vgl. auch P. Stöcklein a. a. O. S. 37: „ Goethe stellt nie dar, was nach dem
Leben ist . . . Er hielt es für unerlaubt . . . Den *Tod* stellt er im Faust dar."

136 MR 1348.

137 Bedenken und Ergebung, LA I 9, S. 97.

138 Goethe an W. von Humboldt, 1. 12. 1831: „Und durch eine geheime psychologische Wendung, welche vielleicht studiert zu werden verdient, glaube ich
mich zu einer Art von Produktion erhoben zu haben, welche bei völligem Bewußtsein dasjenige hervorbrachte, . . . was Aristoteles und andere Prosaisten einer Art
von Wahnsinn zuschreiben würden."

139 Goethe an Zelter, 27. 7. 1828: „Wenn dies Ding [Faust II] nicht fortgesetzt . . .
den Leser . . . nötigt, sich über sich selber hinauszumuten, so ist es nichts wert."

140 Entgegen E. Staiger, Goethe III, S. 434, dem es sich aus dem Dichtungstext
ergibt, daß Fausts Bewältigung der Sorge ursprünglich mit dem Frevel an Philemon
und Baucis nichts zu tun hat.

141 Über die Reihung der Akte s. auch M. Kommerell, Geist und Buchstabe der
Dichtung, S. 231–32, der jedoch den 5. Akt in die Reihe der vier übrigen stellt.

142 Vgl. Principes de philosophie zoologique, LA I 10, S. 394: „Die Natur bleibt
ewig respektabel, ewig bis auf einen gewissen Punkt erkennbar, ewig dem Verständigen brauchbar . . . dem Beobachter wie dem Denker gibt sie vielfältigen Anlaß, und
wir haben Ursache kein Mittel zu verschmähen, wodurch ihr Äußeres schärfer zu
bemerken und ihr Inneres gründlich zu erforschen ist. Wir nehmen daher zu unsern
Zwecken ohne weiteres die Funktion in Schutz. – Funktion, recht begriffen, ist das
Dasein in Tätigkeit gedacht."

143 Zum Problem des Fehlens von Charakter und kausaler Handlung im Faust II
vgl. M. Kommerell, Geist und Buchstabe der Dichtung, S. 29; W. Emrich, Die Symbolik von Faust II, S. 65, und B. v. Wiese, Die Deutsche Tragödie, S. 148.

144 Vgl. Eins und Alles, JA 2, S. 244.

145 Paralip. 166, WA 15², S. 229.

Fausts Gang durch die Welt

Prolog

1 Goethe zu Eckermann, Fragment zum vierten Teil der Gespräche, Houben, S. 626.

2 Goethe zu Eckermann, Fragment zum vierten Teil der Gespräche, Houben, S. 626.

3 Für eine rein psychologische Erklärung des Heilschlafs E. Staiger, Fausts Heil-
schlaf, Hamb. Akad. Rundschau 1947, S. 253; nach ihm würde die symbolisch-natur-
philosophische Auslegung den Schlaf zu einem „miraculösen Vorgang" machen,
„der die Kontinuität der Person des Helden zerstört". – Von einer solchen Auffassung
des „Heilschlafs", der „die Faustgestalt der seelischen Einheit beraubt", geht H. Mayer
in seiner Faustinterpretation aus: „Wo wären Begriffe wie Schuld und Sühne unter-
zubringen, wenn Faust nach jeder Tat und Untat mit Teufels Hilfe eine Lethekur

absolviert", Programm d. Schillertheaters 1966, ferner Goethe, Suhrkamp 1973, S. 93.

4 Zu „nah und fern" vgl. S. 152 mit Anm. 188.

5 Vgl. auch W. Schadewaldt, Zur Entstehung der Elfenszene, Goethestudien, Zürich 1963, S. 255 ff., der aus dem Vergleich zu den „Chinesisch-deutschen Tages- und Jahreszeiten" zu einer überzeugenden Datierung der Szene und des Motivs des „Gesundungsschlafs" kommt.

6 Zur Terzinenform als „symbolischer Form" dieses Monologs vgl. P. Friedländer, Rhythmen und Landschaften im zweiten Teil des Faust, Weimar 1953, S. 1 ff.

7 Farbenlehre § 150, LA I 4, S. 64.

8 Farbenlehre § 147, LA I 4, S. 64.

9 Vorwort zur Farbenlehre, LA I 4, S. 3.

10 Einleitung zur Farbenlehre, LA I 4, S. 18.

11 Einleitung zur Farbenlehre, LA I 4, S. 18.

12 Versuch einer allgemeinen Vergleichungslehre, 2. Abschnitt, LA I 10, S. 120-21.

13 Einleitung zur Farbenlehre, LA I 4, S. 18.

14 Einleitung zur Farbenlehre, LA I 4, S. 18.

15 Vorwort zur Farbenlehre, LA I 4, S. 3.

16 Einleitung zur Farbenlehre, LA I 4, S. 19.

17 Farbenlehre § 745, LA I 4, S. 219.

18 Vorwort zur Farbenlehre, LA I 4, S. 3.

Gesellschaft

1 Siehe S. 20-21 und S. 23-24.

2 MR 1367.

3 Konflikte, MR 1363.

4 Vgl. Dramatische Preisaufgabe 1800, JA 36, S. 186: „... da die Leidenschaften auf der unbeweglichen Base der menschlichen Natur gegründet und folglich weit beständiger sind als die Sitten, die jedes Land und jeder Zeitmoment verändert."

5 Über die Elemente als das Triebhafte im Kosmos äußert sich Goethe in dem Aufsatz: Bändigen und Entlassen der Elemente, LA I 11, S. 263: „Die Elemente sind die Willkür selbst zu nennen. Die Erde möchte sich des Wassers immerfort bemächtigen und es zur Solideszenz zwingen . . . Ebenso unruhig möchte das Wasser die Erde, die es ungern verließ, wieder in seinen Abgrund reißen; die Luft, die uns freundlich umhüllen . . . sollte, rast auf einmal als Sturm daher, uns niederzuschmettern . . .; das Feuer ergreift unaufhaltsam, was von Brennbarem Schmelzbarem zu erreichen ist." Dasselbe Verständnis der Triebe bei Goethe findet sich bei G. Lukács, Werke Bd. 6, S. 571-72.

6 Definition und Analyse des Begriffs der Repräsentation, wie er auch hier für Goethe in Anspruch genommen wird, siehe H. G. Gadamer, Wahrheit und Methode, Tübingen 1962, S. 134 und Anm. 2.

7 Goethe zu Eckermann, 23. 10. 1828, Houben, S. 529 (fehlt bei Biedermann): „Er [Großherzog Karl August] war damals noch sehr jung . . .; doch ging es mit uns freilich etwas toll her. Er war wie ein edler Wein, aber noch in gewaltiger Gärung. Er wußte mit seinen Kräften nicht wo hinaus, und wir waren oft sehr nahe am Halsbrechen."

8 MR 966.

9 Vgl. E. Beutler, Faust und Urfaust, Leipzig 1940, S. 571, der irrtümlicherweise

Faust schon in der Staatsratszene in der Rolle des Astrologen auftreten läßt. Mit den Worten „Hier steht ein Mann, da fragt den Astrologen" (V. 4928) soll Mephistopheles ihn bei Hofe einführen. Dafür gibt es im Text keinerlei Anhalt. Faust erscheint zum ersten Mal am Kaiserhof in der Mummenschanz in der Maske des Plutus. Ähnlich auch E. Staiger, Goethe III, S. 281.

10 Vgl. W. Gerloff, Die Entstehung des Geldes, 3. Auflage, Frankfurt, S. 157 ff., 201 ff.

11 Geschichte der Farbenlehre, LA I 6, S. 129.

12 Dagegen E. Staiger, Goethe III, S. 281: „Mephisto bläst ihm [dem Astrologen] ein und er spricht nach . . . Doch was er nachspricht, ist . . . Unsinn. . . Goethe hat, so scheint es, früher entstandene Verse eingeschaltet."

13 Merkur ist die alchemistische Bezeichnung für Quecksilber; vgl. Meyer, Konversationslexikon, Leipzig 1896, 12, S. 163: „Die Alchemisten bezeichneten mit dem Namen Merkur alles Flüchtige, z. B. Mercurius communis = Quecksilber." – Venus vgl. Meyer, a. a. O. 17, S. 210: „. . . ist bei den Alchemisten das Kupfer, weil dieses den Namen – lat. cuprum, griech. chalkos kyprios – von der der Venus heiligen Insel Cypern bekommen hat."

Nach Tagebuchnotiz vom 24. 11. 1807: „Alchymie aus dem Gothaischen Bande: Artis auriferae Vol. I. Anm. Darin Morieni Romani Eremitae Hierosolymitani Sermo" hat Goethe aus Morienus ein Stück als „Musterstück" „wie sie [die Alchymisten] ihr Geschäft . . . behandelt", übersetzt und es in die Geschichte der Farbenlehre unter dem Kapitel „Alchymisten" eingerückt. Dort wird derselbe Prozeß des künstlichen Goldmachens auf dem Wege des „großen Werkes", d. h. des alchemistischen Prozesses, unedle Metalle in Gold und Silber zu verwandeln, folgendermaßen beschrieben: „Wenn Laton [d. i. Kupfer] mit Alzebril [d. i. Schwefel] verbrennt, und das Weibliche [d. i. Quecksilber] drauf gegossen wird, so daß dessen Hitze aufgehoben werde, dann wird die Dunkelheit und Schwärze davon weggenommen und derselbe in das reinste Gold verwandelt." Siehe auch die Erläuterungen LA II 6, S. 439–41.

14 Mars ist die alchemistische Bezeichnung für Eisen, Jupiter die für Zinn, Saturn die für Blei; s. Meyer, a. a. O., 13, S. 977. – In Analogie zu der Umwandlung von Kupfer und Quecksilber in künstliches Gold steht die von Eisen, Zinn und Blei in künstliches Silber. Vgl. auch K. Ch. Schmieder, Geschichte der Alchemie, München 1927, Einleitung S. 2–3 und S. 121 f. (Morienus).

15 Sol zu Luna, vgl. R. Reitzenstein, Alchemistische Lehrschriften und Märchen bei den Arabern, Gießen 1923, S. 89, der in der „Vereinigung von Sonne und Mond" einen „Ausdruck der alchemistischen Literatur" für das „Unmögliche und Wunderbare" nachweist, welcher ursprünglich auf das Motiv der „Hochzeit der Sonne und des Mondes" zurückgeht. S. 65: „Dem Sonnengott aber sind in der alchemistischen Literatur schon des Orients das Gold, dem Mondgott (oder Göttin) das Silber gleichgesetzt." – Der bei Reitzenstein behandelte Text ist eben jener Morienus (vgl. Anm. 13), den auch Goethe in der Geschichte der Farbenlehre für das Kapitel „Alchymisten" heranzieht.

16 Besitz („Paläste", „Gärten"), Liebeslust („Brüstlein"), Gesundheit („rote Wangen") entsprechen in gesellschaftlicher Abwandlung dem „Gold", der „Gesundheit" und dem „langen Leben" als den „3 Forderungen der höheren Sinnlichkeit", die die Geschichte der Farbenlehre nennt.

17 Vgl. Geschichte Keyser Maximiliani löblicher Gedechtnusz mit dem alchymisten,

Werke des Hans Sachs, hrsg. v. Keller-Goetze, Tübingen 1886, 16, S. 423.

18 Weitere literarische Figuren: Ariel („Anmutige Gegend") übernommen aus W. Shakespeare, Sturm; Famulus Nicodemus (Gotisches Zimmer) aus Johannes 3, 1–20; Lynkeus („Burghof" und „Palast") aus dem griechischen Mythos; Philemon und Baucis („Offene Gegend") aus dem griechischen Mythos.
Weitere literarische Zitate: V. 9162 sich beziehend auf J. Milton, Das verlorene Paradies 10, V. 705 ff.; V. 9939–40 auf P. Calderón, Fegfeuer des Heiligen Patrick II, 7; V. 10009–94 auf Epheser 6, 12; V. 10127 auf Moses 1, 9, 12; V. 11286–87 auf 1. Könige 21; V. 11531–38 auf W. Shakespeare: Hamlet 5, 1.

19 Siehe S. 25 mit Anm. 82.

20 2. Akt, V. 7117–23; V. 7132–37: Mephisto gegenüber den Sphinxen. 3. Akt, V. 8810–25: Mephisto gegenüber dem Chor Helenas. 4. Akt V. 10075–94: Mephisto gegenüber Faust.

21 Vgl. Geschichte der Farbenlehre, LA I 6, S. 110: „Dem Gefühl, der Einbildungskraft ist es ganz gleichgültig wovon sie angeregt werden, da sie beide ganz reine Selbsttätigkeiten sind, die sich ihre Verhältnisse nach Belieben hervorbringen, nicht so dem Verstande, der Vernunft. Beide haben einen entschiedenen Bezug auf die Welt; der Verstand will sich nichts Unechtes aufbinden lassen, und die Vernunft verabscheuet es."

22 Siehe S. 71.

23 Geschichte der Farbenlehre, LA I 6, S. 138.

24 Geschichte der Farbenlehre, LA I 6, S. 130.

25 Geschichte der Farbenlehre, LA I 6, S. 138.

26 Geschichte der Farbenlehre, LA I 6, S. 129.

27 Zu „Projekt" und Projektemacher als zweifelhafter Plänemacher, „Anschlagmacher", vgl. Adelung-Campe, Braunschweig 1813, S. 501.

28 Siehe S. 71.

29 Paralip. 101, WA 15², S. 191 resümiert den Vorgang: „Andeutungen auf die verborgenen Schätze. Sie gehören im ganzen Reiche dem Kaiser. Man muß sie auf kluge Weise zu Tage bringen. Man entgegnet aus Furcht vor Zauberey."

30 Paralip. 101, WA 15², S. 191 fährt fort: „Der lustige (Listige?) reduziert alles auf Naturkräfte. Wünschelruthe und Persönlichkeit. Andeutung auf Faust."

31 F. Gundolf, Goethe, Berlin 1916, S. 760 sieht in der Mummenschanz „eine unabhängige, nur lose mit dem Anlaß verknüpfte Einlage"; ähnlich noch E. Staiger, Goethe III, S. 286: „Ebensowenig aber dürfen wir ... in der Folge von Bildern nach einer systematischen Lehre suchen." Desgleichen Th. Friedrich–L. J. Scheithauer, Kommentar zu Goethes Faust, Reclam 1963, S. 134.

32 Die ältere Faustforschung bis zu H. Rickert, Goethes Faust, Tübingen 1932, sieht fast durchgängig in der Mummenschanz eine Einrichtung Mephistos, um dem Kaiser die Unterschrift unter den Papierschein abzulocken.

33 Vgl. auch H. H. Borcherdt, Die Mummenschanz im II. Teil des Faust, Goethe, VjsGG 66, Weimar 1936, I, S. 290, der die Rickertsche These überzeugend widerlegt und aus „der Art der Drucklegung" auf die Mummenschanz als „selbständige Etappe in Fausts Leben am Hofe" schließt.

34 Vgl. E. Beutler, Faust und Urfaust, S. 573: „So sehr hat Goethe, in beglückter Rückerinnerung an Rom, sich an der Ausmalung dieses Festes erfreut." Oder G. Witkowski, Goethes Faust, Kommentar und Erläuterungen, Leipzig 1912, II, S. 290.

35 Siehe E. Beutler, Faust und Urfaust, S. 573.

36 Der Dichter benutzt die in der Renaissance aufkommende Sitte der Maskenzüge als Repräsentation höfischen Glanzes für eine Repräsentation der Gesellschaft im
eigenen Sinne.

37 Siehe: V. 5067, 5071, 5093, 5116, 5265, 5430, 5542, 5544, 5876.

38 Schicksal der Handschrift, LA I 9, S. 62.

39 Italienische Reise, JA 27, S. 195.

40 Italienische Reise, JA 27, S. 231.

41 Italienische Reise, JA 27, S. 231.

42 Italienische Reise, JA 27, S. 237.

43 Aus der Polarität und der Vereinigung des Polaren in einem Dritten sind ebenfalls die Bilder zu verstehen, aus denen sich die Gruppen im einzelnen zusammensetzen.

44 Von der „erzieherischen Aufgabe", „die Faust gegenüber dem leichtfertigen,
aber im Grunde gutherzigen jungen Kaiser mit dem Flammenspiel zu erfüllen sucht",
spricht auch H. H. Borcherdt, „Die Mummenschanz im II. Teil des Faust", a.a.O., S. 301.

45 Schicksal der Handschrift, LA I 9, S. 62: „Das dritte was mich beschäftigte,
waren die Sitten der Völker. An ihnen zu lernen, wie aus dem Zusammentreffen von
Notwendigkeit und Willkür, Antrieb und Wollen, von Bewegung und Widerstand
ein drittes hervorgeht, was weder Kunst noch Natur, sondern beides zugleich ist, notwendig und zufällig, absichtlich und blind. Ich verstehe die menschliche Gesellschaft."

46 Entgegen W. Emrich, Die Symbolik von Faust II, S. 143, der in der Gärtne-
rinnen- und Gärtnerszene lediglich „eine Einführung in ein Zentralthema Goethischer
Kunst sieht", „in das Motiv von der totalen synchronistischen Einheit der Jahreszeiten". Anders auch E. Staiger, Goethe III, S. 285, den die Gärtnerinnen an „die
Vergänglichkeit des natürlichen Lebens" erinnern und die „der Zeit entrückte Kunst".

47 „Denn wirkten Grobe
Nicht auch im Lande..." (V. 5207–08)

48 „Wir sind die Klugen,
Die nie was trugen..." (V. 5217–18)

49 „Denn alles Bücken,
Bejahndes Nicken,
Gewundne Phrasen..." (V. 5241–43)

50 Andere W. Emrich, Die Symbolik von Faust II, S. 145, der in der Konfrontie-
rung zwischen Holzhauern, Parasiten und Pulcinelle „eine neue Wendung des Verhältnisses von Schein und Sein, Künstlichkeit und Natürlichkeit" erkennt.

51 „Saget nicht, daß ich verirrt bin,
Bin ich doch, wo mir's behagt." (V. 5279–80)

52 Hier geht es um eine Poesie, die sich am Wert des bloß Neuen und modisch
Interessanten bemißt, von der auch die Divanverse sprechen, JA 5, S. 48:
„Daß nur immer in Erneuung
Jeder täglich Neues höre,
Und zugleich auch die Zerstreuung
Jeden in sich selbst zerstöre."

53 Zur Aufschlüsselung dieser Dichtergruppen vgl. E. Trunz, Anmerkungen zum
Faust, HA 3, S. 543.

54 „Und so bin ich gern gebunden,

Blicke freundlich diesem Ort:
Ihr in diesen freien Stunden
Schwärmt nur immer fort und fort." (V. 5329–32)

55 „Auch sie verlangen nicht den Ruhm als Engel,
Bekennen sich als Stadt- und Landesplage." (V. 5355–56)

56 „Versöhnt man sich, so bleibt doch etwas hängen." (V. 5368)

57 Anders E. Staiger, Goethe III, S. 286, der die Gruppe „als die wohlgeleitete Masse eines Volkes" deutet; alles indessen zielt hier auf Viktorie als „Göttin aller Tätigkeiten". Abweichend auch W. Emrich, Die Symbolik von Faust II, S. 145, bei dem es in Viktorie schon um das „Phänomen des Schöpferischen" geht, um „ein geheimes Gerichtetsein des Festzugs" auf das neue „Erscheinen Fausts-Plutus".

58 Italienische Reise, JA 27, S. 207: „Kutschen. – Indessen die Masken sich vermehren, fahren die Kutschen nach und nach in den Korso hinein . . ."

59 WA 15², S. 21, in den Handschriften H und H¹⁷ ursprünglich „vollen Kleid".

60 Nach I. Mose 2, 23: Da sprach der Mensch: „Das ist doch Bein von meinen Beinen und Fleisch von meinem Fleisch"; siehe auch E. Schmidt, JA 14, S. 315.

61 Lucas III, 22: „Du bist mein lieber Sohn, an dem ich Wohlgefallen habe." Siehe auch E. Schmidt, JA 14, S. 315.

62 Paralip. 104, WA 15², S. 192: „Plutus Steigt ab Avaritia Geiz Weigerung? Drachen holen herab."

63 Geschichte der Farbenlehre, LA I 6, S. 129–30.

64 Vgl. E. Staiger, Goethe III, S. 287: „In Plutus stellt sich ihm [dem Kaiser] die echte gediegene Fülle dar." Anders W. Emrich, Die Symbolik von Faust II, S. 176: „Reich ist Plutus als Dichter, nicht etwa als ein dem Kaiser gleichender Fürst." Desgleichen W. Schadewaldt, Faust und Helena, Goethestudien, S. 185: „. . . so wie in dem Faust-Plutus . . . bereits das Bild des Dichters erscheint."

65 Vgl. G. Lukács, Fauststudien, Werke Bd. 6, S. 566. Lukács geht bei seiner Interpretation des Geldes im 1. Akt nicht ausdrücklich von Plutus aus – die Funktion Fausts in der neuen Geldkonzeption bleibt von ihm unbemerkt – sondern von dem Papiergeld und seiner Erfindung überhaupt, die er allein Mephisto zuschreibt. – Die Auffassung des Geldes aber läßt sich aus der Beziehung zum Plutus des Maskenzuges, zumal einem von Faust repräsentierten, nicht lösen; das Scheingeld nicht aus seiner Beziehung zum verborgenen Reichtum. Lukács versteht explicit das Papiergeld als Symbol des Geldes in seiner „spezifisch-kapitalistischen Bedeutung"; als „Verlängerung des Menschen" zum Zwecke der Machtausübung über andere, im Sinne der Interpretation der Verse des I. Teils

„Wenn ich sechs Hengste zahlen kann,
Sind ihre Kräfte nicht die meinen?"

an denen der junge Marx in seinen „ökonomisch-philosophischen Manuskripten" den Kapitalismus definierte: „Was durch das Geld für mich ist, was ich zahlen, d. h. was das Geld kaufen kann, das bin ich, der Besitzer des Geldes selbst."

Das Papiergeld als „Verlängerung des Menschen" wäre auch ein für Goethe annehmbares Verständnis des Geldes, vom Mephistophelischen Bewußtsein, als dem Hersteller schlauer Mittel, erfunden. Doch geht es bei Goethe nicht in die Richtung des Machtmittels zur Unterdrückung, des Werkzeugs zur Herrschaftsausübung von Menschen über Menschen, sondern auf die Ermöglichung des allgemeinen Wohlstands

eines gesellschaftlichen Organismus, in dem nicht Klassenlosigkeit und Vergesell-
schaftung des Kapitals, sondern die Funktionalität der ständischen Gliederung den
privaten Egoismus aufhebt.

66 „Prahlen", JA 5, S. 74:

> „Verziehst mein Prahlen
> Von deiner Lieb' und meinem
> Durch dich glücklichen Gelingen,
> Verziehst anmutigem Selbstlob.
> Selbstlob! Nur dem Neide stinkt's,
> Wohlgeruch Freunden
> Und eignem Schmack!"

Oder JA 5, S. 50:

> „Sich selbst zu loben, ist ein Fehler,
> Doch jeder tut's, der etwas Gutes tut;
> Und ist er dann in Worten kein Verhehler,
> Das Gute bleibt doch immer gut."

Siehe auch JA 5, S. 236–37.

67 „Sich verschwenden", JA 5, S. 167–68: „Wollen wir nun den Unterschied zwischen Poeten und Propheten näher andeuten, so sagen wir: beide sind von einem Gott
ergriffen und befeuert, der Poet aber vergeudet die ihm verliehene Gabe im Genuß,
um Genuß hervorzubringen."

68 „Dem Herrscher die Palme erringen", JA 5, S. 236: „Der Herrscher selbst ist
der erste Anmaßliche . . . ihm stehen alle zu Dienst, er ist Gebieter sein selbst, . . . sein
eigner Wille erschafft die übrige Welt, so daß er sich mit der Sonne, ja mit dem Weltall vergleichen kann. Auffallend ist es jedoch, daß er eben dadurch genötigt ist, sich
einen Mitregenten zu erwählen, der ihm in diesem unbegrenzten Felde beistehe, ja
ihn ganz eigentlich auf dem Weltenthrone erhalte. Es ist der Dichter, der mit und
neben ihm wirkt und ihn über alle Sterbliche erhöht." – Oder JA 5, S. 205–06: „Wenn
es . . . der menschlichen Natur gemäß und ein Zeichen ihrer höheren Abkunft ist, daß
sie . . . jede höhere Vollkommenheit mit Begeisterung erfaßt und an deren Erwägung
gleichsam das innere Leben erneuert, so ist die Lobpreisung auch der Macht und Gewalt, wie sie in Fürsten sich offenbart, eine herrliche Erscheinung im Gebiete der
Poesie und bei uns, mit vollestem Rechte zwar, nur darum in Verachtung gesunken,
weil diejenigen, die sich derselben hingaben, meistens nicht Dichter, sondern nur
feile Schmeichler gewesen. Wer aber, der Calderon seinen König preisen hört, mag hier,
wo der kühnste Aufschwung der Phantasie ihn mit fortreißt, an Käuflichkeit des Lobes
denken? Oder wer hat sein Herz noch gegen Pindars Siegeshymnen verwahren wollen?"

69 „Sich verraten", JA 5, S. 8, Geständnis:

> „Am schwersten zu bergen ist ein Gedicht:
> Man stellt es untern Scheffel nicht.
> Hat es der Dichter frisch gesungen,
> So ist er ganz davon durchdrungen;
> Hat er es zierlich nett geschrieben,
> Will er, die ganze Welt soll's lieben.
> Er liest es jedem froh und laut,
> Ob es uns quält, ob es erbaut."

Oder JA 5, S. 103–4:

> „Erst sich im Geheimnis wiegen,
> Dann verplaudern früh und spat!
> Dichter ist umsonst verschwiegen,
> Dichten selbst ist schon Verrat!"

70 Noten und Abhandlungen zum Divan. Verwahrung, JA 5, S. 222.

71 West-östlicher Divan, Dreistigkeit, JA 5, S. 13.

72 West-östlicher Divan, Lied und Gebilde, JA 5, S. 13.

73 West-östlicher Divan, JA 5, S. 74:

> „Freude des Daseins ist groß,
> Größer die Freud' am Dasein."

Oder JA 5, S. 99:

> „Du kleiner Schelm du!
> Daß ich mir bewußt sei,
> Darauf kommt es überall an.
> Und so erfreu' ich mich
> Auch deiner Gegenwart,
> Du Allerliebster,
> Obgleich betrunken."

74 West-östlicher Divan, JA 5, S. 167/68; siehe Anm. 67. Oder JA 5, S. 14:

> „Dichten ist ein Übermut,
> Niemand schelte mich."

Oder JA 5, S. 75:

> „Aber Tage währt's,
> Jahre dauert's, daß ich neu erschaffe
> Tausendfältig deiner Verschwendungen Fülle,
> Auftrösle die bunte Schnur meines Glücks,
> Geklöppelt tausendfadig
> Von dir, o Suleika!"

75 West-östlicher Divan, Elemente, JA 5, S. 8.

76 Marienbader Elegie, JA 2, S. 206, Motto:

> „Und wenn der Mensch in seiner Qual verstummt,
> Gab mir ein Gott zu sagen, was ich leide."

77 „Rausch des Trunkenen" vgl.:

> „Dann muß Klang der Gläser tönen
> Und Rubin des Weins erglänzen:
> Denn für Liebende, für Trinker
> Winkt man mit den schönsten Kränzen."

78 „Übermut des Siegers" vgl.:

> „Waffenklang wird auch gefodert,
> Daß auch die Drommete schmettre;
> Daß, wenn Glück zu Flammen lodert,
> Sich im Sieg der Held vergöttre."

79 „Dreistigkeit des Verächters" vgl.:

> „Dann zuletzt ist unerläßlich,
> Daß der Dichter manches hasse;

Was unleidlich ist und häßlich,
Nicht wie Schönes leben lasse!"
80 „Seligkeit des glücklich Liebenden" vgl.:
„Liebe sei vor allen Dingen
Unser Thema, wenn wir singen;
Kann sie gar das Lied durchdringen,
Wird's um desto besser klingen."
81 West-östlicher Divan, Lied und Gebilde, JA 5, S. 13:
„Schöpft des Dichters reine Hand,
Wasser wird sich ballen."
82 Noten und Abhandlungen zum Divan, Dschellal-eddin Rumi, JA 5, S. 184:
„Hiebei ist so viel zu bemerken: daß der eigentliche Dichter die Herrlichkeit der Welt
in sich aufzunehmen berufen ist und deshalb immer eher zu loben als zu tadeln geneigt
sein wird. Daraus folgt, daß er den würdigsten Gegenstand aufzufinden sucht und,
wenn er alles durchgegangen, endlich sein Talent am liebsten zu Preis und Verherr-
lichung Gottes anwendet ... Und wenn der weltliche Dichter die ihm vorschweben-
den Vollkommenheiten an vorzügliche Personen verwendet, so flüchtet sich der Gott-
ergebene in das unpersönliche Wesen, das von Ewigkeit her alles durchdringt." –
Oder JA 5, S. 211: „Der Dichter hat am ersten Ursache, sich dem Höchsten, der sein
Talent schätzt, zu widmen."
83 Goethe zu Eckermann, 20. 12. 1829, Biedermann 7, S. 173.
84 Siehe V. 8474:
„Welch feuriges Wunder verklärt uns die Wellen"
und V. 9577–79:
„... Erstaunen soll das junge Volk,
Ihr Bärtigen auch, die ihr da drunten sitzend harrt,
Glaubhafter Wunder Lösung endlich anzuschaun."
85 Entgegen H. H. Borcherdt, Die Mummenschanz, S. 298, der die Goldtruhe für
ein Sinnbild des Lebens hält. Das lebendige Wallen bezeichnet jedoch den leidenschaftlichen Bezug zum Gold; die wallende Truhe symbolisiert das Gold als Gegenstand
menschlichen Begehrens.
86 „Artiger Schein" meint das hier von Plutus und Geiz mit der Goldtruhe auf-
geführte Spiel.
87 „Vermummung": hier signifikant gebraucht für ein Sinnliches, „wohinter ein
höheres geistiges Leben sich ... versteckt"; siehe Noten und Abhandlungen zum
West-östlichen Divan, JA 5, S. 234.
88 Siehe S. 34.
89 Zu „Menge", die aus dem Gegensatz zum „Weisen" verstanden wird, vgl.
Selige Sehnsucht, JA 5, S. 16. Ferner R. Bach, Der Mummenschanz in Goethes Faust,
Dtsche Beiträge, München 1948, S. 446.
90 Ilmenau, JA 1, S. 276.
91 Vgl. auch E. Staiger, Goethe III, S. 292.
92 Schon während des Spieles hatte die dreifache Vorausdeutung auf dessen künftigen Verlauf auf die Rolle des Plutus-Faust als Veranstalter des Spieles hingewiesen:
1. „Noch braucht es, edler Freund, Geduld:
Es droht noch mancherlei Tumult." (V. 5765–66)

2. „Er ahnet nicht, was uns von außen droht!

    ...

    Ihm wird kein Raum für seine Possen bleiben." (V. 5797–99)

3. „Wir müssen uns im hohen Sinne fassen

    Und, was geschieht, getrost geschehen lassen." (V. 5914–15)

93 Dichtung und Wahrheit, JA 25, S. 66. Vgl. auch Goethe zu Eckermann, 23. 10. 1828, Houben S. 529 (fehlt bei Biedermann).

94 Siehe S. 71, Konflikte, MR 1363.

95 Noten und Abhandlungen zum Divan, JA 5, S. 171: „In seiner Abneigung gegen Poesie erscheint Mahomet auch höchst konsequent, indem er alle Märchen verbietet. Diese Spiele einer leichtfertigen Einbildungskraft, die vom Wirklichen bis zum Unmöglichen hin- und widerschwebt und das Unwahrscheinliche als ein Wahrhaftes und Zweifelloses vorträgt, waren der orientalischen Sinnlichkeit, einer weichen Ruhe und bequemem Müßiggang höchst angemessen. Diese Luftgebilde, über einem wunderlichen Boden schwankend, hatten sich zur Zeit der Sassaniden ins Unendliche vermehrt, wie sie uns Tausend und Eine Nacht, an einen losen Faden gereiht, als Beispiele darlegten. Ihr eigentlicher Charakter ist, daß sie keinen sittlichen Zweck haben und daher nicht den Menschen auf sich selbst zurück, sondern außer sich hinaus ins unbedingte Freie führen und tragen."

96 Diese von Faust und Mephisto gemeinsam geschaffene Geldkonzeption bezeugt zum ersten Mal das in den Definitionen von Faust und Mephisto behauptete Angewiesensein aufeinander; siehe S. 43.

97 Schedel, sich herleitend aus schedula = Zettel, Banknote, der heutige Scheck; worauf schon E. Schmidt, JA 14, S. 319, hinweist.

98 MR 947.

99 MR 946.

100 MR 480.

101 Das „Volksbuch" und das „Puppenspiel" kennen schon die Geisterbeschwörung als Motiv. In den Goetheschen Entwürfen weisen die früheren Paralipomena 63 und 65, WA 15², S. 173 ff., auf eine Beschwörung von drei Geistern: Helena, Paris und Alexander.

102 WA 15², S. 35; Lesart zu V. 6436.

103 Vermächtnis, JA 2, S. 245.

104 Zur Morphologie, LA I 9, S. 13: „Die größte Verwirrung jedoch brachte der Streit hervor, ob man die Schönheit als etwas Wirkliches den Objekten Inwohnendes, oder als relativ, konventionell, ja individuell dem Beschauer und Anerkenner zuschreiben müsse."

105 Inwiefern die Idee: Schönheit sei Vollkommenheit mit Freiheit, auf organische Naturen angewendet werden könne, LA I 10, S. 126.

106 Siehe S. 17.

107 Siehe unter anderen E. Staiger, Goethe III, S. 301, der Typen und Urphänomene gleichsetzt, wenn er beide den Müttern zuweist: „... geraten wir zunächst in den Bereich der Typen und der Urphänomene, der ewigen Fundamente alles Lebens." Ebenso S. 302: „Die Mütter, die das zeitlose Sein der Typen und der Urphänomene darzustellen berufen schienen." Ähnlich unpräzise G. Diener, Fausts Weg zu Helena, S. 43: „Solche die göttlichen Ideen oder ‚die eine Idee' ..., nach deren Muster die Natur ewig schaffen und wirken muß, widerspiegelnden Urphänomene sind für

Goethe etwa die ‚Urpflanze' und das ‚Urtier'." G. W. Hertz, Natur und Geist in Goethes Faust, S. 187f., unterscheidet zwar zwischen Urphänomen und Urform, erklärt aber trotzdem irriger Weise die Mütter für die Urphänomene, nämlich für das Vermittelnde zwischen Idee und Erscheinung.

108 MR 1369.

109 MR 201.

110 Weissagungen des Bakis, JA 1, S. 228–34.

111 Wilhelm Meisters Wanderjahre, JA 19, S. 262.

112 Das Märchen aus den Unterhaltungen deutscher Ausgewanderten, JA 16, S. 273.

113 Siehe S. 22.

114 Entgegen E. Staiger, Goethe III, S. 302, der „All" als „Alles" deutet: „Wo nichts ist, da kann alles werden."

115 Zu „Licht": MR 1299: „Licht und Geist, jenes im Physischen, dieser im Sittlichen herrschend, sind die höchsten denkbaren unteilbaren Energien." – Zu „Feuer": Gott, Gemüt und Welt, JA 4, S. 5:

> „Denn was das Feuer lebendig erfaßt,
> Bleibt nicht mehr Unform und Erdenlast;
> Verflüchtigt wird es und unsichtbar,
> Eilt hinauf, wo erst sein Anfang war."

Das Feuer also verstanden als das Element, dem die entstofflichende, d. h. vergeistigende Wirkung zuzuschreiben ist.

116 Weissagungen des Bakis, JA 1, S. 228.

117 Vgl. F. Weinhandl, Die Metaphysik Goethes, Darmstadt 1965, S. 361.

118 Eine Deutung von Schlüssel und Dreifuß wollen W. Hertz, Natur und Geist in Goethes Faust, Frankfurt 1931, S. 190 („Schlüssel . . . dieses Theaterrequisit") und S. 204 („Dreifuß als bloßes Theaterrequisit") ebenso wie H. Rickert, Faust, S. 317, nicht zulassen; ähnlich noch E. Staiger, Goethe III, S. 308. Eine Fehldeutung gibt G. M. Wahl, Der Schlüssel in der Mütterszene, G Jb 32, S. 61: Der Schlüssel als Mephistophelisches Instrument, das die Ideale in Dunst auflöst, ein „negatives Hilfsmittel, um Faust wieder abzuziehen".

119 MR 562.

120 Wilhelm Meisters Wanderjahre, JA 19, S. 181–82.

121 Versuche zur Methode der Botanik. Genetische Behandlung, LA I 10, S. 131–32.

122 Entgegen der in der älteren Faustforschung weitverbreiteten These, daß den Müttern die platonisch-kantische Vorstellung von der Raum- und Zeitlosigkeit des Dings an sich zugrunde liege; explicit noch einmal vertreten durch K. Meissinger, Helena, Frankfurt a. M. 1935, S. 83.

123 Anschauende Urteilskraft, LA I 9, S. 96.

124 Siehe S. 133.

125 Siehe schon W. Hertz, Goethes Naturphilosophie im Faust, Berlin 1913, S. 31: „Der Sitz des Urgesteins, die Beweglichkeit des Tierreichs, das Aufwärtsstreben der an die Scholle gefesselten Pflanzenwelt: hier werden sie unserem Auge anschaulich dargestellt"; wiederholt in Natur und Geist, S. 200. Dagegen E. Staiger, Goethe III, S. 308: „Das Sitzen, Stehen und Gehen im Hinblick auf die Typen den Steinen, Pflanzen und Tieren zuzuordnen, ist eine Goethe fremde Pedanterie. Die Verse sprechen von einem scheinbar beliebigen, jedenfalls für den Geist des Menschen unfaß-

lichen Schalten und Walten. Es läßt sich nie voraussehen, was die Mütter tun."

126 Schicksal der Druckschrift, LA I 9, S. 67.

127 Weissagungen des Bakis 23, JA 1, S. 233.

128 Entgegen G. W. Hertz, Natur und Geist, S. 204, nach welchem die Mütter eine Unterhaltung „*für*" „den ewigen Sinn", und damit für Gott seien, der mit ihnen, als den Urphänomenen, „sein Spiel treibe".

129 So G. Diener, Fausts Weg zu Helena, S. 119: „Faust kann sein Ziel nicht darin sehen, sich [bei den Müttern] in die Betrachtung oder . . . Berührung der für den Menschen unfaßbaren geistigen Formen zu verlieren, sondern die ‚geistige Form' des Schönen als Urphänomen ‚in die Erscheinung' hervortreten zu lassen."

130 Über einen aufzustellenden Typus zur Erleichterung der vergleichenden Anatomie, LA I 9, S. 199.

131 Schicksal der Handschrift, LA I 9, S. 63.

132 Geschichte meines botanischen Studiums, LA I 9, S. 16.

133 Siehe Problem und Erwiderung, LA I 9, S. 295: „Natürlich System, ein widersprechender Ausdruck: die Natur hat kein System, sie hat, sie ist Leben und Folge aus einem unbekannten Zentrum, zu einer nicht erkennbaren Grenze."

134 Geschichte meines botanischen Studiums, LA I 9, S. 16.

135 Der Verfasser teilt die Geschichte seiner botanischen Studien mit, LA I 10, S. 331.

136 Probleme, LA I 9, S. 296.

137 Probleme, LA I 9, S. 296.

138 Geschichte der botanischen Studien, LA I 10, S. 334.

139 Geschichte der botanischen Studien, LA I 10, S. 333.

140 Geschichte der botanischen Studien, LA I 10, S. 334.

141 Nacharbeiten und Sammlungen, LA I 9, S. 113.

142 Zur Morphologie. Der Inhalt bevorwortet, LA I 9, S. 11.

143 Zur Morphologie. Der Inhalt bevorwortet, LA I 9, S. 13.

144 Vorträge über die . . . vergleichende Anatomie, ausgehend von der Osteologie, LA I 9, S. 199.

145 Allgemeine Spiraltendenz der Vegetation, wodurch in Verbindung mit dem vertikalen Streben, Bau und Bildung der Pflanzen nach dem Gesetze der Metamorphose vollbracht wird, LA I 10, S. 347. – Oder Aus dem Nachlaß, Spiraltendenz, LA I 10, S. 352: „Das Vertikalsystem, mächtig aber einfach, ist dasjenige, wodurch die offenbare Pflanze sich von der Wurzel absondert und sich in gerader Richtung gegen den Himmel erhebt." – Oder Aus dem Nachlaß, Spiraltendenz, LA I 10, S. 354: „Da nun die vertikale zum Himmel strebende Tendenz der Pflanze allgemein anerkannt ist, so bedürfen wir keiner weiteren Ausführung dieses Punktes."

146 Zur Morphologie, Die Absicht eingeleitet, LA I 9, S. 9.

147 Zur Theorie der Gesteinslagerung, LA I 1, S. 96: „Als unsre Erde sich zu einem Körper bildete, war ihre Masse in einem mehr oder weniger flüssigen Zustande . . . Der Kern der Erde kristallisierte sich . . . Die äußerste Kruste des Kernes ist der Granit."

148 Zur Theorie der Gesteinslagerung, LA I 1, S. 97: „Der Granit ist durch Kristallisation entstanden."

149 Über die Gesetze der Organisation überhaupt, insofern wir sie bei Konstruktion des Typus vor Augen haben sollen, LA I 9, S. 202.

150 Über die Gesetze der Organisation überhaupt . . ., LA I 9, S. 203.

151 Morphologie, LA I 10, S. 128: „Wir wenden uns gleich zu dem was Gestalt hat. Das unorganische, das vegetative, das animale das menschliche deutet sich alles selbst an, es erscheint als das was es ist unserm äußern unserm inneren Sinn. Die Gestalt ist ein bewegliches, ein werdendes, ein vergehendes. Gestaltenlehre ist Verwandlungslehre."

152 Damit trifft überein, daß Goethe die Urformen an anderer Stelle als ihrem Wesen nach polare Prinzipien definiert. In den Versuchen zur Methode der Botanik sagt er von der Urform im vegetativen Bereich – er nennt sie dort die „ideale Einheit der Pflanze" oder auch den „idealen Urkörper" – LA I 10, S. 133: „Diesen idealen Urkörper, mögen wir ihn in unsern Gedanken so einfach konzipiren als möglich, müssen wir schon in seinem Innern entzweit denken; denn ohne vorher gedachte Entzweiung des einen läßt sich kein drittes Entstehendes denken." Oder LA I 10, S. 133: „Diesen idealen Urkörper, der schon eine gewisse Bestimmbarkeit zur Zweiheit bei sich trägt, lassen wir vorerst im Schoße der Natur ruhen."

153 Vorarbeiten zur Morphologie, Gesetze der Pflanzenbildung, LA I 10, S. 56. – Oder Betrachtung über Morphologie, LA I 10, S. 137: „Diejenigen Körper, welche wir organisch nennen, haben die Eigenschaft an sich oder aus sich ihresgleichen hervorzubringen." – Oder Versuche zur Methode der Botanik. III. Organische Einheit, LA I 10, S. 132: „Bei Betrachtung der Pflanze wird ein lebendiger Punkt angenommen, der ewig seinesgleichen hervorbringt. Und zwar tut er es bei den geringsten Pflanzen durch Wiederholung eben desselbigen. Ferner bei den vollkommnern durch progressive Ausbildung und Umbildung des Grundorgans in immer vollkommnere und wirksamere Organe um zuletzt den höchsten Punkt organischer Tätigkeit hervorzubringen, Individuen durch Zeugung und Geburt aus dem organischen Ganzen abzusondern und abzulösen."

154 Betrachtung über Morphologie, LA I 10, S. 137.

155 Allgemeine Betrachtungen über die im Dunkeln gesäeten, gepflanzten und aufbewahrten Pflanzen, bezüglich auf Metamorphose, LA I 10, S. 167.

156 Problem und Erwiderung, LA I 9, S. 295.

157 Zur Morphologie. Die Absicht eingeleitet, LA I 9, S. 7.

158 MR 600.

159 Entgegen II. Düntzer, Goethes Faust, Leipzig 1857, S. 491: „... zu denen alles, was einst gewesen, als Schattenbild zurückkehrt, wie auch dasjenige, was noch in's Leben treten soll, hier als Schattenbild sich bewegt"; ferner S. 493.

160 Entgegen E. Staiger, Goethe III, S. 302 ff..

161 Farbenlehre § 175, LA I 4, S. 175: „Wir nennen sie Urphänomene, weil nichts in der Erscheinung über ihnen liegt, sie aber dagegen völlig geeignet sind, daß man stufenweise, wie wir vorhin hinaufgestiegen, von ihnen herab bis zu dem gemeinsten Falle der täglichen Erfahrung niedersteigen kann."

162 Entgegen W. Hertz, Goethes Naturphilosophie im Faust, S. 35: „Ohne organisches Leben ... regt sich im nicht zu betretenden ... Bezirk der Mütter ... der des Körpers entkleidete Geist ... die unzerstörbare Monade."

163 MR 391.

164 Vgl. W. Schadewaldt, Faust und Helena, Goethestudien, S. 185–86. Vgl. auch G. Diener, Fausts Weg zu Helena, S. 117, 166.

165 Siehe S. 146.

166 So G. W. Hertz, Natur und Geist in Goethes Faust, S. 191: „Zurückgekehrt [von den Müttern] berichtet er [Faust], wie er dort die das Haupt der Mütter umschwebenden Entelechien aller abgelebten organischen Wesen gesehen habe, unter denen sich folgerichtig auch Helenas geistige Form befunden haben muß"; ebenso H. Rickert, Goethes Faust, S. 314/15.

167 Als ein zweiter Herkules besteht Faust nicht nur hier bei den Müttern das Abenteuer des Dreifußraubes, auch der abenteuerliche Gang und Ritt durch die Walpurgisnacht geschieht in Analogie zu ihm. Vgl. S. 237.

168 Plutarch, Über den Verfall der Orakel, Kap. 22: „Es gibt einhundertzweiundachtzig Welten. Diese sind nach der Figur eines Dreiecks gestellt. Die Fläche innerhalb des Dreiecks ist als ein für alle Welten gemeinschaftlicher Herd anzusehen und heißt das Feld der Wahrheit. In demselben liegen die Gründe, Gestalten und Urbilder aller der Dinge, die je existiert haben und noch existieren werden, unbeweglich. Diese umgibt die Ewigkeit, von welcher die Zeit wie ein Ausfluß in die Welten hinübergeht."

169 Vgl. auch Italienische Reise, JA 27, S. 5 und 83.

170 Italienische Reise, JA 27, S. 82: „Woran würde ich sonst erkennen, daß dieses oder jenes Gebilde eine Pflanze sei, wenn sie nicht alle nach einem Muster gebildet wären?"

171 Paralip. 100, WA 15², S. 191.

172 Cagliostro, Alexander Graf von, eigentlich Joseph Balsamo, 1743–1795.

173 Hahnemann, Samuel Christian Friedrich, 1755–1843, Begründer der Homöopathie.

174 Mesmer, Franz Anton, 1733–1815, Begründer der Lehre vom tierischen Magnetismus.

175 Goethe an Schiller, 17. 8. 1797; siehe S. 15.

176 West-östlicher Divan, Wiederfinden, JA 5, S. 89.

177 Vgl. Farbenlehre § 175, LA I 4, S. 71.

178 Vgl. Apostelgeschichte 2, V. 3 u. 4.

179 Lesart von H³⁷, WA 15², S. 34.

180 LA I 9, S. 354.

181 Siehe S. 22.

182 Vgl. 4. Weissagung des Bakis, JA 1, S. 229. – Oder Zueignung, JA 1, S. 6. – Oder Die Wahrheit, JA 1, S. 257.

183 Zur Symbolik des Scheins vgl. W. Emrich, Die Symbolik von Faust II, S. 50 f.

184 Paralip. 100, WA 15², S. 191.

185 LA I 10, S. 126.

186 Das Märchen, JA 16, S. 288.

187 Vgl. S. 15.

188 Vgl. schon V. 4644–45:

„Große Lichter, kleine Funken
Glitzern nah und glänzen fern."

Ganz ähnlich von Galatea, V. 8455–57:

„Auch noch so fern

· · ·

Immer nah und wahr."

Oder auch V. 9411:

„Ich fühle mich so fern und doch so nah."

Der menschliche Geist

1 Paralip. 63, WA 15², S. 173 ff.

2 Paralip. 123, WA 15², S. 198 ff.

3 Biographische Einzelheiten. Wiederholte Spiegelungen, JA 25, S. 222–23; ferner die Ausführungen auf S. 25.

4 Vgl. Der Versuch als Vermittler von Objekt und Subjekt, LA I 3, S. 288: „Schon ist eine Wissenschaft an und vor sich selbst eine so große Masse, daß sie viele Menschen trägt, wenn sie gleich kein Mensch tragen kann."

5 Benannt nach jenem „Nikodemus, der vormals bei der Nacht zu Jesus gekommen war". Johannes 19, 39.

6 Vgl. Johannes 3, 1–13: „Es war aber ein Mensch unter den Pharisäern, mit Namen Nikodemus, ein Oberster unter den Juden; der kam zu Jesu bei der Nacht und sagte zu ihm: Rabbi, wir wissen, daß du von Gott als Lehrer gekommen bist, denn niemand kann diese Zeichen tun wie du sie tust, es sei denn Gott mit ihm. Jesus sprach zu ihm: Wahrlich, wahrlich, ich sage dir: Wenn man nicht von neuem geboren wird, kann man das Reich Gottes nicht sehen. Nikodemus sagte zu ihm: Wie kann denn jemand geboren werden, wenn er alt ist? Kann er etwa zum zweiten Mal in seiner Mutter Leib eingehen und geboren werden? Jesus antwortete: Wahrlich, wahrlich, ich sage dir: Wenn man nicht geboren wird aus Wasser und Geist, kann man nicht in das Reich Gottes kommen."

7 Kurzgeschnittene Haartracht Karls des XII., des jungen, mit 15 Jahren den Thron besteigenden Königs von Schweden (1683–1718), des Großneffen von Gustav Adolf, der damit in „gewollten Gegensatz zu seinen perückenumwallten Rang- und Zeitgenossen" tritt; vgl. R. F. Arnold, Schwedenkopf, Chronik des Wiener Goethevereins 27, S. 11–12. – Zum Goethischen Verständnis Karls als eines „außerordentlichen Menschen", einer absoluten „Naturerscheinung", wie sie für die Neuzeit bezeichnend ist, vgl. Polygnots Gemälde, JA 14, S. XXIX. – Nach G. Witkowski, Goethes Faust, II, S. 311, schon die Haartracht Gustav Adolfs und seiner Truppen.

8 Die Beziehung zwischen Baccalaureus und der Jugend der Freiheitskriege stellt Goethe selber her, vgl. 6. 12. 1829 zu Eckermann: „. . . die Anmaßlichkeit der Jugend, wovon wir in dem ersten Jahr nach unserem Befreiungskriege so auffallende Beweise hatten." Zum Schwedenkopf als ihrem Haarschnitt und Ausdruck ihrer revolutionären Gesinnung vgl. u. a. Jean Paul, Katzenbergers Badreise, 38. Summula.

9 Vgl. Annalen 1794, JA 30, S. 23: „Er [Fichte] war eine der tüchtigsten Persönlichkeiten, die man je gesehen, und an seinen Gesinnungen in höherem Betracht nichts auszusetzen; aber wie hätte er mit der Welt, die er als seinen erschaffenen Besitz betrachtete, gleichen Schritt halten sollen?"

10 Das Schüler- als geistiges Vater-Sohn-Verhältnis wird hier verstanden im Sinne der Wagnerschen Worte aus dem Osterspaziergang:

„Wenn du als Mann die Wissenschaft vermehrst,
So kann dein Sohn zu höhrem Ziel gelangen." (V. 1062–63)

11 Vgl. Meyer, Konvers. Lex. (1896), 14, S. 378: Mit Fett verrieben als graue Salbe wird Quecksilberchlorid – und zwar „rotes und weißes Quecksilberpräzipitat" – ver-

wendet gegen Krankheiten der äußeren Haut oder ganz allgemein als Desinfektionsmittel.

12 Vgl. Meyer, a. a. O., 14, S. 381–82: Die durch Einverleibung einer größeren
Menge von Quecksilber hervorgerufenen Vergiftungseinscheinungen, die eintreten,
wenn große Dosen der verschiedensten Quecksilberpräparate, namentlich der grauen
Salbe, verabreicht werden. Die Erscheinungen sind Magen- und Darmentzündungen
und rascher Verfall der Kräfte. Der Tod tritt in 2 bis 30 Stunden ein.

13 Vgl. Meyer, a. a. O., 14, S. 378/79: Quecksilberchlorid entsteht beim Lösen von
Quecksilberoxyd in Salzsäure. Es wird dargestellt, indem man schwefelsaures Quecksilberoxyd mit Chlornatrium in Glaskolben erhitzt. Es entstehen schwefelsaures
Natron und Quecksilberchlorid, welches als feste kristallinische Masse sublimiert. Es
ist als weißes (bei Goethe „bunt", vgl. Anm. 11) Quecksilberpräzipitat offizinell und
wird gegen Hautkrankheiten benutzt. Quecksilberchlorid wurde von Geber (dem um
1000 lebenden arabischen Arzt) entdeckt und war schon im Mittelalter Handelsartikel.

14 Vgl. Paracelsus, sämtliche Werke, her. v. K. Sudhoff, München 1928, De gene-
rationibus rerum naturalium, I 11, S. 317.

15 Geschichte der Farbenlehre, LA I 6, S. 127/28.

16 Geschichte der Farbenlehre, LA I 6, S. 129.

17 Geschichte der Farbenlehre, LA I 6, S. 129.

18 Geschichte der Farbenlehre, LA I 6, S. 128.

19 Becher, Johann Joachim, 1635–1682, Chemiker und Mediziner, Begründer der
Phlogistonlehre, Erfinder des Leuchtgases und Lehrer von G. E. Stahl; siehe auch
LA II 6, S. 431.

20 Stahl, Georg Ernst, 1660–1734, Chemiker und Mediziner, machte den ersten
Versuch, die bekannten chemischen Tatsachen von einem einheitlichen theoretischen
Gesichtspunkt her zusammenzufassen; seine auf der Annahme des Phlogiston be-
ruhende Theorie behielt bis zu Lavoisier allgemeine Geltung.

21 Scheele, Carl Wilhelm, 1742–1786, Chemiker und Apotheker, Entdecker u. a.
des Sauerstoffgases.

22 Bergman, Tobern Olof, 1735–1784, Mathematiker und Chemiker, Schüler
Linnés, Begründer der analytischen Chemie.

23 Cavendish, Henry, 1731–1810, Chemiker, erkannte Kohlensäure und Wasserstoff als eigentümliche Gase und zeigte die konstante Zusammensetzung der atmosphä-
rischen Luft.

24 Pristley, Joseph, 1733–1804, Chemiker und Physiker, Entdecker des Sauerstoffs,
den er durch Erhitzen von Quecksilberoxyd herstellte, und einer Reihe von anderen
Gasen; er blieb dennoch bis zu seinem Tode, wie Cavendish, Anhänger der Phlogistonlehre. Als Reisebegleiter wurde er in den Jahren 1770–74 in Paris mit Lavoisier bekannt, der von ihm – ohne das später zuzugeben – zuerst von der Darstellung des
Sauerstoffs erfuhr. Siehe auch LA II 6, S. 553.

25 Exempel, JA 4, S. 171.

26 Entdeckung des Sauerstoffs 1774, ziemlich gleichzeitig von Scheele und Pristley
gemacht.

27 Lavoisier, Antoine Lorant, 1743–1794, Chemiker, Mathematiker, Entdecker der
Verbrennung und des organischen Stoffwechsels im Jahre 1778; siehe auch Goethe
zu Boisserée, 2. 8. 1815, Biedermann 3, S. 185.

28 Xenion 199, Aus dem Nachlaß, WA 5¹, S. 229: „Das Neueste in der Chemie". Die Beziehung dieses Xenions auf Lavoisier wird eindeutig bestätigt durch das folgende Xenion 200, überschrieben: „Nichts Neues unter der Sonne":

> „Mayow wußte das schon vor hundert Jahren, und half sein
> Buch, das Saeculum durch, wohl dem Chemisten zum Sinn?"

Der darin zitierte John Mayow, 1645–1679, Arzt und Naturforscher, hatte schon hundert Jahre früher in den siebziger Jahren des 17. Jahrhunderts vor der Londoner Sozietät der Naturwissenschaften Versuche über den Prozeß des Brennens und Atmens gemacht und eine Schrift verfaßt: „Untersuchungen über den Salpeter und den salpetrigen Luftgeist, das Brennen und das Athmen" (Ostwalds Klassiker der exakten Wissenschaften 125, darin vor allem S. 8, 11, 13, 26, 38, 49), hatte sich aber nicht durchsetzen können. Erst nach der Entdeckung des Sauerstoffs durch Pristley und Scheele kamen die Mayowschen Arbeiten wieder ans Licht; vgl. auch LA II 6, S. 173f. und 248.

29 Dieselben Bezeichnungen des Lösens und Bindens für die Operationen der wissenschaftlichen Chemie finden sich in einem Geburtstagsgedicht Goethes für seinen chemischen Berater und Professor der Chemie in Jena, Johann Wolfgang Döbereiner, wieder; JA 2, S. 142:

> „Wenn wir dich, o Vater, sehen,
> In der Werkstatt der Natur,
> Stoffe sammeln, *lösen, binden,*
> Als seiest du der *Schöpfer* nur,
> Denken wir, der solche Sachen
> Hat so weislich ausgedacht,
> Sollte der nicht Mittel finden,
> Und die Kunst, die fröhlich macht?"

Vgl. dazu auch Briefwechsel zwischen Goethe und J. W. Döbereiner, Weimar 1914, S. XXX. – Döbereiner selbst nennt Gott den „Chemiker der Welten", vgl. J. Schiff, Einleitung zum Briefwechsel S. XI/XII.

30 LA I 6, S. 128.

31 1. Akt, V. 5051–52:

> „Erst müssen wir in Fassung uns versühnen,
> Das Untre durch das Obere verdienen."

V. 5902–05:

> „Wölben wir in dunklen Grüften
> . . .
> Und an reinen Tageslüften
> Teilst du Schätze gnädig aus."

V. 6137–40:

> „Vereint euch nun, ihr Meister unsres Schatzes,
> Erfüllt mit Lust die Würden eures Platzes,
> Wo mit der obern sich die Unterwelt,
> In Einigkeit beglückt, zusammenstellt."

4. Akt, V. 10089–90:

> „Sie gründen auch hierauf die rechten Lehren,
> Das Unterste ins Oberste zu kehren."

V. 10427–36:

> „Die Geister, längst dem flachen Land entzogen,
> Sind mehr als sonst dem Felsgebirg gewogen.
> . . .
>
> Mit leisem Finger geistiger Gewalten
> Erbauen sie durchsichtige Gestalten;
> Dann im Kristall und seiner ewigen Schweignis
> Erblicken sie der Oberwelt Ereignis."

Oder auch: Wiegenlied, dem jungen Mineralogen Walther von Goethe, JA 3, S. 27:

> „Ewig natürlich bewegende Kraft
> Göttlich gesetzlich entbindet und schafft;
> Trennendes Leben, im Leben Verein,
> Oben die Geister und unten der Stein."

Siehe auch JA 24, S. 221; oder LA I 10. S. 277.

32 Gott als „Chemiker der Welten" siehe Anm. 29.

33 Vorschlag zur Güte, JA 39, S. 36: „Erfahren, Schauen, Beobachten, Verknüpfen, Entdecken, Erfinden sind Geistestätigkeiten, welche tausendfältig, einzeln und zusammengenommen, von mehr oder weniger begabten Menschen ausgeübt werden."

34 LA I 9, S. 66–67; oder auch Geschichte der Farbenlehre, LA I 6, S. 76: „Die Menschen sind überhaupt der Kunst mehr gewachsen als der Wissenschaft. Jene gehört zur großen Hälfte ihnen selbst, diese zur großen Hälfte der Welt an. . . . Was aber den Unterschied vorzüglich bestimmt: die Kunst schließt sich in ihren einzelnen Werken ab; die Wissenschaft erscheint uns grenzenlos." – Oder Geschichte der Farbenlehre, LA I 6, S. 76–77: „Kehren wir nun zur Vergleichung der Kunst und Wissenschaft zurück; so begegnen wir folgender Betrachtung: Da im Wissen sowohl als in der Reflexion kein Ganzes zusammengebracht werden kann . . . so müssen wir uns die Wissenschaft notwendig als Kunst denken, wenn wir von ihr irgendeine Art von Ganzheit erwarten."

35 Eine gewisse Ausnahme macht G. Diener, Fausts Weg zu Helena, S. 246 ff., der von einer Wandlung Wagners „vom trockenen Pedanten zum zartesten gelehrter Männer" spricht.

36 Vor V. 6620 und V. 6727.

37 V. 6819.

38 Das Märchen, JA 16, S. 291–92.

39 Für Stagnation, als ein Stocken der Lebensbewegung, findet sich bei Goethe häufig das terminologisch gebrauchte Starrwerden. Siehe „Eins und Alles", JA 2, S. 244:

> „Und umzuschaffen das Geschaffne,
> Damit sich's nicht zum Starren waffne."

Oder „Wiederfinden", JA 5, S. 89:

> „Und sogleich die Elemente
> Scheidend auseinander fliehn.
> Rasch, in wilden, wüsten Träumen
> Jedes nach der Weite rang,
> Starr, in ungemeßnen Räumen,
> Ohne Sehnsucht, ohne Klang."

40 JA 16, S. 274, 286, 296.

41 Lähmung, JA 2, S. 165.

42 Andere Beispiele solcher Schlüsselworte:

2. Akt, Studierstube: „sich regen"

    „Wohin denn aber soll die Fahrt sich regen?" (V. 6948)

Walpurgisnacht: „frommen"

    „Das bringt mir bösen Ruf und frommt mir nicht" (V. 7038)

    „Sonst hättest du dergleichen weggeflucht,

    Doch jetzo scheint es dir zu frommen." (V. 7191/92)

    „Dem Leben frommt die Welle besser." (V. 8315)

„behagen"

    „Wie sie dem Satyrvolk behagen" (V. 7237)

    „In still bewußtem Behagen" (V. 8364)

    „Es grunelt so, und mir behagt der Duft" (V. 8266)

    „Und weiterhin wird's viel behäglicher" (V. 8268)

4. Akt: „aufregen"

    „Hast du das Bergvolk aufgeregt?" (V. 10320)

Vgl. auch S. 26.

43 Vgl. Geschichte der Farbenlehre, LA I 6, S. 75.

44 Alle Pflanzen und Tiere bestehen aus Verbindungen des Kohlenstoffs mit Sauerstoff, Wasserstoff und Stickstoff; deshalb nennt man Kohlenstoffverbindungen auch organische Verbindungen und die Lehre von ihnen organische Chemie. Gehen die Organismen zugrunde, so werden ihre Bestandteile durch Verwesungsprozesse zersetzt und es entstehen einfachste Verbindungen. Kohle ist das Produkt der Erhitzung pflanzlicher und tierischer Stoffe bei Luftabschluß.

45 Annalen 1803, JA 30, S. 116: „Einen sehr tiefen Sinn hat jener Wahn, daß man, um einen Schatz wirklich zu heben und zu ergreifen, stillschweigend verfahren müsse, kein Wort sprechen dürfe, wieviel Schreckliches und Ergötzendes auch von allen Seiten erscheinen möge."

46 1773 wies Lavoisier Bildung von Kohlensäure bei der Verbrennung des Diamanten nach, 1779 erkannte Scheele die Kohlenstoffnatur des Diamanten. 1800 fand Mackenzie, daß Diamant bei Verbrennung ebensoviel Kohlensäure ergibt wie das selbe Gewicht Kohle.

47 Der Diamant ist spröde, hart, im allgemeinen farblos, aber auch rot, grün, blau; bricht das Licht stark, ist in allen Lösungsmitteln unlöslich, erträgt in sauerstofffreien Gasen hohe Temperaturen, ohne sich zu verändern und verbrennt nur, bei Zutritt der Luft erhitzt, zu Kohlensäure. Vgl. Meyer a. a. O., s. v. „Diamant".

48 Das „große Werk", das opus alchemisticum, besteht aus den vier Operationen: Schwärzung, Weißung, Gilbung, Rötung und soll auf der Endstufe den „Zinnober der Philosophen", das Gold ergeben. Goethe hat die Reihenfolge der einzelnen Stadien hier im Sinne seiner Farbentheorie verändert. Er schreibt über die Folge der Farberscheinungen bei dem alchemistischen Prozeß in der Geschichte der Farbenlehre, LA I 6, S. 130/31: „Die Farbenerscheinungen, welche diese Operation begleiten, . . . geben zu keiner bedeutenden Bemerkung Anlaß. Das Weiße, das Schwarze, das Rote und das Bunte, das bei chemischen Versuchen vorkommt, scheint vorzüglich die Aufmerksamkeit gefesselt zu haben. Sie legten jedoch in alle diese Beobach-

tungen keine Folge und die Lehre der chemischen Farben erhielt durch sie keine Erweiterung."

49 Über den Widerstand der biblischen Tradition gegen die neuzeitliche Naturerkenntnis öfter, z. B. Biedermann 6, S. 338 f.

50 Vgl. Goethe an J. W. Döbereiner 19. 11. 1812, Briefe des Großherzogs Carl August und Goethes an Döbereiner, her. v. O. Schade, Weimar 1856, S. 82/83: „Antiquarische Anfrage an den Chemiker. Es steht geschrieben, ein Weib habe ihrem Manne Gift gegeben, davon habe er sich schlecht befunden, sei aber nicht geschwind genug gestorben. Darauf habe sie ihm Quecksilber beigebracht, und er sei auf einmal frisch und gesund geworden. Was mag das für ein Gift gewesen sein?" Darauf Döbereiner an Goethe, zwischen dem 19. und 22. 11. 1812, Briefwechsel zwischen Goethe und J. W. Döbereiner, Weimar 1914, S. 7 f.: „Das Gift, was jenes böse Weib ihrem Manne gegeben hat, muß . . . Quecksilbersublimat gewesen sein – ein Salz, was sich mit dem metallischen Quecksilber sehr leicht verbindet und damit ein Heilmittel sondergleichen – die Panacea mercurialis – bildet . . . Die Mythe vom Jupiter, daß derselbe, wenn er dem Menschen etwas kundtun oder ihn in das Reich des Todes hinein- oder ihn daraus zurückbringen will, den Mercurius schickte, hätte sich also hier dadurch bewahrheitet, daß letzterer rettete, was jene würgen wollte – und so hätte die Bosheit eines Weibes entdeckt, was kein Arzt, kein Chemiker in dem Magen des Menschen zu versuchen wagt." Vgl. auch E. Starkenstein, Arzenei und Gift im Leben Goethes, Forschungen und Fortschritte 1932, Nachrichtenblatt der deutschen Wissenschaft und Technik, S. 101.

51 Siehe F. Kluge-Götze[11], Etymologisches Wörterbuch, Leipzig 1934, S. 656 s. v. „Vetter".

52 Jede chemische Reaktion zerfällt in zwei Teile: 1. die unter Energiezufuhr vor sich gehende Spaltung von Bindungen und 2. die unter Energiegewinn vor sich gehende Neuverknüpfung von Bindungen.

53 Betrachtung über Morphologie überhaupt, LA I 10, S. 142.

54 Bildungstrieb, LA I 9, S. 99–100.

55 Siehe S. 197.

56 G. W. Hertz, Natur und Geist in Goethes Faust, S. 141.

57 M. Kommerell, Geist und Buchstabe der Dichtung, S. 49.

58 Aus dem Nachlaß, Versuche zur Methode der Zoologie, LA I 10, S. 120.

59 Versuche zur Methode der Zoologie, LA I 10, S. 120.

60 Betrachtung über Morphologie überhaupt, LA I 10, S. 142.

61 Aus dem Nachlaß, Versuche zur Methode der Botanik, LA I 10, S. 138/39.

62 MR 391.

63 Paralip. 123, WA 15[2], S. 198.

64 M. Kommerell, Geist und Buchstabe der Dichtung, S. 42.

65 Fr. Gundolf, Goethe, S. 769.

66 H. Hermann, Faust, der Tragödie zweiter Teil, S. 319.

67 Zur Bibliographie des Homunculus (von 1836 bis 1971) mit ausführlichen Zitaten und unter Heranziehung der internationalen Forschung vgl. H. Birkhan in O. Höfler, Homunculus eine Satire auf A. W. Schlegel, Wien 1972, S. 335–51 (leider fehlt einiges Wesentliche, während K. Reinhardt in unterschiedlicher Bibliographie doppelt genannt wird).

68 Riemer, 30. 3. 1833, mitgeteilt von H. Düntzer, Faust, Leipzig 1853, S. 525.

69 Siehe 5. Akt, Die seligen Knaben:

V. 11981–88:

(Faust als der Nehmende)

„Freudig empfangen wir
Diesen im Puppenstand;
Also erlangen wir
Englisches Unterpfand.
Löset die Flocken los,
Die ihn umgeben!
Schon ist er schön und groß
Von heiligem Leben."

V. 12076–83:

(Faust als der Gebende)

„Er überwächst uns schon
An mächtigen Gliedern,
Wird treuer Pflege Lohn
Reichlich erwidern.
Wir wurden früh entfernt
von Lebechören;
Doch dieser hat gelernt:
Er wird uns lehren."

70 Siehe S. 46–47.

71 Staunen als Terminus im Faust II:

„Proteus erstaunt" angesichts Homunculus:

„Ein leuchtend Zwerglein! Niemals noch gesehn!" (V. 8245)

Faust erstaunt über Helenas Wirkung auf der Burg:

„Erstaunt, o Königin, seh' ich zugleich
Die sicher Treffende, hier den Getroffenen." (V. 9258–59)

Und selbst Mephisto ist gezwungen angesichts der Phorkyaden zu staunen:

„. . . Ich sehe was und staune." (V. 7969).

Weitere Stellen im Faust: V. 9577–78 und V. 10252–57; siehe auch Geschichte der Farbenlehre, LA I 6, S. 15; MR 417; LA I 9, S. 68 und 167; Biedermann 6, S. 105.

72 Goethe zu Eckermann, 16. 12. 1829, Biedermann 7, S. 166.

73 Goethe zu Eckermann, 16. 12. 1829, Biedermann 7, S. 166.

74 Vgl. G. Witkowski, Faust II, S. 317: „Die Zeugung der Helena . . . Zug um Zug der Leda des Correggio nachgedichtet"; desgleichen Friedrich-Scheithauer, Faust, S. 251; desgleichen E. Staiger, Goethe III, S. 317.

75 Vgl. E. Schmidt, JA 14, S. 333.

76 Bei K. Mommsen, Natur und Fabelreich in Faust II, Berlin 1968, S. 107ff. knüpft sich an Fausts Traum, „die Badeszene", Leda „umgeben von nackten Schönen", „die sich entkleiden", bereits ihre These vom Erzählschema der 1001 Nacht („vom langen Weg zu einem kostbaren, jedoch schwer zu erreichenden Ziel"), das Goethe seiner neuen Arbeit am Faust II (seit 1825) zugrunde gelegt habe. In der Badeszene nämlich wiederhole sich bereits die orientalische Märchensituation: daß der Held die geliebte Geisterfürstin in einer Badeszene erblickt, unter „Vogeljungfrauen", „die sich ent-

kleiden", worauf der Held liebeskrank wird. – Ich würde es vorziehen, die Faustische Traumszene allein aus dem Ledamythos mitsamt seiner bildlichen Überlieferung (vgl. E. R. Knauer, Leda, Jb. d. Berl. Mus. 11, 1969, S. 5 ff.) zu erklären, dessen Bilder mir dafür zu genügen scheinen.

77 Gewöhnen, ein Terminus, der sich in der Walpurgisnacht noch mehrfach wiederholt: V. 7112 und V. 7879.

78 Goethe an Charlotte von Stein, 24. 11. 1786.

79 Goethe zu Eckermann, 16. 12. 1829, Biedermann 7, S. 166.

80 Goethe hat sich in dieser Weise über den Instinkt – anläßlich der Bienen – zu Eckermann geäußert, 8. 10. 1827, Biedermann 6, S. 242 f.; vgl. auch MR 1397: „Die Frage über die Instinkte der Tiere läßt sich nur durch den Begriff von Monaden und Entelechien auflösen."

81 Zur Antizipation vgl. F. Strich, Homunculus, Publications of the English Goethe Society, Vol XVIII, 1949, S. 85 ff.; ferner E. Staiger, Goethe III, S. 318/19; desgleichen K. Mommsen, Natur und Fabelwelt in Faust II, S. 174.

82 Tag- und Jahreshefte, JA 30, S. 3; ferner JA 30, S. 7; ferner Wilhelm Meisters Wanderjahre, JA 19, S. 145 oder auch Motto zu Beiträge zur Optik, LA I 3, S. 1.

83 Siehe S. 43.

84 Schon K. Mommsen in ihrer überzeugenden Besprechung der Homunculus-monographie von O. Höfler, MLN. Vol. 88, No. 5, 1973, weist auf die Fehlinterpretation der Verse 6988–98 hin, die für Höfler die „Goldgier" des Homunculus belegen; ein wichtiger Baustein seiner durchaus irreführenden These: Homunculus = A. W. Schlegel.

85 Diese Polarität faßt G. W. Hertz, Natur und Geist in Goethes Faust, S. 117, unter der Antithese einer „negativ-satirischen Szene" und der „positiven" Walpurgisnacht – entgegen der hier vertretenen Auffassung.

86 LA I 10, S. 121.

87 LA I 10, S. 120/21: „Denn dieses letzte drückt viel deutlicher aus, was in dem erstern nur dunkel verborgen liegt, nämlich: die Existenz eines Geschöpfes, das wir Fisch nennen, sei nur unter der Bedingung eines Elementes, das wir Wasser nennen, möglich. Nicht allein um darin zu sein, sondern auch um darin zu werden. Eben dieses gilt von allen übrigen Geschöpfen ... die entschiedene Gestalt ist gleichsam der innere Kern, welcher durch die Determination des äußeren Elementes sich verschieden bildet."

88 LA I 10, S. 121.

89 Siehe vor allem H. Lipps, Goethes Farbenlehre, Leipzig 1939, später Jahrb. d. Fr. Dtsch. Hochstifts 1936–40, S. 125: „Das Element eines Tieres bleibt aber nicht nur äußerer Umstand, wie seine zufällige Umwelt ... Das Tier ist durchwaltet von seinem Element, es ist es mit in seiner Bildung."

Die bildende Natur

1 Schlacht von Pharsalus in Thessalien, 9. 8. 48 v. Chr., Entscheidungsschlacht zwischen Pompejus (mit dem Beinamen Magnus) und Cäsar, die Cäsar gewann.

2 Lukan, De bello civili (= Pharsalia), übers. v. Bothe, Stuttgart 1956, in dem

Lukan zugunsten der römischen Republik (Pompejus) gegen die Monarchie (Cäsar) Partei nahm.

3 Es handelt sich um den zweiten Sohn des Pompejus, Sextus, den späteren Feldherrn, 75–35 v. Chr., der den Vater mit Cornelia, der Mutter, und Gnäus, dem älteren Bruder, nach Thessalien begleitete; vgl. Lukan VI, 419ff.

4 Erichtho tritt auf bei Lukan VI, 507ff., bei Ovid Heroides 15, 139 – in heutigen Ausgaben durch Enyo ersetzt – bei Dante, Divina Commedia IX, 22f., wo sie Virgil ins Inferno hinabführt.

5 Lukan VII, 7ff. erzählt, daß Pompejus am Vorabend der Schlacht träumte, das römische Volk habe ihm im Theater, wie einst beim ersten jugendlichen Triumph, zugejubelt.

6 Weissagungen des Bakis, JA 1, S. 229.

7 Geschichte der Farbenlehre, LA I 6, S. 85.

8 Geschichte der Farbenlehre, LA I 6, S. 84.

9 MR 535.

10 Vgl. G. Lukács, Fauststudien Bd. 6, S. 555: „Die klassische Walpurgisnacht . . . ist subjektiv der Weg Fausts zu Helena, zugleich aber objektiv die Entwicklung der griechischen Schönheit aus ihren primitiven, noch bloß naturhaften, teilweise orientalischen Anfängen."

11 Vgl. E. Staiger, Die Klassische Walpurgisnacht in Goethes Faust, Neue Rundschau 1959, wiederholt in Goethe III, S. 322ff.

12 Paralip. 123, WA 15², S. 204.

13 Paralip. 123, WA 15², S. 204-5.

14 V. 7156–57, V. 7181, V. 7274, V. 7295, V. 7324, vor V. 8044, V. 8226, V. 8248, V. 8353. Andre Ausdrücke für die besondere Nacht: „Geisternacht", „grause Nacht", „verrufne Nacht", „verrückte Stunden".

15 Goethe zu Eckermann, 21. 2. 1831, Biedermann 8, S. 32.

16 Vgl. E. Staiger, Goethe III, S. 327.

17 Paralip. 123, WA 15², S. 208.

18 Anders K. Reinhardt, Die klassische Walpurgisnacht, in: Tradition und Geist, Göttingen 1960, S. 344, der ebenfalls von zwei Hälften der Walpurgisnacht spricht, die Zäsur aber zwischen die Szenen Oberer Peneios wie zuvor und Meeresfest legt: zwischen den Erdzauber und den Wasserzauber.

19 Siehe S. 196.

20 Skizze H²⁵, WA 15², S. 48.

21 Die Sphinxe gehören schon dem ägyptischen Mythos an, dort als männliche verstanden (V. 7213); die Greife dem persischen Mythos, J. H. Voss, Über den Ursprung der Greife, Mythol. Briefe, 1827, I, S. 307; die Sirenen dem hebräischen Mythos, vgl. Hederich, Leipzig 1724, Sp. 1761: „Allein die verdienen doch auch ihren Beyfall so ziemlich, welche solchen Nahmen von dem Ebraeischen Worte Sir, canticum herleiten, weil die Sirenen als gar wunderbare Sängerinnen vorgestellet werden." Oder J. H. Voss, a. a. O., I, S. 305.

22 Hieroglyphe, der Ausdruck, von Goethe selber für das Sinnbildliche der künstlerischen Erfindung gebraucht (z. B. Platon als Mitgenosse einer christlichen Offenbarung, JA 36, S. 148) spielt eine Rolle in der Mythentheorie des 18. Jhs. (s. C. A. Böttiger, Vasengemälde, 1796 f., 3, S. 90, 108). Er geht zurück auf die Hieroglyphik der

Renaissance und bedeutet dort, daß Gott – oder die Natur – nicht nur in Worten, sondern auch in den „Sachen selber", d. h. in ihren Gebilden, einen bestimmten Sinn offenbare. Vgl. L. Volkmann, Bilderschriften der Renaissance, Hieroglyphik und Emblematik in ihren Beziehungen und Fortwirkungen, Leipzig 1923.

23 Siehe vor V. 7093, und vor V. 7100; Goethe zu Eckermann, undatiert, Houben S. 625.

24 Vgl. J. H. Voss, a. a. O., I, S. 303: „Die Greife, sagt Plinius VII, 2, scharren aus den Mienen das Gold."

25 „Über den Ursprung der Sprache", im Jahr 1770 gekrönte Preisschrift, Herders sämtliche Werke, Cotta 1827, Ph. und G. II, S. 1 ff.

26 Siehe auch Moritz als Etymolog, JA 27, S. 182–84.

27 Herder, a. a. O., S. 39–42: „Der Mensch in den Zustand der Besonnenheit gesetzt, der ihm eigen ist, und diese Besonnenheit (Reflexion) zum ersten Mal frei wirkend, hat Sprache erfunden. Denn was ist Reflexion? . . . Der Mensch . . . beweiset Reflexion, wenn er aus dem ganzen schwebenden Traum der Bilder die seinen Sinnen vorbeistreichen, . . . sich Merkmale absondern kann, daß dies der Gegenstand und kein andrer sey . . . Dieß erste Merkmal der Besinnung war Wort der Seele. Mit ihm ist die menschliche Sprache erfunden. Lasset jenes Lamm, als Bild, seinem Auge vorbeigehn, es erscheinet ihm, wie keinem andern Thiere . . . Sobald er in das Bedürfnis kommt, das Schaf kennenzulernen: so störet ihn kein Instinkt . . . es steht da, ganz wie es sich seinen Sinnen äußert: weiß, sanft wollicht. Seine besonnen sich übende Seele sucht ein Merkmal; das Schaf blöcket, sie hat ein Merkmal gefunden: der innere Sinn wirket. Dieß Blöcken . . . bleibt ihr. Das Schaf kommt wieder: weiß, sanft wollicht . . . sie . . . sucht Merkmal – es blöckt und nun erkennt sie's wieder . . . Der Schall des Blöckens von einer menschlichen Seele, als Kennzeichen des Schafs wahrgenommen, ward, kraft dieser Bestimmung, Namen des Schafs."

28 Vgl. Herder, a. a. O., S. 56: „. . . daß nach aller Natur, entweder Nichts oder das Ohr der erste Lehrmeister der Sprache wurde." – Oder S. 57: „Der Mensch ist also ein horchendes merkendes Geschöpf zur Sprache natürlich gebildet . . . Setzet ihn gemächlich . . . auf eine einsame Insel: die Natur wird sich ihm durch's Ohr offenbaren."

29 Herder, a. a. O., S. 59.

30 Herder, a. a. O., S. 60; ferner 61: „Indem die ganze Natur tönt, so ist einem sinnlichen Menschen nichts natürlicher, als daß er denkt, sie lebe, sie spreche, sie handle. Jener Wilde sah den hohen Baum . . . der Gipfel rauschte: das, sprach er, ist webende Gottheit! er fiel nieder und betete an. Sehet da die Geschichte des sinnlichen Menschen, das dunkle Band, wie aus den Verbis Nomina werden, und zugleich den leichtesten Schritt zur Abstraktion."

31 Herder, a. a. O., S. 58: „Auf morgenländische, poetische Weise kann es schwerlich bestimmter gesagt werden: der Mensch erfand sich selbst Sprache, aus Tönen lebender Natur, zu Merkmalen seines herrschenden Verstandes. Und das ist, was ich zu beweisen strebe."

32 J. H. Voss, a. a. O., I, S. 303: „Bei den Indiern, meldet er [Plinius] mit anderen (XI, 30, S. 36) wühlen es [das Gold] Ameisen von der Größe ägyptischer Wölfe oder Füchse hervor."

33 Vgl. Herodot III, § 116: „Im Norden von Europa gibt es augenscheinlich sehr

große Mengen Gold. Wie man es gewinnt, kann ich ebenfalls nicht bestimmt sagen. Der Sage nach rauben es die einäugigen Arimaspen den Greifen"; ferner Herodot IV, § 13 u. 27.

34 Über die schriftliche und bildliche Überlieferung der Greife, Ameisen und Arimaspen und ihren Zusammenhang untereinander siehe E. Simon, Zur Bedeutung des Greifen in der Kunst der Kaiserzeit, Latomus Tom. XXI, fasc. 4, S. 760/62, wo auch auf die Greife und die Ameisen im Faust II verwiesen wird.

35 Sphinx, vgl. Hederich 1770, Sp. 2253 ff.,: „Nach einigen soll sie zwar ein Jungferngesicht, allein Brust, Füße und Schwanz eines Löwen, nebst Flügeln eines Vogels gehabt haben . . . man fand dergleichen viele in Ägypten."

36 Über den Granit, LA I 1, S. 57.

37 Über den Granit, LA I 1, S. 58.

38 Über den Granit, LA I 1, S. 59.

39 Über den Granit, LA I 1, S. 59.

40 Vgl. Philostrats Gemälde, JA 35, S. 65: „Was uns von Poesie und Prosa aus den besten, griechischen Tagen übriggeblieben, gibt uns die Überzeugung, daß alles, was jene hochbegabte Nation in Worte verfaßt . . . aus unmittelbarem Anschauen der äußern und innern Welt hervorgegangen sei. Ihre älteste Mythologie personifiziert die wichtigsten Ereignisse des Himmels und der Erde."

41 Einige von zahlreichen weiteren Belegstellen: LA I 1, S. 316; LA I 2, S. 151–52.

42 Vgl. Hederich, Gründliches Lexikon Mythologicum, Leipzig 1724, Sp. 1785: „Andere wollen, daß es die Monate Julium und Augustum bey denen Aegyptiern fürgestellet, als in welchen die Sonne in der Jungfer und Löwen laufe, bey ihnen aber so dann der Nilius übergetreten."

43 Mit dieser Qualität der Sphinxe als Sternbilder hängt es zusammen, worauf sie in den Versen 7241–48 hinweisen. Denn indem die Ägypter das Jahr mit der Nilschwemme beginnen lassen, die ihrerseits mit dem Eintritt der Sonne in die Sternbilder der Sphinx, die Sternbilder von Jungfrau und Löwe also, zusammenfällt (siehe Hederich oben), so bezeichnen die Sphinxe den Anfang des Sonnenjahrs und haben zur Erfindung des Kalenders geführt. In dieser Qualität beschreiben sie sich selber, wenn sie von sich sagen:

> „Wir von Ägypten her sind längst gewohnt,
> Daß unsereins in tausend Jahre thront.
> Und respektiert nur unsre Lage:
> So regeln wir die Mond- und Sonnentage."

Das will heißen, wenn ihr, die Menschen, unseren ewig beharrenden Himmelsstand („Lage") „respektiert", so „regeln" wir euch den kalendarischen Ausgleich der Monatstage („Mondtage") mit den Tagen des Sonnenjahres und ermöglichen euch das Aufbewahren eurer geschichtlichen („Krieg und Frieden") und naturgeschichtlichen Ereignisse („Überschwemmung") durch die kalendarische Zeitrechnung:

> „Sitzen vor den Pyramiden
> Zu der Völker Hochgericht;
> Überschwemmung, Krieg und Frieden
> Und verziehen kein Gesicht."

44 Philostrats Gemälde, JA 35, S. 65 (siehe Anm. 40).

45 R. Petsch, Faust (her.) Lpz. 1926, S. 679: „Verkörpern hier soviel wie vergröbern."

46 E. Beutler, a. a. O., S. 595: „Verächtlich Mephistos Anbiederung ablehnend: In deinem Munde wird das Geistige ungeistig."

47 Th. Friedrich–L. Scheithauer, a. a. O., S. 255.

48 G. Witkowski, a. a. O., II, S. 324: „Verkörpert, giebt ihnen ihre Auslegung, ihren bestimmten Sinn."

49 Vgl. K. Reinhardt, Die klassische Walpurgisnacht, S. 323–25.

50 Vgl. Aus dem Nachlaß, Über Naturwissenschaft im allgemeinen, LA I 11, S. 363: „Nicht die Sprache an und für sich ist richtig, tüchtig, zierlich, sondern der Geist ist es, der sich darin verkörpert"; Lesarten zur Ital. Reise, WA I 32, S. 389: „Ich fand eine durchgewachsene Nelke, in der ich alle meine Gedanken verkörpert sah . . ."; Winckelmann, JA 34, S. 23: „Winckelmann war nun in Rom . . . Verkörpert stehn seine Ideen um ihn her, mit Staunen wandert er durch die Reste eines Riesenzeitalters . . ."; ferner MR 510; ferner „Suleika", JA 5, S. 93.

51 Sirenen. Hederich 1770, Sp. 2221f.: „Sie waren anfangs Jungfrauen und Ge-spielinnen der Proserpina. Weil sie aber dieser nicht zu Hülfe gekommen waren, als sie Pluto entführte . . ., so verwandelte sie Ceres in Mißgestalten mit Flügeln, wie Vögel."

52 MR 1256.

53 Frankfurter Gelehrte Anzeigen, Rezension über „Lyrische Gedichte von Blum", JA 36, S. 22: „Die Natur trieb sie zum Singen wie den Vogel in der Luft."

54 Paria-Legende, JA 2, S. 203:

„Denn von oben kommt Verführung,
Wenn's den Göttern so beliebt."

55 Vgl. K. Reinhardt, a. a. O., S. 314: „Die anfängliche chaotische Fülle zeigte im Verlauf eine gewisse Neigung, in die Tiefe nach verschiedenen Schichten sich zu ordnen . . . zuoberst das Historische."

56 Entgegen W. Schadewaldt, Faust und Helena, S. 188, der von dem Mephisto-phelischen Abenteuer sagt: „Mephisto sucht die rohe animalische Vitalität."

57 Zu Old Iniquity vgl. M. Koch, Zum II. Theile des Faust, GJ 1884, 5, S. 319f., der, entgegen v. Loepers Hinweis auf „Was Ihr wollt" und Schroers Hinweis auf Ben Jonson, auf Richard III. (III, 1) als Anregung für Goethe hinweist:

„Thus like the formal Vice, Iniquity,
I moralize two meanings in one word",

in Schlegels Übers.:

„So, wie im Fastnachtsspiel die Sündlichkeit
Deut' ich zwei Meinungen aus Einem Wort."

Vgl. auch W. Clemen, Kommentar zu Richard III., Göttingen 1957, S. 176.

58 M. Kommerell, a. a. O., S. 24.

59 K. Reinhardt, a. a. O., S. 325.

60 Paralip. 123, WA 15², S. 204–05.

61 Vgl. C. A. Böttiger, Ideen zur Kunst-Mythologie, Leipzig 1828, S. 260/61.

62 Siehe WA 15², S. 52.

63 Vgl. Hederich 1724, Sp. 1438/39: „Oreades waren eine Art Nymphen, welche sich insonderheit auf den Bergen aufhielten."

64 Vgl. Hederich 1724, Sp. 783: „Dryades sind eine Art der Nymphen, welche den Namen von drys haben, so zwar eigentlich eine Eiche, überhaupt aber doch einen jeden Baum bedeutet."

65 Vgl. Hederich 1724, Sp. 1153: „Lamien, welche Frauen seyn sollen, die zu Hause ihre Augen in besondern Gefäßen aufheben und mithin an sich blind sind, auch sonst gar besondere Gespenster seyn sollen, welche sich bald in diese, bald in eine andere Gestalt verwandeln."

66 Vgl. Hederich 1724, Sp. 810: „Empusa, ein Gespenst, welches zweene Füße hat, deren der eine ein Eselsfuß sein soll, wobei es sich . . . in allerhand Gestalten verwandeln könne."

67 In den Venetianischen Epigrammen, JA 1, S. 219/20, Nr. 67–70, werden die Dirnen Lacerten genannt; vgl. auch E. Schmidt, Faust (her.), JA 14, S. 347.

68 Über die Verbindung des Thyrsos mit dem Erotischen, siehe Paulys Realencyclopädie, Stuttgart 1936, 2. Reihe, 11. Hb., S. 751: „Für die große Zahl von Beispielen, auf denen Eros im Zusammenhang mit Dionysos begegnet und den Thyrsos trägt, kann hier nur auf Furtwängler, Eros in der Vasenmalerei, hingewiesen werden."

69 Siehe E. Schmidt, JA 14, S. 347: „In den Harems werden fleischige Schönen bevorzugt."

70 Die Phorkyaden, vgl. Hederich 1770, Sp. 953 f., „die drei Töchter des Phorkys und des Meerungeheuers Keto, waren alte graue Weiber, hatten . . . alle drei nur einen Zahn und ein Auge, welche sie einander wechselweise gaben, wenn sie etwas essen oder sehen wollten. Sie wohnten an einem Ort, wo weder Sonne noch Mond hinschien."

71 Die Alraunwurzel galt ihrer menschenähnlichen häßlichen Gestalt wegen im Mittelalter als dämonisch und wurde als Zaubermittel verwandt; siehe O. v. Lippmann, Über einen naturwissenschaftlichen Aberglauben, Halle 1904.

72 Unbillige Forderung, LA I 10, S. 215.

73 Paralip. 99, WA 15², S. 189: „Ad 13. Centauren, Sphynxe, Chimären, Greife, Sirenen, Tritonen und Nereiden, die Gorgonen, die Graien."

74 Paralip. 157, WA 15², S. 224–25: „W. d. 18. Juni 30 Prolog des dritten Acts. Geheimer Gang Manto und Faust Einleitung des Folgenden Medusenhaupt."

75 Paralip. 123, WA 15², S. 210–11: „. . . bis der präsentierte Faust als zweyter Orpheus gut aufgenommen, seine Bitte aber doch einigermaßen seltsam gefunden." – Oder Goethe zu Eckermann, 15. 1. 1827, Biedermann 6, S. 12 13: „Fausts Rede an die Proserpina, um diese zu bewegen, daß sie die Helena herausgibt; was muß das nicht für eine Rede sein, da die Proserpina selbst zu Tränen davon gerührt wird."

76 Paralip. 123, WA 15², S. 210: „Dem bald darauf wieder enthüllten [Faust] erklärt sie diese Vorsicht, das Gorgonenhaupt nämlich sey ihnen die Schlucht herauf entgegengezogen."

77 Paralip. 123, WA 15², S. 208–9: „Ein ernst pädagogisches Gespräch mit diesem Urhofmeister wird, wo nicht unterbrochen doch gestört durch einen Kreis von Lamien, die sich zwischen Chiron und Faust unablässig durchbewegen."

78 Vgl. Hederich 1724, Sp. 1709: „Rhea. Diesen [Nahmen] soll sie von räo, fluo haben, weil sie eine Ursache des Flusses des Regens oder auch des Flusses und der Bewegung aller Dinge seyn soll."

79 Diese Deszendenz (Töchter des Chaos) ergibt sich aus V. 8028. Nach Hesiod (Theogonie, 217) dagegen sind die Parzen (Moiren) Enkeltöchter des Chaos und nicht mit den Phorkyaden verwandt.

80 WA 15², S. 58; unter den Versen: „Zum Parterre".

81 Preisaufgabe auf 1803, JA 33, S. 279.

82 Vgl. Philostrats Gemälde, JA 35, S. 72. Das Zitat „Denn . . . Sohn" stammt aus Philostrat d. Ä. „Heroikos".

83 WA 15², S. 48; vgl. S. 212.

84 Philostrats Gemälde, JA 35, S. 69: „Ihre [der hochbegabten griechischen Nation] älteste Mythologie personifiziert die wichtigsten Ereignisse des Himmels und der Erde, individualisiert das allgemeinste Menschenschicksal, die unvermeidlichen Taten und unausweichlichen Duldungen eines immer sich erneuenden seltsamen Geschlechts."

85 Chiron, vgl. Hederich, 1724, Sp. 579: „Sohn des Saturnus und der Philyra, war ein Centaurus, das ist halb ein Mensch und halb ein Pferd. Allein doch ein so guter Medicus, Musicus und Astronomus, daß er den Herculem, Achillem und fast alle junge Printze seiner Zeit in denen ihnen nötigen Wissenschaften unterwies."

86 Faust II, JA 14, S. 340: „ ,Dieser Nacht' wohl nicht Dativ, sondern: wer so rasch die Kunde von unsrer Festnacht (einem anderen, der nun herbeikommt) zugebracht hat."

87 Wilhelm Tischbeins Idyllen, JA 35, S. 199.

88 Wilhelm Tischbeins Idyllen, JA 35, S. 198/99.

89 V. 7201: „Wenn er dir steht, so hast du's weit gebracht." Man beachte die Ähnlichkeit mit Proteus, V. 8156: „Und steht er euch, . . ."

90 Eurystheus ist der ältere Vetter des Hercules, in dessen Dienst er die zwölf Taten vollbrachte. Zu diesen gehörte auch der Dienst für die Lyderkönigin Omphale.

91 Siehe Odyssee XXII, 205 ff., wo Pallas Athene in Mentors Gestalt beim Freierkampf Odysseus zu Hilfe kommt und von den Freiern verachtet wird; darum hier: „Selbst Pallas kommt als Mentor nicht zu Ehren" (V. 7342).

92 Vgl. K. Reinhardt, a. a. O., S. 329.

93 Das unterscheidet die ausgeführte Dichtung vom Paralip. von 1826, wo Chiron noch nicht in dieser zeichenhaft geistigen, sondern in einer dramatisch-fabulösen Weise Faust mit Helena verbindet, indem er Faust zum Eingang des sich gerade öffnenden Hades bringt und ihn unter den nun hinabsteigenden Sibyllen der Manto übergibt. 1826 war noch eine Fahrt *in* die Unterwelt geplant, die sich in der Dichtung in eine Fahrt *zur* Unterwelt verwandelt, in der sich das „Ins Leben-ziehn" schon ereignet.

94 So Friedrich-Scheithauer, a. a. O., S. 258: „Wenn dies auf das Geisterspiel am Kaiserhof geht . . ., dann vollzieht sich der 2. Akt noch am selben Tage wie der Schluß des 1. Aktes." Oder G. Witkowski, a. a. O., II, S. 327.

95 WA 15², S. 51, Z. 12–13.

96 Vgl. Hederich 1770, Sp. 1520: „Manto, des Tiresias, eines berühmten Wahrsagers zu Theben Tochter, ist selber Wahrsagerin." Von Goethe hier zur Tochter des Aesculap gemacht.

97 Bei Pydna in Thessalien wurde 168 v. Chr. Perseus von Macedonien, der Sohn Philipps, von dem römischen Konsul Aemilius Paullus besiegt und das griechische Königreich („der König flieht") von der römischen Republik („der Bürger triumphiert") erobert. Es ist die polar ergänzende politische Situation zu Pharsalos, wo die Republik vom Kaiserreich abgelöst wurde.

98 Das Märchen, JA 16, S. 266: „An dem großen Flusse, der eben von einem starken Regen geschwollen und übergetreten war"; oder S. 270/71: „Wie grausam ist der Fluß, der uns nun scheidet . . ." Das ganze von Goethe erfundene Motiv des

Centauren Chiron, der einst die (zehnjährige) Helena, jetzt Faust über den Fluß setzt, ist gebildet nach der Geschichte des Centauren Nessus, der Herkules und die Seinigen, Dejanira und Hyllus, über den Fluß trägt, wie Goethe sie in Philostrats Gemälde, JA 25, S. 111, beschreibt: „Diese brausenden Fluten, welche, angeschwollen, Felsen und Baumstämme mit sich führend, jedem Reisenden die sonst bequeme Furt versagen . . . Hier hat ein wundersamer Fährmann seinen Posten genommen, Nessus, der Centaur."

99 Siehe Platon, Phaidros, p. 245, übersetzt von E. Salin: „Eine dritte Form . . . der Besessenheit und des Wahnes kommt von den Musen; wenn sie eine zarte, schlummernde Seele ergreift, weckt sie sie auf und begeistert sie zu Liedern . . . Wer aber ohne den Wahnsinn der Musen sich den Pforten der Dichtkunst naht, in der Überzeugung, schon durch gute Technik ein fähiger Dichter zu werden, der bleibt selbst erfolglos."

100 Vgl. Hederich 1770, Sp. 1809ff.: „Orpheus, Sohn des Apollo und der Muse Kalliope, König in Macedonien . . . kundig in allen Wissenschaften brachte er es in der Musik so weit, daß er nicht nur die Menschen sondern auch die wilden Thiere nach sich gezogen."

101 Karl Wilhelm Nose, LA I 8, S. 159.

102 Goethe an K. C. Leonhard, 18. 11. 1808, LA I 1, S. 373, mit Berufung auf Seneca, Nat. Quaest. II 26. Speziell über Delos Goethe an Zelter, 27. 3. 1830, mit Anspielung auf den Mythos von der Entstehung von Delos für die Niederkunft der Leto. Die vulkanische Deutung des Mythos schon durch Aristoteles bei Plinius, Nat. Hist. IV 62.

103 LA I 8, S. 163, K. W. Nose in Goethes Referat über dessen Abhandlung ‚Historische Symbola, die Basalt-Genese betreffend, zur Einigung der Parteien dargeboten'; es ist dies eine Abhandlung, von der Goethe sagt, daß er sie „durch ein besonderes Glück, zur Aufmunterung" erhielt, „als ich gerade mit Redaktion einiger geologischen Papiere beschäftigt war"; er nennt Nose einen „so teuren Vorgänger und Mitarbeiter" und hebt den „Einfluß" hervor, „den diese wenigen Blätter auf mich ausgeübt"; woraus hervorgeht, daß er die darin geäußerten Ansichten teilt, zumal es sich in den hier zitierten Sätzen um die Theorie von unter dem Meer befindlichen Vulkanen handelt, die Goethe in dem Aufsatz desselben Heftes – es sind die geologischen Beiträge des 3. Heftes zur Naturwissenschaft, LA I 8, S. 139ff. – „Kammerberg bei Eger" noch einmal vertritt; siehe LA I 8, S. 166: „Man wird aus unserer früheren Darstellung des Kammerbergs bei Eger sich wieder ins Gedächtnis rufen, was wir in dem vorigen Hefte . . . über einen so wichtigen Naturgegenstand gesprochen und wie wir diese Hügel-Erhöhung als einen reinen Vulkan angesehen, der sich unter dem Meere unmittelbar auf und aus Glimmerschiefer gebildet habe."

104 Von der in der Monade angelegten Intention war schon S. 17 die Rede.

105 Über die Gestalt und die Urgeschichte der Erde von K. F. v. Klöden, 1829, LA I 2, S. 393.

106 Siehe S. 254-56.

107 K. Mommsen, Natur- und Fabelreich in Faust II, Berlin 1968, S. 191ff., bestreitet das relative Geltenlassen des tellurisch-vulkanischen Prinzips durch Goethe und insistiert auf seinem eindeutigen Neptunismus, wobei sie auf die „unkorrekte Zitierung" einer Stelle aus dem Aufsatz „Karl Wilhelm Nose" (D. Lohmeyer, Faust und die Welt, 1940 S. 65, Anm. 52) hinweist: „So will man sich auch gegen den kras-

sen Neptunismus verwahren . . ." Es trifft zu, daß Goethe hier die Abhandlung
Noses referiert; doch ist der Satz nicht kritisch gemeint, als wolle sich Goethe von
Noses Auffassung distanzieren (das Goethische „man", das oft geradezu seine eigene
Meinung objektiviert!): Die Fortsetzung des Satzes: „. . . und nicht durchaus auf
einen wellenschlagenden Meeresraum, sondern auf eine dichtere Atmosphäre hindeuten, wo mannigfaltige Gasarten . . . auf das Entstehen der Oberfläche wirken",
entspricht völlig Goethes eigener Anschauung (vgl. Über die Gestalt und die Urgeschichte der Erde, von K. F. v. Klöden, 1829, LA I 2, S. 393: „. . . ich bestieg die
Schweizer und Savoyer hohen Gebirge, . . . und ich ließ mir gefallen, daß diese
mächtigen Massen sich wohl dürften aus einem Lichtnebel einer Kometen-Atmosphäre
kristallisiert haben"). Man wird danach nicht bestreiten können, daß auch Goethe sich
von dem „krassen Neptunismus" Abraham G. Werners entfernt hat. So im übrigen
auch K. Reinhardt, a. a. O. S. 345–6. Über Goethes eigene vulkanische Erklärung
gewisser Naturphänomene siehe Anm. 103.

108 Karl Wilhelm Nose, LA I 8, S. 164.

109 Vorträge in der Mittwochsgesellschaft über die Bildung der Erde, LA I 1,
S. 319: „Trost in der innern Regelmäßigkeit und Konsequenz der Natur".

110 Vier Elemente, LA I 3, S. 507.

111 Drei günstige Rezensionen, LA I 9, S. 101.

112 Vier Elemente, LA I 3, S. 507.

113 Interpretation siehe S. 275.

114 Siehe K. Reinhardt, a. a. O., S. 346.

115 Zum Festcharakter der Meeresfeier vgl. K. Kerényi, Das Ägäische Fest,
Albae Vigiliae. H. 11, Leipzig 1941, S. 467f.

116 Nereus, vgl. Hederich 1770, Sp. 1727f., „war einer der vornehmsten Meergötter . . . und dabei . . . ein berühmter Wahrsager. Er sagete dem Paris alles Unglück
vorher, welches die Entführung der Helena seinem Vaterlande zuziehen würde".

117 Galatea, vgl. Hederich 1770, Sp. 1134, „des Nereus und der Doris Tochter,
eine Nymphe".

118 Doris, vgl. Hederich 1770, Sp. 956, „des Oceans und der Thetis Tochter. Sie
heurathete ihren Bruder, den Nereus, und zeugete mit ihm fünfzig Töchter, die von
ihrem Vater Nereiden, von ihr zuweilen Doriden genannt wurden".

119 Gott, Gemüt und Welt, JA 4, S. 4,

120 Nereiden vgl. Anm. 118.

121 Tritonen, vgl. Hederich 1770, Sp. 2403–05, „männliche Meergötter, Söhne des
Neptun und der Amphitrite. Sie waren von oben bis an die Beine einem Menschen
gleich, der übrige Leib war die Hälfte eines Delphins mit den Füßen eines Meerpfer-
des".

122 Kabiren, vgl. Hederich 1770, Sp. 580f., „Götter, deren Dienst zuerst von den
Pelasgern nach Samothracien gebracht worden . . . Indessen bleibt ihr wirklicher
Ursprung sehr dunkel, indem nach einigen ihrer dreye, nach anderen . . . deren nur
zweene gewesen seyn . . . oder auch insgesamt viere . . . Einige halten sie für einerlei
mit den Dioskuren . . . Nach denen sollen dann ihrer sieben gewesen seyn und den
Aesculapius als ihren achten Bruder noch dazu bekommen haben . . . Sie führen unter
andern die Beynamen . . . die mächtigen Götter."

123 Proteus, vgl. Hederich 1770, Sp. 2107ff., „war einer der vornehmsten Meer-

götter. Doch gab er insonderheit einen guten Wahrsager . . . ab. Er ließ sich aber
nicht leicht dazu bringen, sondern verwandelte sich . . . eher in allerhand Gestalten,
als Feuer, Wasser, Bäume, Löwen, Drachen, und so ferner".

124 Telchinen, Urvölker auf Rhodos, vgl. Hederich 1770, Sp. 2297-98, „erzogen
den Neptun in der Insel Rhodos und erfanden viel nützliche Künste. Sie errichteten
auch zuerst den Göttern Bildsäulen".

125 Psyllen und Marsen, Urbewohner von Cypern, die, nach Lukan, De bello civili
IX v. 891 f., „das einzige Volk" sind, das „auf Erden lebt, gefeit gegen den Biß der
grimmigen Schlange".

126 Doriden vgl. Anm. 118.

127 Vgl. Hederich, Leipzig 1770, Sp. 1134.

128 Das Märchen, JA 16, S. 300.

129 Hederich, Leipzig 1770, Sp. 580-85.

130 F. Creuzer, Symbolik und Mythologie der alten Völker, 1811, 2. Bd.

131 F. W. Schelling, Über die Gottheiten von Samothrake, 1815, in: Werke,
München 1927, IV.

132 Schelling, a. a. O., S. 744.

133 Zum Begriff der ‚dynamis' siehe Aristoteles, z. B. Metaphysik, Buch 8, Kap. 1.

134 Bildungstrieb, LA I 9, S. 100. Siehe S. 182.

135 Bildungstrieb, LA I 9, S. 99.

136 Was Goethe davon im einzelnen von Creuzer und Schelling übernommen hat, ist
bei K. Reinhardt, a. a. O., S. 334-44, und bei G. Diener, Fausts Weg zu Helena, S. 510-22,
dargelegt. Bei Diener allerdings nicht in der Meinung, daß es sich dabei für Goethe
nur um eine Übernahme von poetischen Bildern für eigene Vorstellungen handelt.

137 Siehe Hederich, 1770, Sp. 584: „. . . andere wollen, es wären die Dii penates
gewesen."

138 Hederich, 1770, Sp. 584: „. . . sie kommen auf verschiedenen Münzen derjenigen Städte vor, worinnen sie verehret worden; und man trifft den Kabir vornehmlich auf den thessalonischen Münzen vielfältig an."

139 Chelone, vgl. Hederich 1770, Sp. 700 f.: „eine Nymphe, welche sich über
Jupiters Vermählung mit der Juno spöttisch aufhielt und die Juno in den Fluß
stürzete und in eine Schildkröte verwandelte".

140 West-östlicher Divan, An Hafis, JA 5, S. 23. Siehe auch M. Kommerell,
Gedanken über Gedichte, Frankfurt am Main, 1943, S. 266.

141 Vgl. K. Reinhardt, a. a. O., S. 338; ferner E. Trunz, HA 3, S. 563.

142 Anders E. Schmidt, JA 14, S. 352, der „entglänzt" interpretiert: „erhebt sich
glänzend darauf, also nicht bloße Spiegelbilder der Kabiren".

143 Was Homunculus und Thales betrifft, so nehmen sie an dem Mysterium des
Elements nur als Zuschauer teil. Als theoretisches Prinzip (Homunculus) und als
theoretischer Menschengeist (Thales) verbinden sie damit nur die Gelegenheit. Gerade
am Meeresufer ihres Pfads wandelnd, nehmen sie die Gottheit nur von außen wahr:
als „irden-schlechte Töpfe", als „rostige Münzen":

  „Die Ungestalten seh' ich an

  Als irden-schlechte Töpfe" (V. 8219-20)

und begreifen sie in ihrem Wesen je auf der eigenen Stufe: Homunculus: als moderne
wissenschaftliche Theorien:

„Nun stoßen sich die Weisen dran
Und brechen harte Köpfe" (V. 8221–22)
Thales, der Alte, als wertvoll durch ihr hohes Alter:
„Das ist es ja, was man begehrt:
Der Rost macht erst die Münze wert." (V. 8223–24)
144 Siehe die Interpretation S. 277.
145 Eins und Alles, JA 2, S. 244.
146 MR 571.
147 Es sei hier nur beiläufig auf die Bedeutung, die „Gelegenheit" für Goethe hat,
hingewiesen; vgl. S. 46 und Römische Elegien, JA 1, S. 156/57:
„Diese Göttin, sie heißt Gelegenheit, lernet sie kennen!
Sie erscheinet euch oft, immer in andrer Gestalt.
Tochter des Proteus möchte sie sein, mit Thetis gezeuget,
Deren verwandelte List manchen Heroen betrog."
148 Zum hermaphroditischen als dem noch „unentschiedenen" Geschlecht des
Homunculus vgl. E. Staiger, Goethe III, S. 316/17 und W. Emrich, Die Symbolik von
Faust II, S. 253.
149 Auf den fast terminologischen Gebrauch Goethes von „gruneln" im Zusam-
menhang mit dem Entstehen von vegetativem Leben wird überall in der Forschung
verwiesen; schon E. Schmidt, JA 14, S. 354, der auch die wichtigen Analogien im
Divan nennt; ferner E. Trunz, HA 3, S. 580.
150 Es kommt nicht viel darauf an, ob Goethe hier die Skala der Verwandlungen
vom kleinsten Fisch (der „sich freut, kleinere zu verschlingen") bis zum Menschen
beschreibt – also jenen „höheren animalischen Typus", wie er ihn im zitierten Aufsatz,
LA I 9, S. 197ff., benennt – oder ob er die beim Einzeller beginnende gesamte Reihe
des Animalischen im Auge hat; Goethe hat, wie bekannt, sich mit Beobachtungen von
Infusorien befaßt, siehe LA I 10, S. 25ff. Denn hier geht es nicht um die Entstehung
eines einzelnen animalischen Lebens aus dem Unbelebten, nicht um Urzeugung, sondern um die Darstellung der Prinzipien des Lebens der animalischen Individualität.
151 Vergleichende Osteologie, Kap. II, LA I 9, S. 198: „Dies also hätten wir
gewonnen, ungescheuet behaupten zu dürfen: daß alle vollkommnern organischen
Naturen, worunter wir Fische, Amphibien, Vögel, Säugetiere und an der Spitze der
letzten den Menschen sehen, alle nach Einem Urbilde geformt seien, das nur in seinen
sehr beständigen Teilen mehr oder weniger hin und her weicht und sich noch täglich
durch Fortpflanzung aus- und umbildet."
152 Tauben aus Paphos, Attribut der Aphrodite, siehe Hederich, 1770, Sp. 2441;
hier Galatea beigegeben.
153 Zu „fern und nah" als das Dasein des Ideellen in den Erscheinungen siehe
auch LA I 9, S. 192:
„Freudig war vor vielen Jahren,
Eifrig so der Geist bestrebt,
Zu erforschen, zu erfahren,
Wie Natur im Schaffen lebt.
Und es ist das Ewig Eine,
Das sich vielfach offenbart;
Klein das Große, groß das Kleine,

Alles nach der eignen Art.
Immer wechselnd, fest sich haltend,
Nah und fern und fern und nah;
So gestaltend, umgestaltend. –
Zum Erstaunen bin ich da."

154 Wiederfinden, JA 5, S. 88:
„Da erklang ein schmerzlich Ach!
Als das All mit Machtgebärde
In die Wirklichkeiten brach."
Der Hinweis auf das „Ach" in Wiederfinden auch schon bei G. W. Hertz, Natur u. Geist, S. 183; aber von ihm falsch gedeutet als „schmerzliche Entsagung", da die Monade ihr „herrisches Sehnen" dem Naturgesetz unterordnen müsse. – Das Sehnen ist ja gerade die Lust zur Verkörperlichung, und von Entsagung ist in dem Meeresfest nichts.

155 Die Koppelung von „Ursprung" und „Erhaltung" hat Goethe vermutlich schon in der Überlieferung vorgefunden: die Plutarchische Schrift „Über die Lehrmeinungen der Philosophen" (I, cap. 3) referiert die Lehre des Thales, daß „alles aus dem Wasser entstanden ist und im Wasser sich alles auflöst . . . alles Gewachsene durch das Feuchte ernährt wird . . .". – Bei Simplicius (Komm. zu Arist. Physik, Diels, Fragm. d. Vors.⁶ I, S. 77) heißt es: „Das Wasser ist Ursprung . . . und das Zusammenhaltende aller Dinge."

Schönheit in der Geschichte

1 Zur Schönheit als lebenwirkendem Naturprinzip vgl. auch W. Schadewaldt, Faust und Helena, Goethestudien, S. 184.

2 Vgl. Weimarische Kunstausstellung vom Jahre 1803 und Preisaufgabe für das Jahr 1804, Polygnots Gemälde, WA I 48, S. 108 (fehlt in der JA).

3 Siehe S. 315.

4 Goethe zu Eckermann, 20. 12. 1829, Biedermann 7, S. 173.

5 Vgl. auch IA, S. 548, Paralip. 141 (fehlt in der WA.): „Anrede an Pythonissa. Da sie fehlt"; und WA 15², S. 228, Paralip. 165: „Sie befinden sich in dem Hofe einer Ritterburg. Ohne Phorkyas."

6 M. Kommerell, Geist und Buchstabe der Dichtung, S. 64.

7 Vgl. S. 339–41.

8 Vgl. S. 328–34.

9 Goethe an S. Boisserée, 22. 10. 1826.

10 Fortsetzung der Briefstelle von Anm. 9: „phantasmagorisch freilich aber mit reinster Einheit des Orts und der Handlung".

11 Goethe an Zelter, 24. 1. 1828.

12 West-östlicher Divan, JA 5, S. 51.

13 Siehe Friedrich-Scheithauer, a. a. O., S. 279: „Mephisto fällt, wie V. 9907 ff. der Chor, aus der Rolle"; ähnlich M. Kommerell, a. a. O., S. 60: „. . . so muß man dies nicht auf eine gewundene Weise mit der Teufelheit reimen, sondern darin die Macht des Stils begreifen, der . . . gelegentlich dem Mephisto nicht aus dessen Geist, sondern aus dem Geist der Szene die Rolle des idealen Sprechers zuweist"; ähnlich auch E. Staiger, a. a. O., S. 395.

14 Goethe an Zelter, 4. 1. 1831: „Genug! Helena tritt zu Anfang des dritten Acts, nicht als Zwischenspielerin, sondern als Heroine, ohne weiteres auf."

15 Paralip. 123, WA 15², S. 176.

16 Helena um 1800, WA 15², S. 72, beginnt:
„Vom Strande komm ich, wo wir erst gelandet sind."

17 Paralip. 84, WA 15², S. 184: „Helena Egypterin Mägde . . ."; ferner Paralip. 63, WA 15², S. 176.

18 Paralip. 123, 10. 6. 1826, WA 15², S. 213/14: „. . . mit dem Beding, daß sie sich nirgends als auf dem eigentlichen Boden von Sparta des Lebens wieder erfreuen sollen," Paralip. 123, 17. 12. 1826, WA 15², S. 198 f.: „. . . daß Helenen das vorige Mal die Rückkehr ins Leben vergönnt worden, unter der Bedingung eingeschränkten Wohnens und Bleibens auf der Insel Leuke. Nun soll sie ebenmäßig auf den Boden von Sparta zurückkehren."

19 Paralip. 92, IA, S. 530, Ankündigung in Kunst und Alterthum: „Helena-Zwischenspiel zu Faust" (fehlt in WA).

20 Euripides, Orestes, V. 53–60, übersetzt von H. v. Arnim, Wien/Leipzig 1931.

21 Euripides, Orestes, V. 1005–07.

22 Euripides, Troerinnen, V. 876–79, übersetzt von H. v. Arnim, Wien/Leipzig 1931.

23 Euripides, Orestes, V. 1629–34.

24 Medusa ist zwar eine der drei Gorgonen (Medusa, Sthenno und Euryale) und nicht eine der drei Graien; aber Graien und Gorgonen sind Schwestern, die Töchter des Meerdämons Phorkys und des Meerungeheuers Keto, und heißen zusammen: die Phorkyaden. Goethe unterscheidet hier, wie auch schon in der Walpurgisnacht, nicht zwischen ihnen.

25 Entgegen der mythologischen Überlieferung bei Hesiod, wo die Stammbäume des Chaos und der Phorkyaden getrennt sind. Nach Hesiods Theogonie 123 sind Erebos und Nyx (Dunkel und Nacht) die Kinder des Chaos als der kosmogonischen Ursprungsgottheit, während der Phorkyadenstammbaum unabhängig davon über Phorkys und Keto als die Eltern zu Pontos und Gaia als dem Ursprung dieses Stammbaums führt.

26 Die Ungeheuer und Todesdämonen im Phorkyadenstammbaum, Hesiod 270 bis 336, rücken durch die neue Genealogie mit der Chaosdeszendenz, den Mächten der Zerstörung (Tod, Schlaf, Moiren, Alter, Vergessen, Hunger, Schmerzen, Streit, Lüge, Mord) als den Kindern der Nyx, aufs engste zusammen.

27 Ovid, Fasten V, V. 493–544.

28 Drei vogelgestaltige Todesdämonen, Töchter des Thaumas und der Okeanine Elektra. Hederich, 1770, Sp. 1197: „. . . insonderheit dem Phineos [König in Päonien] zur Plage zugegeben. Denn sobald diesem sein Essen auf den Tisch gesetzet wurde . . . raubten [sie] es ihm größten Teils hinweg; das übrige aber beschmeißeten sie dergestalt, daß es vor Unflate und Gestanke nicht genossen werden konnte."

29 Das sich hier eher auf Helena beziehende Verlassen des eigenen Hauses gilt im selben Maße auch für Menelas; siehe Paralip. 164, WA 15², S. 227: „Tadel des Run away des Piratenschweifens", wo beide Weisen des Haus- oder Landverlassens nebeneinander stehen: das „Ran away" auf Helena, das „Piratenschweifen" auf Menelas bezüglich; in Paralip. 163 heißt es ausdrücklich: „Menelas wieder Pirate".

30 Nicht umsonst vergleicht der Chor Helenas bisherigen Aufenthalt einem „Kerker", aus dem „entbunden" zu sein er die Herrin preist:

„Schwebt der Entbundene
Doch wie auf Fittigen
Über das Rauhste, wenn umsonst
Der Gefangene sehnsuchtsvoll
Über die Zinne des Kerkers hin
Armausbreitend sich abhärmt." (V. 8622–27)

31 Vgl. Das Märchen, JA 16, S. 294: „Was hast du beschlossen? Mich aufzuopfern, ehe ich aufgeopfert werde, versetzte die Schlange."

32 Paralip. 157, 18. 6. 1830, WA 15², S. 224–25.

33 In Paralip. 123, 17. 12. 1826, wie in Paralip. 157, 18. 1. 1830, ist es Manto, die vor Proserpina redet; Eckermann gegenüber, 15. 1. 1827, Biedermann 6, S. 12–13, heißt es: „Fausts Rede an die Proserpina".

34 Paralip. 123, WA 15², S. 211–12.

35 Vgl. Hederich 1770, Sp. 2378–79: „Als [Tiresias] ... einstmals ein Paar Schlangen sich auf dem Wege begatten sah, so schlug er mit seinem Stabe zwischen sie und wurde deshalber in eine Frau verwandelt. Nun, als er solche wieder antraf und abermals dazwischenschlug, so wurde er wiederum zu einem Manne ... Wie darauf Jupiter und Juno in einen Streit geriethen, ob die Manns- oder Frauenspersonen mehr Wollust im Beyschlafe empfänden, so wurde er zum Schiedsrichter erkohren, und da sprach er neun Theile davon der Juno und nur einen dem Jupiter zu. Dieß verdroß aber die Juno so sehr, daß sie ihn dafür blind machte, und Jupiter ihm dagegen zu seinem Troste die Kunst zu wahrsagen schenkte. Er wurde aber sehr alt, weil ihm Jupiter zugleich für sein günstiges Urteil fünf Menschenalter zugestanden, ja man saget auch wohl sieben bis neun Mannesalter."

36 Zu Helenas „Identitätszweifel" vgl. K.-H. Hahn, Faust und Helena, JbdGG (NF) 1970, S. 128.

37 Siehe z B. 4. Weissagung des Bakis, JA 1, S. 229; oder Das Märchen, JA 16, S. 289 und 291.

38 Vgl. zum Schleiermotiv W. Emrich, a. a. O., S. 50 f.

39 Vgl. Das Märchen, JA 16, S. 304.

40 Paralip. 84, WA 15², S. 184.

41 Anders O. Seidlin, Helena: Vom Mythos zur Person in Von Goethe zu Thomas Mann, Göttingen 1963, S. 78 f., der den Gegensatz von zyklopischer und nördlich-mittelalterlicher Bauweise im Sinne der Entwicklung der Menschheit aus dem „Prähistorischen" – „Ungeformten", „nomadenhaft Ungesicherten" ins „geregelt-Ordentliche" versteht.

42 Die Betrachtungsweise, Helenas Weg zu Faust als ein eigenes, von Helena ausgehendes Geschehen zu verstehen, teile ich mit von Seidlin, Helena, a. a. O., S. 65 ff., der darin jedoch den Wandel vom Mythos zur Person, den Weg der Menschheit aus dämonischer Umstricktheit zu selbstbestimmter Bewußtheit erkennt.

43 Siehe S. 43.

44 Paralip. 165, WA 15², S. 228.

45 Paralip. 84, WA 15², S. 184.

46 Vgl. Am Rhein, Main und Neckar, JA 29, S. 254: „Die neuerdings von Deutsch-

lands Feinden benutzte Gelegenheit, hier [in Neuwied] über den Rhein zu gehen, ward von den Römern schon ergriffen." Oder auch JA 29, S. 193 oder 308.

47 Zur Diskussion Mistras als des historischen Vorbilds für die Faustburg vgl. H. Düntzer, Goethes Faust, Erläuterungen, S. 116; ferner G. v. Loeper, Faust, Berlin 1879; ferner A. Baumeister, GJ 1896, XVII, S. 214 ff.

48 Vgl. A. Trendelenburg, Zu Goethes Faust, Leipzig 1919, S. 121; ferner R. Petsch, Faust, Leipzig 1926, S. 688/89.

49 In diesem Sinne die Diskussion zusammenfassend R. Busch-Zantner, Fauststätten in Hellas, Weimar 1932, S. 50; ferner J. Schmidt, Sparta-Mistra JbGG (NF) 1956, S. 145 ff.; ferner B. Weis, Mistra – die Ritterburg in Goethes Faust, Hellenika, III/64, S. 15/16.

50 Zur Bedeutung der hier geschilderten Bauweise als exemplarisch für die mittelalterliche Burg vgl. B. Weis, Mistra, Hellenika III, 64, S. 16 f.

51 Eine positivere Bewertung des Mittelalters bereitet sich schon durch Goethes Beschäftigung mit der Geschichte der Farbenlehre – seit Herbst 1807 – vor (vgl. LA II, 6, S. XVII).

52 Vgl. dazu A. Hübner, Goethe und das deutsche Mittelalter, Goethe, VjsGG 1936, Bd. 1, S. 88 ff.

53 Paralip. 165, WA 15², S. 228.

54 Lynkeus, als deutender Name aus dem antiken Mythos übernommen, wo – nach Hederich 1770, Sp. 1502 – Lynceus „so ein scharfes Gesicht hatte, daß er auch sehen konnte, was unter der Erde verborgen lag . . . er soll . . . es bei finsterer Nacht so wohl, als bey Tage brauchen können". – Zu dem symbolischen Gebrauch des Namens vgl. Goethes Äußerung über Philemon und Baucis, Biedermann 8, S. 93–94: „Mein Philemon und Baucis . . . hat mit jenem berühmten Paare des Alterthums . . . nichts zu thun. Ich gab meinem Paare bloß jenen Namen, um die Charaktere dadurch zu heben." – Zur Literatur siehe die ausführliche Diskussion bei W. Müller-Seidel, Lynkeus in Sprache und Bekenntnis, Sb. d. Litwiss. Jb. Berlin 1971, S. 79 ff.

55 Der Blick für das Seltene als das Charakteristikum des befreiten Lynkeus auch von W. Müller-Seidel, a. a. O., S. 84 f. (vgl. Anm. 54) hervorgehoben; dort auch die geschichtliche Perspektive in Lynkeus' Schilderung seiner Vergangenheit gewürdigt.

56 Vgl. Geschichte der Farbenlehre, Überliefertes, LA I 6, S. 88.

57 Am Rhein, Main und Neckar, JA 29, S. 303.

58 Philostrats Gemälde, JA 14, S. XXVIII f.

59 Das Märchen, JA 16, S. 298.

60 Vgl. Am Rhein, Main und Neckar, JA 29, S. 305 7: „Alter, Starre, mumienhafter Stil war die byzantinische Schule, von der wir wenig Löbliches zu sagen wüßten." Oder: „An jene strenge, trockene Symmetrie hat sich die byzantinische Schule immerfort gehalten, und obgleich dadurch ihre Bilder steif und unangenehm werden . . .".

61 Vgl. Am Rhein, Main und Neckar, JA 29, S. 306/07, was Goethe dort über die einfachste Stufe der „Zierde", über „Gliederung" und „Symmetrie" als Erbe der Antike in der frühen mittelalterlichen Kunst sagt.

62 Vgl. West-östlicher Divan, JA 5, S. 14: „Dichten ist ein Übermut"; ferner Goethe an Zelter 26. 7. 1828: „Wenn dies Ding der Faust nicht fortgesetzt auf einen übermütigen Zustand hindeutet . . ."

63 Am Rhein, Main und Neckar, JA 29, S. 317.

64 Am Rhein, Main und Neckar, JA 29, S. 311.

65 Vgl. Am Rhein, Main und Neckar, JA 29, S. 307-8, 311, 314, 315.

66 Siehe J. Milton, Das verlorene Paradies, X, V. 628-723.

67 Im Verlorenen Paradies, X 707f. sind es die Teufel des Pandämoniums, die sich während der Erzählung Satans von der eben gelungenen Verführung des Menschen plötzlich selber in Schlangen verwandelt sehen, denen die Äpfel vom Baum der Erkenntnis im Munde zu Asche werden.

68 Vgl. S. 318 und 334.

69 Vgl. die Interpretation von E. Schmidt zu V. 9246ff., JA 14, S. 366, der überzeugend die einzelnen Momente von Helenas Rede („raubend", „verführend", „fechtend", „entrückend") mit ihrer mythologischen Biographie (Theseus, Paris, Menelaos, Apoll) zusammenbringt. Desgleichen Friedrich-Scheithauer, S. 274.

70 Paralip. 166, WA 15², S. 229; ebenso Paralip. 167: „Als Rittersfrau (?) Leere."

71 Paralip. 165, WA 15², S. 228-29: „Handkuß Verwundrung Kniet widmet sich zum Ritter Schärpe." Ebenso Paralip. 166: „F[aust]. Gegenkompl[iment]. [aR Ring (NB) Handkuß Schärpe]."

72 Die Verlegenheit der Forschung gegenüber der Kriegsdrohung durch Menelas, wie gegenüber den Heerführern, ihrer Wirklichkeit und ihrem Verhältnis zu den Horden des Lynkeus, ist allgemein zu bemerken. Friedrich-Scheithauer (S. 275) spricht vom „Kriegslärm" als einer „nur von Meph. vorgespiegelten Gefahr", und von der „Außerzeitlichkeit" des ganzen Geschehens; R. Petsch (S. 690) von einem „zwischen Faust und Mephisto für alle Fälle abgekarteten Spiel"; K. Mommsen (S. 49) von „Kriegshandlung" und „Länderverteilung" als einem „phantasmagorischen Spiel", „es geschieht, indem Faust fabuliert"; ähnlich E. Staiger (III, S. 381). Siehe auch Anm. 75.

73 Entgegen R. Hausschild, Mistra – Die Faustburg Goethes, Abh. d. Sächs. Akad. d. Wiss., Leipzig 1936, S. 15; desgleichen R. Busch-Zantner, a. a. O.. S. 44, u. andere

74 Das Denken in geschichtlichen Analogien auch in Goethes Bemerkung zu Fr. v. Müller, 11. 10. 1824, anläßlich von Fr. v. Raumers „Geschichte der Hohenstaufen" (Biedermann 5, S. 102): „Das Geistreichste, was er [Raumer] sagte, war, daß die jetzigen Griechenkämpfe als ein Analogon der Kreuzzüge ansehe."

75 Für E. Beutler, a. a. O., S. 617, sind nicht nur die Drohungen, es ist alles, was sich hier ereignet, ein Zauber- und Gaukelspiel des Mephisto; Beutler spricht von dem „Trugbild" der „Germanenscharen" Fausts, von seinen „Zauberheeren" und von dem nur „scheinbar anrückenden Menelaos". Vgl. Anm. 72.

76 E. Beutler, a. a. O., S. 616-17.

77 M. Kommerell, a. a. O., S. 64.

78 Der dritte Kreuzzug, 1189-1192, wurde von Richard Löwenherz, König von England, und Philipp II. August, König von Frankreich, zur See und von Kaiser Friedrich Barbarossa zu Lande unternommen.

79 Korinth wurde schon um die Wende vom 4. zum 5. Jahrhundert von den Germanen (Alarich, an der Spitze der Westgoten) erobert.

80 Vgl. R. Busch-Zantner, Fauststätten, Weimar 1932, S. 59: „Diese Szene . . . ist nur die richtige Schilderung eines historisch richtigen Vorgangs"; ferner H. Wie-

ruszowski, Das Mittelalterbild in Goethes Helena, Monatshefte für Deutschen Unterricht, Madison, Wisc. 1944, S. 78.

81 Siehe S. 318.

82 Vgl. V. 9381/82.

83 Vgl. V. 9436.

84 Goethe zu Eckermann, 18. 4. 1827, Biedermann 6, S. 104 und 105.

85 Goethe zu Eckermann, 18. 4. 1827, Biedermann 6, S. 105 f.

86 Myrons Kuh, JA 35, S. 147.

87 Goethe zu Eckermann, 20. 10. 1828, Biedermann 6, S. 354.

88 Vgl. Myrons Kuh, JA 35, S. 152.

89 Siehe auch S. 311.

90 Vgl. R. Böschenstein, Die Idylle, Stuttgart 1957, S. 1.

91 Arcadia, der erste neuere Schäferroman, um 1480.

92 Aminta, 1573 aufgeführt.

93 Pastor fido, 1590 in Venedig veröffentlicht.

94 Vgl. Epimenides Erwachen, JA 9, S. 151: „Man sieht ihn sich niederlegen und einschlafen."

95 Vgl. Das Märchen, JA 16, S. 292: „Nur die drei Mädchen waren stille; eingeschlafen war die eine neben der Harfe, die andere neben dem Sonnenschirm, die dritte neben dem Sessel, und man konnte es ihnen nicht verdenken, denn es war spät."

96 Goethe zu Eckermann, 20. 12. 1829, Biedermann 7, S. 173.

97 Paralip. 176, WA 15², S. 234:

„Doch werdet ihr dieselben alsbald wieder sehn
Durch eines Knaben Schönheit elterlich vereint,
Sie nennen ihn Euphorion, so hieß einmal
Sein Stief-Stiefbruder, fraget hier nicht weiter nach."

98 Vgl. Hederich 1770, Sp. 1073: „Ein Sohn des Achilles und der Helena, welcher in den glücklichen Inseln von ihnen erzeuget, und mit Flügeln geboren wurde. Er hatte seinen Namen von der Fruchtbarkeit des Landes."

99 Nach Art der Ammenberichte in der antiken Tragödie. Vgl. z. B. die Exposition der Amme in Euripides' Medea.

100 Shakespeare und kein Ende, JA 37, S. 37.

101 Shakespeare und kein Ende, JA 37, S. 44.

102 Shakespeare und kein Ende, JA 37, S. 41.

103 Über naive und sentimentalische Dichtung, Schillers Werke, Nationalausgabe, Weimar 1962, 20, S. 431: „Das Gefühl, von dem hier die Rede ist, ist also nicht das, was die Alten hatten; es ist vielmehr einerley mit demjenigen, welches wir für die Alten haben. Sie empfanden natürlich, wir empfinden das Natürliche."

104 Die entsprechenden Empfindungen auf seiten Helenas und Fausts gegenüber dieser Poesie auch V. 9707–08: „Wohlgefallen . . . in des Knaben mildem Schein."

105 Einwirkung der neueren Philosophie, LA I 9, S. 90 ff.

106 Glückliches Ereignis, LA I 9, S. 79 ff.

107 Glückliches Ereignis, LA I 9, S. 80.

108 Einwirkung der neueren Philosophie, LA I 9, S. 93.

109 Glückliches Ereignis, LA I 9, S. 80.

110 Vgl. W. Shakespeare, Wie es Euch gefällt, die Ardennerwaldszenen; oder Das Wintermärchen 3, 3; 4, 3; 4, 4.

111 Vgl. z. B. P. Calderón: Über allen Zauber Liebe, übers. v. A. W. Schlegel oder Echo und Narziss, übers. v. Graf v. Malsburg.

112 Einwirkung der neueren Philosophie, LA I 9, S. 93.

113 Es sind die *Künste*, die an Odysseus Lügenerzählungen (XIX, V. 203) gepriesen werden und deren die Musen Hesiods sich rühmen, Theogonie, V. 26: „Wir verstehn viele Lügen zu erzählen, die der Wirklichkeit gleichen."

114 MR 257.

115 MR 510.

116 Der Text V. 9843–50 läßt sich ohne die von E. Schmidt angebrachte Konjektur „Dem" halten. Ich lese – mit E. Beutler: „Den nicht zu Dämpfenden – welche dies Land gebar ... – (bring' es) Heiligen Sinn ...".

117 Goethe zu Eckermann, 5. 7. 1827, Biedermann 6, S. 152.

118 Goethe zu Eckermann, 5. 7. 1827, Biedermann 6, S. 152.

119 Lord Byron, George Noel, geb. 1788, nahm ab 1823 am Befreiungskampf der Griechen (1821–29) gegen die Türken teil und starb 1824 in Missolunghi. – Missolunghi selbst fiel 1825 nach blutigsten Verlusten den Türken in die Hände. Am griechischen Befreiungskampf beteiligte sich das gesamte gebildete Europa, ab 1826 England, Rußland und Frankreich.

120 MR 569.

121 Byron fiel zwar nicht in der Schlacht, sondern starb an einem Fieber. Aber er hatte von Anfang 1824 an eine Truppe von 500 Mann in Sold genommen und versuchte, zusammen mit einer Batterie englischer Philhellenen, das griechische Unternehmen gegen Lepanto, die einzige Festung in Westgriechenland, die noch in der Hand der Türken war, zu unterstützen. Die Nachricht von seinem Tode drang wie ein Donnerschlag durch die Welt, ganz Griechenland trauerte um ihn 21 Tage.

122 P. Calderón, Fegfeuer des heiligen Patrick, II, 7.

123 Goethe zu Eckermann, 29. 1. 1827, Biedermann 6, S. 39.

Register

Im „Namenregister" sind nur die historischen Personen erfaßt, nicht die zitierten Autoren der Sekundärliteratur. Personen des Dramas sind über das Inhaltsverzeichnis aufzufinden.

Das „Wortregister" verzeichnet Begriffe des terminologischen Wortschatzes Goethes sowie der interpretierenden Analyse. Um jedoch die auf die letzten beiden Akte bezüglichen Stellen nachzuweisen, sind hier „Lynkeus" und „Philemon und Baucis" sowie am Ende des Registers die Stichwörter „4. Akt" und „5. Akt" aufgenommen worden.

Lucian Hölscher

Namenregister

Wortregister

Verwirklichung 18 f., 28, 32, 34, 53, 117, 138, 269, 362

Vollkommenheit, Vollkommen 91, 131, 338, 387 A 82, 388 A 105

Vorstellung, Vorstellen 44, 82, 115, 124, 372 A 66

Vulkanismus 253 f.

Wahn 45, 80, 82, 90, 99, 109, 140, 143, 407 A 99

Wahnsinn 55, 248, 377 A 121, 379 A 138

Wahrheit, Wahr 57, 65, 99, 115, 123 ff., 137 f., 140, 142, 144, 347 f., 392 A 168

Wasser, Wässrig 28, 66, 225, 250, 256 f., 259 f., 263, 281 f.

Welt 16, 19, 26–29, 32, 67, 96, 105, 115, 125, 128, 151, 305 f., 370 A 23

Weltbezirk 29 ff., 34, 51, 56, 69 f., 106, 284 f.

Werden 201, 203, 247, 271, 325

Wert 75 f., 109, 113 ff.

Wesen 67, 99, 109, 115, 137, 373 A 74, 377 A 121

Wiederholung 199 ff., 225, 391 A 153

Wirbel, -knochen 16, 369 A 20 u. 21

Wirken, Wirkung 28, 56, 58, 65 ff., 92, 127, 143, 148 f., 197, 203, 206, 256 f., 260, 262 f., 278, 285, 300, 312, 320, 322, 375 A 87

Wirklichkeit, Wirklich 13, 15, 19 f., 28, 55, 71, 81 f., 96, 98, 110 f., 114, 120,

127 f., 136, 150 ff., 203, 235, 237, 248, 250, 283, 286, 302 f., 307, 326, 356, 358, 361, 368 A 15; siehe auch ‚Verwirklichung'

Wissen 13, 30, 45, 57, 288, 344, 373 A 71, 396 A 34

Wissenschaft 164, 168, 170 f., 176, 196

Wohlstand 72 f., 75, 108 f., 384 A 65

Wolke 305

Wollen 344, 351, 383 A 45

Wunder 80, 97, 140, 144, 150, 169, 204, 265, 340, 347, 387 A 84

Zeichen 16, 84, 126, 137, 213, 266, 402 A 27

Zeit, Zeitlich, Zeitlichkeit 20, 32, 44 f., 54, 70, 135 f., 146, 207, 209, 232, 245, 247 f., 260, 273, 283, 285, 289–291, 296, 304, 309, 312, 331, 339 f., 375 A 91, 377 A 121, 392 A 168

Zeitlos 45, 63, 283, 290

Zeugen, Zeugung, Erzeugen 96, 133 f., 136, 177, 179, 189, 269, 279, 361, 391 A 153

Zufall 15, 29, 178 f., 200 f., 368 A 15, 377 A 121, 383 A 45

Zweckmäßigkeit 337

4. Akt 30 f., 35, 38 f., 41, 46 f., 50, 52, 56 ff., 62, 69, 80, 106, 163

5. Akt 30–33, 38, 40, 45, 47 f., 50, 55, 56, 58, 157, 285, 316